G000150039

L'IRRÉGULIÈRE

Paru dans Le Livre de Poche :

ELLE, ADRIENNE

NOMADE J'ÉTAIS

OUBLIER PALERME

UN DÉSIR D'ORIENT

EDMONDE CHARLES-ROUX

L'Irrégulière

ou

Mon itinéraire Chanel

GRASSET

ISBN : 978-2-253-01416-4 – 1re publication LGF

A G. D.

« ... et puis il n'y a pas d'homme sans tragédie, il n'y a que ce que l'on en croit. Tout est costume. Tout semble fait comme on voit dans la rue, indifférent, qui traverse les clous de l'apparence. Tout sent la règle et garde son secret. »

ARAGON,

Henri Matisse, roman.

L'auteur tient à remercier ici, pour l'aide qu'il a reçue dans la confection de cet ouvrage, le baron Ferreol de Nexon, Mme Gaudin-Leclerc et M. Hervé Mille ainsi qu'en divers pays les personnalités suivantes :

En Angleterre — *Lady Diana Duff Copper. Lady Harlech. Mrs Jeremy Hutchinson. Sir Michael Creswell. Beatrix Miller. Le père Jean Charles-Roux.*

En Italie — *Le général Lombardi.*

En Allemagne — *M. Theodor Momm. Dr Carlo Schmid. Prof. Eberhard Jäckel.*

Au Canada — *Mme Wright née Fleming.*

En France — *Mme Etienne Balsan. Paul Morand. Me René de Chambrun. Maurice Goudeket. Marcel Jouhandeau. Georges Wormser. Le baron Edouard de Nervo. M. et Mme de Beyser. Mme Marcelle Campana, ambassadeur de France. Stanislas Fumet. M. le curé de Ponteils. Pierre Chanel. Marcel Genermont. L'abbé Chaudagne curé de Souvigny. La baronne Foy née Orlandi. Sheila de Rochambeau. La comtesse Dessoffy. Marguerite Vincent. Paule Gaspart de chez Caroline Reboux. Gabrielle Dorziat. Boris Kochno. Dominique Paulvé. Mme Denis. Mmes Antoinette Laget et Gabrielle Maurin, nées Chanel. Mme Lucien Chanel. Mme Valet. Mme J.-B. Reday. M. Jean Poggioli. Mlle Orsoni. Paule d'Alayer. M. Gernet, conservateur de la Bibliothèque municipale de Marseille. Marcel Bénabou.*

PROLOGUE

C'EST au sud de la France une terre jamais conquise. Effleurée seulement.

Il ne fait guère de doute qu'Hannibal lui-même... A la tête de ses éléphants et de ses Carthaginois, il opta pour un détour plutôt que d'attaquer de front la terre cévenole, cette barrière granitique, arc-boutée en travers de sa route comme un chat en colère.

Vint le temps des Césars. On se laissa romaniser, mais de loin. Et se manifesta aussi, en dépit des maigres ressources locales, un indéniable génie du commerce. C'est ainsi que le fromage des Gabalas fit les délices des tables romaines. Voilà qui vaut d'être noté. Le meilleur du tempérament cévenol est là, dans cette force à fermer son cœur à la difficulté, à la pauvreté.

Quand se disloqua l'Empire, on vit le sac de Rome par les Barbares. Mais les mêmes Barbares vinrent battre au pied des Cévennes sans les submerger... Comme si les gens de guerre redoutaient instinctivement une région qu'ils pressentaient plus ouverte aux idées qu'aux hommes. Et deux siècles plus tard, toujours à l'ombre serrée des forêts, toujours au couvert des grottes, les montagnards du Gévaudan, les pasteurs de Villefort dominaient encore, et de très haut, les vallées étroites où glissait l'ombre cruelle des cavaliers de l'Islam. Les Arabes... Eux aussi, renoncèrent.

Ainsi rien, ni les Sarrasins, ni les Anglais du Prince Noir, ni la peste, rien vraiment au cours des siècles ne troubla ces solitudes, hormis quelques pillards et les loups.

Tel est le génie d'une région si isolée du monde que s'y sont perpétués jusqu'à nos jours les caractères physiques de ses premiers occupants. Telles sont les origines de l'énigme fondamentale que pose un certain type féminin, une certaine beauté... C'est à la chevelure sombre des tribus venues d'Asie Mineure, aux cheveux drus et noirs des Gabales que les paysannes cévenoles doivent leurs airs de prophétesses. Et le port de tête qu'ont certaines femmes, là-bas... Et cette démarche à ne pas toucher terre.

Il fallut attendre l'apparition du protestantisme en France et les guerres de Religion pour que fussent remuées jusqu'au cœur ces terres perdues. On s'y faisait du christianisme une idée qui n'était jamais celle du pape. On aspirait à la pureté, à la perfection des premiers âges. La *perfection*... Cela seul vaut qu'on en meure, n'est-ce pas ? La perfection à tout prix. Alors on vit ce que recelait de rigueur l'âme cévenole, et de violence aussi...

Cathares, huguenots, camisards, fuyant devant les persécutions du pape ou celles du roi, trouvèrent à se cacher dans la nuit verte de ces forêts. Tous déclarés hérétiques, tous menacés d'extermination, mais tous recueillis, cachés, défendus au cours de luttes fratricides et si meurtrières qu'elles comptent parmi les plus sanglantes de l'Histoire.

La race intransigeante s'est perpétuée. Les Cévenols ont continué à vivre semblables à eux-mêmes. Aussi faut-il voir dans le théâtre de leurs exploits un peu plus qu'un simple accident de terrain. Chaque pierre de cette muraille trouée, cabossée à l'infini, chaque angle, chaque ravin fut refuge, abri ou sépulture.

Au cœur étaient les sources.

Un cœur granitique dont les schistes brillaient et brillent encore comme autant de soleils noirs. Là prend naissance un vent de folie qui porte jusque dans les rues d'Arles le froid des neiges, arrache les tuiles des toits, met du cobalt dans le bleu du ciel, couche les blés mûrs et fait de nos royaux cyprès de Crau de ces torches échevelées comme en peignait Van Gogh.

C'est le berceau du mistral.

C'est là aussi, dans l'éclat surprenant d'un paysage minéral, que prit naissance une famille agreste et rude, une famille impérieusement dominée par le goût d'engendrer, les Chanel.

Issue comme eux de cette place forte de l'esprit paysan, leur ressemblant par tous ses traits, si bien que les décrire c'est la décrire, ayant même type physique, même vigueur, même rage de perfection, même volupté de produire (c'est-à-dire de se survivre), même dureté, même parole autoritaire, même intransigeance, même violence et même passion, comme eux soumise, par profession, à l'ordre inflexible des saisons, et faisant, comme eux, tout dépendre de son travail, Gabrielle Chanel, fut portée à la célébrité par des milliers de femmes. Elles reconnurent chez cette fille des Causses un extraordinaire génie : celui de l'embellissement. Ce furent elles — maîtresses exigeantes, amantes inquiètes, milliardaires ou simples bourgeoises en quête d'une harmonie vestimentaire — elles, qui exigèrent de cette impécunieuse qu'elle fît de l'élégance et du luxe la quête unique de son existence, elles qui la forcèrent à entrer en couture.

Gabrielle Chanel hésita plus qu'on ne le dit.

Ce n'est qu'au terme d'une longue évolution et seulement lorsqu'elle eut compris qu'elle ne disposait point d'autre moyen de s'affranchir, qu'elle se laissa convaincre.

Son métier ? Un outil d'évasion.

Elle s'en empara et entra dans sa nouvelle vie tête baissée, en tourbillon, en torrent cévenol.

*

Nulle interférence culturelle ou savante, aucune réminiscence historique, dans le style qu'elle créa.

Elle fut un inventeur.

Les formes qu'on lui doit n'étaient rien que ce qu'elles étaient, sans clin d'œil ni allusion. Cela tenait à son refus de toute prééminence qui n'obéît à la quotidienneté, de tout fil conducteur qui ne la rattachât au vieil héritage paysan. Ce refus avait nom : bon sens.

Lorsque, éprouvant la nécessité de se référer à un élément déjà existant, elle se tournait vers un détail d'une mode ancienne, d'instinct elle s'écartait des chemins nobles pour ne s'adresser qu'à son propre passé. Aussi ne reprit-elle à son compte que ceux de ces éléments jugés jusque-là trop modestes pour être utilisés : costumes de fatigue, de travail, de mouvement. Son geste créateur était un geste de subversion. Elle refusait l'oppression du cérémonial.

Le souffle naturel qui la traversait fit la valeur d'une mode dont le moindre paradoxe ne fut point d'allier à la plus évidente fonctionnalité un raffinement extrême, cette mode qu'il est impossible de dissocier du spectacle de notre temps.

*

La vie de Chanel abonde en contrastes.

Couturière, elle se garda de la futilité; chef d'entreprise, elle transgressa toutes les règles du jeu et n'éprouva aucune gêne à excéder ses droits; modéliste, elle ne trouva matière à satisfaction que de s'être laissé plagier. Tout se passait comme si cette femme, dont chaque trouvaille se muait en or et qui comptait parmi ses fidèles des milliardaires venant d'Amérique, d'Orient, ou d'Asie, n'avait revendiqué pour seule victoire que celle d'avoir vu ses mots d'ordre repris par la rue et les petites gens.

Elle accumula une immense fortune hors de toute intimité avec ce qui aurait, logiquement, dû être son milieu : la grande industrie et ce qui s'y rattache, banque, bourse, politiciens, financiers, en un mot le pouvoir. Jamais on ne l'entendit magnifier la richesse ou exalter l'argent. Pas la moindre jubilation. Avoir, pour elle, était certainement une jouissance mais dont l'essentiel était de mesurer ce qui la séparait du temps où elle n'avait rien.

Bien que vivant un temps qui fit du déplacement une obligation professionnelle conditionnant pour une bonne part le rayonnement des grandes entreprises, elle méprisa royalement ceux qui s'astreignaient au *voyage d'affaires* et continua à ne se déplacer que pour ses plaisirs.

Elle sut reconnaître le talent des artistes les plus notables et trouva parmi eux les seules amitiés dont elle s'honora. Cependant elle se rebellait lorsque l'on confondait son métier et le leur et détestait que l'on appliquât à son propos le mot *génie*. Elle se voulait artisan.

Elle paraissait invincible et la magie de son rayonnement, son extraordinaire séduction contribuèrent au succès de son entreprise. Mais au sein de cette réussite elle vivait en exilée, ayant échoué dans ce à quoi elle tenait le plus : sa vie de femme. Et pourtant !... Pouvait-on être plus indépendante, plus *libérée* qu'elle ? Ce destin singulier fournit un démenti aux thèses qui font de l'égalité entre les sexes la condition déterminante du bonheur féminin. L'égale des hommes dans sa vie professionnelle, souvent supérieure à eux, Gabrielle Chanel fut, face aux aspirations du cœur, la plus désarmée des femmes. Le pire étant que, si le vêtement fut au centre de toute son existence, la grande affaire en fut l'amour. Un domaine où elle ne connut que désillusion.

Formée, découverte, inventée par des hommes, elle travailla toute sa vie pour les femmes sans les aimer assez pour s'oublier en les parant. Chaque personne de son sexe paraissait à cet être de passion sous les traits d'une rivale en puissance, si bien que, jusqu'à son dernier souffle, se voyant non point telle qu'elle était mais telle qu'elle avait été en ses belles années, engagée tout entière dans la guerre de plaire, Chanel se dédia en secret ses plus provocants artifices.

Chacune de ses collections était comme un retour solitaire, un long voyage inavoué dans les arcanes de son passé... ce passé dont elle ne parlait jamais.

Car ce qui plus que tout retient dans sa vie n'est pas seulement le spectacle de sa réussite, ni même sa popularité, ni l'immense audience qui fut sienne, c'est l'énigme qu'elle sut être aux yeux de tous ceux qui l'ont approchée, c'est l'épuisant labeur auquel elle s'est astreinte pour masquer ses origines. Ce qui retient (tel est du moins le sens de cet ouvrage), c'est l'art avec lequel elle sut se rendre *inintelligible* et, ce but une fois atteint, la constance avec laquelle elle demeura enfouie dans cette opération de travestissement comme dans la plus hermétique des prisons.

Elle a vécu *possédée* par sa légende.

LES ORIGINES

1792-1883

« Il est admis que la vérité d'un homme c'est d'abord ce qu'il cache. »

ANDRÉ MALRAUX,
Antimémoires.

I

LE TERRIER

PONTEILS ne compte que trois habitations si parfaitement confondues avec le paysage d'alentour qu'elles semblent nées des profondeurs de la terre. Ces toits en plaques pentues, abruptes, à demi éboulées sur lesquelles les mousses s'accrochent et noircissent, ces murs d'une rusticité massive, tous, murs et toits, faits de même pierre méchante et comme métallisée — un schiste taillé en fines lamelles et coupant autant qu'un rasoir — qu'ont-ils eu mission d'abriter ? Bêtes ou gens ? On hésite. Au fond de la vallée, de minuscules torrents s'enflent à la moindre pluie et se dessèchent au premier soleil. D'où viennent-ils ? Où vont-ils ? Mais à quoi bon savoir ? Rien ne va nulle part, rien ne passe par ce hameau. La route s'y arrête et bute contre un haut clocher, dressé comme un phare au-dessus de la houle des collines. Pourquoi cette église ? Pour quels fidèles ? La population d'un grand bourg ne suffirait pas à l'emplir... Alors que fait-elle là, dans cette solitude ?

A regarder par les portes laissées ouvertes, à surprendre à l'intérieur des maisons les marques d'une vie ancienne, — longues granges ténébreuses où pendent des licous, vieilles herses qui rouillent, charrettes à la renverse, grises de poussière et dressant vers les brèches du toit des timons nus et massifs comme des machines de guerre — on demeure confondu. Un passé laborieux nous regarde en face. Mystères de la vie paysanne. Qu'est-il donc arrivé qui ait justifié pareil abandon ? *Trulli* des Pouilles, *nouraghes* de Sardaigne avec leurs chambres fortes et leurs galeries secrètes, on évoque devant ces bâtisses dormantes tout ce que l'homme a conçu de plus mystérieux.

Ce ne sont pourtant que d'austères fermes cévenoles et, résistant à l'abandon, les souvenirs opiniâtres d'un temps où cette terre vivait et où l'on vivait d'elle.

Il est loin, ce temps-là. Un siècle bientôt qu'a commencé l'exode et que la forêt qui cernait le hameau sur plusieurs milliers d'hectares, des châtaigniers précieux comme le pain, a commencé à s'éclaircir jusqu'à ne plus former qu'une clôture défoncée.

La châtaigne... C'était elle qui assurait, jadis, la prospérité de Ponteils. On en vivait, on en vendait, on en mangeait matin, midi et soir. Elle était aliment et monnaie. Dans l'âtre chauffait un pot de terre — la toupie — où mijotait la ration familiale. Sur les clèdes séchaient les fruits dont, en hiver, se nourrissait le cheptel. Et lorsque arrivait le terme des baux et des louées et que montaient du chef-lieu les bailleurs venant réclamer leur dû, c'était en kilos de marrons qu'ils étaient payés.

Aux premiers jours d'octobre commençaient les allées et venues de tout ce qui portait roues à Ponteils, charrettes, carrioles, chargées à craquer de sacs marqués aux initiales de leurs propriétaires. F pour Fraisse... C pour Causse... V pour Vidal. A grands coups de pochoir... Car il fallait faire vite. Il fallait avoir écoulé la récolte en son entier avant que les ventes ne ralentissent et que les cours ne tombent en dessous du prix de revient. Alors une grande rumeur montait de la forêt, un incessant bourdon de voix.

Aux belles années, quand la châtaigneraie semblait

menacée d'écroulement sous le poids des fruits, les fermiers frétaient jusqu'à trente chevaux pour assurer une liaison plus rapide avec les marchés de la vallée. Car il n'y avait pas même un cheval, là-haut. Tout juste un mulet par ferme, et encore... Mais c'étaient quand même les beaux jours de Ponteils, quand même son âge d'or.

A cette époque, une petite salle et un bout de tonnelle, seul lieu de rencontre de la paysannerie locale, ne désemplissaient pas. Le débit de vin, ses longues tables, ses bancs étroits... Toute la vie du hameau se concentrait là, entre les quatre murs d'une maison qu'un soubassement d'une solidité cyclopéenne distinguait des autres habitations. Au-dessus de la porte, gravées dans la pierre du plein-cintre, deux initiales — A.B. — celles des premiers occupants de cette maison, les Boschet, et une date — 1749 — celle de sa construction, marquant aussi le temps où commença la prospérité du hameau. Mais il fallut attendre les premières années du XIXe siècle et le plein essor de la châtaigneraie pour que se transforme en estaminet cette honnête maison paysanne.

Là se sont attablés fermiers assoiffés, journaliers embauchés pour aider au ramassage, vanniers en quête de commandes, colporteurs venus de la ville pour écouler leur pacotille, et, été comme hiver, ceux que retenaient à Ponteils les soins à donner à la terre, l'ample main-d'œuvre familiale, garçons, hommes de tous âges, bûcherons, bergers, magnaniers, et puis aussi, serrés contre l'âtre, un peu tremblants, jambes légèrement écartées, les vieux de toujours, aux mains noueuses. Le cabaret... Il dominait des horizons sans fin. Y aller, c'était retrouver la vie, le bruit, l'écho de ce qui se passait ailleurs. On trouvait aussi à s'y marier. Car les pères de famille...

« Vous connaissez mon garçon... »

Vraiment, en ce cabaret, il fallait bien qu'ils aillent.

Où auraient-ils discuté plus aisément de l'avenir de leurs enfants ? Là, en présence du curé Noé Roure, s'échangeaient de ces « paumées » qui engageaient plus qu'un contrat. Ensuite on arrosait ça. Et pourquoi chercher ailleurs un témoin ? C'était toujours le même, toujours le tenancier qui s'exécutait les jours de baptême, de mariage ou d'enterrement. Et sans se faire prier. L'expérience lui ayant appris qu'une fois la cérémonie terminée, les familles... La soif, quoi... Alors, laissant la femme emplir les pichets, il allait d'une foulée jusqu'à l'église pour apposer d'une main maladroite les six lettres de son nom, au bas des actes : Chanel Joseph, cabaretier, né à Ponteils, en 1792.

Il n'est pas de nom que l'on retrouve plus souvent que le sien, dans les registres. Chanel Joseph, cabaretier... L'arrière-grand-père de Gabrielle. Il semble qu'une fois marié, il ait été aussi souvent à l'église qu'à son comptoir.

Avant cela, comme tant de paysans de la région, il avait été, en son jeune âge, à la fois journalier et artisan, tantôt chaussant les lourdes socques à dents de scie pour décortiquer au sol les châtaignes d'un voisin, tantôt, durant les longues veillées d'hiver, s'employant chez un jeune couple pour tailler, dans le bois de la forêt, le lit, l'armoire ou quelques ustensiles du ménage.

« N'aime rien que ce qui t'appartient », dira pendant des siècles le dicton cévenol. Aussi, afin d'exprimer cet attachement envers ce que l'on avait acquis à la sueur du front, fallait-il tout décorer, tout sculpter, la moindre cuillère, la moindre pelle à farine. Mettre sa marque... Usage où se manifeste un instinct animal du terrier, du nid, le sens même du passé paysan. Personne n'avait autant que Joseph Chanel le goût de cette tâche-là. Et pourtant il travaillait toujours pour *les autres*, toujours pour ceux qui, eux, possédaient terre, bois, toit sur leur tête, lit pour dormir et place déjà marquée d'une croix au cimetière. Jamais pour lui... Et sur quoi donc aurait-il pu tracer ses initiales ? Pas un Chanel qui ait possédé un arpent de terre à Ponteils, ni même une tombe.

Le sort de Joseph s'améliora lorsque, approchant de ses quarante ans, furent célébrées ses accordailles avec une fille Thomas dont la famille, qui était de Ponteils, avait un peu de bien. Une dot modeste permit à la jeune épousée de louer non point toute cette solide maison Boschet, dont les propriétaires déjà enrichis s'en allaient ouvrir un commerce dans la vallée, non, la salle commune seulement. Une grande pièce sur laquelle s'ouvraient l'âtre et le four à pain ainsi qu'une petite pièce où dresser le lit. Grenier dessus, cave en dessous, du lever au dormir il fallait s'arranger de cela, car le reste, le bûcher, le cellier, l'étable, la bergerie, la grange, la basse-cour aussi noire qu'un puits, tout cela restait aux mains des Boschet. Quel usage auraient pu en faire les Chanel ? Eux qui ne possédaient rien, ni vache, ni troupeau.

Il fallut la meubler, cette salle. Joseph fabriqua des tables et des bancs rudimentaires, sur lesquels il put enfin graver un nom qui était le sien. Il se limita à une double initiale, deux grands C formant cercle autour d'un chrisme qui était le signe de sa foi, par opposition à la colombe des protestants, en ce pays de communautés ennemies. Deux grands C... Moins d'un siècle plus tard, arc-boutés sur eux-mêmes, ils allaient devenir la marque distinctive des créations de Gabrielle et le symbole du plus vaste empire sous le ciel que jamais femme ait bâti de ses mains. Deux grands C sur les carrés de mousseline, sur les sacs, sur les poudriers, sur des riens... Cette manie qu'elle avait de tout marquer. Mais qu'est-ce qu'un être humain, après tout, sinon la somme des caractères de sa race ?

Une fois les meubles en place, Joseph Chanel se procura un vin de terroir bien fruité, que ses voisins apprécièrent. Le premier pas était fait. L'épouse se mit à son four et offrit du pain de ménage. Bientôt il y eut sur la maison Boschet une enseigne promettant à qui entrait : « Bon pain. Bon vin. Loto. Liqueurs. Bonbons. » C'était cela *le Chanel*, un cabaret de campagne.

Ainsi l'appelaient et l'appellent encore les gens du pays.

La tonnelle ne retient aujourd'hui que les derniers rameaux d'une plante étique et les grands châtaigniers demeurés debout autour de la maison portent autant de bois mort que de feuilles. L'enseigne est effacée. La salle commune, elle, n'a guère changé. Toujours le four à pain, les longues tables, les bancs étroits.

Un siècle et demi est passé depuis le temps où, dans cette salle, versait à boire l'arrière-grand-père de Gabrielle Chanel. Et après lui son fils... Et puis plus rien. Plus de portes à la bergerie. Plus d'allées et venues autour de cette maison. Et le toit coiffé de schiste, si souvent, si longtemps battu par la neige, s'incurve dangereusement. Et les volets bâillent au vent.

Face aux neiges, dans le cimetière qui ouvre droit sur la montagne, sous des dalles moussues, reposent ceux qui vécurent à Ponteils des jours laborieux, tous solidaires dans la fierté du travail et l'amour du sol. Voici les Daude, voici les Nègre et les Roux, voici les Castanier et les Sylvain Chambon, voici les Morts-pour-la-France, voici qui fut curé à Arles, marin en Afrique ou charpentier à Brest, tous revenus dans ce village, tous enfin accordés à la terre comme les pierres...

Mais pas trace du moindre Chanel.

Seul le nom est resté confondu pour toujours avec

celui d'un estaminet. Et il y a encore un ou deux vieux qui se souviennent. Ils disent :

« On prétend que jadis il y avait là un cabaret... Le Chanel. »

Avec regret.

II

UN CABARETIER ET SES FILS

TOUJOURS trop d'enfants chez les Chanel, toujours plus de garçons que de filles, plus de rejetons que d'argent et des maisons basses, pleines de pleurnicheries.

En l'an 1830 naissait, à l'estaminet de Ponteils, un premier-né, prénommé Joseph comme son cabaretier de père. Dès le printemps de 1832, au début d'avril une nouvelle naissance et un deuxième fils. Comme l'aîné, on le conduisit à l'église — Dieu d'abord... — après quoi on alla le soumettre à la loi des hommes. La déclaration eut lieu en présence du maire et de deux témoins, tous deux cultivateurs et bons clients de l'estaminet. Les parents déclarèrent vouloir donner à ce fils-là les prénoms de Paulin, Henri, Adrien. Bien. Pas d'opposition. Ce fut noté, daté, paraphé. Voilà qui était fait.

Le grand-père de Gabrielle Chanel venait de naître.

En 1835, le cabaretier fêtait une troisième naissance, celle de Jean-Benjamin, en 1837 une quatrième avec la venue au monde du petit Ernest, enfin, en 1841, une première fille naissait, Joséphine. Tels sont les noms qui figurent en tête d'une longue, d'une très longue dynastie.

On apportait sans cesse au curé de Ponteils de nouveaux Chanel à baptiser. C'est que, dans le même temps et avec une insistance toute latine, d'autres villageois du même nom, frères ou cousins, procréaient au même rythme.

Entre 1830 et 1860, pas moins d'une vingtaine de Chanel virent le jour à Ponteils et déjà on discerne chez eux un goût qui se perpétuera, pour les prénoms masculins aux consonances historiques. Tandis que, face à ces mâles, plus doués pour l'aventure que pour le travail et dont le vrai, le seul domaine était l'amour, face donc à ces Chanel Marius, Chanel Auguste, Chanel Alexandre, Urbain ou Jules-César, les fiancées de Ponteils, les filles brunes à la peau ambrée, toutes les Marie, les Virginie, les Apollonie qui leur tombaient entre les mains, seront, et cela pendant deux générations, ce qu'ont été, sans exception, toutes les épouses Chanel : des victimes, de laborieuses abeilles, assumant à elles seules tous les rôles de la ruche, à la fois femelles et nourricières, jusqu'à en mourir.

*

Nous sommes en 1850. Les Chanel étaient toujours tributaires dans leur travail de l'offre ou du refus. A l'exception de l'aîné des fils, qui succédera à son père derrière les comptoirs de l'estaminet, les autres, des sans-le-sou, des journaliers, n'étaient même pas aux ordres des hommes. Ils étaient aux ordres de la terre.

Or la terre allait mal.

Deux ennemis s'acharnaient contre la châtaigneraie, deux maladies redoutables, l'encre et l'endothia.

Les vieux, perplexes, comptaient les arbres morts.

De mémoire d'homme on n'avait vu ça ! A croire que les châtaigniers avaient la fièvre. Les feuilles se boursouflaient et tombaient. Une calamité. Le ministère de l'Agriculture ? Muet. On attendra longtemps à

Ponteils un Parisien, un spécialiste, qui jamais ne viendra. Qui se souvient de Ponteils, qui pense à ce hameau perdu ?

Alors les clients se faisaient rare à l'estaminet et les conversations maussades. On craint un mauvais sort, l'action malfaisante de quelque Satan. Ce qui est demeuré païen dans l'âme des paysans renaît brusquement. Devant la peur, les plus chrétiens ne se révèlent que chrétiens à demi. On ressort les fétiches, les remèdes de bonne femme. Les ménagères, en secret, échangent des talismans. Sur les troncs atteints que vaut-il mieux clouer ? Le corps d'une chouette ? Sera-t-il plus opérant que les quatre pattes d'une taupe ? A moins qu'un crapaud... On dit aussi qu'une croix de chardons... Le curé ferme les yeux devant ce qu'il appelle pudiquement de vieilles coutumes.

Seuls les colporteurs trouvaient avantage dans le malheur général. Les gens de Ponteils s'arrachaient la moindre brochure traitant de prophéties ou de contre-sorts. *Le Véritable Dragon rouge ou l'Art de commander aux esprits mauvais, Les Secrets merveilleux du Petit Albert ou la Magie naturelle et cabalistique* se vendaient comme jamais. A la veillée, autour de l'unique chandelle on ne lisait que ça. Mais c'était peine perdue. Rien n'y faisait.

Quelques années passèrent, à attendre, à espérer. Cependant tout a une fin, même l'espoir. Combien les changements vont s'enchaîner vite maintenant ! Et comme s'explique aisément l'abandon de Ponteils.

La forêt gonflée de richesses avec ses âpretés, ses joies, son recommencement sans fin et la confiance que l'on avait en elle, tout cela périclitait. Voilà que les arbres se mouraient. Les châtaigniers... Ce que la terre produisait de plus puissant, de plus mystérieux. A quoi bon insister ?

L'heure du départ était venue.

Les plus pauvres d'abord.

Les premiers à s'en aller furent les fils du cabaretier, les cadets : Henri-Adrien, Benjamin, le petit Ernest. Puis s'en allèrent les neveux, les cousins.

Ils partirent tous.

Commençait pour les Chanel un temps de migration et la solitude des villes.

III

UN GRAND-PÈRE AMBULANT

HENRI-ADRIEN CHANEL a vingt-deux ans lorsqu'il quitte Ponteils. Il est célibataire. Il n'a d'autre métier, d'autre connaissance que la terre et la forêt. Il va perdre l'une et l'autre et se retrouver cherchant un emploi à cinquante kilomètres de chez lui. Première chute, premier glissement.

Inactif, inconnu de tous, alors qu'à Ponteils tous le connaissaient, Henri-Adrien, pour la première fois, se sentira humilié. Va-t-il réussir à se placer ? Il séjourne huit mois au Travers-de-Castillon, un petit hameau au pied des Cévennes. Ce n'est plus la forêt ni la montagne, mais ce n'est encore ni la plaine ni la ville. Le travail est rare. On lui dit qu'à Alès... C'est vrai, Alès, les mines, la houille, l'embauche... Il hésite. S'éloigner davantage ? Ne lui dit-on pas déjà *qu'il vient de loin* ? Que sera-ce ailleurs ? Il cherche, il tâtonne. Quelque chose en lui résiste encore à l'attraction du chef-lieu, aux rêves de grande vie.

Enfin vint le jour où des cultivateurs du voisinage, les Fournier, lui offrirent un emploi. Cette veine... Un havre s'offrait : la magnanerie des Fournier, à Saint-Jean-de-Valeriscle. Il s'y rendit. Du métier de paysan Henri-Adrien aimait tout. Alors les mûriers, les co-

cons... Hélas ! les Fournier avaient aussi une fille, Virginie-Angelina, seize ans, aussitôt subornée. Faire l'amour à une fille mineure ! Le village en fut ébranlé. C'était de l'indécence, de l'immoralité. Un voyou, ce Chanel. Les Fournier menacèrent. Ils exigèrent réparation. Faute de quoi... Henri-Adrien, le grand-père de Gabrielle Chanel, risquait la prison.

Mais il ne se déroba pas. Il épousa. En présence de son père et de sa mère, descendus en catastrophe de leur montagne. Mariage hâtif, célébré à sept heures du matin à Gagnières, en 1854. Le maire était le châtelain, Alphonse de Lanouvelle, les témoins de la mariées des plus respectables. C'étaient l'instituteur et un propriétaire des environs, Casimir Thomas. Tous apposèrent au bas de l'acte une signature sans bavure. L'instituteur y alla de son plus joli paraphe. L'élégance et la froideur étaient dans la signature du maire dont le A majuscule dominait comme un donjon féodal le pitoyable gribouillis qui tenait lieu de signature au cabaretier. Quant aux femmes... L'instruction n'était pas leur fait. Angelina, pas plus que sa belle-mère, ne savait tenir une plume. Ce dont monsieur de Lanouvelle prit acte : « ... ont déclaré ne savoir signer, après lecture faite. »

Et aussitôt la cérémonie terminée, Henri-Adrien s'en alla avec sa femme-enfant le plus loin qu'il le put. Jamais il ne revit la ferme de ses beaux-parents. Chassé... Deuxième chute, deuxième glissement.

Parce qu'un de ses frères s'y trouvait — Ernest y était devenu poissonnier — c'est à Nîmes que se rendirent Henri-Adrien et Angelina, là aussi que, se souvenant sans doute de ces colporteurs indifférents aux calamités et auxquels on donnait au village le beau nom de *passants*, là qu'Henri-Adrien débuta dans un nouvel emploi. C'était plus qu'un changement de vie pour lui, presque un changement de peau : il se fit marchand ambulant.

« Henri-Adrien Chanel, autrefois cultivateur... »

Telle est la qualification, dans toute sa mélancolie, que l'on trouve, en tête de certains actes datant de cette époque et signés de sa main. L'ancien cultivateur fut désormais, selon la saison, tantôt mercelot proposant aux jeunes gens lacets et chapeaux, tantôt colporteur en babioles pour les enfants et en colifichets pour les demoiselles. Passant... Le grand-père de Gabrielle Chanel fut donc cela : un passant.

Si son aventure matrimoniale méritait d'être contée c'est pour l'avant-goût qu'elle donne de ce que seront les vies de ses fils et de ses petits-fils.

En ajoutant toutefois ceci : au fur et à mesure qu'ils s'écarteront de leur forêt natale, les mâles de la tribu Chanel perdront leurs vertus ancestrales. Très vite, la légèreté et la vantardise l'emporteront sur la probité paysanne. Très vite ils apprendront les roueries des séducteurs de grand chemin et les pratiqueront. Nombre d'entre eux suborneront des jouvencelles, comme grand-papa... Les engrosseront. Parfois sans chercher à réparer ni à reconnaître.

Il faudra aux fils Chanel des femmes, toutes les femmes, toujours. Ils les prendront sans sentiment ni scrupules.

Ils seront trousseurs de jupons et *passants* de père en fils.

*

La ville pour la première fois. Et partout la foule, partout des rumeurs inconnues.

Néanmoins, par certains aspects à peine exprimables, Nîmes suggérait encore la campagne perdue. Et pas seulement à cause du nom des rues aux sonorités bocagères — rue du Mûrier d'Espagne, rue des Orangers, rue de la Violette — pas seulement parce que des familles venues de Ponteils s'y étaient regroupées, non, pas seulement... C'était un monde d'odeurs qui évoquait le passé, quand, venant des Causses, le vent soufflait sur la garrigue et portait jusqu'au parvis de Saint-Castor le parfum dù chêne vert et de la mélisse. C'était cela les chemins irréels par lesquels les Chanel de Ponteils s'en retournaient chez eux.

Ils vivaient le nez au vent.

Henri-Adrien et Angelina trouvèrent à se loger au 4 de la rue du Bât-d'Argent, dans la proximité immédiate du marché central. Leur maison avec son écurie et, encadrant la porte basse, deux auges en pierre, semblait attendre le passage d'invisibles troupeaux. C'est que cette ruelle avait longtemps servi de rendez-vous aux marchands de bestiaux. Maison étrange entre toutes. Les caves, un dédale de voûtes fantomatiques et de murailles énormes, avaient dû servir d'abattoirs. On y remarquait des traces de sang, et les dalles du pavement ressemblaient à des tables de sacrifice.

C'est là, rue du Bât-d'Argent, qu'en 1856 fut conçu Albert, le père de Gabrielle Chanel.

Le moment de sa délivrance étant venu, Angélina, qui avait dix-neuf ans, se rendit à l'hospice d'Humanité de Nîmes. Son mari ? Absent, retenu sur un champ de foire. Elle était seule lorsqu'elle accoucha de son premier enfant. Et pourtant... Nombreux étaient les Chanel établis à Nîmes. Mais aucun cousin, aucun parent ne vint au chevet d'Angelina. Comment faire et où déclarer son fils ? Trois employés de l'hospice, dont l'un était âgé de soixante-dix ans, s'offrirent pour aller à sa place faire enregistrer la naissance d'Albert. Le plus jeune fut le déclarant, les deux autres servirent de témoins. Mais le déclarant se trompa et fit inscrire le nouveau-né sous le patronyme de Charnet, ce qui par la suite lui causa mille ennuis. Et la signature des témoins ne figura pas sur l'acte. « N'ont pu signer », nota l'officier d'état civil, selon l'usage. Les témoins étaient analphabètes.

A peu de chose près, et dans quelque ville que ce fût, les Chanel des générations suivantes naîtront dans des conditions analogues. La famille ? Toujours logée dans la proximité immédiate du marché central et toujours misérablement. L'accouchée ? Toujours à l'hospice et toujours seule. Le père ? Toujours « en voyage ». Et les témoins signant d'une croix.

Gabrielle Chanel, en cela, ne fit pas exception.

IV

L'EXODE RURAL

NIMES s'annonçait bien. On pouvait y vivre dans l'ombre des ruelles et *entre soi*, c'est-à-dire entre Cévenols. Les clans de Ponteils s'y étaient plus ou moins reformés. Il y avait le clan des Castanier dont les deux filles, Olympe et Julienne, ne faisaient jamais un pas l'une sans l'autre, tandis que leur frère, Bonaparte, avait trouvé à s'employer au parc d'artillerie. Il y avait le clan des Magne dont le fils Charles était magasinier chez un marchand de vêtements. Il y avait les solitaires de Ponteils, restés solitaires à Nîmes, Bonaventure Cucurule, le vacher, devenu limonadier, et Zélie Dessous, la fille mère, devenue fille de joie. Il y avait même des citoyens plus considérables, chassés eux aussi par quelque calamité naturelle, bétail parti au fil de l'eau, récolte brûlée, ainsi la belle Artémise du clan des Bouzigue, toujours en bonnet ruché, enrubanné, et dont le mari, Ulysse, de fermier qu'il avait été, s'était retrouvé employé aux écritures dans une fabrique de réglisse.

Mais il y avait surtout le clan des Chanel, établis à

quelques rues les uns des autres, tous à proximité de la place aux Herbes et tous pourvus d'une femme-enfant en perpétuel état d'enflure. Car Angelina n'était pas seule à procréer. Ses belles-sœurs, petites filles aux gros ventres, allaient, elles aussi de grossesse en grossesse.

C'est ainsi qu'une nouvelle douzaine de Chanel, tous cousins, virent le jour non plus à Ponteils cette fois, mais à Nîmes. La volonté d'engendrer était forte chez eux et semblable à un sentiment religieux. Comme au temps où la fortune pendait, une fois l'an, aux branches des châtaigniers, les Chanel, bien que devenus citadins, n'étaient pas encore arrachés à la peur immémoriale de l'éphémère, qui est celle de tous les paysans du monde. Les voilà, à Nîmes, se reproduisant à raison d'un enfant par an... et même plus. Car il arrivait que naissent, ayant même père et même mère, deux Chanel, l'un en janvier l'autre en décembre de la même année. Et le nom de Joseph était toujours donné à l'aîné, hommage des exilés au chef de la tribu, à l'aïeul, le cabaretier de Ponteils qui vieillissait lentement dans le souvenir des rires perdus et des midis chantants sous la tonnelle.

Or se manifesta une première fissure entre membres du clan. Les sédentaires se différencièrent de plus en plus des itinérants et cela jusqu'à les perdre de vue. Car tandis que certains réussissaient à se muer en artisans ou à se glisser dans le petit commerce par la plus basse porte — et ceux d'entre eux qui, à force de ténacité, réalisèrent leur rêve (une minorité), ceux-là, que l'on trouve toujours logés aux alentours des gares, parviendront, au terme de deux générations, à devenir employés aux chemins de fer, l'emploi le plus rémunérateur auquel ait jamais pu prétendre un Chanel — les autres, roulant sans cesse d'un marché à l'autre, demeuraient semblables à eux-mêmes : des migrants.

Le grand-père de Gabrielle Chanel fut de ceux-là. Il quitta Nîmes avec sa femme et son nouveau-né, un an à peine après y être arrivé. Bientôt — c'était le métier qui voulait ça — d'année en année, de saison en saison, il changea de ville et de maison.

Comment oublier que c'est de cette fraction errante du clan qu'est issue Gabrielle ? En bonne logique, on aurait pu s'attendre à trouver ses aïeux parmi ceux qui, introduits dans le petit commerce, avaient pignon sur rue. Mais telle n'est pas la vérité. Il faudra toujours s'en étonner.

*

Où était le temps où des générations successives naissaient, vivaient et mouraient dans le même village ? La vie d'Henri-Adrien Chanel, de sa femme et de ses enfants, se déroula au fil des routes, mais sans rien perdre d'une sorte de saveur de terroir qui tenait sans doute à ce qu'ils ne s'écartèrent guère du Midi, région où le marché, son parfum, ses cris, c'était bien toujours un peu la fête au village.

Jamais Henri-Adrien ne s'aventura au-delà d'une frontière imaginaire qui interdisait au Méridional qu'il était de déployer ses éventaires en des lieux où la cuisine était faite sans huile, les toits sans tuiles et où le vent ne soufflait pas à tout emporter. Ses enfants naissaient au hasard des haltes et le plus souvent dans le Gard : Louise — celle qui, un jour, allait accueillir Gabrielle après qu'elle aura perdu sa mère — était née en 1863 en pleines Cévennes, Hippolyte en 1872 à Montpellier, Marius en 1877 à Alès...

Ainsi le grand-père de Gabrielle n'allait-il jamais bien loin. Il voyageait comme il avait travaillé les champs : le nez fixé sur le calendrier, et ses itinéraires relevaient du vieux flair paysan. Mais ni les derniers soleils ni les premières gelées ne le guidaient désormais. Il n'était plus assujetti qu'aux fêtes de la terre, et à tout ce que la foi campagnarde, cet immense besoin de croire et d'espérer, avait su y ajouter.

Autour des années 1860, un Chanel de Ponteils guettait en amont du jour le piétinement annonciateur des assemblées paysannes. Ce bruit ? Bêtes et gens prenaient la route et s'en allaient à pas lents, les bœufs devant. Ces marques sur son almanach ? Le rappel des dates où tel bourg allait fêter les moissons, telle corporation son saint patron, où des guirlandes allaient être tendues en travers des rues et, sortie de l'église, une statue vénérée, en robe de velours, parée comme une idole. Alors il se déplaçait aussi. Il lui fallait suivre la même route et se hâter. Car, pas une de ces très chrétiennes réjouissances qui ne fût jumelée avec une foire.

Par ici, messieurs dames, par ici, avancez ! Cantiques et chansons à boire, chapelets et pipes en sucre, procession et chevaux de bois, encens et parfum des gaufres, génuflexions et concours de grimaces, tout allait de pair. Il fallait ces éventaires parés comme des reposoirs, il fallait que se confondent homélies et flonflons, il fallait ces marchés, il fallait ces fêtes du désordre pour assurer la subsistance des grands-parents Chanel. Et cela jusqu'à la mort d'Henri-Adrien à quatre-vingts ans passés

Et c'est à cette école-là que furent éduqués ses enfants. Car pour ce qui était de l'autre, la vraie... L'école, ils n'y allèrent guère. Le temps d'étude de Louise, comme celui d'Albert, fut bref. Limité aux mortes-saisons. Quelques mois, par an, ces janviers et févriers où le travail sur les marchés était si réduit que le père suffisait amplement à la tâche. Et l'on s'émerveille qu'en dépit d'une instruction aussi sommaire ils aient l'un et l'autre su lire et écrire.

V

UNE FAMILLE A RENIER

Le père de Gabrielle Chanel et sa sœur Louise ne se ressemblaient guère. Louise était plus fine, plus sage aussi. Enjouée, adroite et vive, avec un sens profond du devoir, elle tenait de sa mère : elle était Fournier jusqu'au bout des ongles. Tandis qu'Albert Chanel ressemblait à son père. Même cou bien planté, même nez court, même tête au front volontaire, mêmes cheveux noirs et drus. Et pour ce qui était du caractère ! Violent comme son père, hâbleur et comme lui coureur.

Associés dès l'âge de dix ans et cela jusqu'à leur majorité, Albert et Louise vécurent sans être jamais séparés tout au long de leurs jeunes années. Leur servitude fut plus dure qu'on ne le pense. Elle ne se limitait pas à charrier des paniers familiaux ni à faire office de crieurs quand battait son plein la saison des foires. En d'autres saisons, en temps de fauchaison, de moissons, de vendanges, ils allaient se louer ensemble dans les fermes. Louise prêtait main-forte à la ménagère devant ses fourneaux, Albert allait aux champs avec les paysans. Ainsi s'arrondissait le pécule familial. Faut-il voir dans cette adolescence laborieuse l'origine d'une entente qui ne se démentira jamais ?

On demeura longtemps unis dans cette branche-là de la famille.

Le père de Gabrielle Chanel ne quitta le foyer de ses parents que le temps de se présenter dans une caserne, de demander la rectification de son état civil — car c'était sous le nom fallacieux de Charnet qu'il avait été tiré au sort —, d'obtenir par jugement, en date du 21 janvier 1878, de ne plus être désigné que sous son nom véritable, celui de Chanel, et, aussitôt libéré, de revenir enfin auprès des siens.

Il ne se sépara définitivement de ses parents qu'à vingt-huit ans pour se marier, dans des circonstances qui rappellent étrangement celles du mariage de son père. Un peu aggravées toutefois.

L'âge ne l'améliora pas.

Albert ne vécut que pour séduire, engendrer, fuir et recommencer.

Sa sœur Louise, qui fut son bon génie, ne se maria qu'à vingt-quatre ans. Le fiancé, originaire de Ponteils, était employé aux chemins de fer. Leur futur gendre fit aux Chanel, éternels errants, l'effet d'une sorte de fonctionnaire pouvant compter sur un fixe mensuel — ce paradis ! — et, qui sait, sur de l'avancement. N'était-il pas Cévenol de surcroît ? Louise faisait un bon mariage.

Le promis était fixé à Clermont-Ferrand et c'est là, dans cette grande ville, qu'il fallut aller, là que le mariage eut lieu en présence de la famille réunie et du Tout-Ponteils. Alors, face à ce futur gendre, et pour ne pas déchoir, le père de la mariée au moment de l'établissement de l'acte, se donna pour négociant. Cela sonnait quand même mieux qu'ambulant. Le frère de la mariée, Albert Chanel, revenu en famille pour la circonstance et qui servit à sa sœur de témoin, en fit autant. Tous négociants... Seule, Angelina, la mère de la mariée, refusa de passer pour ce qu'elle n'était point. Depuis le temps lointain de son mariage, elle n'avait toujours pas appris à écrire. A quoi bon le nier ? Alors elle refusa de signer.

« A dit ne savoir », nota une fois de plus l'officier d'état civil.

*

Nous voici à quelques années de la naissance de Gabrielle Chanel.

Que d'inexactitudes dans ce qu'elle raconta ! Et comment ne pas évoquer ici son habileté à captiver ceux qui l'écoutaient. Elle les observait avec la férocité satisfaite d'une araignée à l'affût. Mais elle savait aussi les mépriser et du fond de l'âme. Trop crédules ces proies, trop faciles... Tout pour elle était plus important que la vérité.

Il est intéressant de constater que l'on chercherait vainement parmi ses confidences celle où elle aurait avoué ses humbles origines. Paysanne, elle ? Jamais le nom du hameau qui fut celui de ses ancêtres n'a franchi ses lèvres. Tantôt elle se donnait pour Auvergnate comme ses aïeux... qui ne l'étaient pas, tantôt pour Provençale comme son père... qui ne l'était pas non plus; tantôt elle se disait de sang protestant comme une grand-mère... qui ne l'était pas davantage. Elle forgeait sa légende avec une obstination désespérée et, poussée jusque dans ses derniers retranchements, cette femme dont on savait tout, les amis, la fortune, les liaisons, les opinions, les goûts, les succès, les chagrins, les échecs, cherchait encore, au terme de sa vie, à travestir ses origines, et à brouiller une dernière fois les pistes, ne fût-ce que de quelques kilomètres.

Comment cette bavarde qui aimait à se raconter, comment ne fut-elle jamais tentée d'avouer ce qu'avait été la vraie vie de ses grands-parents, puis celle de ses parents, cette lutte opiniâtre plongeant si loin dans le passé de son pays ? Ses aïeux ? Des rocs semblables à ces stèles de la région d'Alès, ces statues-menhirs, et, comme elles, demeurés solides et enfoncés droit dans le sol. Quelle raison Gabrielle eut-elle de les renier ? Et à partir de ce reniement tout le reste... Reniés l'injustice, l'oubli, la pesante inégalité dont les masses paysannes avaient toujours été victimes. Renié tout ça... Et reniée aussi leur longue marche vers une destinée meilleure.

Pourquoi préférer à ces origines-là le tissu de banalités dont elle souhaitait faire sa biographie ? A-t-elle sincèrement cru que de pareilles platitudes allait naître sa légende ? Penser à celle qui fut sa mère et se reposer sur ce souvenir comme sur une épaule... Penser à Jeanne l'obstinée, fille d'une couturière et d'un menuisier, Jeanne l'orpheline... Se peut-il qu'il n'y ait jamais eu place pour sa mère dans la mémoire de Gabrielle ? Et son jouisseur de père ? N'eût-il pas mieux valu le donner pour ce qu'il était, plutôt que d'aller s'inventer un père de mauvais roman ? Mais Gabrielle Chanel n'avait pas les franchises d'un Maurice Chevalier qui, d'une voix digne, à la question : « Et votre père, monsieur ? » répondait : « Il était ivrogne... », comme il eût dit « Notaire » ou « Avoué ».

Mentir. Décidément voilà ce qu'aura été la constante préoccupation de Gabrielle Chanel. Mentir aux journalistes qui l'interrogeaient, mentir aux écrivains de qui elle attendait qu'ils rédigent ses mémoires, mentir à ses amis qui, eux, ne lui demandaient rien.

Nous verrons quel traumatisme il faut tenir pour responsable et de quelle nature fut la déception à laquelle elle dut la honte permanente de ses origines. Amour, ambition, espoir, autant de domaines où des déconvenues successives firent d'elle, pendant la plus grande partie de sa vie, une parricide virtuelle.

VI

UN PÈRE AVENTUREUX

ALBERT CHANEL poussa très loin l'esprit de commerce, beaucoup plus loin que son père.

La vie d'ambulant et ses hasards lui convenaient.

Et d'abord quitter le Gard. Pourquoi se rouiller à Alès ? Il y avait mieux à faire. Gourmand de foires, de vins et de femmes, Albert devina ce que pouvaient offrir des provinces plus riches et plus peuplées.

Il alla vers le Nord.

Il en tâta prudemment et s'arrêta pour commencer en Ardèche, le département voisin. Il y avait à Aubenas un petit vin de coteau qui se laissait boire. Une denrée rare. Des vignes ayant échappé au phylloxéra, cela ne se trouvait pas à tous les tournants autour des années 80. Le faire circuler, ce vin, en procurer aux guinguettes du voisinage, pourquoi pas ? Devenir une sorte de commis voyageur, ajouter cette corde à son arc : le vin... Le vin, la bonneterie, les bleus de travail, les tabliers de ménagère, tout cela pouvait fort bien s'accorder sur un champ de foire. Telles étaient les idées d'avenir qui germaient dans l'esprit d'Albert. Décidément Aubenas avait du bon. Mais ce n'était quand même pas le Pérou. Allons, il fallait s'aventurer plus loin.

Toute son enfance, Albert avait entendu parler des foires qui marquaient, au Puy-en-Velay, la fête d'une certaine Vierge dont la statue colossale avait été coulée dans le bronze de 213 canons, pris à Sébastopol par les soldats de Napoléon III. L'effigie de la Bonne Dame de Septembre avait été dressée sur un pic, en 1860, quatre ans après la naissance d'Albert. Toujours ses parents avaient rêvé de cette foire. Y aller...

Albert découvrit enfin cette ville sainte et son gigantesque roc. Il y déploya ses éventaires. Quel monde ! C'était l'été. Tout le département était là. On ne pouvait rien rêver de mieux. Pas une église des parages, pas un monastère, qui ne possédât aussi sa Vierge Noire, tant soit peu miraculeuse. Elles étaient si nombreuses ces Vierges, que les dimanches de septembre ne suffisaient pas à les honorer toutes. Il y avait fête, en divers lieux, chaque jour de la semaine.

Et voilà qu'Albert Chanel pénétra dans cette région de France où la foire a valeur de culte. Le voilà, sillonnant cette province bénie.

Il ne fallait rien négliger. Il s'arrêta partout.

C'est ainsi qu'il arriva à Courpière. Un jour de foire, bien sûr, la dernière de l'année. Soudain tout lui parut clair. Les rives de la Dore, le village aux ruelles étroites, ces maisons de pierre et de bois dominant la vallée, bien rangées autour de l'église dans cette ordonnance précise qui semble n'exister que pour faire de bonnes cartes postales, la grand-place où les forains avaient déjà installé leur tir, tout cela l'attendait. Et le garde champêtre ? En tenue des grands jours, blouse, baudrier et bicorne, le « Père la Loi », terreur des garnements, oui, le garde champêtre l'attendait, et tous les conscrits de l'année, un bouquet à la boutonnière, et le montreur d'ours, et toutes les rosières, sagement alignées.

La mauvaise saison approchait. Albert Chanel décida de prendre à Courpière ses quartiers d'hiver. Il trouva à se loger, en novembre 1881 chez Marin Devolle, menuisier, fils de menuisier, et qui avait de la place à revendre chez lui.

A l'époque de leur rencontre, Marin avait vingt-trois ans, et Albert vingt-cinq. Les deux jeunes gens se lièrent d'amitié. Marin avait hérité très jeune de l'atelier de menuiserie de son père. Il avait dix ans lorsque sa mère était morte et dix-sept à la mort de son père. A vingt et un ans, soutien de famille, il avait échappé à la conscription. Sa jeune sœur, Jeanne, bien que recueillie par Augustin Chardon, un oncle maternel, n'en dépendait pas moins de Marin. C'était lui le chef de famille. La jeune fille se destinait au métier de couturière, qui avait été celui de sa mère. Elle passait chaque jour chez Marin dont elle assurait le ménage.

Très vite, Albert se conduisit en coq de village. Il avait une assurance, un prestige que Marin n'avait pas. Albert avait été soldat, il avait de l'expérience, il avait aussi des souvenirs, la parole facile, un bel accent, l'imagination fertile, il savait disserter avec les femmes d'âge et babiller avec les filles du village. Il les charma toutes. Jeanne surtout, qui n'était jamais sortie de Courpière. Cet homme de nulle part donnait à sa vie un sens nouveau.

Une nuit, il lui demanda de l'attendre dans l'obscurité d'une grange. Elle fut la conquête invisible et silencieuse qu'il souhaitait.

Mais les jours rallongeaient et Albert avait de bonnes raisons de s'en aller. La saison des foires reprenait. Bientôt la Saint-Vincent, fête des vignerons, bientôt la Chandeleur, ses crêpes et les cierges qui par centaines allaient dissiper les ombres hivernales au pied des Vierges Noires, bientôt la Saint-Blaise, patron des laboureurs, et les lentes processions à travers champs, bientôt... Bientôt le Carnaval et ses villes pleines de bruit. Ah ! les villes, les villes, vite ! Et fuir les soupirs de Jeanne qui devenaient embarrassants. S'en aller...

En janvier 1882, Albert plia bagage et disparut sans laisser d'adresse. Mais il laissait à Courpière quelques cœurs brisés, beaucoup de regrets et une jeune fille de dix-neuf ans, enceinte : Jeanne Devolle.

*

Lorsque la faute de Jeanne devint par trop évidente son oncle, le vigneron, en homme respectable, la chassa. Elle trouva refuge auprès de Marin, dans la maison où elle était née.

Toute la difficulté consistait à retrouver Albert Chanel. Il fallut que le maire s'en mêlât. Victor Chamerlat, dont une rue de Courpière porte encore le nom, fit de son mieux pour calmer l'ardeur vengeresse du fils Devolle. Comment ne pas tenir compte qu'il y avait un Devolle clerc de notaire ? Et puis la famille tout entière était estimée. Il était temps d'intervenir. Obtenir du vagabond sans scrupules, de cet aventurier de Chanel, sinon le mariage du moins la reconnaissance de l'enfant, c'est à quoi le maire de Courpière allait s'employer.

Or Albert Chanel avait laissé quelques traces de son passage. Il y en avait à la mairie... Toujours la même histoire, la rectification de son état civil. Un souci qui le poursuivait partout. Bien que le jugement eût été transcrit sur les registres de Nîmes, il fallait à chaque erreur commise, écrire, contrôler, demander un certificat paternel. Chamerlat avait fait le nécessaire. Et puis comme Albert disait vouloir se fixer à Courpière il l'avait inscrit sur les listes électorales. On avait donc connaissance du nom et de l'adresse du père d'Albert Chanel à la mairie de Courpière. Il y avait aussi quelques renseignements du même ordre chez le notaire. Car Albert Chanel était allé assez loin dans le projet de se faire transmettre une partie du commerce d'une marchande de beurre. L'adresse du père, celle de la mère, leur état civil, cela suffisait amplement.

Quelques mois s'écoulèrent avant que l'on eût découvert où logeaient les parents du coupable. Le forain et son épouse changeaient d'adresse aussi souvent qu'en leur jeune temps.

Les voici quand même à Clermont-Ferrand, où Henri-Adrien et Angelina sont enfin avertis des exigences de Courpière. Leur fils ? Ce n'était pas la première fois que les Chanel étaient mis en demeure. Quelle bêtise avait-il encore faite, ce chenapan d'Albert ? Mais, cette fois, ses parents firent la sourde oreille. Tant d'enfants leur étaient nés depuis la venue au monde de cet Albert ! Des fils et des fils... S'il avait fallu les surveiller tous ! Alors les parents Chanel prétendirent ne rien savoir.

Et Jeanne s'impatientait.

Elle était à un mois de son accouchement.

Encouragés par le maire, Marin Devolle et deux de ses oncles s'en allèrent à Clermont-Ferrand. Il s'agissait de mettre Henri-Adrien et Angelina au fait de la situation : Albert avait engrossé une jeune fille.

Ainsi les hommes de Courpière arrivèrent la menace à la bouche. Ils iraient jusqu'au bout et, s'il le fallait, ils obtiendraient satisfaction par les tribunaux. Ils en avaient les moyens.

Angelina imagina aussitôt le pire. Albert, son fils Albert ? Expédié à Cayenne, aux travaux forcés ? Terrorisés, les parents Chanel avouèrent enfin : le coupable était à Aubenas.

Les portes de l'espoir s'ouvraient pour Jeanne. A peine renseignée, elle se précipita. Défense à quiconque de s'entremettre. Ce n'était pas en le menaçant que l'on ferait céder Albert. Elle seule pouvait avoir raison de ses réticences.

Jeanne Devolle arriva à Aubenas aux tout derniers jours de sa grossesse. Albert avait élu domicile au cabaret. C'était là qu'il vivait, là qu'il traitait ses affaires. Ce fut là, qu'à peine arrivée, Jeanne Devolle accoucha d'une fille, à huit heures du soir.

Le père accepta de reconnaître l'enfant tout en refusant d'épouser la mère. Il voulait bien d'une compagne pas d'une épouse. Mais fallait-il donner une forme officielle à de pareilles turpitudes ?

Alors on décida de faire comme si...

Jeanne fut déclarée l'épouse légitime du sieur Albert Chanel. Le limonadier qui les logeait, mis dans la confidence, accepta d'en témoigner. Et c'est ainsi que Julia Chanel, sœur aînée de Gabrielle, née le 11 septembre 1882 *à la guinguette commune d'Aubenas*, fut déclarée de parents mariés.

Encore qu'insuffisant, c'était plus que n'en avait espéré Jeanne.

VII

UNE MÈRE FAUTIVE

RETOURNER chez elle après ça ? Comment aurait-elle pu ? Courpière ne serait plus désormais que visages détournés, froideur, lourd silence du cousin Etienne, clerc de notaire, propos désobligeants de la cousine Claudine, cuisinière, et de l'oncle cultivateur. Jeanne le savait. Il ne fallait plus y songer.

Les ponts étaient coupés.

Quant à Albert Chanel, il chercha à mettre autant de distance que possible entre lui et une province où se dessinait la double menace du voisinage de ses parents et de ceux de Jeanne. Et puis la chance semblait lui tourner le dos : ses affaires étaient mauvaises. La présence de Jeanne faisait fuir les bonnes fortunes.

Le métier de forain exige que l'on vive dans le refus d'admettre qu'existent des dissemblances entre les marchés d'une ville et ceux d'une autre. Toutes les villes, tous les marchés ne se ressemblent-ils pas ? La vie d'Albert Chanel est pleine de ces sortes de certitudes qui le portaient vers l'inconnu comme marche un somnambule.

Qu'imaginait-il en cette fin d'année 1882, lorsqu'il décida de traverser la France de bout en bout ? Qu'attendait-il de Saumur ? Ce n'était pas seulement une fuite en avant. C'était l'atavisme du grand-père cabaretier qui s'éveillait en lui, le vieux rêve d'Albert de s'établir dans une région vinicole pour y tenir commerce. C'était aussi le désir de se débarrasser de Jeanne. Allait-elle affronter un pareil voyage, s'aventurer à la suite d'un homme qui n'était même pas son mari, et cela en traînant avec elle un nouveau-né ? Oserait-elle ?

Albert se disait que peut-être...

C'était mal la connaître.

Jeanne n'avait pas le choix. Albert partait, il ne lui restait qu'à le suivre car il n'eût pas plus tôt tourné les talons que le tenancier de la guinguette les aurait jetées à la rue, elle et son enfant. Tout effort pour combattre son projet était donc inutile. Mais, fort de ses droits d'homme, Albert Chanel n'entendait pas l'épargner. Ainsi, elle s'obstinait. Elle voulait le suivre ? Elle le voulait tout à elle ? Elle l'aurait... Sa fille n'avait pas trois mois que Jeanne Devolle était à nouveau enceinte. Et en janvier 1883, elle arrivait à Saumur, plus dépaysée que jamais, cherchant à la fois un logement et un emploi.

*

Saumur... Voici cette ville dans toute sa majesté et voici la Loire, le plus beau don, peut-être, que la nature ait fait à la France.

Et si l'influence d'un cadre, même provisoire, même ne tenant qu'au hasard, si cette influence pouvait être prouvée ? On aimerait alors définir ce qu'un être doit à son lieu de naissance et, s'enfonçant dans la connaissance du cadre et de ses particularités, réunir assez de certitudes pour, sinon cerner une personnalité, du moins l'éclairer dans ses zones les plus obscures. Alors, chaque parcelle du cadre se chargerait de significations insoupçonnées.

Ainsi Saumur, où naquit Gabrielle Chanel.

Que devait à cette ville, facétieuse comme un pensionnat à la veille des vacances, stricte comme un couvent et tout entière consacrée au culte de l'art équestre, que devait à Saumur Gabrielle Chanel ? Jamais elle ne nia qu'en sa folle jeunesse, sa seule, son exclusive passion avait été le cheval. Née en 1883, est-ce absurde de découvrir entre elle et la ville comme une complicité ? Est-ce hasard qu'elle y soit née en un temps où l'enseignement que l'on y pratiquait se réclamait du plein air autant que du manège, elle qui toute sa vie allait s'appliquer à faire triompher une sorte de liberté et très précisément un esprit de plein air qui sonnait le glas des falbalas.

Il est difficile de refuser le moindre sens à ce qui semble des hiatus; car une conduite humaine découle mystérieusement d'événements qui lui sont antérieurs et dont elle naît comme une fleur de sa tige. Or, il est un fait que 1883 fut une année d'influence d'outre-Manche. Cette année-là, Saumur importait massivement des hunters, les selliers de l'Ecole se mettaient à fabriquer des selles anglaises et les écuyers adoptaient — ô scandale, ô révolution — le trot enlevé de préférence au trot assis, principe jusque-là sacro-saint de l'école française. Dans les salons de Paris, les mots *bals, tir au pigeon, réception, promenade* étaient bannis, puisque la mode voulait que l'on dise *night-party, gun-club, raout* et *footing*. Et les dames ne parlaient plus de ce drap, couleur de fraise écrasée qui faisait fureur à Londres, puisque c'était *lady-cloth* qu'il fallait dire. Et elles n'allaient pas non plus déjeuner, on *lunchait*.

Commençait ainsi le règne d'une fascination anglaise dont, quelque trente ans plus tard, allait naître l'art de Chanel.

C'était aussi l'époque où l'uniforme des cavaliers gagnait en rigueur. Plus d'habit en soirée, plus d'épée en grande tenue, mais un dolman à brandebourgs, et le képi détrônait définitivement le shako. Quant à l'infanterie, elle supprimait l'épaulette, qu'elle remplaçait par une tresse en passementerie et des boutons dorés... ô Chanel !

Les modes du Second Empire, ses cavaliers d'opérette, leurs outrances de sabreurs sans finesse, disparaissaient des rues de Saumur. Mais imagine-t-on aujourd'hui ce qu'était alors cette Mecque du cheval ? Ne lui était-on pas redevable de ce qui semblait miracle : la renaissance de la cavalerie française ? Aucune arme n'avait plus qu'elle souffert d'une guerre qui demeurait présente dans toutes les mémoires. Comment l'aurait-on oubliée ? La défaite, les Prussiens à Paris, l'empereur déchu, les Tuileries brûlées, cela remontait à moins de treize ans. Et c'étaient les traces de ces souvenirs que l'on s'appliquait à effacer à l'époque où naissait Gabrielle.

Saumur, quand le faux ménage Chanel s'y installa, était la seule ville de France où des magasins restaient ouverts jusqu'à la nuit de longtemps tombée. Maîtres et élèves régnaient sur la cité du cheval, qui vivait d'eux et pour eux. Ce qui les liait ? Un contrat en forme d'idylle. La population tout entière se soumettait au rythme de la vie militaire.

Ainsi les *fournisseurs attitrés de messieurs les Officiers* se tenaient-ils toujours prêts, jusqu'à fort tard, à satisfaire les fringales des fêtards, des fils de famille, leurs envies de dernière minute et de soupers fins. Et cela, bien que les jeunes gens en question se fussent toujours montrés plus pressés d'être servis que de s'acquitter de leurs dettes. Personne ne l'ignorait... Pas même les péquins, les cochons de civils qui voyaient leurs achats sans cesse majorés. Payaient-ils pour la cavalerie ? Comment en douter ? Mais qu'importe ! Et que n'auraient-ils fait pour soutenir le moral de l'armée ?

Telle était Saumur, en 1883, qui ne se livrait au sommeil qu'une fois éteintes les lumières des beuglants et tues les dernières chansons : après qu'on eut fait silence au Café des Arts, ce haut lieu de la gaieté saumuroise, et que la Blanchisserie ainsi que l'hôtel Molière avaient fermé leurs portes. Et encore... Encore fallait-il qu'il n'y eût point boucan, cette nuit-là, bons tours, farces énormes et cris de la sage-femme dont on déménageait l'enseigne pour la remplacer par l'écusson du général commandant l'Ecole. Ah ! ce n'était pas une ville de grasse matinée ! On s'éveillait avec les premières sonneries, quand élèves et palefreniers couraient jusqu'aux écuries où les chevaux, sentant venir l'heure, s'ébrouaient... La plus belle heure de Saumur. Cette heure où le jour s'annonçait dans des odeurs de cuir, de foin et de paille remuée, l'heure où Jeanne Devolle quittait son domicile, la petite Julia au bras, et se hâtait, elle aussi, vers son lieu de travail. L'ouvrage ne manquait pas à Saumur, et Jeanne, dont l'air d'honnêteté inspirait confiance, avait trouvé sans trop de mal à monnayer ses connaissances. Et comment faire autrement ? Sa grossesse autant que la garde d'un nouveau-né lui interdisaient les longues stations, debout, dans le froid du marché. Aussi, jusqu'à la naissance de Gabrielle, lui fallut-il renoncer à suivre Albert Chanel sur la place de la Bilange. Car c'était là qu'il déployait son éventaire, là qu'il proposait cache-corset, maillots de corps et flanelles de santé, à grands renforts de boniments, d'œillades et de galanteries adressées aux dames.

Tandis que Jeanne, dans l'air encore enténébré du petit matin ? En cheveux et tablier à gros plis, le ventre lourd de cette Gabrielle qu'elle portait, et lourde à son bras Julia, elle se dirigeait vers ces maisons où l'attendaient tantôt les profondeurs d'une cuisine tantôt l'ordre blanc, la faible odeur de gros savon et la moiteur d'une buanderie, tantôt...

Il n'y a pas de malheur ordinaire. Il n'y a que des malheurs d'époque. Les déboires de Jeanne sont marqués au sceau de son temps. Lutter, pour obtenir un emploi de fille de cuisine, de repasseuse ou de servante, n'avoir connu de l'hôtel du Commandement, où régnait le général Danloux, que l'office, de la demeure du commandant de Bellegarde, l'écuyer en chef, que les fourneaux, et lorsque cela ne suffisait encore pas, faire quelques heures de plus ici ou là, exercer d'autres métiers, celui de lingère à la Maison des Trois Anges qui abritait un pensionnat de jeunes filles, celui de plongeuse à l'hôtel du Belvédère qui, en plus des officiers, recevait les passagers des *Inexplosibles*, ces bateaux à vapeur qui circulaient sur la Loire, telles furent, entre autres gagne-pain, les besognes auxquelles s'astreignait Jeanne, dans les premiers temps de son séjour à Saumur.

Qui dira jamais jusqu'où la conduisirent sa force et les exigences de sa faim ? Se résigna-t-elle, comme certains l'affirment, à accepter les tâches qui s'offraient dans des rues déshonorées ? Faire des ménages rue du Relais, ou dans le quartier des Ponts ? Maisons pour officiers, maisons pour hommes de troupe... Jeanne lessivant, blanchissant, Jeanne charriant des piles de draps, astiquant des escaliers où ne retentissaient le pas des clients qu'après que la voix de la sous-maîtresse eut crié : « On peut ? », Jeanne courbée sur des lits douteux, Jeanne aussi étrangère là qu'ailleurs, aussi décontenancée dans ces maisons closes que dans la salle commune de l'hôtel du Belvédère, aussi mal à l'aise « Au grand 3 » de la rue du Relais que parmi les jeunes filles de la Maison des Trois Anges, dont la fraîcheur et la grâce lui remettaient en mémoire le temps de Courpière, son temps de pureté, lorsqu'elle courait jusque chez Marin dans sa jupe légère, son devantiau noir, et son corselet étranglé. Jeanne écoutant, Jeanne entendant mais ne comprenant rien à ce qui se disait autour d'elle. Qu'avaient-ils à tant se chamailler, ces officiers qu'elle servait ? Quelle était cette guerre dont il n'était question qu'à Saumur ? Une guerre d'éperons et de cravache... Jeanne étrangère aux mots, comme une sourde-muette, ballottée au sommet des hautes vagues que soulevait la querelle jamais éteinte entre auristes et bauchéristes [1]. Que pouvait-elle y comprendre, Jeanne ? Le ton montait à peine certains mots prononcés : bouche, gratter... La bouche de qui et gratter quoi ? Des poings s'abattaient sur la table. Les verres tremblaient. Jeanne se précipitait un torchon à la main. Mais qu'avaient-ils à se passionner de la sorte ? Des forcenés, ces cavaliers, des fanatiques. Pourquoi fallait-il que ceux du clan de l'éperon soient traités de garçons bouchers par les autres, ceux du clan de la cravache ? Ils affirmaient : « La cravache suffit bien ! » Aussitôt des cris. Les partisans de l'éperon accusaient leurs adversaires d'exercer des représailles honteuses : « Cravacher un cheval, le battre ? Et puis quoi encore ? » Comme si la cravache était faite pour s'en servir ! Les éperons suffisent bien...

Les repas se terminaient dans un bruit de portes claquées et Jeanne s'en retournait chez elle, sans trop comprendre si la douleur errant dans son corps était

1. Le comte d'Aure (1799-1863) et M. Baucher (1796-1873). Célèbres écuyers, dont les méthodes avaient des principes opposés. Les cavaliers français se divisèrent en deux camps ennemis. Auristes et bauchéristes ont discuté pendant un demi-siècle et avec une violence inouïe, des qualités respectives de l'enseignement de ces deux maîtres.

fatigue ou désarroi de ne pouvoir participer à ce qu'elle voyait, et à ce qu'elle entendait pour la première fois.

VIII

UN FAUX MÉNAGE

JEANNE et son amant avaient trouvé à se loger dans une maison à deux étages dont ils n'occupaient qu'une mansarde, ouverte au nord. Entre eux et les deux marchés de Saumur, le marché de la Bilange où se fournissait l'aristocratie locale et, beaucoup plus populaire, le marché au décor médiéval de la place Saint-Pierre, il y avait tout juste un trajet de quelques minutes et l'adresse d'Albert Chanel était, en cela, bien conforme aux traditions familiales. C'était, dans une rue commerçante et au sein d'un quartier vétuste, une de ces maisons qui se creusent de vieillesse, s'efflanquent, fléchissent mais qui néanmoins tiennent debout. Et elle tient encore, toute pareille à elle-même avec ses trois ou quatre mètres de façade, ses fenêtres hautes et étroites et, montant jusqu'à elles les appels des marchandes de quatre-saisons : « *O scarole, ma belle scarole ! A chetez ma scarole belle !* »

Pas de porte d'entrée à cette maison, mais un couloir très sombre ouvrant sur la rue et allant directement à l'escalier qui conduisait aux étages. Comme à Nîmes, où avait été conçu Albert Chanel, cette maison faisait partie d'un décor planté depuis trois siècles au moins, prise qu'elle était entre des façades aux voûtes légères, aux ravissants encorbellements, de vieilles, de très vieilles bâtisses serrées les unes contre les autres et au-dessus desquelles s'élevait et s'élève toujours, tout en haut d'une ruelle tortueuse et grossièrement pavée, l'indestructible château. Mais comment les Chanel auraient-ils pu savoir qu'à quelques mètres de leur soupente, au fond d'une courette assez maussade, vieillissait entre de beaux meubles Marie Augustine Nivelleau en qui les historiens locaux reconnaissaient le modèle d'*Eugénie Grandet*... Sans doute, dans leurs incessants va-et-vient, Jeanne Devolle et Albert Chanel foulèrent-ils sans révérence aucune le « petit pavé caillouteux » de cette ruelle où Balzac planta le décor du plus populaire de ses romans.

Le 19 août 1883, en grande précipitation, Jeanne Devolle se rendit seule à l'ancienne Maison-Dieu. En travers du haut porche qui, jadis, avait défendu l'accès d'une maladrerie des chevaliers de l'ordre de Saint-Jean, était gravé en majuscules d'or le mot *Hospices*. La chapelle piquée comme une guérite en plein milieu d'une cour grise et sévère était ce qui sautait aux yeux en premier, soulignant le caractère religieux d'un établissement dont le service était assuré par les sœurs de la Providence. Il est possible, mais nullement prouvé, que Jeanne, ayant été prise de douleurs fort brusquement, n'ait pas eu le temps de se faire hospitaliser et ait accouché de Gabrielle dans le bureau des entrées. Nous ne saurons jamais ce qu'il faut penser d'une anecdote qui alimenta pendant des années les conversations du personnel de la maison Chanel. Mais ce qui, par contre, ne fait nul doute est que la signature d'Albert Chanel ne figure ni sur l'acte d'état civil ni sur l'acte de baptême. Le père était-il *réellement* absent comme cela fut déclaré à l'aumônier de l'hospice ? Ou cette absence fut-elle feinte afin de faciliter une déclaration erronée ?

Le 20 août il fallut conduire la nouveau-née à la mairie. Mais à qui confier cette tâche ? Une fois de plus, par la faute d'un Chanel, une femme seule venait d'accoucher à l'hospice. Moyennant quelques sous des personnes sérieuses offrirent leur secours : une vieille fille, Joséphine Pèlerin, âgée de soixante-deux ans, deux hommes, Jacques Sureau, soixante-douze ans et Ambroise Podestat, soixante-deux ans, tous trois employés à l'hospice. Rendre service aux mères solitaires était dans leurs habitudes, ils y trouvaient leur avantage. En présentant la petite Gabrielle à l'adjoint au maire, ils annoncèrent qu'elle était née d'un certain Albert Chanel, marchand, et d'une marchande nommée Jeanne Devolle, domiciliée au 29 de la rue Saint-Jean, avec *son mari*. N'étant pas en mesure de fournir la moindre pièce officielle — mais comment s'en étonner et n'était-il pas normal que ce fût le mari, le père, l'absent qui gardât par-devers lui le livret de famille ? — témoins et déclarants ne furent pas en mesure de préciser l'orthographe de Chanel. L'adjoint au maire, après quelques hésitations, improvisa. C'est ainsi que Gabrielle fut enregistrée avec un *s* à son nom. Après Charnet, Chasnel... Une tradition familiale se perpétuait. Vint, avec le moment de signer, une nouvelle surprise : personne ne savait écrire. Sur trois employés de l'hospice, trois analphabètes. Il ne restait à l'adjoint qu'à le constater par écrit selon la formule consacrée — *n'ont pas signé le présent acte avec nous, lecture faite, ayant dit ne savoir* — puis à apposer son nom au bas d'un acte qui ne comportant point d'autre signature eût été sans cela une sorte d'acte anonyme.

Le 21 août était jour de baptême. L'aumônier de l'hôpital se déplaçait en cette occasion. Il quittait une cure toute voisine. Il était vicaire d'une des plus anciennes et des plus belles églises de Saumur, Notre-Dame de Nantilly. Ce fut lui qui, entre autres nourrissons, baptisa Gabrielle. Cela se passait dans la chapelle des Hospices face à une œuvre capitale de Philippe de Champaigne, *Siméon recevant l'enfant Jésus à l'entrée du temple*, scène géante dressée au-dessus des fidèles réunis ce jour-là dans la petite église. Les quatorze personnages rassemblés sur cette toile dominaient donc la cérémonie et parmi eux, centre visible et invisible, une longue et svelte figure féminine, la Vierge, dont la grâce mystérieuse est toujours signalée aux amateurs de beauté. Un parrain et une marraine de complaisance, Moïse Lion et la veuve Chastenet, présentèrent la fille de Jeanne Devolle sous le nom de *Chasnel*. Le vicaire de Notre-Dame n'eut aucune raison de mettre en doute le *légitime mariage* dont cette petite fille était issue puisque c'était ce qu'affirmaient les déclarants. Le père était en voyage, la mère hospitalisée, aucun des deux n'était natif de Saumur. Le prêtre rédigea en bonne foi un acte qui ne dérogeait en rien aux traditions de la tribu errante. La famille était absente, le nom faux, l'état civil également, et le parrain seul fut en mesure de signer, la veuve Chastenet *ayant déclaré ne savoir*.

Soixante ans plus tard, Gabrielle Chanel comptait sur la crédulité de son auditoire pour accréditer une anecdote selon laquelle la religieuse, chargée de la porter sur les fonts baptismaux, l'avait appelée Bonheur dans l'espoir que ce prénom refléterait le paysage de sa vie. Rien de moins vrai. Jeanne — qui était le prénom de sa mère et de sa marraine — et Gabrielle sont les seuls prénoms figurant sur l'acte. Mais cette invention était bien dans la manière de Gabrielle qui, pour défendre le secret de son passé, ne parvenait à altérer la vérité qu'en amalgamant actions fausses et personnages réels. Si bien qu'en dépit de ses efforts il était souvent possible de glaner dans ses récits des indications exactes. Ainsi l'épisode du prénom imaginaire tient compte des habitudes qui prévalaient à l'époque dans les établissements hospitaliers desservis par un ordre religieux et laisse place à un personnage réel, cette sœur de la Providence qui toujours assistait au baptême des enfants nés aux Hospices.

Et rien n'interdit de supposer que ce fut à une religieuse, laissée libre de le choisir, que Mlle Chanel dut ce prénom de Gabrielle signifiant en langue hébraïque, force et puissance, et qui, si l'on en croit l'onomancie, *assure aux femmes qui le portent un rayonnement durable.*

IX

VIVRE À SAUMUR

L'ANNÉE qui va s'écouler sera pour Jeanne et pour ses deux filles une année d'exception, la seule qu'elles vivront ensemble ailleurs que sur les routes, la seule où ne défileront pas les unes après les autres, les villes du Berry, du Limousin ou du Velay, une année qui ne laisse aucun doute sur leur présence continuelle à Saumur.

Bien que vivant au pays de la vigne et en dépit de ses aspirations, Albert Chanel n'est toujours pas marchand de vins. Il n'est qu'*ambulant* se déplaçant en carriole d'une foire, d'un marché à un autre, vivant dans l'attente imaginaire d'une grande réussite financière. Il ne doit qu'à Jeanne d'avoir un foyer, un toit, qu'à elle aussi d'être aidé chaque fois qu'il fait halte chez elle, car, le printemps retrouvé, Jeanne pour qui dévouement et amour vont de pair, s'enrôle sous ses ordres et de plus en plus souvent, marchands et chalands voient les amants de Saumur réunis derrière leurs tréteaux.

Aux deux petites filles, ce régime de plein air réussit. Julia fait ses premiers pas, Gabrielle est sevrée depuis peu, quant à Jeanne, que le travail et les maternités n'ont pas encore épuisée, elle a été bonne nourrice, bonne mère et compagne avisée.

Dans les photographies qu'Eugène Atget, artiste ambulant, consacrait, quelques années plus tard, à d'autres ambulants, les artisans de la rue, il y a une Jeanne dans ces photos, Jeanne à s'y méprendre et aussi, jusqu'en leurs moindres détails, il y a ce que fut le décor de ces marchés, de ces halles en plein vent où Gabrielle vécut les premiers mois de sa vie. Inutile de chercher à imaginer puisque à la lumière d'Atget tout est là, fixé à jamais. Ces femmes, cette silhouette amaigrie de jeune marchande derrière ses paniers, son visage hâlé levé vers les passants, sa fillette de quelques mois assoupie au creux de son coude, cela pourrait être Jeanne, c'est elle, tenant Gabrielle endormie, ce sont ses cheveux sagement tirés que le vent défait, les mèches folles formant comme un halo autour du visage, c'est le petit chignon des campagnardes tout rond, posé sur l'occiput, c'est sa jupe de coutil, sa blouse en cotonnade défraîchie, c'est son col rabattu qu'un lien tient fermé au ras du cou et la manche ample, avec un volant timide qui l'encercle à hauteur du coude.

Cette image nous en apprend sur l'enfance de Gabrielle plus que ne saurait le faire une longue description. Elle n'appartient qu'à Jeanne, cette façon d'être, et aux gens de sa condition. Je ne sache pas qu'il y ait eu dans les rues de ce temps-là, à l'exception peut-être des cardeuses de matelas, des tondeuses de chien et des manouches, plus pauvre métier de femme que le sien. Jugez-en. Comparez entre elles les photos d'Atget, regardez, voyez, avec les yeux du photographe, combien faraude est la porteuse de pain en tablier amidonné, combien douillettement vêtue est la marchande de fleurs en caraco et bonnet, les épaules bien au chaud sous la double pointe de son châle. Tandis que Jeanne... Toute la misère du XIXe siècle finissant est là, dans la silhouette d'une femme assise à terre offrant sa pauvre marchandise et rien ne pourra faire qu'il en soit autrement.

Je dis que la misère de Jeanne c'est ce quelque chose dans le regard qui se dérobe et dénonce, ce sourire qui n'en est pas un, — douze ans plus tard, au sortir des mines anglaises les enfants-ouvriers souriaient aux frères Lumière du même sourire forcé —, c'est le geste si las de la main, abandonnée sur le bord du panier, la marque profonde que laisse dans le tablier le poids d'un nouveau-né et personne à qui le confier, l'enfant toujours porté, la faim de cet enfant, ses cris, sa fatigue, son sommeil et tout aussitôt le poids renouvelé de la deuxième née, la même faim, les mêmes cris, après Julia, Gabrielle. Mais ce qui reste à imaginer est, sur l'enfant, sur l'innocence de ce petit corps, la beauté que jette sur toutes choses la lumière parfaite de Saumur... Cette caresse. Je dis enfin que l'avenir de cette petite fille, aussi inimaginable soit-il, n'en est pas moins marqué de façon irrémissible par ce qui paraissait une tare aux yeux de ses contemporains : la pauvreté des siens.

Ainsi le voulait le noir mépris de l'époque.

Ce que sera la vie de Gabrielle ? On me dira que c'est anticiper que d'en parler. On me dira... Mais qu'importe, puisque l'image qu'offrait Saumur au jour de sa naissance contenait la vie de Gabrielle en devenir. Jugez-en... Voyez dans l'ignorance où ils vivaient les uns des autres, les êtres qui *faisaient* la ville, ces gens qui *étaient* Saumur en 1883 et que la petite fille endormie dans le giron de sa mère ne voit pas. Ecoutez le bourdonnement du marché, chaque cri des vendeuses chaque jour, formant le bruit quotidien qui l'a bercée, écoutez le soufflement impatient du cheval attaché à la carriole dételée et partout, à toute heure, dans chaque rue, un joyeux tintement, celui des éperons de Messieurs les officiers aux prises avec le pavé caillouteux de Balzac. Voyez-les, sûrs d'eux et de leurs bottes. Voici les stagiaires étrangers, les Russes surtout, jeunes Crésus qui, un jour, seront chevaliers-gardes de Sa Majesté le tsar. Voici de fabuleuses sommes expédiées chaque mois de Saint-Pétersbourg par des mères inquiètes et, à Saumur, l'ahurissement de la demoiselle des postes, voici un concours de bouteilles cassées dont on parlera longtemps au Café de la Renaissance — du champagne, Madame, et qu'ils ne prenaient même pas la peine de déboucher — enfin voici les Français. Ceux-là n'ont en tête que leur cheval et leur maîtresse. Si la petite fille endormie eût levé le nez de sa bavette ! Peut-être eût-elle aperçu la calèche d'une de ces... Voyez les courtisanes de Saumur, voyez-les. Mieux valait tomber mort à la guerre que vivant dans le lit d'une de ces *femmes*. Les familles en tremblaient. Et si le jeune homme allait s'enticher ? Dieu fasse qu'au moment de quitter Saumur il se résigne à rompre. On l'encourageait, on lui facilitait la tâche. Allons, allons, mon garçon, ces *femmes-là* ne sont pas épousables. Céder une maîtresse à un camarade qui garantissait à l'abandonnée même train et même calèche, ainsi se terminait d'ordinaire une idylle saumuroise. Alors les inquiétudes s'apaisaient et les têtes marieuses se remettaient à penser.

Hélas ! plus d'un officier, plus d'un fils de famille s'était laissé embobiner. C'est que la tentation était grande. Partir en garnison avec armes, maîtresse et bagages sous prétexte qu'on allait à Sétif et que, mon Dieu, Sétif ce n'était que l'Afrique, alors l'Afrique... Pourquoi pas ? Précédent fâcheux, détestable exemple donné jusque-là par des stagiaires de la première distinction. Ainsi, il y avait de cela trois ans, M. de Foucauld [1], Charles, sorti sous-lieutenant. Un bringueur !

1. On oublie souvent qu'élève de l'Ecole de cavalerie Charles de Foucauld se distingua d'abord par la longueur de ses cigares et son goût pour la bamboche. Affecté à Sétif, il y afficha une liaison. La répréhension de ses supérieurs l'incita à quitter l'armée. On connaît la suite. Le débauché se fit missionnaire et mourut en odeur de sainteté, assassiné par les Touareg.

Il avait rejoint son poste avec l'une de ces... Les partisans du convenable se voilaient la face. Sétif ou pas, c'était le collage, l'enlisement, un beau parti qui se perdait. Ah ! non, *ces femmes-là* n'étaient pas dignes d'être aimées...

Eût-elle ouvert les yeux à l'instant où l'une d'elles passait, qu'aurait pu comprendre à tout cela la fille de Jeanne Devolle ? Et Jeanne elle-même ? Comment imaginer que vingt ans plus tard des officiers en tous points identiques — car jamais ils ne changeront —, de jolis cavaliers, fréquentant les mêmes beuglants, chantant les mêmes chansons, ayant de l'amour, de la vie, de la mort la même idée légère, seront les premiers amants de la petite fille endormie. Faire de Gabrielle une de *ces femmes-là* ? Quel mal à ça ? N'y en avait-il pas toujours eu ? L'encourager à tenir ce rôle, la contraindre en lui démontrant qu'elle avait la tête à des ambitions inaccessibles, à des rêves disproportionnés, lui donner, en même temps que peur d'elle-même, conscience de la distance irréductible qui la séparait d'eux et des bonheurs avouables, voilà quel fut le rôle des joyeux fils de famille.

Nous les retrouverons tout au long de la jeunesse de Gabrielle comme on retrouve le bruit de la mer au fond d'un coquillage.

N'eût-elle reçu du hasard ce qu'il fallait d'imagination et de hardiesse pour se libérer de leur empire, sans doute eût-elle renoncé à se forger un autre destin.

JEUNESSE DE GABRIELLE
1884-1905

« ... elle était changeante. De cette épithète à celle de *mauvaise tête*, le plus grand anathème en province, il n'y a qu'un pas. »

STENDHAL,
Le Rouge et le Noir.

I

UNE ENFANCE HORS LES MURS

En juillet 1884, Jeanne se vit offrir ce qu'elle n'espérait plus : le mariage.

Encore qu'il ne songeât ni à se ranger ni à s'assagir, Albert se résignait à régulariser. Il le fallait bien. Jeanne était à nouveau enceinte.

Le mariage eut lieu à Courpière, le 17 novembre 1884 en présence de ceux qui étaient intervenus en faveur de Jeanne au début de sa liaison comme de ceux qui l'avaient persécutée. L'officier d'état civil était le bon maire en personne, Victor Chamerlat. Marin, frère dévoué, et Augustin Chardon, l'oncle, qui deux ans auparavant avait chassé Jeanne de chez lui en la traitant d'effrontée, faisaient office de témoins pour la mariée, tandis qu'un cafetier — Albert Chanel en avait toujours un dans sa manche — assistait l'époux.

Bien que le souvenir de la démarche vengeresse des hommes de Courpière les eût laissés sur leurs craintes, les parents Chanel étaient présents eux aussi N'était-on pas venu les menacer à domicile ? Depuis cette époque, ils avaient jugé bon de mettre quelque distance entre eux et ce fils embarrassant.

Disparaître était une pratique dans laquelle tous les Chanel excellaient. Aussi père et fils s'étaient-ils pratiquement perdus de vue.

Mais le mariage changeait tout et il n'en fallut pas

davantage pour que la bonhomie campagnarde reprît ses droits. Voilà que ce chenapan d'Albert faisait une fin et, qu'à peine l'affaire conclue, il déclarait deux enfants qu'il reconnaissait pour ses filles : Julia et Gabrielle.

Il ne restait qu'à les inscrire en marge de l'acte de mariage de leurs parents. Ce qu'on fit aussitôt. Mais la surprise était grande.

Alors, comme s'il ne voulait pas demeurer en reste, Adrien Chanel annonça qu'il avait, lui aussi, des raisons de se réjouir — il fêtait ses trente ans de mariage — et, lui aussi, de quoi surprendre : il venait d'être père.

Ainsi Albert apprit-il le jour de son mariage qu'il avait une sœur de l'âge de sa fille.

Elle était née à Saintes et s'appelait Adrienne.

De sa vie, Gabrielle n'allait avoir meilleure amie.

*

Or la vie du nouveau couple reprit comme par le passé, à cette seule différence qu'il existait dans une mairie de province un acte certifiant qu'Albert et Jeanne étaient mari et femme.

Maigre satisfaction. Car, pour le reste... Quoi de changé ?

Albert était de caractère fort inégal. Il ne manifestait sa tendresse qu'à l'instant d'embrasser sa femme et de disparaître. Pour l'emmener, il fallait qu'il eût besoin d'elle au point de ne pouvoir faire autrement, mais le plus souvent, Jeanne était laissée seule à l'écouter partir. Elle entendait le pas du cheval qui s'éloignait et se demandait toujours si Albert reviendrait.

Elle n'ignorait ni son côté coq de village ni ses forfanteries. Pour se donner plus d'éclat dans son rôle de séduction, Albert travestissait ses origines, négligeant de mentionner le caractère irrémédiablement forain de sa famille, affirmant qu'on y possédait du bien, des vignes et que son vrai métier était le négoce du vin. Pendant ce temps, Jeanne attendait. Elle l'attendait indéfiniment.

La grande difficulté était de choisir une ville autour de laquelle « tourner » et, et cela fait, de trouver à s'y loger. Le couple fit l'expérience de divers chefs-lieux de canton dont l'activité plus paysanne qu'industrielle pouvait leur assurer une certaine aisance. Aucune de ces villes n'offrait un marché couvert. On y travaillait exposé à toutes les intempéries, les marchandises étalées en plein vent trempées, sous des parapluies qui les protégeaient mal.

Rien de plus stable en France que l'emplacement du marché, lieu de travail qui a souvent présidé à la naissance de nos villes. Son ordonnance obéit à une tradition plusieurs fois centenaire : tout en haut de la place les marchandes de légumes, sur les côtés bouchers, charcutiers et marchands de fromage, enfin au centre et sur une double rangée, ces marchands de confection, de chapeaux ou de tissus parmi lesquels se tenaient Albert Chanel et souvent ses parents. Car il lui arriva, plus d'une fois de retrouver, travaillant comme lui, sur la même place, son père, sa mère et auprès d'eux des frères, des sœurs qu'il ne connaissait pas encore.

Mais ce qui importait autant que l'existence d'un marché était qu'il y eût le chemin de fer. Au moins pouvait-on être certain qu'en s'établissant dans cette ville on y trouverait mouvement, commerce, industrie.

Issoire, où Jeanne et Albert séjournèrent peu après leur mariage, répondait à toutes ces exigences à la fois. Le train y passait et la place du marché était comme une vaste arène que cernaient des maisons aux quadruples génoises.

A Issoire, base de leurs pérégrinations pendant plus

de deux ans, les Chanel occupèrent deux logements successifs, l'un comme l'autre fort modestes et situés hors de l'ovale presque parfait qui était celui de la ville, après avoir été le tracé de son enceinte médiévale.

Jamais il ne faut perdre de vue l'enfance faubourienne de Gabrielle Chanel. Petite fille, elle a grandi *hors les murs* de toutes les villes qu'elle a habitées.

A Issoire, son père témoigna d'une préférence pour les carrefours. Il se voulut adossé aux anciennes portes de la ville, dans des quartiers que la campagne dominait plus qu'à demi. Ses fenêtres ouvraient sur le paysage rassurant des routes et des chemins, comme se serait ouvert, sous ses yeux, l'inventaire des lieux possibles où l'aventure l'attendait.

Il n'était pas l'homme des bonheurs étouffants : Albert Chanel appartenait au voyage.

Il lui fallait ce paysage pour supporter l'intimité familiale, les cris des petites filles, les nausées de Jeanne, ses malaises, lorsque approchait le terme de ses grossesses, les soucis d'argent, tout ce qui cessait enfin à l'instant où il partait.

Les séjours d'Albert chez lui n'étaient, entre deux évasions, qu'une forme d'attente mal dissimulée.

Nous trouvons Albert Chanel et sa famille installés d'abord rue du Perrier, face à la route de l'Ouest, celle qui conduisait aux villes dont les noms se terminent en *ac*, aux petits marchés campagnards qui sentent la truffe et le fruit, face au Limousin.

C'est là, rue du Perrier, que le 15 mars 1885, naquit un premier fils. Quelle sorte d'homme allait-il être, cet enfant ? Pouvait-on imaginer pareil avenir ? Trimardeur à l'accent rocailleux, homme plus aventureux que jamais ne le fut son père, buveur, joueur, il fut aussi le seul frère auquel Gabrielle témoigna de l'attachement, Alphonse, son préféré, celui qui toujours sut la faire rire et l'émouvoir, celui pour lequel, jusqu'en 1940, elle eut toutes les faiblesses.

Quelques mois plus tard, voici Jeanne, Albert et leurs trois enfants déménageant vers un autre carrefour, les voici rue du Moulin-Charrier, tournés, cette fois, vers le sud et vers les monts d'Auvergne.

Tant de choses se sont passées depuis le temps où Gabrielle grandissait là, sous un toit si vieux déjà qu'il semblait être prêt à glisser dans le bief de la rivière. Et pourtant cette maison est toujours debout, imposant à l'esprit l'image de ce que fut le décor sans douceur d'un âge tendre. Mais on chercherait en vain une explication au hasard qui a préservé jusqu'à nos jours une bâtisse qui est tout ce qui survit d'un quartier disparu.

C'était dans une ruelle humide, un logement situé non loin des chemins de halage, le long de la Couze de Pavin. Un bas quartier. N'habitaient là que des artisans, et tout ce qui se fabriquait dans cette rue se vendait, le samedi, au marché. Quelques roues, que l'eau mettait en mouvement, tournaient encore : les derniers moulins... Divers personnages s'affairaient, les uns à tailler des échalas, d'autres, les fabricants de chandelles, à couler du suif. Les voisins des Chanel tissaient le chanvre que leur apportaient des paysans. Les derniers tisserands à façon, le dernier chanvre roui et tillé en famille... Il y avait des ciriers qui se disaient seuls, en France, à savoir fabriquer le « véritable cierge romain ». Il y avait des fabricants de chapeaux, chez qui se fournissait Albert Chanel. Il y avait enfin des cordiers, des potiers, des cloutiers dont le soufflet était actionné par un chien, cheminant inlassablement à l'intérieur d'une roue. Les derniers clous forgés à la main, le dernier chien de forge...

C'est au contact de ces humbles réalités que s'écoula la petite enfance de Gabrielle et parmi ces artisans-là que naquirent ses premiers compagnons de jeu.

Lorsqu'en 1887 vint au monde une troisième fille, Antoinette, la situation financière des Chanel ne s'était guère améliorée. Plus que jamais la garde des enfants incombait à Jeanne dont la santé se détériorait. Elle respirait avec la plus grande difficulté. Alors se décida le départ.

II

SOUFFRANCE ET MORT DE JEANNE

UNE famille prolifique, vivant entre les murs d'un garni, retrouve brusquement l'air pur : c'est le retour à Courpière.

Pour Jeanne, voici venu la fin du dépaysement, les retrouvailles avec le petit monde de sa province, pour Gabrielle comme pour Julia la découverte de la campagne, et quelques années de bonheur. Quant à ce qui attirait Albert à Courpière...

Rien, sinon l'espoir que Jeanne y prît racines et qu'il pût enfin recouvrer sa liberté.

L'oncle Augustin que nous voyons figurer sur les actes de l'époque tantôt en qualité de *propriétaire*, tantôt de *jardinier* — sans doute sa *propriété* n'était-elle qu'un *jardin* — possédait une maison. Il recueillit sa nièce. Qui n'en eût fait autant ? Cette Mère Courage, charriant quatre mioches et un mari rebelle aux vertus domestiques, inspirait une bienveillance inquiète. Elle n'avait jamais été vigoureuse. Voilà qu'elle revenait au pays avec les yeux jusqu'au milieu des joues. Le souffle lui manquait, ses crises de suffocation n'étaient pas sans rappeler à Augustin Chardon les souffrances dont était morte sa sœur Gilberte, la mère de Jeanne. Etait-elle atteinte du même mal ? Allait-elle vivre sous la menace permanente de l'asphyxie ?

Augustin Chardon ne se trompait pas.

Jeanne Devolle, comme sa mère, souffrait d'une forme d'asthme qui n'avait cessé de s'aggraver avec les années. Mais on est en droit de s'étonner que sa fille Gabrielle se soit acharnée à la dépeindre sous les traits d'une tuberculeuse aux mouchoirs tachés de sang. Nul doute qu'en prêtant à Jeanne Devolle la mort de la dame aux camélias, elle pensait lui accorder une fin de meilleur ton. Dans son esprit, l'état de poitrinaire conférait à Jeanne Devolle une qualité indiscutable : cela faisait effet, donc c'était bon. « Faire pleurer Margot » était un des rouages essentiels de la mécanique narrative chanélienne.

Pour guérir, il eût fallu que Jeanne renonçât à « tourner » avec Albert et qu'elle demeurât à l'air de Courpière, dans les odeurs de campagne et le chant des oiseaux. Mais l'absence de son mari était pour Jeanne une telle source d'anxiété ou d'irritation qu'elle ne pouvait s'y résoudre Pourquoi s'arrêter ? Les enfants n'étaient-ils pas en mains sûres désormais ? Elle les laissa à la garde d'un vaste entourage familial.

Voilà donc Jeanne, en dépit des soupçons et des querelles, s'épuisant à suivre Albert. Peu importait qu'elle fût malade. Il s'agissait moins, pour elle, de guérir que de ne jamais le quitter.

La paix du cœur l'avait définitivement abandonnée.

Si grande était sa peur de s'éloigner qu'elle ne se risquait même plus à quitter son domicile pour accoucher. C'est ainsi qu'en 1889, elle mit au monde un fils pendant la foire de Guéret. Une fois de plus elle logeait en garni et une fois de plus dans un cabaret de campagne. Ce fut là, *en la guinguette commune*, que naquit Lucien comme était née Julia.

Pendant ce temps, Gabrielle passait à Courpière les meilleures années d'une enfance avare en joies.

Elle avait six ans le jour où sa mère revint de Guéret avec un petit frère en surplus. Mais le moyen de s'intéresser à lui ! Antoinette, elle non plus, ne comptait guère. Elle marchait à peine. Tandis qu'avec Julia, d'un an son aînée [1], et Alphonse de si peu son cadet... A eux trois ils formaient un groupe qui suffisait bien à faire de Courpière une fête perpétuelle.

De courses échevelées à travers la campagne, de menus travaux accomplis aux côtés du bon oncle Augustin — les enfants l'aidaient à brouetter, à arroser, à défricher —, de la découverte de l'étude sur les bancs d'une école amicale où les trois aînés se rendaient ensemble, naquit dans l'esprit d'une enfant gaie et espiègle une notion de bonheur toute nouvelle. A Courpière, Gabrielle apprit à connaître une existence de petite provinciale, libérée des criailleries maternelles, débarrassée de l'atmosphère d'irritation et de suspicion qui avait été jusque-là l'essentiel de son climat familial.

Pauvre Jeanne... Vint le jour où il fallut renoncer à ses allées et venues entre Courpière et l'époux endetté, versatile, brutal qui, bien que la recevant avec des coups, se voyait contraint à l'engrosser pour réussir à se débarrasser d'elle. Peut-être, dans sa naïveté, Jeanne se croyait-elle aimée ! Peut-être se disait-elle qu'Albert avait de qui tenir, alors qu'à l'inverse de son père, il agissait non point en reproducteur orgueilleux mais en homme qui se venge.

En mars 1891, ceux de Courpière virent Jeanne revenir. Elle avait terriblement changé. En mai, ce fut

1. Dans tous les récits qu'elle inspira, Gabrielle Chanel qui truquait volontiers sa date de naissance se disait de six ans la cadette de Julia. Cela faisait partie du jeu...

en compagnie d'un cousin, le respectable Etienne Devolle, clerc de notaire, et de son voisin, le peigneur de chanvre, que l'oncle Chardon alla déclarer un enfant, né chez lui. Encore un fils de Jeanne... Encore un garçon auquel fut donné, en son honneur, le prénom d'Augustin.

L'enfant paraissait mal venu et criait tout le temps.

Le père était, comme à l'accoutumée, « en voyage ».

A quelque temps de là, voilà Augustin au plus mal. Le pauvret mourut, personne ne sut au juste de quoi. On le conduisit au cimetière et Jeanne parla presque aussitôt de repartir. Mais où elle entendait *devoir*, sa famille, plus perspicace, entendait *idée fixe, maladie*. Quelle maladie ? demandait Jeanne. Pour elle, il n'y en avait qu'une : l'absence d'Albert.

Longtemps elle oscilla entre divers excès, tendresse, haine, jalousie furieuse, parlant tantôt de divorce, tantôt de ne plus quitter Albert, ou bien, constatant qu'il était cause de ce qu'elle avait perdu à tout jamais la santé, elle sombrait dans un silence désespéré.

Gabrielle avait un peu plus de trente ans à l'époque où elle fit à une amie de jeunesse la confidence suivante : « Mes parents étaient des gens ordinaires aux prises avec des passions ordinaires. » A quatre-vingts ans passés, l'amie des temps difficiles se souvenait encore du ton sur lequel ces quelques mots avaient été prononcés. Criant de vérité... Mais est-on en mesure d'affirmer que Gabrielle faisait allusion à sa mère ? Car, enfin, était-elle si ordinaire que cela, la dévorante passion de Jeanne ? Née dans une autre société, elle eût été jugée héroïque et son zèle conjugal, dans ce qu'il avait de plus outrancier, lui eût assuré une façon d'immortalité. Le sentiment populaire ne s'y est pas trompé qui a attendu, pour la qualifier de Folle, que fût veuve et enfermée cette autre Jeanne, née reine de Castille. Elle avait été attachée au corps de son bel époux comme une crucifiée à sa croix et cela au point de refuser d'être séparée de son cadavre. Alors seulement on parla de démence et son fils, Charles Quint, en fit une recluse pour toutes les longues années qui lui restaient à vivre.

Jusqu'au bout de sa vie Jeanne Devolle, enceinte, trompée, folle d'amour, endura la même torture : laisser Albert vivre à sa guise, et le perdre, ou bien lui imposer sa présence et mourir d'épuisement.

Ce fut cette mort qui arriva.

En 1893, en dépit des objections de ses proches, Jeanne se remit en route. Elle emmenait ses aînées, Julia et Gabrielle.

Une lettre d'Albert provoquait ce départ. Il s'était découvert un jeune frère, Hippolyte, avec lequel il s'était associé. Il annonçait aussi qu'il était établi à Brive-la-Gaillarde en qualité d'aubergiste et qu'il s'était procuré un logement, avenue d'Alsace-Lorraine.

Cela sonnait bien et fit à Jeanne le meilleur effet. Elle en conçut toutes sortes d'espoirs. Elle s'imagina enfin heureuse auprès d'un homme apaisé, assagi, qui voyait sa vocation satisfaite.

Albert était aubergiste : c'était assez pour que leurs rapports fussent changés.

Comment eût-elle deviné ce qu'il ne lui disait pas ?

Dans cette auberge, Albert n'était qu'employé. Loin de souhaiter une réconciliation avec une épouse qu'il n'avait fait qu'entrevoir au cours des trois dernières années, il voulait, à peu de frais, s'assurer le concours de la plus dévouée des servantes : sa femme.

Avec son zèle coutumier, Jeanne mit tout l'acharnement du monde à le satisfaire. Elle y perdit le peu de santé qui lui restait.

Au bout de quelques mois, il lui fallut s'aliter. C'était en hiver. Le mal dont elle souffrait ressemblait à un mauvais rhume. Elle suffoquait jusqu'à l'évanouissement. Mais elle ne réclamait ni aide ni soins. Surtout ne rien coûter, ne motiver ni dépenses ni ennui. La maladie — sans doute l'aggravation était-elle due à une bronchite — ne l'effrayait que dans la mesure où elle mettait en péril son ménage.

Le 16 février 1895, après plusieurs jours de fièvre et d'étouffement, on la trouva morte. Morte d'usure. Morte brisée. Elle avait trente-trois ans.

Son mari était en voyage.

Ses petites filles avaient-elles assisté à son agonie ? Gabrielle ne s'étant jamais expliquée là-dessus nul ne le saura jamais.

Ce fut Hippolyte, le jeune beau-frère de Jeanne, encore célibataire, qui se chargea des dernières formalités.

Telles furent les circonstances dans lesquelles mourut la mère de Gabrielle Chanel.

III

LES DÉSARROIS DE L'ÉLÈVE CHANEL

RÉSIGNONS-NOUS — encore que ces années n'aient pas manqué de témoins, bien au contraire — à ne donner que peu de faits précis sur les dix années qui s'écoulèrent entre l'hiver où Jeanne mourut à Brive et l'époque où se situent les début de sa fille Gabrielle à Moulins. Ces témoins-là ont toujours opposé un silence obstiné aux moindres tentatives d'éclaircissement.

Que voulaient-ils taire, ces cousins qui n'ont rien ignoré de ce que fut le calvaire d'une enfant ? A quoi attribuer le silence des proches parents de Gabrielle ?

Sans doute de telles réticences étaient-elles la manifestation d'un reste de vindicte paysanne. Quelque chose comme : « Elle n'a rien fait pour nous, nous ne ferons rien pour la faire mieux connaître. » Car, devenue riche, Gabrielle ne s'était guère souciée d'eux et ils convenaient volontiers qu'ils ne l'aimaient pas.

Il se pourrait aussi que l'enfance de Gabrielle ait paru à sa famille trop noire pour être contée. Stendhal ne préférait-il pas taire certains moments de la vie de Julien Sorel ? Les années de séminaire. « Les contemporains qui souffrent de certaines choses ne peuvent s'en souvenir qu'avec une horreur qui paralyse[1]. » Il n'y a pas de remède à cette horreur... L'éprouvent tous les honnêtes gens face aux gosses auxquels on a volé leur enfance, sous prétexte de les sauver, de les élever, les instruire, les guérir ou de les empêcher de nuire. Jean Genet en précise l'origine, lorsque évoquant le sort qui fut le sien, il écrit : « Nous resterons votre remords[2]. »

Ainsi Gabrielle aura été tantôt l'objet de la vindicte des siens, tantôt leur remords, et pour l'une ou l'autre de ces raisons, nous ne saurons jamais avec exactitude comment elle fut élevée.

*

Si nous voulons comprendre quelle sorte d'adolescence fut celle de Gabrielle Chanel il n'est d'autre moyen qu'une confrontation attentive des versions combien contradictoires qu'elle-même accrédita. On réussit alors à isoler puis à analyser de rares constantes autour desquelles se situe, à coup sûr, la vérité. Car, on le sait, Gabrielle Chanel, cherchant à s'inventer un passé, se résignait (pour *faire vrai*) à utiliser de-ci de-là des souvenirs réels.

Et tout d'abord la voiture à cheval.

On ne peut douter que ce fut en cet attelage et menée par son père que Gabrielle Chanel, âgée de douze

1. *Le Rouge et le Noir* (ch. XXVII).
2. *L'Enfant criminel*.

ans, quitta la ville où sa mère était morte. Jamais elle ne s'est contredite sur ce point et elle apportait à cette confidence un ton qui ne trompait pas.

A l'écouter, on devinait qu'elle touchait à l'un des thèmes majeurs de son existence et que sa vie avait été pour toujours marquée par le souvenir de ce matin de deuil, d'une certaine route, par laquelle on s'éloignait de Brive en direction de la montagne, et du trottinement d'un cheval sur la chaussée.

Mais là s'arrêtait sa sincérité et l'on retombait aussitôt en plein feuilleton.

« Mes parents détestaient la négligence. Ils avaient un goût naturel pour ce qui est propre, frais, luxueux, c'est pourquoi notre attelage se faisait remarquer par un accent d'élégance, inusité dans nos campagnes », confia-t-elle à Louise de Vilmorin [1], qui évoquait volontiers l'époque où Gabrielle Chanel cherchait à la convaincre de l'aider à rédiger ses mémoires.

Et Louise de Vilmorin, ne parvenant pas à lui arracher un mot de vérité, se désespérait.

Au grand mécontentement de Gabrielle, elle s'était refusée à utiliser l'expression « attaquée de la poitrine » appliquée à la personne de Jeanne. Mieux : elle avait réussi au travers d'une chambre aux persiennes closes et de deux grands yeux noirs dévorant un visage, à sous-entendre la nature exacte de la maladie dont souffrait Jeanne, et elle n'était pas peu fière de ce demi-jour proustien. Mais pour le reste... Aussi, Louise de Vilmorin renonça-t-elle très vite à poursuivre une expérience d'autant plus vaine que les contemporaines de Gabrielle, en la renseignant, lui permettaient de mesurer la puérilité du mythe qu'elle était chargée de transcrire.

1. *Mémoires inachevés de Gabrielle Chanel* par Louise de Vilmorin, inédits en librairie.

Continuellement transformé, on ne pouvait accorder au récit de Gabrielle Chanel le moindre crédit. La voiture elle-même variait au gré de ses humeurs. Donnée pour *cabriolet* quand elle décrivait son père sous l'aspect autoritaire d'un puissant marchand de chevaux, la voiture était un *tilbury* les jours où il tenait un rôle de viticulteur aisé. Elle prêtait alors aux ambitions paternelles une réalité que la vie allait toujours leur refuser. Elle allait jusqu'à attribuer à Albert Chanel le rôle d'un homme séduisant, raffiné, dépensier, possédant un grand vignoble et — pourquoi se gêner ? — une connaissance approfondie de la langue anglaise.

Tout cela, qui fait tantôt sourire et tantôt fait pitié, ne mériterait pas que l'on s'y arrêtât, et l'on se moquerait pas mal de savoir si cette voiture était un tonneau ou bien une charrette, si ce n'est que ces bribes de vérités laissent apparaître, pour la dernière fois dans son rôle de père, Albert Chanel, enfin libre, enfin veuf, conduisant dans sa pauvre carriole ses deux filles à l'orphelinat.

*

Rien de curieux comme la métamorphose de nos monastères après que la Révolution les eut vidés de leurs statues, de leurs moines, de leurs abbesses et de leur passé. Une mystérieuse similitude dans leur destin a de quoi fasciner. Que l'on songe à Fontevrault, cher au cœur des Plantagenêts, devenu prison centrale, à l'abbaye de Poissy, que hante le souvenir de Saint Louis, devenue maison de redressement, il n'est jusqu'au Bec-Hellouin, qui ne fût jusqu'en 1948 occupé par des soldats. Caserne, cachots, internat... Il semblait écrit que ces lieux ne devaient abriter que des communautés d'un seul sexe.

Et Obazine ?

Ni moins beau, ni moins ancien, ni moins riche

d'abbés, de saints et de reliques insignes, ce monastère allait abriter le monde nostalgique et froid, l'éternelle grisaille d'un orphelinat de petite filles.

Or, si l'on en croit certaines traditions familiales, ce sont les portes de cet établissement qui se refermèrent inéluctablement sur les filles de Jeanne Devolle. Pourquoi en douter ?

Les religieuses de la Congrégation du Saint-Cœur de Marie qui, depuis une vingtaine d'années avaient pris en charge le monastère déserté, en avaient fait l'orphelinat le plus important de la région. Il est donc vraisemblable que ce fut à cette institution, située à quinze kilomètres de Brive, que s'adressa Albert Chanel.

Le fait que les registres correspondant à la période où Julia et Gabrielle pouvaient se trouver au couvent aient été perdus ou détruits pourrait confirmer l'hypothèse plutôt que l'infirmer. Furetages, escamotages, pressions exercées, au fil des ans, par de « hautes personnalités » afin que soit retiré tel document ou que soit effacé ceci ou cela des dossiers Chanel... On n'est pas à une surprise près la concernant. Mais ne peut-on s'étonner, une fois de plus, de l'acharnement avec lequel elle s'attaqua à la tâche impossible d'effacer toutes traces de l'aventure qui fut sienne ?

S'il est un mot, entre tous, que jamais ses lèvres ne prononcèrent, ce fut bien le mot *orphelinat*, mot redouté, mot qu'elle porta en elle jusqu'à sa mort, sans que jamais il ait perdu de sa virulence. Afin de mesurer ce qu'il signifia et ce que fut l'instant fatal où Gabrielle se retrouva en costume d'orpheline, derrière les murs d'un couvent, il faut s'en reporter à des confidences faites bien des années plus tard et à propos d'autres drames. Ainsi, un ami du temps de Vichy [1], alors qu'il cherchait à la réconforter après la dispari-

1. Carlo Colcombet.

tion d'un être cher, se souvenait de s'être attiré cette réplique : « Ne m'expliquez pas ce que je ressens, lui dit-elle. Je le sais depuis mon plus jeune âge. On m'a tout arraché et je suis morte... J'ai connu ça à douze ans. On peut mourir plusieurs fois au cours d'une vie, vous savez... »

N'en doutons pas, il y eut mort de cette sorte aux premiers jours d'Obazine.

Soustraite aux logements médiocres où elle avait grandi, privée de la présence en face d'elle, autour d'elle, de familles chaleureuses mais souffrant autant que la sienne du manque d'air, d'espace et d'argent, ce que les vastes bâtiments d'Obazine ont dû paraître déroutants à la petite fille qui s'y trouvait soudainement transplantée... Avait-elle jamais imaginé clarté plus singulière ?

Juchée sur un sommet qu'encerclent de toutes parts des espaces immenses et boisés, l'abbaye aux toits aigus, aux hautes murailles, se présente en forteresse.

Et c'est dans ce cadre, combien rigoureux, qu'allait être éduquée Gabrielle Chanel. Comme ces filles nobles que, dès leur jeune âge, jadis, on confiait à un monastère, elle vécut à Obazine près de sept ans.

IV

L'ABBAYE DU MOINE ÉTIENNE

PAS un ornement sur ces murs, pas une figure sculptée. Les seuls facteurs de beauté sont les volumes, la seule richesse celle de la pierre nue, le seul génie, celui des proportions.

Ainsi la pureté romane éclate-t-elle dans toute son

immatérielle beauté. Attentive à tout, comme le sont les enfants, quel fut l'effet d'un tel décor sur l'élève Chanel ?

Est-ce le monastère d'Obazine qui lui donna le sens du dépouillement dont elle témoigna par la suite, son horreur instinctive pour ce qui dépassait la mesure, et la distance qu'elle sut marquer à l'égard de l'excès ?

Les bâtiments conventuels, édifiés sur le flanc de l'abbatiale, la cour qu'ils délimitent, la fontaine, creusée dans un bloc monolithique et transportée au prix de quels efforts, le vivier, enfin, où se répand l'eau bondissante du Coiroux, ce torrent qu'à plusieurs kilomètres de là, parvinrent à capter, pour l'amour de Dieu ou de ses pauvres, d'infatigables casseurs de pierre, tout cela fut accompli par une poignée d'hommes sans règle ni statuts, des errants vêtus de bure, si sales, si démunis, si envahis de vermine qu'on les traitait partout en vagabonds. Voués au silence et à la solitude, ils avaient pour maître un moine du XIIe siècle, une sorte de *Poverello* des bords de la Dordogne, mais plus rude compagnon que ne le fut jamais le saint de la Portioncule près d'Assise, plus défricheur et moins séraphique, plus ermite, moins prêcheur, un fou, lui aussi, un fou de Dieu, mais frêle, laid, chauve, ridé à trente ans autant qu'un vieux bonze et fils du peuple : Etienne d'Obazine.

Etienne du Limousin, semeur de prieurés et de moutiers, Etienne le Flagellant, Etienne aux pieds nus, Etienne le pénitent, conscient de son indignité au point de réclamer les tâches les plus répugnantes, vidangeur, charrieur d'ordures, Etienne qui se voulait non point comme Christophe porteur de Jésus, mais fumier portant le fumier de ses frères, combien de fois l'élève Chanel s'entendit-elle répéter le récit de cette vie exemplaire ? On en lisait des passages à la promenade, en classe, aux heures de repas, et une certaine *Vie d'Etienne d'Obazine, parue en 1888 et approuvée par l'évêque de Tulle* était appréciée des religieuses autant qu'un évangile.

Gabrielle Chanel n'allait jamais échapper à l'influence de cette lecture.

A l'époque où elle avait fait d'Obazine un mot interdit, l'histoire du bon ermite resurgissait par bribes dans sa conversation. Elle en détachait des morceaux qu'elle insérait en cours de récit, se disant qu'après tout rien de cela n'était vérifiable.

Ainsi des moines mendiants, d'une surprenante saleté, traversaient les souvenirs de son enfance imaginaire. Elle les décrivait barbus, suant, allant de porte en porte, vêtus de loques. On se demandait d'où elle les avait sortis. On la suspectait de transposer à plaisir quelque scène d'opéra hautement dramatique. En vérité, le Moyen Age dont étaient issus ces moines n'était pas celui d'une quelconque *Kovantchina*, mais celui des premiers compagnons d'Etienne, les farouches bâtisseurs d'Obazine... Elle croyait n'avoir rien révélé. Elle se trompait. Les moines la trahissaient aussi sûrement que si elle eût ouvertement parlé d'Obazine.

Ou bien encore Valette.

Elle faisait volontiers état de tristes vacances, passées avec Julia et Antoinette, dans un couvent de ce nom, vaste et beau, mais que l'été avait vidé. Le nom lui paraissait sans danger. Jamais il n'y eut de religieuses en ce lieu qui, de plus, ne figure sur aucune carte. Mais pourquoi Valette ?

Un lieu que seule une enfant d'Obazine pouvait connaître. Le moine Etienne y fonda, en 1144, une abbaye dont presque rien ne reste et qu'aucun guide, qu'aucun ouvrage, à l'exception du vieux livre sans cesse rabâché par les sœurs du Saint-Cœur de Marie, ne mentionne plus. Ainsi, croyant brouiller les pistes, Gabrielle Chanel en livrait une, à son insu, celle que précisément elle cherchait à dissimuler.

De l'immense bâtisse où elle fut contrainte de vivre, des vastes salles grouillantes d'enfants, des heures de chapelet, de cantiques, de prière, des heures de silence, d'ouvroir, des cours ménagers, des punitions, des promenades, des longs exercices de piété, jamais Gabrielle ne parla.

Jamais non plus elle ne parla des dimanches où le pensionnat s'en allait à pied vers les hauteurs du Coiroux. Là, les fillettes admiraient un paysage uniformément boisé. A perte de vue le même vert, les mêmes arbres, les mêmes vallonnements et, comme flottant au centre d'un océan sans périls, *leur* monastère. Les religieuses, une fois de plus, en évoquaient les secrets : un clocher à nul autre pareil et ses faces contradictoires. Au sol d'un couloir, des signes inexpliqués, ceux d'une mystérieuse mosaïque dont chacune des figures, figées dans la pierre, dérivait d'un seul chiffre, toujours le même.

« Pourquoi ? demandait l'élève Chanel fascinée. Pourquoi ce chiffre ? Un chiffre, est-ce plus fort qu'un mot ? Plus fort qu'une image ? »

Le mystère de ce langage *chiffré* fut de ceux qui la troublèrent le plus. A l'heure de la réussite elle sut s'en souvenir. Qu'y avait-il de plus magique qu'un chiffre ? Ainsi le chiffre cinq... N'était-ce pas un beau nom pour un parfum ?

Et ce fut autour d'un chiffre qu'allait se bâtir sa fortune.

Avant que le jour ne tombe, les orphelines d'Obazine s'en retournaient.

En rang par deux, la petite troupe traversait le village où, sur le seuil de leur demeure, se tenaient les vieux et les vieilles. On se connaissait. On se saluait.

Puis se refermaient sur les enfants, les portes d'un univers blanc et noir.

Blancs les chemisiers des orphelines, lavés et relavés, toujours propres... Noires leurs jupes et taillées à plis creux pour durer et marcher à grands pas. Noirs le voile des religieuses et leurs robes aux larges emmanchures. Ah ! ces manches relevées jusqu'au coude en un profond revers où se cachait le mouchoir... Mais blanche, si blanche, la bande empesée qui leur enserrait la tête et la large guimpe en forme de collerette. Blancs aussi les longs couloirs, et blancs les murs passés à la chaux, mais noires les hautes portes du dortoir, d'un noir si profond, si noble qu'une fois vu, ce noir-là vous restait pour toujours en mémoire.

Tel était Obazine.

Mais jamais Gabrielle ne fit une allusion directe ou indirecte aux souvenirs qu'elle avait du petit monde qui menait derrière ces hauts murs une vie prisonnière.

L'étrange est que, malgré son agressivité verbale sans limites, il ne lui arrivait pas non plus de se rebeller contre l'ordre des couvents. Jamais un mot de réprobation. Qu'éprouvait-elle cinquante ans après ? De quel poids était chargé le nom d'Obazine ?

On ne peut nier que le monde conventuel ait exercé sur elle cette forme de fascination dont on ne se libère pas. Et si, longtemps, le souvenir d'Obazine fut pour Gabrielle un sujet d'aversion, il se pourrait qu'à la longue, la violence du choc s'émoussant, elle ait découvert au plus secret d'elle-même comme une insoupçonnable tendresse à l'égard du lieu et des femmes qui lui furent refuge.

Aussi, pour comprendre ce qui déclenchait chez elle d'imprévisibles accès de joie, il n'est d'autres moyens que de se référer à l'innocente gaieté des religieuses, cette gaieté sans motif, que l'on dirait de commande. Gabrielle Chanel, cet être de ressentiment, de révolte et qu'une injustice initiale avait rendu d'une injustice extrême, retrouvait parfois dans ses façons d'être une conduite, un langage, des naïvetés qui étaient celles de son temps de couvent.

Et quand se levait en elle un rêve de rigueur, d'extrême propreté, de visages lavés au gros savon ou bien encore un regret, celui de tout ce qui est blanc, simple et clair, linge rangé en de hautes armoires, murs passés à la chaux vive, table vaste et molletonnée sur laquelle volettent comme de légers pétales les guimpes empesées et l'aile des collerettes, alors il fallait comprendre qu'elle usait d'un langage secret et sous chacun de ces mots n'en entendre qu'un : Obazine.

*

Ressentiment, haine, animosité, elle réservait tout cela à qui *au-delà* des murs du couvent en la rejetant l'avait réduite à l'exil, cette puissance que les autres appelaient leur famille et à laquelle, faute de la connaître, elle ne pouvait même pas donner ce nom. Sa famille ? Elle se limitait à Julia, à Alphonse, à la petite Antoinette et au bébé Lucien. C'était eux sa famille et eux seulement. Qu'en restait-il ? On les avait dispersés. Les reverrait-elle jamais ?

Elle n'en voulait pas à son père. Elle n'attendait rien de celui qui, toujours, avait fait pleurer sa mère et toujours disparaissait. Il continuait. Il continuerait.

Longtemps, longtemps après, elle le retrouverait, elle en était certaine, égal à lui-même, vagabond inchangé.

Non, elle n'en voulait pas à son père.

Elle en voulait à un ensemble de forces innommées, innommables, une communauté d'oncles, de tantes, de cousins, de grands-parents qu'elle allait, jusqu'à son dernier souffle, accabler de son mépris. Des pauvres, des demi-pauvres, agrippés à leurs maigres économies... Des bons à rien, des incapables, de petites gens, des provinciaux... Elle ne faisait pas le détail : tous pareils.

Et lorsque la sœur de son père, cette Louise Costier, épouse d'un employé du chemin de fer, s'avisa de faire goûter à l'orpheline les douceurs d'un foyer, lorsque cette femme généreuse et bonne invita les petits Chanel à venir en vacances à Varennes, et qu'elle les fit vivre avec ses propres enfants, il était trop tard : il fallait que Gabrielle s'en prît à quelqu'un, *il le fallait*.

Non sans mauvaise foi, elle tint sa tante pour responsable aussi bien de sa condition d'orpheline que de l'éloignement impitoyable dont elle était victime et de la dispersion des siens. Alors elle opposa aux gentillesses estivales un visage de défi.

Impossible de revenir en arrière.

Elle ne connaissait rien de cette femme qu'elle la haïssait déjà.

Aussi faut-il voir dans les parentes imaginaires chez qui et par qui elle prétendait avoir été élevée, la personnification de ses haines : deux vieilles filles, revêches, injustes, bigotes, deux sœurs de son père qui jamais n'existèrent, c'est à cela qu'elle voulait que l'on crût. *Il fallait* que ces femmes fussent de la race maudite des grippe-sous, des richardes qui ont des bonnes mais qui ne partagent pas. *Il fallait* que leur façon d'accueillir l'enfant fût une manière à peine déguisée de la rejeter. *Il fallait* que Gabrielle se sentît partout indésirable et par avance bannie.

Principaux personnages de sa mythologie, ces fausses tantes incarnaient les forces conjuguées et combien détestées qui firent de Gabrielle une enfant d'Obazine et qui, plus tard, feront de la jeune fille, puis de la femme, un être *différent, marginal*. Vilipendées pendant plus de quarante ans, livrées à l'ironie des journalistes avec le soutien d'un arsenal d'anecdotes sans cesse renouvelées, ridiculisées de mille manières différentes et à chaque occasion, ces femmes inventées étaient la froide vengeance de l'enfant Gabrielle.

V

ÊTRE ENFANT DES HOSPICES

QUOI qu'on puisse penser de ce que fut le sort des filles d'Albert Chanel, ce qu'il advint de ses fils paraît plus cruel encore.

Alphonse et Lucien avaient respectivement dix et six ans quand mourut leur mère. Comme il n'y eut personne dans leur famille pouvant ou souhaitant se charger d'eux, ils furent placés dans une famille paysanne.

Tel était, à l'époque, le sort réservé aussi bien aux orphelins qu'aux enfants abandonnés au tourniquet de l'hospice.

La mission de gérer les hôpitaux incombait à un pouvoir mi-religieux, mi-civil qui désignait une famille nourricière, décidait de la pension à verser et cela jusqu'à ce que le petit sans-famille eût atteint l'âge d'être mis en apprentissage. C'est ainsi qu'Alphonse et Lucien devinrent ce que l'on appelait, alors, des *enfants des hospices*. Cet arrangement ne suscita, sans doute, que peu d'objections de la part de la tribu foraine.

Les Chanel ne songeaient pas à se rebeller contre une pratique avec laquelle ils étaient familiarisés depuis leur naissance et dont les gens de Ponteils — à commencer par Joseph Chanel, le cabaretier, et son épouse Marie Thomas — avaient longtemps été les bénéficiaires. L'aïeul logeait jusqu'à trois enfants trouvés à la fois. Et certain hiver particulièrement froid, il en perdit deux le même mois. Morts...

Plus une province était pauvre, plus les enfants des hospices y étaient nombreux et plus la mortalité était forte. C'était le cas de Ponteils. Ces enfants ne représentaient-ils pas un revenu au moins aussi appréciable que celui d'un châtaignier ? Ils apportaient aussi une aide gratuite dont les paysans — à de rares exceptions près — abusaient de la plus scandaleuse façon.

L'enfant des hospices dormait à l'étable. Les feuilles des châtaigniers lui fournissaient sa litière. Pour lui, la voix du fermier se faisait plus dure, sa main plus lourde. Les remontrances du clergé — comme en convient, aujourd'hui encore, M. le curé de Ponteils — ne changeaient rien à cet état de choses barbare. C'était en vain que les curés de campagne réprimandaient leurs ouailles.

Il arrivait que la famille nourricière égarât les pièces d'état civil. C'était, le plus souvent, fort peu de choses que cet état civil, un contrat de placement, sur lequel l'orphelin avait tout juste un nom, un prénom et l'abandonné moins encore. Rien qu'un numéro. Celui du rapport qui, consigné dans quelque obscur registre, constatait son abandon. Parfois, en annexe et en termes maladroits, une lettre affirmait qu'on viendrait le reprendre un jour. Alors, afin qu'on le reconnût plus aisément, quelques fragments de vêtements restaient accrochés au registre. Précaution dérisoire dont la trace se perdait avec le temps.

D'année en année, on ne désignait plus l'enfant que par un sobriquet, dérivé d'un signe physique ou d'un trait de caractère. On en oubliait son prénom, si jamais il en avait eu. Et pour toute sa vie, il demeurait, face à l'insondable méchanceté des hommes, un corps, sans destination précise, sans place dans le village. Il était « Jean du dehors » ou « Le testard » ou

« Le trouvé »; il était deux jambes pour peiner, deux bras n'ayant pour tâche que les plus basses besognes. S'il tombait malade et venait à mourir, on l'enterrait dans un coin du cimetière. Le curé l'inscrivait au chapitre des décès. Mais que dire d'un mort qui n'a pas d'état civil ? Le compte rendu était bref : « Décès d'un enfant de l'hospice. A été enterré », lit-on dans les registres de Ponteils.

On pouvait rouer de coups l'enfant des hospices mais le curé était là pour veiller à ce qu'on l'instruise. Bien rares, pourtant, étaient les paysans qui ne parvenaient pas à tourner aussi cette difficulté-là. Et qu'y pouvait-on ? En hiver, le prétexte invoqué était la neige qui rendait les chemins impraticables, ensuite venait la saison des pluies. Comment envoyer un enfant à l'école par un temps à ne pas mettre un chien dehors ? L'enfant restait à trimer dans l'étable.

Aux premiers beaux jours, on l'expédiait avec les pâtres sur les hauts herbages. Il couchait à la belle étoile, sans cesse attentif au bruit des bêtes. C'était autant de gagné pour la famille nourricière. Voilà qu'elle l'employait sans avoir à le nourrir ni à le loger. Le curé se plaignait à l'administration. Il signalait l'absence au catéchisme. Mais les réclamations de cet ordre étaient si fréquentes que la bonace bureaucratique n'en était plus troublée. Là encore, qu'y pouvait-on ? Allait-on envoyer les membres du bureau de bienfaisance, des bourgeois en col cassé, faire la chasse aux petits pâtres à neuf cents mètres d'altitude ?

L'enfant demeurait sur ses hauteurs.

Il continuait à partager gaiement les privations des bergers et le village ne le voyait revenir qu'une fois passé la saison des transhumances. La cloche du menon annonçait, de loin, son retour. L'enfant réapparaissait bruni, amaigri, dans un grand nuage de poussière. Mais c'était surtout l'état des bêtes qui intéressait les villageois et elles seules qu'ils observaient. Après quoi le pâtre réintégrait son étable avec le troupeau.

Les frères de Gabrielle Chanel ne connurent point, jusqu'à l'âge de treize ans, d'autre vie et rien de ce qui leur arriva par la suite ne put les séparer complètement de ce passé-là. Longtemps, le langage paysan demeura le seul qu'ils comprissent immédiatement.

Est-ce à leurs grands-parents, est-ce à l'intervention de leur tante Costier, qu'ils furent redevables, une fois atteint l'âge de l'apprentissage, d'avoir été placés chez des forains dont le port d'attache était Moulins ?

A partir de cette époque Alphonse comme Lucien menèrent une vie qui ne différa guère de celle qu'ils avaient menée du vivant de leur mère.

En dépit de la dispersion de sa famille, des chagrins, de leur ignorance qui était grande, de la défection paternelle, de leurs ambitions aussi et d'une espèce d'impatience d'arriver qu'ils tenaient de leur père, ils allaient, comme tous les Chanel, connaître la dure vie des ambulants.

Camelot en mercerie, crieur annonçant le passage des *saccaraudes* [1] moulinoises, porteur de panier au marché, Alphonse fut tout cela.

On sait en effet par ses enfants qu'il déclarait volontiers :

« J'ai été mis au trimard à treize ans... et toujours dans la rue. »

Trimarder était son destin.

Il en fut de même pour Lucien.

1. On appelait ainsi à Moulins les marchandes des quatre-saisons.

VI

DES VACANCES À VARENNES

En 1900, Gabrielle approchait de ses dix-huit ans, âge au-delà duquel les sœurs du Saint-Cœur de Marie ne gardaient que les jeunes filles aspirant au noviciat. Les autres, celles qui ne semblaient pas disposées à prononcer des vœux, quittaient Obazine. Mais elles n'en étaient pas pour autant laissées à leur libre arbitre.

On imagine mal, de nos jours, ce qu'était le réseau d'influences et la puissance des couvents. Les religieuses ne se limitaient pas à placer leurs orphelines en apprentissage, continuant à les loger, les nourrir, les surveiller. Elles faisaient quitter leur province à celles qui pouvaient se distinguer ailleurs, les déplaçaient de couvent en couvent et, bien qu'elles ne fussent pas en mesure de leur assurer une position sociale, elles parvenaient du moins à leur trouver un emploi, des bienfaitrices et parfois un mari.

A qui Gabrielle dut-elle d'être envoyée à Moulins ? Est-ce aux religieuses qui l'avaient élevée ? Ou bien à son oublieuse famille ? Varennes-sur-Allier, la petite ville où Louise Costier logeait avec son employé de mari, n'était jamais qu'à une vingtaine de kilomètres de Moulins. N'était-il pas tentant pour cette parente, de soustraire ses jeunes nièces à leur isolement, ne fût-ce que pour les aider à gagner quelque argent ? Il n'y avait pas d'avenir pour elles à Obazine.

Quoi qu'il en soit, il est difficile d'invoquer le hasard et ce n'est pas par enchantement que Gabrielle Chanel, âgée de dix-sept ans, fut recueillie par une institution religieuse de Moulins où se trouvait, depuis plusieurs années, Adrienne Chanel, sa contemporaine, la dernière-née de ses très prolifiques grands-parents.

Construite tout contre le cœur ancien de la ville, à la limite de ce quartier où Moulins offre rassemblés sa collégiale, son beffroi, ses rues où de vieux logis, adossés les uns aux autres, semblent mutuellement vouloir s'empêcher de crouler, une bâtisse assez terrible, et qui n'a d'autre caractéristique que de n'en avoir pas, abrite le pensionnat Notre-Dame. Or, on a tout lieu de le croire, c'est cette institution qui reçut Julia, Gabrielle et Antoinette. Tenue par des chanoinesses, elle était fréquentée par ce que la bourgeoisie moulinoise offrait de mieux assis. Mais, outre un collège payant, elle comportait aussi, ce qui était fréquent à l'époque, un internat pour jeunes filles nécessiteuses. D'un côté donc, les demoiselles que distinguaient des avantages de naissance, de l'autre, les pauvres.

Bien que le recrutement de l'école gratuite fût moins paysan que celui de l'orphelinat d'Obazine, on imagine ce que ce système et ses distinctions suscitaient de rancœur.

Gabrielle, en particulier, ne put être insensible à ce qui, une fois de plus, la rendait *différente*. Elle se sentit à nouveau victime d'une injustice et comme frustrée.

Sans l'accueil que lui fit Adrienne et l'immense curiosité que lui inspirait la ville, il est probable qu'elle eût été plus malheureuse à Moulins qu'elle ne l'avait été à Obazine.

Confiée aux chanoinesses de Saint-Augustin dès l'âge de dix ans et toujours élève de l'école gratuite, Adrienne, dont la beauté était surprenante, avait échappé à l'enfance buissonnière qui avait été celle de tous les membres de sa tribu, de quelque génération qu'ils fussent.

Elle était admirablement élevée et bien des traverses dont avait souffert Gabrielle lui avaient été épargnées : le sentiment d'isolement dans une pensionprison, l'abandon. N'avait-elle pas de solides attaches familiales ?

Adrienne, à vrai dire, avait deux mères et trois fa milles plutôt qu'une. Et tout d'abord, les religieuses. Elles l'avaient complètement adoptée et s'étaient efforcées de la former aux travaux domestiques. Ensuite Louise Costier — qui, on ne savait trop pourquoi, n'était plus appelée que « tante Julia ». Chez cette sœur de dix-neuf ans son aînée, les religieuses laissaient à Adrienne liberté d'aller en toutes occasions. Enfin son père et sa mère. Avec l'âge, Henri-Adrien et Angelina étaient devenus plus casaniers. Non qu'ils eussent renoncé à tourner de foire en foire, mais ils commençaient à avouer une préférence pour les villes offrant un marché couvert. Le travail y était moins dur. Or le marché de Moulins, construit à la fin du siècle, était particulièrement apprécié du vieux forain et de sa femme. L'hiver surtout. Peu à peu, ces éternels errants aspiraient au repos. Ils cherchèrent un port d'attache. Ce fut Moulins où leur logement, une mansarde, rue des Fausses-Braies, les mettait dans le voisinage immédiat de ce qui leur tenait le plus au cœur : les Halles, la place des Foires et leur fille Adrienne.

Mais le vrai centre familial n'en demeura pas moins la maison basse et le jardin de Varennes-sur-Allier où la bonne tante Costier était toujours heureuse d'accueillir, ne fût-ce que modestement, sa jeune sœur, ses nièces, ses neveux et son vieux complice de frère, cet Albert Chanel avec lequel elle avait jadis vécu en si étroite amitié.

Face à des parents qui se manifestaient en si grand nombre et si brusquement, qu'allait être la réaction de Gabrielle ? Voilà qu'après avoir grandi parmi des inconnues et n'avoir eu droit qu'à la solitude dans un village reculé de la Corrèze, elle se découvrait un grand-père, une grand-mère, deux tantes d'âge fort différent, des cousins plus jeunes qu'elle... c'était trop. Elle les rejeta en bloc et, à l'inverse de ses sœurs, se refusa à admettre qu'elle eût des devoirs envers une communauté familiale dans laquelle on lui accordait si tardivement sa place.

Une exception néanmoins : Adrienne.

De son propre aveu, cette tante inconnue, bien qu'elle fût *terriblement famille*, lui inspira une amitié sans réticences. Elles devinrent inséparables. Leur ressemblance était au moins aussi étonnante que leur beauté et elles avaient à un an près le même âge. Elles avaient aussi en commun une inexplicable élégance. Elles passèrent pour sœurs aux yeux de tous ceux qui les voyaient pour la première fois.

Cette confusion n'était pas pour leur déplaire.

Ni Adrienne, ni Gabrielle ne cherchèrent à démentir.

Adrienne avait un air de sagesse, une sorte de confiance dans la vie qui faisait cruellement défaut à Gabrielle. Elle devint la seule confidente de la jeune fille d'Obazine, qu'attirait jusqu'au vertige ce qui était exaltant, menaçant. Dans le dortoir du pensionnat de Moulins, dans la mansarde partagée pendant les vacances à Varennes, elles parlaient parfois jusqu'à l'aube. Adrienne espérait, Gabrielle imaginait. L'une essayait de voir juste, l'autre inventait. Elles étaient déjà *ennemies* sans le savoir... N'en va-t-il pas toujours de même en ces périlleuses alliances conclues au sortir de l'enfance ? Premières complicités faites de gestes dangereux, de promesses inavouables. Mais contrairement à ce qui se passe d'ordinaire, cette alliance-là n'allait pas se défaire au premier choc de la vie. Plus tard... Plus tard seulement. Beaucoup plus tard. Lorsque Adrienne, engagée d'abord dans la longue attente d'une vie honorable allait être, enfin, tardivement mariée. Tandis que Gabrielle...

Quant aux sœurs de Gabrielle, toutes deux étaient,

par nature, limitées aux petits rôles. L'une un peu lourde, l'autre trop fragile. Julia, l'aînée, passive et bonne fille, avait peur de tout. Antoinette, éternelle insatisfaite, n'aimait rien. Elles se virent confier des emplois secondaires, ceux de confidentes, de suivantes. Ecouter, marcher dans le sillage des deux beautés que les murs d'un couvent tenaient encore prisonnières, tels furent, au temps de Moulins, les rôles que tinrent Julia et Antoinette. Rôles qu'elles auraient sans doute tenus longtemps si l'une et l'autre n'avaient eu la vie brève.

*

Rien de plus français que Varennes-sur-Allier. Village ? Non. Une bourgade que cerne une route dispensatrice de poussière blonde, avec une église et son presbytère dont la porte est surmontée d'une grosse croix, pièce rapportée en pierre massive d'un caractère franchement funèbre.

Face à l'église, bien au centre du bourg, bien en vue, un hôtel de ville assez prétentieux, construit vers 1830, et pourvu d'une sorte de beffroi, contenant une horloge qui sonne l'heure sur le vide des champs. Mais là n'est pas l'unique but de cet édifice qui, en plus de l'heure, avait été fait pour donner conscience aux citoyens de Varennes qu'en la personne du maire, M. le curé avait un concurrent sérieux, en mesure, lui aussi, de faire monter vers le ciel la silhouette altière d'une tour sonnante et visible de loin.

Autre souveraineté, celle de la gare et de l'auberge. L'une plantée là dans l'unique but, semblait-il, d'assurer l'importance de l'oncle Paul Costier, l'autre pour qu'en temps de grandes manœuvres, les officiers de la garnison de Moulins aient un endroit où aller boire et chanter.

Rien n'avait changé à l'auberge de Varennes depuis

le temps des diligences, et ils ne manquaient pas de charme, ces murs vieillots, cette double galerie en bois de charpente, sur laquelle s'épanchait une cascade de roses, pleines d'énergie végétale, un vrai nid à abeilles.

Peu ou pas de commerce à Varennes, la campagne s'ouvrait au ras de la grand-rue.

En fait Varennes n'était que cela : un arrêt sur la ligne du chemin de fer, une gare de marchandises, une rue tracée à travers champs, dominant des prés onduleux, des vallonnements décents, sans que jamais un accident de terrain, même discret, ne vienne rompre l'harmonie d'une campagne désespérément raisonnable. Ce qu'il convient d'appeler un cadre reposant.

La maison de « tante Julia » n'avait rien de paysan. C'était un pavillon de pierre, construit en retrait de la route et coiffé de tuiles rouges. Rien de prétentieux non plus, ni perron, ni marquise, mais une timide bouffée de rigueur bourgeoise et un je-ne-sais-quoi de banlieusard qu'exprimaient une tonnelle, deux massifs d'une irréprochable symétrie et une resserre aux volets toujours clos.

Ce qu'une enfant solitaire, élevée en orpheline, eût aussitôt abordé en terre promise apparut à Gabrielle comme offrant au moins autant de désagréments qu'un couvent et des dangers d'autant plus redoutables qu'ils étaient moins apparents. On vivait à Varennes des vacances prisonnières d'autres interdits, freiné par d'autres menaces dictées toujours par la crainte qu'une erreur, une imprudence, une dépense malencontreuse ne fît retomber ces Chanel-là dans le prolétariat auquel ils venaient tout juste d'échapper. La peur de l'imprévu y était de rigueur. Etait-ce la vie, ça ? Quelle duperie, se disait Gabrielle. Très vite son désaccord devint évident. Sa famille y vit les signes d'une mauvaise nature. Est-ce ma faute, se disait-elle, si je n'éprouve pas autant qu'eux l'horreur du risque ? Et pourquoi cette maison est-elle à ce point vide de sortilèges ?

Au cours des confidences échangées avec Adrienne, elle réussit à lui faire partager certains espoirs et à la convaincre que la vie devait être *autre chose*. Elle avait déjà le don du sarcasme. Lentement, Adrienne rejoignait son camp. Elle aussi commençait à souhaiter que se présente un peu de cet imprévu que redoutaient si fort ses parents.

Mais Gabrielle était la première à convenir que sous cette crainte dans laquelle vivait sa tante comme à l'intérieur d'une coquille récemment façonnée — elle n'avait acquis cette prudence petite-bourgeoise que par mariage — demeuraient intactes d'autres qualités et des plus appréciables : de celles qui ne doivent rien à l'esprit de classe et que l'on peut trouver aussi bien dans une famille de fermiers que parmi leurs ouvriers.

Tante Julia avait de l'imagination dans les mains. Elle témoignait, dans ce domaine, de cette gaieté qui naît de l'esprit d'invention et de l'adresse à transformer. Elle savait que d'un morceau de toile adroitement empesé, on peut tout attendre. Brusquement, Gabrielle qui cousait aussi bien qu'Adrienne — elle n'était pas pour rien l'élève des sœurs — sentait que dans le travail de tante Julia était incluse une qualité inconnue d'elle : la fantaisie. Au couvent, le travail se ramenait à faire propre et solide. Mais la fantaisie ? Mais l'ingéniosité ? Pas au programme des orphelines. Et pourtant... Elle devina que c'était là une découverte d'importance.

Tante Julia savait fleurir un corsage d'un mouchoir adroitement chiffonné et effrangé en œillet. Elle savait tirer d'un petit coupon de toile de rien du tout autant de cols plissés et de poignets festonnés qu'il en fallait pour égayer la sévère tenue de ses couventines. Et ses chapeaux ?

Les chapeaux étaient son seul luxe.

Pour faire son choix, elle allait tout exprès, une fois l'an, dans certains magasins de Vichy, ville voisine, qui devint dans l'esprit de Gabrielle synonyme de luxe et de faste.

Jamais Gabrielle n'avait entendu une femme parler de ses chapeaux.

C'était un raffinement ignoré des gens d'Obazine.

Les jours d'emplette, tante Julia, de retour à Varennes, appelait Adrienne et Gabrielle et, armée d'une paire de ciseaux, s'attaquait à la forme achetée afin de lui imposer certains enjolivements de son invention. Brides, demi-bords ondulés, gansés, relevés... Adrienne et Gabrielle aidaient à façonner une nouvelle merveille. Mais la forme variait peu. Ce qu'inventait tante Julia tenait toujours de la capote, et l'épingle en était l'accessoire indispensable. L'inspiraient l'héritage inconscient de toutes celles pour qui le bonnet, miracle fragile, avait été un emblème de féminité, et plus encore, les réticences de celles que la récente conquête du chapeau n'avait pas réussi à satisfaire. L'esprit de province.

Là où tante Julia cousait et là où elle cuisinait étaient des lieux où s'effaçait le muet désaccord qui opposait, sans qu'il y parût, tante Julia à sa nièce rebelle. Ce que, déjà, on lui reprochait ? De voir grand... D'être *différente*. Mais cette hostilité pleine d'arrière-pensée cédait devant le goût partagé de l'ouvrage bien fait. C'est que lingerie et cuisine étaient de ces pièces où un sens féroce de l'économie, et la peur de manquer qui dominait les Chanel de Varennes, brusquement se révélaient moins vifs qu'un goût du bien-vivre inhérent à cette fin de siècle.

Le temps des beautés bien en chair...

Un temps où la maigreur faisait horreur...

Une époque douée du génie de la table et où la femme la plus modeste savait qu'un bon repas exigeait, en son début, comme tout ce que l'on partage, amour, repos ou rêve, la vision apaisante d'une étendue blanche, offerte dans toute sa gratuite et périssable beauté.

Nappes... Draps... Toutes les femmes de la maison penchées sur cette blancheur.

Un certain langage aussi, et qui allait hanter Gabrielle, sa vie durant. Elle le retrouvait à son insu, un demi-siècle plus tard, lorsqu'elle gourmandait ses cousettes : « Tu ne vas pas continuer à *me* faire friser *mes* plis. On dirait des routes de montagnes. Non, mais tu appelles ça du travail ? Tu n'es pas douée, ma fille ! A ton âge, je t'aurais réussi ce plastron en un tournemain. Qu'est-ce que ces amusettes ? Allez ! Va me repasser ça à neuf... Et tâche de m'effacer ce friselis. »

Le langage de tante Julia.

Et tandis que sifflaient au loin les trains de l'oncle Paul et qu'à intervalles réguliers s'affrontaient, dans le ciel, les sons rivaux de la cloche et ceux de l'horloge, tante et nièces échangeaient de longs propos techniques sur *le coup de fer* plus ou moins appuyé, sur le juste degré d'humidification de la serviette dans laquelle doit être roulé un savonnage, sur comment on vient à bout de la manche la plus compliquée par un emploi judicieux de la jeannette, et comment, d'une main prudente, on tâte de la chaleur d'un fer en l'approchant de la joue et comment... Tout cela à la lueur des petites braises sur lesquelles les fers reposaient.

Qu'elle en convînt ou pas, et en dépit de la haine qu'elle vouait à son passé, c'est à Varennes-sur-Allier, chez son oncle le cheminot, que l'orpheline d'Obazine retrouva la signification d'un mot que les années de couvent avaient privé de sens : le mot maison.

Mais l'extraordinaire était que tout ce que ce mot contenait d'allusions, tout ce qu'il évoquait de douceur, convergeait dans son esprit avec un désir de fuite.

VII

UNE VILLE, SON CLERGÉ ET L'ARMÉE

ET que lui fut Moulins ?

Gabrielle n'était qu'une jeune paysanne, élevée par charité. Pendant les deux années que dura son temps de pension, le vrai visage de la ville ne se manifesta qu'occasionnellement, lors des sorties en groupes, ou encore lorsque la tante Julia, passant au pensionnat Notre-Dame, ramassait son lot de couventines et qu'elles s'en allaient toutes ensemble, Julia, Gabrielle et Antoinette, suivant Adrienne, qui était l'aînée, jusqu'à la gare, et de là à Varennes.

Ces jours-là, rien n'échappait à Gabrielle et rien ne lui faisait plus de bien. La ville... C'était la vie, enfin, qui venait à elle. Comment en douter ? Mais impossible de faire ce dont elle avait le plus envie : s'arrêter et regarder. Interdit. Toujours plus interdit à mesure que Gabrielle devenait plus jolie et se sentait plus admirée. Mais suivre ? Suivre, à l'heure de la sortie des classes, le va-et-vient des collégiens ? Le suivre des yeux... Interdit. Et pourtant, une rue seulement, et pas des plus larges, la séparait du lycée des garçons auxquels l'heure de récréation était signifiée à grands roulements de tambour. Un tapin vieux et barbu se postait au centre de la cour. Et en avant ! Ecouter, regarder... Suivre, de loin, la course des externes qui allaient, à toutes jambes, jusqu'à l'épicerie voisine d'où ils revenaient, des *croquignats* [1] plein la bouche.

1. Gâteaux au nougat, en patois du Bourbonnais.

Vite, regarder. Regarder le vieux briscard qui, son tambour sous le bras, allait s'acheter pour deux sous de tabac à chiquer. Les grands, eux, se donnaient des airs. Ils fumaient des *crapulos*[1] qu'ils allumaient avec toutes sortes de précautions pour ne pas attirer l'attention du surveillant. Alors, poussé par le vent, le parfum d'invisibles cigares montait jusqu'aux fenêtres de Gabrielle. Encore la vie, toujours elle, comme un encouragement. Une vie à respirer, à regarder...

Ils étaient curieusement attifés, les collégiens. Serrée dans une ceinture, la blouse noire à longues manches laissait apparaître deux doigts de culotte qui s'arrêtait sous le genou, puis un bout de mollet nu, assez incongru, puis encore une bonne mesure de chaussette et enfin la tige, très montante, de la bottine. Quelle touche... Sans l'accent blanc de la chemise, dont le col se portait rabattu sur la blouse, sans la tache colorée de la cravate à bouts flottants, ils auraient été, prisonniers de tout ce noir, aussi pitoyables que les petits ramoneurs, dont l'appel mélancolique s'entendait parfois du dortoir. « Ah ! v'la le ramona... » Ce que Gabrielle avait redouté l'écho de ces voix enfantines ! De pauvres gosses qui traînaient, en chiens maigres, derrière leur patron. Des enfants prêtés... Leur image se confondait avec celles d'Alphonse et de Lucien. Souvent la mélancolie de Gabrielle l'emportait. Et puis l'envie la reprenait. L'envie de regarder. Regarder encore et encore les petits messieurs auxquels leurs mamans avaient payé de belles bottines et qui jouaient, en col blanc, dans la cour d'en face. On lui en faisait reproche. Que pouvait-elle répondre de sensé ? Gabrielle aimait à regarder.

Trois détails, qui paraissaient à première vue insignifiants, allaient pour toujours lui rester en mémoire : le col des collégiens de la rue du Lycée, leur cravate, nouée en rosette, et le noir de leur blouse.

1. Petits cigares qui se vendaient par deux.

Un jour, bien des années plus tard, une jeune couturière très en vogue allait adopter pour elle-même le col et la cravate flottante que la jeunesse des écoles se serrait sous le menton.

Sur-le-champ elle fut imitée.

A quelque temps de là, la jeune femme en question fit adopter ce col aux femmes qu'elle habillait. Puis elle ajouta à ce col une cravate en crêpe de Chine. Ensuite, elle décida de les mettre en noir, parce que le noir, disait-elle, était indémodable. Naissaient des tailleurs, comme on n'en avait jamais vu. Leur jeunesse étonnait. Certains y virent une forme d'effronterie.

Ainsi pendant un demi-siècle un certain tailleur déluré mais noir, noir comme la blouse en lustrine des écoliers de Moulins, orné du même col et de la même cravate se mit à courir les rues de l'Europe et des deux Amériques. C'était un *best-seller* mondial et plus que cela, plus qu'un mot d'ordre, plus qu'une mode : un style.

Ce style dont personne ne pouvait ignorer le nom : le style Chanel.

*

Les occasions de sortie étaient rares au pensionnat Notre-Dame et leur prétexte toujours pieux.

Ce qui aurait tenté Gabrielle ? La place d'Allier et ses cafés où se retrouvaient les joueurs de manille. Les concerts du dimanche où se produisait *La Lyre moulinoise*. S'asseoir... Attendre... Guetter le moment où le chef, d'une main bénigne, ferait retentir les premières mesures de *La Jolie Parfumeuse* et frémir le kiosque sous sa toiture chantournée. Et badadi et badada... Moulins, son peuple, ses bourgeois, tous étaient là, aux anges.

Mais ce n'était pas la place d'une élève de l'école gratuite.

Le dimanche, le pensionnat en entier se rendait à la grand-messe. Les jeunes filles des classes payantes occupaient la travée centrale, tandis qu'orphelines et nécessiteuses étaient parquées dans les bas-côtés. Inégalité à laquelle Gabrielle se résignait mal. Pas un garçon en vue. La coutume était que les élèves du sexe mâle fussent relégués derrière le maître-autel d'où ils ne voyaient pas l'office, à peine s'ils l'entendaient.

Les enfants de troupe, sous la conduite d'un médaillé réchappé de mille morts, et les *cagots* encadrés par des prêtres armés de leur *signal*, apparaissaient en tenue des dimanches — courte veste bleu marine à boutons d'or. Après avoir parcouru l'église de bout en bout, ils disparaissaient derrière des herses hérissées de cierges, comme dévorés par les flammes d'un bûcher. On ne les voyait plus. On ne les entendait plus. On les aurait crus morts si le bruit sec leur ordonnant de s'agenouiller ou de se relever n'avait rappelé leur présence. Tac-tac-tac... Derrière le maître-autel, le signal faisait un bruit de castagnettes.

Bientôt, suivis des seuls enfants de chœur, les prêtres apparaissaient dans un grand luxe de dentelles.

C'est que la messe, à Moulins, se déroulait avec plus de pompe et durait plus longtemps que partout ailleurs en France.

On devait cela au long règne d'un évêque, Mgr de Dreux-Brézé, prélat fastueux et qui avait eu le sens de la toilette. Pendant les quarante ans qu'avait duré son ministère, la hauteur de ses mitres, la longueur de sa traîne, qu'un sous-diacre et deux enfants de chœur, choisis parmi les mieux bâtis, suffisaient à peine à porter, la lenteur jamais égalée de son pas processionnaire, enfin l'onction qu'il savait mettre dans ses moindres bénédictions, tout cela ensemble était resté gravé dans la mémoire des Moulinois. Et le goût de la démesure ecclésiastique, six ans après la mort de ce prélat, se perpétuait au long de cérémonies interminables. Quant aux ridicules du défunt, cette infirmité dont on s'était tant moqué parmi les libéraux — certains jours, des besoins impérieux forçaient Monseigneur à s'interrompre en pleine cérémonie pour se hâter (Jésus, aidez-moi !) vers les commodités de la sacristie, dans une précipitation que sa longue traîne rendait des plus malaisées — à cela personne ne pensait plus. Ainsi l'on aurait pu croire, à l'époque où Gabrielle apprenait à connaître la ville, que les catholiques de Moulins resteraient pour toujours fidèles au souvenir d'un évêque qui avait ajouté à tant de magnificence le mérite d'une haute naissance.

Car son père avait été un vaillant défenseur du Trône et, de plus, marquis. Or ce marquis, dont on parlait à l'Institut Notre-Dame presque autant que de l'ancien évêque, n'était autre que le malencontreux grand-maître des cérémonies[1] de feu Capet, qui, chargé de congédier le tiers état, s'était attiré la célèbre apostrophe du comte de Mirabeau. Repartie qui, au dire des pieuses éducatrices, était bien à l'image du « haïssable Riqueti », mais qui n'en demeura pas moins, jusqu'à son dernier souffle, une des rares citations historiques dont Gabrielle ait fait usage.

C'était ainsi.

Elle, qui se fichait éperdument de la Révolution, des révolutionnaires et de leurs idées mais qui aimait à surprendre, citait à brûle-pourpoint, et sur un ton d'emphase : « Allez dire à votre maître... » Pour elle, ce n'était que théâtre. Une tirade comme une autre, presque une farce... Mais, néanmoins, lui revenaient en mémoire des mots entendus jadis et portés en elle secrètement. Mots qui dataient d'une jeunesse toute en messes, vêpres, saluts, et communions, mots des

1. Charles Evrard, marquis de Dreux-Brézé (1762-1829). Mgr de Dreux-Brézé, né en 1811, fut son troisième et dernier fils. (Voir *Le Personnel épiscopal bourbonnais*, Editions du conseil général, 1970.) Il fut évêque de Moulins de 1850 à 1893.

dimanches passés dans le fracas des grandes orgues, des vieux mots du temps de Moulins.

*

Or si nombreuses que fussent les messes, il fallait encore qu'il y eût les processions pour que l'éducation donnée aux jeunes filles de l'école gratuite reçût sa pleine justification.

Ces processions... Elles en étaient la parure.

Elles passaient, à pas accordés, devant une foule de paysans aux fortes moustaches, de bourgeois endimanchés, de familles prosternées, de commerçants ivres de dévotion, de militaires l'arme au pied.

Prétexte providentiel pour Gabrielle.

Elle voyait enfin ce qu'elle ne voyait jamais : les autres. Elle faisait librement ce dont elle avait toujours eu envie : voir. Et puis elle était en représentation... Elle défilait devant un public silencieux, recueilli. Les rues étaient aussi parées, aussi parfumées qu'un salon. Partout des bouquets blancs et des tentures d'or. Elle chantait. Ce qu'elle aimait le chant ! Elle marchait, légère. On la regardait. Les hommes surtout. Elle les croisait sans baisser les yeux.

La fête du *Corpus Domini*, à Moulins, donnait lieu à un chambardement inouï. Il y avait autant de processions que de paroisses, autant de reposoirs que de processions. Tout cela, pendant plusieurs semaines, encombrant les carrefours et la première page des journaux.

Ce jour-là, les jeunes filles des écoles gratuites ouvraient la marche. Elles précédaient les chanoines porteurs de cierge, les petits garçons vêtus en angelots, le Saint Sacrement sous son dais, et l'évêque sous sa chape raide d'or.

Comme on arrivait aux reposoirs, la procession s'immobilisait.

Le célébrant déposait son fardeau et reprenait souffle. Les chanoines s'épongeaient. Les enfants de chœur rechargeaient leurs encensoirs et l'on procurait aussi aux angelots un nouveau fourniment de pétales frais.

Parfois, des gémissements s'élevaient des rangs enfantins. Des voix désespérées criaient : « Maman ! » Les mères accouraient. Elles rendaient d'une main nerveuse un peu de rondeur aux anglaises fléchissantes, redressaient une auréole et faisaient, en hâte, baisser culotte à celui que torturait une envie de pisser. Ces messieurs du comité de bienfaisance en profitaient pour s'éclipser discrètement, le temps de boire un guignolet au Café Chinois.

A la terrasse, des consommateurs se signaient.

Cependant les orphelines entonnaient un dernier psaume et la procession se remettait en marche dans un tourbillon d'encens.

De tous les reposoirs, le plus grandiose était celui qu'édifiaient les régiments de cavalerie cantonnés à Moulins. Le clergé y faisait la plus longue halte et n'en finissait pas de bénir. C'était l'attraction majeure, celle dont les journalistes locaux escomptaient à chaque nouvelle procession une nouvelle surprise.

L'année où Gabrielle arriva à Moulins, les cavaliers avaient dépensé des prodiges d'imagination. Tous les cierges, sans exception, étaient tenus soit dans le canon d'un chassepot, soit dans celui d'un revolver. Vu à travers la fumée des encensoirs, cet entassement d'armes diverses, gardé par des cavaliers impavides... Vraiment on ne savait trop ce qu'on voyait.

Mais la presse, elle, n'y voyait que prétexte à aimables commentaires.

Voici comment fut décrit ce qui avait été le clou de ces journées : « Les sabres croisés et les lances artistiquement assemblées, le lustre suspendu devant l'autel composé de revolvers assemblés, tout cela qui constituait des ornements du plus bel effet décoratif, était une petite merveille de bon goût. »

A cette occasion Gabrielle comprit, qu'à l'ombre de ses tilleuls, Moulins n'était pas seulement une ville de couvents.

*

Lorsque Adrienne et Gabrielle eurent vingt ans la vie prit un autre tour.

Julia, qui, déjà, avait quitté le couvent, prêtait main-forte à ses grands-parents sur les marchés. Antoinette, encore trop jeune, restait seule à la charge des chanoinesses, tandis qu'Adrienne et Gabrielle se retrouvèrent placées, ensemble, et en qualité de commises, chez d'honnêtes gens qui tenaient, du côté de la rue de l'Horloge, un commerce fort bien achalandé. « A Sainte-Marie, maison spécialisée en trousseaux et layettes », c'est là que logèrent Adrienne et Gabrielle, chez leurs employeurs, toujours ensemble, dans la même chambre, comme à Varennes, comme au couvent.

Mais il ne fait aucun doute que le lien avec l'Institut Notre-Dame ne fut pas rompu pour autant. Du moins pas aussitôt.

Adrienne demeura en relation amicale avec les religieuses qui l'avaient élevée. Et, bien que travaillant en ville, elle continua à fréquenter leur ouvroir. Quant à Gabrielle, elle ne se fit jamais prier lorsqu'il lui était demandé d'apporter à la chorale de l'école gratuite l'appoint de sa voix. Le chant était un domaine dans lequel elle avait des ambitions.

La maison de la rue de l'Horloge prenait aussi des commandes de vêtements pour dames et fillettes. Très vite, ce fut à ce rayon-là que furent affectées les élèves des religieuses. Elles cousaient comme des fées. La nouvelle s'en répandit.

Or les environs étaient constellés de châteaux qui, chaque année, à la saison des courses, devenaient le lieu de ralliement de toutes sortes d'élégances. C'est que l'hippodrome de Moulins bénéficiait du voisinage de puissantes écuries. N'était-ce pas à Champfeu, dans le haras du duc de Castries, qu'étaient nés *Frontin* et *Little Duke*, les gagnants du Grand Prix de Paris ? Et le maréchal de Mac-Mahon ? Du temps où il était président de la République n'était-il pas venu, en personne, assister aux courses de Moulins ? Cela par amitié pour le duc de Castries qui était son beau-frère, c'est entendu. Mais aussi parce qu'il était de notoriété publique que ce président-là s'entendait mieux en chevaux qu'en politique.

Gabrielle observa que ses employeurs éprouvaient une véritable griserie à citer les noms de ceux en qui ils voyaient la source de leur fortune. Dame ! C'était cela l'esprit de commerce, et Adrienne n'était pas loin de partager leur émerveillement. Tandis que Gabrielle... On la sentait impénétrable, barricadée dans ses doutes. Et cela contribuait à nourrir chez ses proches une certaine irritation. Ce qu'ils pressentaient ? Qu'elle leur échapperait. Qu'elle ne se laisserait ni griser, ni imposer une façon de penser. Ce n'était pas une commise comme les autres.

Après de longs mois et de longs jours vécus derrière un comptoir, le ciseau à la main, à accueillir avec cérémonie de fières personnes qu'elles pressentaient vivant *hors* de ce qui la touchait, Gabrielle n'ignora plus rien des ressources mondaines qu'offraient les environs. Ses employeurs s'étaient attachés à les lui révéler dans leurs moindres détails.

Il fallait n'est-ce pas, il fallait absolument que la nouvelle commise s'émût, elle aussi, d'un voisinage aussi exceptionnel. Ainsi apprit-elle qu'il y avait à Tortezais une gentilhommière dont les propriétaires portaient un mulet dans leur blason et comptaient un maître d'hôtel du roi Charles VIII parmi leurs aïeux. N'était-ce pas merveilleux ? Et que de princes ! Dans le seul bourg de Besson pas moins de quatre châteaux. Tous aux Bourbon-Parme. Deux, hélas ! étaient convertis en étables. Mais, fort heureusement, les Bourbon-Busset, d'excellents clients, habitaient à deux pas, et depuis bientôt cinq siècles. Leur château était à Busset et cette similitude de nom entre château et châtelains était aux yeux des commerçants une distinction de plus. Ils répétaient avec un plaisir évident : « Les Busset à Busset... Les La Palice à La Palice, les Nexon à Nexon... » Malheureusement, rien de tout cela ne paraissait à Gabrielle de nature à susciter l'émerveillement. Les nobles visiteuses qui se présentaient au magasin n'éveillaient en elle que de rares bouffées d'enthousiasme. Comme leurs demeures, du reste, qu'elle jugeait austères, toujours juchées sur les hauteurs et donnant trop souvent l'impression d'avoir été conçues à usage militaire.

Elle rêvait d'autre chose...

Mais elle se gardait bien de le dire.

Quand vint l'âge qui pour d'autres est celui où l'on peut tout avouer et qui, pour elle, ne fut jamais que l'âge des aveux voilés, elle se risqua à plaisanter sur son horreur des châteaux. « L'amour que j'ai pu éprouver pour certains de leurs propriétaires n'a jamais suffi à m'en rendre le séjour tolérable », disait-elle.

maître d'hôtel du roi Charles VIII parmi leurs aïeux. N'est-ce pas merveilleux ? Lignée de princes ! Dans le seul bourg de Gesse, pas moins de quatre [illegible]. Tous aux Bourbon [illegible] ! [illegible] convertis [illegible]. Mais fort heureusement les Bourbon-Busset [illegible] pas, et depuis [illegible]. Leur [illegible] était à Busset [illegible] château [illegible] châtelains [illegible] de [illegible] Busset [illegible] La Palice [illegible] Nevers [illegible] de nature [illegible] d'enthousiasme. Comme leurs [illegible] été [illegible].

Eh ! c'est d'autre chose.

Mais elle [illegible] bien de la [illegible].

Quand vint l'âge [illegible] pour elle [illegible] l'âge des [illegible] elle [illegible] L'Amour [illegible] de leurs [illegible].

UNE VOCATION MANQUÉE
1903-1905

« Comprends-tu, quand une armée est battue par une autre armée, on change de cocarde, on modifie l'uniforme mais c'est toujours un uniforme, une cocarde. »

ARAGON,
La Semaine sainte.

I

LES CULOTTES ROUGES

En l'an 1903, passa sur la fille de Jeanne Devolle une sorte de frémissement. Elle commençait à s'impatienter. Cela tenait essentiellement à ce qu'elle prenait conscience de n'avoir vécu qu'un interminable temps pour rien. Que de jours, que d'heures perdus ! Elle allait sur ses vingt et un ans.

Elle prit une chambre en ville, rue du Pont-Guinguet, le quartier le moins cher. Parce qu'avec ce qu'elle gagnait... Loin, au-delà des toits, elle apercevait l'Allier, aux eaux larges et pacifiques.

Les fières personnes désireuses d'apporter des améliorations à leur garde-robe prirent le chemin de cette chambrette, et s'adressèrent directement à Gabrielle, sans que les bonnes gens de la rue de l'Horloge en fussent avertis. Si l'on en croit certains témoignages, Gabrielle alla jusqu'à faire des journées bourgeoises dans les châteaux à mâchicoulis.

Moins aventureuse, Adrienne hésitait à la suivre.

Puis, à quelque temps de là, elle se décida à son tour. Toujours aussi *famille*, et toute nourrie de la sève de l'Institut Notre-Dame, ce fut elle qui contribua à ce que les ponts ne fussent pas coupés avec le monde de tante Julia.

Et après tout ? Que pouvait-on objecter à la décision des jeunes filles ? Si elles ne logeaient plus rue de l'Horloge du moins logeaient-elles toujours ensemble. Et dans leur travail, quoi de changé ?

Les religieuses, elles-mêmes, jugèrent qu'il n'y avait là rien de répréhensible.

Tante Julia se rangea à leur avis.

Ici, à l'approche du virage qui va jeter Gabrielle, et à sa suite, Adrienne, dans la connaissance d'un autre monde, s'ébauchent les tentations auxquelles elles vont succomber. Voilà qu'elles découvrent *l'autre* Moulins. Non plus la ville dormante, édifiante, et comme assise sur sa dignité, avec ses lourdes portes qui paraissaient s'ouvrir à regret, ses maisons aux vastes porches, datant de l'époque des berlines, non plus les rues proches de la cathédrale où il semblait, tel était le silence, qu'on marchât entre des couvents, mais les cours et leurs boutiques, à l'ombre des arbres.

Il y a toujours des pâtisseries, toujours des tailleurs dans les villes de garnison.

Il y en avait à Moulins. Et c'était dans ces boutiques-là que se rendaient les officiers de la place.

Moulins n'était pas une ville triste. Plus d'un régiment y était cantonné. Mais il n'y en eut qu'un — et cela de 1889 à 1913 — qui tint le haut du pavé : le 10ᵉ chasseurs à cheval. Difficile d'être plus sélect. C'était à la fois le faubourg Saint-Germain et la plus fine fleur du terroir.

Les chefs s'appelèrent : le colonel de Chabot, d'Estremont de Maucroix, du Garreau de la Mécherie, Renaudeau d'Arc. Les capitaines : Verdé de l'Isle, Marin de Montmarin, Anisson du Péron, de Gaullin des Bordes, de Valence de la Minardière, de Barbon des Places. Les lieutenants : Doublet de Persan, de Barjac de Rancoule, d'Adénis de la Rozerie, de Vincens de Cauzans, d'Albufera, d'Espeyran, des Courtils de Montchal. Les porte-étendard : Merle des Isles, de Ponton d'Amécourt, de la Moussaye, de la Bourdonnaye, de Sainte-Péreuse...

Parcourir l'annuaire des officiers du 10ᵉ chasseurs

c'est s'exposer à la sensation d'être revenu au temps du roi Louis appelant ses chevaliers à la Croisade.

Voilà donc, une fois encore, les cavaliers mêlés au destin de Gabrielle, la voilà, à peine majeure, mêlée à la vie d'une garnison.

Les chasseurs étaient cantonnés au quartier Villars, sur l'autre rive de l'Allier, face à la ville ancienne et à ses rues de traviole. Assez loin, en somme.

Mais aussitôt leurs armes déposées, les officiers se répandaient sur le cours, en culotte d'écarlate portée plus bouffante que ne l'autorisait le règlement, le képi sur l'oreille, sans qu'il y paraisse trop, mais, néanmoins, très *bahuté* et souple à se le mettre dans la poche, en dépit d'une très longue visière.

Gabrielle se laissa éblouir.

C'était une armée que l'on croyait morte. Portée disparue à Reichshoffen... or c'était elle, encore elle, une armée de gentilshommes amoureux de la guerre, passementée jusqu'aux épaules, et fière avec ça et cocardière, à peine guérie des témérités inutiles, des charges condamnées d'avance, sourde aux innovations tactiques, une armée convaincue de sa fonction de stupéfier. C'était la cavalerie aussi, la vieille cavalerie de toujours, audacieuse et folle, se gaussant d'une République qui prétendait lui imposer le souci de l'orthographe et le respect d'instructions qui, appliquées, auraient signifié la fin du romanesque militaire. Cette idée !... Ne cherchait-on pas à lui interdire « de se précipiter sur l'ennemi selon son ardeur personnelle et la vitesse de son cheval » ? Qu'ordonnait-on ? Cohésion. Réflexion. Les cavaliers se considéraient insultés et jugeaient le texte affligeant.

Telle était l'armée qui tenait garnison à Moulins.

Les lieux de distraction étaient nombreux. Chaque samedi, on dansait au Café Chinois et tous les dimanches, il y avait quadrille à l'Alcazar.

Quant aux pâtisseries elles ne désemplissaient pas.

C'était là que se retrouvaient mères, sœurs, fiancées ou cousines, lorsqu'elles venaient à Moulins embrasser leur guerrier.

Et puis les tailleurs... Ils manquaient singulièrement de *pschtt*, et bien qu'il y eût jusque parmi les chasseurs quelques provinciaux assez ingénus pour leur passer commande d'un uniforme, entre fils de famille, pourvus de rentes et de papas compréhensifs, on jugeait que l'achat d'un *képi-foulard*, ou d'un dolman aux sept brandebourgs en poil de chèvre, aux trois rangées de boutons dorés, aux manches passementées avec art, et plus encore, peut-être, l'acquisition d'une de ces pelisses bleu de ciel, comme les cavaliers étaient seuls à en porter, tout cela exigeait que l'on allât à Paris, place du Théâtre-Français ou rue de Richelieu, où se trouvaient les meilleurs fournisseurs, faute de quoi on risquait d'être fagoté et de passer pour un *plouc*.

Aussi les tailleurs de la garnison ne voyaient-ils les cavaliers qu'en coup de vent, lorsqu'ils avaient un galon à recoudre ou un bouton à remplacer.

Ce fut néanmoins chez un tailleur de Moulins que, pour Gabrielle, tout commença.

La saison des courses battait son plein et approchait la grande date, celle de la journée réservée aux épreuves courues par messieurs les officiers.

Cinq ou six jeunes gens, tous moustachus et tous lieutenants, plus occupés de gloire équestre que de snobismes vestimentaires, entrèrent dans la boutique du Modern' Tailleur pour des retouches de dernière minute. Trois fois rien... Toujours des histoires de basanes qui ne résistaient pas à la furia de l'entraînement, ou bien l'addition d'une armature mobile que l'on portait en steeple, une façon de protège-crâne en joncs ou en baleines, destinée à rendre le képi rigide... Peu de choses, mais encore fallait-il que ce fût fait.

Ils étaient là, affairés, veillant eux-mêmes à tout, l'un en bannière, l'autre son képi à la main, quand ils aperçurent deux jeunes filles occupées à coudre dans la pièce voisine. On eût dit deux Cendrillons qu'une invisible Carabosse tenait en son pouvoir. Quoi de plus singulier que des filles de roi rapiéçant des culottes ?

Les jeunes gens furent d'autant plus étonnés qu'elles ne levaient pas les yeux de leur ouvrage et se comportaient comme s'ils n'avaient point été là.

Ils se renseignèrent.

On leur répondit qu'elles étaient employées dans une maison de confection pour dames, A Sainte-Marie, rue de l'Horloge, et qu'elles ne travaillaient pour le tailleur qu'occasionnellement, lorsque la saison des courses apportait un surcroît de commandes.

Les jeunes gens attendirent l'heure de sortie des deux amies, et, après cinq minutes de conversation, les invitèrent à l'épreuve d'obstacles du lendemain.

Elles daignèrent accepter. Mais avec quelle hauteur ! Des façons de reines... L'une élancée au teint clair, l'autre brune, plus petite et plus fatale.

Les jeunes gens étaient électrisés.

Et ce n'était là qu'un début.

Faisaient partie de cette escorte des garçons d'origine diverse. On pourrait les nommer tous. Il y avait là le puîné d'une riche famille de Montpellier, il y avait un Béarnais, considéré comme un beau parti, mais qui allait terminer sa carrière à Saumur, écuyer et célibataire, étant entré au Cadre comme on entre en religion, et comment oublier ce joyeux marquis, fou de chevaux lui aussi, qui vers les années 40, cédant à la noirceur des temps, fit un tour du côté de la L.V.F. ? Oui, on pourrait sans mal en dresser la liste : Robert Sabatier d'Espeyran, Charles du Breuil et combien d'autres... Voilà qui furent, des débuts de Gabrielle, les témoins irréfutables.

Les premiers rendez-vous eurent lieu A la Tentation, lieu anodin, où l'on allait déguster des sorbets. Puis s'ébauchèrent divers projets. Celui de se rendre au Grand Café, point de rencontre des élégances locales. Un vrai bijou... De construction récente, avec miroirs biseautés façon Maxim's, boiseries où s'entrelaçaient des lianes, et de-ci, de-là un rien de céramique genre Lipp, toutes choses si nouvelles.

En vérité le Grand Café, qui ne réussissait à être ni Maxim's ni Lipp, était irrémédiablement province. Il n'en parut pas moins aux deux jeunes filles d'un luxe inimaginable. Elles ne se rappelaient pas avoir jamais rien vu de plus gai ou de plus joli.

Mais les nouveautés qui, aux yeux de Gabrielle brûlaient d'un éclat magique, éveillaient les remords d'Adrienne. Elle voyait des obstacles partout.

Le passage de la boutique spécialisée en trousseaux et layettes au Moulins *by night* des lieutenants du 10e chasseurs ne se fit pas sans hésitations.

Il y avait encore tant de choses à découvrir à Moulins. La danse, la musique...

Il fallut tout le dynamisme de Gabrielle et toute sa détermination pour qu'Adrienne s'arrachât avec elle à l'enlisement.

*

Une des preuves les plus sûres du succès de Gabrielle et d'Adrienne auprès de leurs nouveaux amis paraît être le souvenir impérissable que leur laissa cette première rencontre.

Un demi-siècle plus tard, certains d'entre eux demeuraient encore sous l'effet de la fascination éprouvée.

Il y aurait lieu de s'en étonner lorsque l'on sait à quel point ils étaient, à quelques exceptions près, blasés, incultes, légers d'esprit, embarrassés de rien, et bien trop occupés d'eux-mêmes pour laisser le passé les dominer.

Et pourtant, ce sont eux qui d'années en années, de cercles en salons, de propos après boire en confidences sur l'oreiller, allaient se faire l'écho scrupuleux, précis, de ce qu'avaient été les étonnants débuts de Gabrielle.

Force nous est d'admettre qu'elle était déjà marquée de ce caractère d'étrangeté qui, seul, rend les femmes mémorables. Une beauté singulière.

Très vite, Gabrielle fut, autant qu'Adrienne, préposée à rehausser l'éclat des soirées de Moulins. Elle libérait les officiers du sentiment angoissant d'être prisonniers d'un monde où, à l'exception de professionnelles amicales mais souvent niaises ou trop canailles, la femme était exclue.

Bientôt le cercle des amitiés de Gabrielle dépassa de beaucoup celui de ses premiers admirateurs. Elle se révélait indispensable. Les deux cousettes devinrent la coqueluche d'un *milieu* accoutumé à imposer ses trouvailles. Il *fallait* que Gabrielle et Adrienne soient de toutes les sorties.

Ce qui n'implique pas forcément qu'elles aient aussitôt pris des amants.

Le difficile est de savoir à partir de quand elles couchèrent.

Rien de clairement discernable à ce sujet.

Mais l'impression que laissaient les récits des témoins pourrait faire supposer qu'aussi longtemps qu'elles furent à tous, elles n'appartinrent à personne.

Et c'est le cœur libre que Gabrielle et Adrienne entrèrent, pour la première fois, à la Rotonde.

C'était un pavillon circulaire, aux murs treillissés, construit vers 1860 à usage de café et, comme le précisait un arrêté préfectoral, de cabinet de lecture. Pour la lecture, cela devait se tenir à l'étage, car la

Rotonde était coiffée à la chinoise d'une sorte de lanterne au toit pointu qui dominait un jardin. Oh ! pas un parc. Un brave square de province avec un échantillonnage complet d'arbres et d'accessoires variés qui doivent traditionnellement figurer dans les jardins publics des régions tempérées : un cèdre, un orme, un cyprès, quelques marronniers, un cercle de bancs autour d'une étendue de gazon, le poète local statufié en robe de chambre et trônant dans son fauteuil de bronze, enfin, sur les eaux du bassin, nageotant en cadence, deux vieux cygnes assez hargneux.

Mais la vogue des cafés-concerts se répandant en France, la Rotonde ne fut que brièvement utilisée à des fins culturelles.

Deux ans, à peine, après son édification on y chantait déjà. Alors la municipalité entoura le pavillon de grilles solides, destinées à tenir en respect les curieux, et d'épais rideaux en voilèrent les baies.

La Rotonde était devenue un beuglant.

Il faut avouer qu'il était temps.

L'autre, le Bodard, situé sur le Cours ne suffisait plus à contenir sa clientèle. On y était réduit à l'asphyxie. Aussi l'abandonna-t-on aux gendarmes, aux fourriers, au train des équipages, enfin à tout ce qui n'était pas les chasseurs.

De garnison à garnison, la Rotonde ne fut pas longue à se faire connaître. On y accourait de partout. C'est que le dévouement à la patrie avait ses limites et n'interdisait pas que l'on se divertît. Fumer, reprendre en chœur les couplets d'un répertoire essentiellement patriotique, boire avec mesure — les ambitions équestres ne laissant guère place aux abus —, bombarder la chanteuse avec des noyaux de cerise, histoire d'entretenir la bonne humeur, voilà à quoi se limitaient les amusements du monde militaire. Tout cela, comme on le voit, puant la bêtise et assez innocent. On était loin des caf'conc' chers à Henri de Toulouse-Lautrec et loin de Montmartre. La Rotonde n'offrait ni les charmes du Moulin-Rouge ni la perversité distinguée du Divan Japonais.

Mais pour peu que des officiers d'infanterie aient réussi à se faire admettre, il arrivait qu'éclatât un boucan. Il suffisait que la chanteuse, préposée au couplet militaire, fasse son entrée coiffée d'un képi de cavalier pour que les fantassins hurlent à la mort. Ou bien qu'en un drapé tricolore, elle entonne une rengaine à la gloire de l'infanterie :

Le cheval court, le canon flambe !
Mais pour donner l'assaut... Viens-y !
Toujours joyeux, toujours ingambe
C'est le fantassin qu'on choisit.

et les cavaliers, hors d'eux, lançaient aussitôt une virulente contre-attaque, imitant une charge, tapant à coups redoublés sur la table, gueulant tous ensemble *Les Cuirassiers de Reichshoffen*, et de simuler des sonneries avec des « Ta-ra-ta-ta » à crever le plafond, et de galoper à travers la salle à cheval sur leurs chaises, en se cravachant les bottes, jusqu'à ce qu'apparaisse un directeur hagard cherchant à calmer les esprits :

« Messieurs ! Messieurs, je vous en prie ! »

L'annonce d'une romance revancharde produisait immanquablement son effet. On écoutait en silence *La Vengeance du pharmacien de Strasbourg* ou bien *Voilà, mon fils, ce qu'est un Prussien*. La salle se calmait enfin. Alors on enchaînait sur le rire, en faisant applaudir une chiennerie d'époque, bien épaisse, bien gauloise. *Une tempête dans une culotte* ou *L'arrière-train d'une dévote*, étaient des valeurs sûres.

Et Gabrielle ? Que faisait Gabrielle parmi ces spectateurs enfiévrés ? Elle écoutait, elle regardait et semblait y prendre plaisir.

Du fond de ce tintamarre, montait une promesse

confuse qu'elle était seule à entendre. Tout juste un bruit vague, comme une porte qui s'entrouvre. Une *issue* ?... Où conduisait-elle ? Il s'en fallait de beaucoup que Gabrielle le sût. Mais, elle n'aurait pu en démordre, et coûte que coûte, voulait en faire usage. Car elle n'avait en tête d'autres idées et d'autre ambition que celles-ci : s'en sortir, arriver, réussir, mettre un terme à un état d'infériorité évident. Or, elle était seule et savait que, déjà, tout ne tenait qu'à elle.

II

LE BEUGLANT

Il semble bien que Gabrielle ait été la seule instigatrice du contrat à l'année avec la Rotonde et que ce soit elle aussi qui y fit engager Adrienne.

On imagine sans mal ce que furent les pensées d'un directeur de beuglant devant une telle recrue. La jeune Gabrielle traînait après elle les cœurs les mieux dorés de la garnison. Pouvait-il hésiter ?

Et puis c'était une débutante au physique inhabituel.

Il est vrai qu'elle était brune à l'excès. Mais une certaine Spinelly [1], qui, à Paris, commençait à faire parler d'elle en se tortillant et en criant : « Un coup de piston ! » n'était-elle pas précisément de ce brun-là ? Et puis la bouche... Vorace, la bouche de Gabrielle contredisait un regard grave, presque mélan-

1. *Spinelly* était une brunette qui eut son heure de gloire dès 1901. Elle avait débuté comme Maurice Chevalier, toute gamine, au Casino de Montmartre, devant un public d'ouvriers et de commis voyageurs. Elle devint, par la suite, une des plus spirituelles fantaisistes du music-hall parisien.

colique. Le cou, très long, était celui d'Yvette Guilbert[1]. Une débutante qui n'était que contradictions. Tantôt d'une timidité de pensionnaire, tantôt d'un culot infernal. Elle avait un charme indéfinissable en dépit d'une indéniable maigreur. Etait-ce un défaut ? Une certaine Polaire[2], qui débutait aux « Ambass » secouée de spasmes et roulant des yeux blancs, atteignait les sommets de la célébrité en imposant, sur une scène parisienne, des audaces de femme maigre qui eussent été jugées inacceptables cinq ans plus tôt. Alors ? Cette Gabrielle était des plus employables. Bien qu'elle n'eût point de voix, elle avait déjà un public et même une claque, car il lui était arrivé de folâtrer sur scène d'un pied assez libre pour la plus grande joie de ses admirateurs. D'évidence, elle aimait ça.

Un certain répertoire et des traditions disparues des cafés-concerts parisiens avaient toujours cours en province.

Ainsi, en 1905, à Moulins, figuraient encore sur la scène des beuglants, ce que l'on appelait des « poseuses » : une dizaine de figurantes, assises en demi-cercle derrière les vedettes... Elles étaient là pour créer l'illusion d'un salon, donner bon genre à l'établissement et faire patienter entre les numéros. A peine la scène vide, elles se levaient et débitaient une chansonnette, chacune à son tour. On les écoutait à peine. On ne les payait pas. L'une d'elles, préposée à

1. *Yvette Guilbert*, la grande Yvette, obtenait chaque soir d'indescriptibles triomphes dans un répertoire presque entièrement dû à Xanrof et Aristide Bruant.

2. *Polaire*, ses chansons excentriques, ses dessous suggestifs, ses 42 cm de tour de taille faisaient sensation au music-hall. Son nom allait rester attaché à la création, en 1906, de *Claudine à l'école*, pièce de Willy et Luvay, mise en scène par Lugné-Poe, pièce dans laquelle Polaire fit ses débuts à la scène. « La *Claudine* était l'article à la mode », dit Polaire dans ses Mémoires. Les boîtes de nuit, les maisons de rendez-vous eurent toutes leur *Claudine*.

la quête, passait entre les tables, usage qui, à Paris, eût été jugé à peine digne d'un cabaret de campagne.

Et c'est en poseuse que la petite-fille du cabaretier de Ponteils fit ses débuts à la Rotonde. L'atmosphère était à la bonne franquette. Dans la salle, ses thuriféraires ne lui ménageaient pas leurs encouragements, On lui faisait un triomphe à peine était-elle debout.

Gabrielle mesurait sa chance.

A ses côtés, plus mortes que vives, des filles, aussi inexpertes qu'elle, guettaient, avec une angoisse de condamné dans l'attente d'un sursis, des applaudissements dont leur avenir dépendait. C'était une compétition cruelle. Le succès décidait de tout. A la moindre réticence, il fallait perdre tout espoir d'être engagée.

Gabrielle, parmi elles, faisait figure de favorite. Elle était la pouliche de ces messieurs et galopait très loin en tête du peloton. Chaque soir, avec un petit sourire à l'adresse des habitués, elle se levait et lançait un des refrains de son répertoire.

A cette même époque, l'amour avait conduit à Moulins une jeune femme ayant acquis à la Monnaie de Bruxelles une petite notoriété. Le sentiment qu'elle témoignait à un fils de famille, le comte d'Espous, l'avait arrachée pour toujours à son métier de ballerine. L'amant faisait son temps au 10e chasseurs. Elle l'aima de passion, et lui sacrifia sa carrière. Il accepta le sacrifice et ne l'épousa pas. Une *irrégulière*, entre autres... Son nom n'a laissé que peu de traces dans les mémoires, mais son témoignage n'avait pas de prix. Elle se souvenait fort bien des premières apparitions de Gabrielle sur la scène de la Rotonde : « Elle était prude, disait-elle, et s'enfermait à double tour pour changer de robe. En scène, elle était perdue de trac... mais cela ne se voyait pas. Au fond, c'était une arriviste timide. »

La nouvelle recrue ne savait que deux chansons. Elle attaquait avec un couplet de *Ko Ko Ri Ko*, revue où Polaire avait fait un succès, en 1898, dans la salle chic du caf'conc' parisien, la Scala.

Il était de tradition, à la Rotonde, que l'on accompagnât l'apparition de Gabrielle d'onomatopées diverses où dominait le caquet des volailles, cela afin de l'encourager lorsqu'elle lançait d'une voix enrouée un « Ko Ko Ri Ko » timide, où l'on avait grand-mal à reconnaître le cri vainqueur du coq. Alors elle enfourchait prestement son second cheval de bataille qui toujours faisait crouler la salle dans un tonnerre de rigolade. La rengaine datait un peu mais elle passait quand même. Cela s'appelait *Qui qu'a vu Coco dans l'Trocadéro ?* Une chanson qui, à quelques années près, avait l'âge de la tour Eiffel. Sa chanson porte-bonheur...

Elle y mettait tout son cœur. La chantant, elle se voyait déjà reine du music-hall, dominant la Seine, enfin *arrivée*.

Son public, pour lui réclamer un bis, se bornait à seriner les deux syllabes du mot que ces deux refrains avaient en commun : « Coco ! Coco [1] ! »

C'était comme une scie qui revenait chaque soir, à chaque apparition de Gabrielle.

Si bien que le nom lui resta.

Elle fut Coco pour tous les officiers, pour tous ses amis de la garnison. C'était comme ça. Elle n'avait pas le choix.

Sa chanson terminée, une débutante nommée Coco — non point par son père comme elle chercha toute

1. C'est au précieux témoignage de Carlo Colcombet que l'on doit ces précisions. Alors qu'il faisait son temps, en 1911, à Saint-Etienne, au 14e de dragons, il allait souvent à Moulins accompagner son capitaine qui y avait été en garnison cinq ans auparavant. Le capitaine — un fervent de la Rotonde — parlait toujours d'une certaine Coco dont il avait gardé un souvenir impérissable. Ils allaient tous deux la rencontrer aux courses de Vichy en compagnie d'Adrienne chez qui elle était en séjour. Colcombet, qui fit carrière dans le textile, demeura toute sa vie un ami fidèle de Gabrielle.

sa vie à le faire croire, mais par un parterre de militaires en quête d'amusement — saluait avec grâce et regagnait sa place.

Aussi belle, et même plus belle qu'elle, mais moins douée, Adrienne était préposée à la quête.

*

L'expérience de la Rotonde, cette aventure que Gabrielle s'était délibérément choisie, ne semblait pas porter tous les fruits qu'elle pouvait en attendre.

Moulins n'était pas Paris.

Au beuglant tout faisait médiocre, les loges sans eau, l'affiche sans vedettes et l'on n'applaudissait que des artistes en fin de course, n'ayant plus assez de nerfs pour affronter la concurrence des jeunes loups de la capitale.

Une autre que Gabrielle se serait peut-être contentée de cette situation, s'imaginant, à tort, s'être engagée dans une voie royale. Mais pas elle, pour qui l'admiration de quelques officiers ne suffisait pas à compenser le peu d'honneur qu'il y avait à paraître parmi des laissés-pour-compte. Comment ne pas se rendre à l'évidence ? La pauvreté, l'insignifiance du spectacle éclataient aux yeux les moins avertis et le doute s'empara de Gabrielle. Que faisait-elle là ? Il ne pouvait être question d'y apprendre quoi que ce soit.

Elle avait déjà une volonté inflexible et se disait convaincue de sa vocation. Se faire un nom, passer, comme Yvette Guilbert, de la couture en chambre aux feux de la rampe, devenir quelqu'un en chantant... il se pourrait que, dès le temps de Moulins, Gabrielle ait eu des ambitions plus précises encore. Elle rêvait, par le biais du music-hall, d'accéder à l'opérette.

Pour cela il fallait s'en aller.

Il fallait s'établir dans une ville offrant une vie théâtrale, une vraie scène, et dans cette ville trouver un emploi. Il fallait, en se déplaçant, essayer de ne perdre qu'un minimum de fidèles. Il fallait enfin éviter d'alerter tante Julia. Celle-ci vivait dans l'ignorance des joyeusetés de la Rotonde.

C'est qu'entre les beaux messieurs du 10e chasseurs et les gens de Varennes s'élevait un mur épais. Deux mondes qui vivaient en marge l'un de l'autre. On se croisait sans se voir, on se côtoyait sans jamais risquer de se connaître.

Mais ajoutons ceci : les Chanel *sachant*, est-il bien certain qu'ils eussent désapprouvé ? Gabrielle Chanel l'affirmait. Elle faisait état de messages comminatoires — transmis par Antoinette depuis l'Institut Notre-Dame — et prétendait qu'à l'époque, Adrienne et elle avaient été menacées par leur famille d'être mises en maison de correction au cas où elles se laisseraient séduire par quelque gandin de la garnison.

N'en croyons rien. Elles étaient majeures. Que risquaient-elles ? De plus, on n'avait guère matière à faire les farauds à Varennes... Et peu de leçons à donner. Julia, la fille aînée de Jeanne Devolle, la seule qui fût demeurée dans le cercle familial, s'était fait engrosser par un forain. Elle venait d'accoucher. Le père avait reconnu l'enfant, mais point encore épousé la mère. Ils vivaient néanmoins sous le même toit. On avait des traditions chez les Chanel et, de génération en génération, tout recommençait.

Mais on a lieu de penser que la mésaventure d'une sœur qu'elle aimait, et auprès de laquelle s'étaient écoulées tant de tristes années, ne put laisser Gabrielle indifférente.

Telle fut, peut-être, la signification d'une résolution qui suscita l'indignation des habitués de la Rotonde : Coco les quittait. Etait-ce croyable ? La créature échappait à ses créateurs.

Le tollé passé, on décida de se montrer compréhensif.

Elle allait à Vichy, le temps d'une saison. Or la ville thermale, qui depuis le Second Empire et les cures qu'y fit Napoléon III connaissait une vogue croissante, n'était jamais qu'à cinquante kilomètres. Les chasseurs s'y rendaient pour un oui ou pour un non. Courses, concerts, tournée d'actrice, belles inconnues que l'on s'arrachait, un va-et-vient de femmes honnêtes et moins honnêtes... Vichy, c'était le Baden-Baden de la France de Monsieur Loubet, l'aventure à tous tarifs et la villégiature de la garnison. Alors, il fallait se faire une raison et accepter, pendant quelques mois, de vivre à Moulins sans Gabrielle. Adrienne aussi partait. Jamais elles ne se quittaient, ces deux-là.

Des promesses furent échangées. Il ne fallait pas qu'on se perdît de vue.

Mais pour plus de sécurité les chasseurs à cheval suivirent les fugitives en rangs serrés.

Jamais le colonel de Chabot ne s'entendit demander plus de permissions pour Vichy qu'en cet été de 1905. Une coqueluche...

*

Il y eut néanmoins une réaction imprévisible. Celle d'un officier stagiaire. Il se montra franchement pessimiste quant à l'avenir artistique de Coco.

« Tu n'arriveras à rien, lui dit-il. Tu n'as pas de voix et tu chantes comme une seringue. »

Elle décida de passer outre, bien qu'il n'y eût personne en qui elle eût plus confiance. Curieux, non ? Un fantassin... Courtisée par tant de cavaliers c'était à un fantassin qu'allaient ses préférences. Son chevalier servant ? Pas encore, mais il en pinçait pour elle et ne le cachait pas. Un témoin des soirées de la Rotonde allait jusqu'à affirmer que l'officier en question aurait été son premier amant. C'est beaucoup moins certain. Mais il est un fait indéniable c'est qu'en 1905 Gabrielle Chanel n'éprouvait rien de bien sérieux à son endroit. De l'amusement, de l'amitié, ça oui. Mais rien de plus. L'eût-elle aimé, serait-elle partie ?

Il s'appelait Etienne Balsan. Il était tellement plus vrai, plus naturel que les gandins du faubourg Saint-Germain, et Gabrielle le comprenait tellement mieux. Ni grand, ni élancé, moustaches banales, un visage rond, rien de militaire dans sa façon d'être, dans sa mise aucune des audaces que chérissaient les cavaliers, peu de branche, aucune prétention, il avait, il est vrai, moins d'allure que les chasseurs et moins d'élégance qu'eux. Mais d'un entrain fou, d'une générosité évidente et sachant alimenter l'amitié comme personne.

Ce dernier trait suffirait à le décrire. Impossible d'avoir plus d'amis que lui.

Qu'aimait-il ? Où était son bonheur ? Dans les chevaux pour les faire courir, les femmes pour le plaisir, les vins gris de sa province pour le rire, et puis la bonne humeur, la bonne chère, la belle chair, la belle vie... Si le mot de *bon vivant* n'eût existé il eût fallu l'inventer pour décrire Etienne Balsan.

Il était arrivé à Moulins en voisin.

Sa famille était de Châteauroux, ville manufacturière, où ses parents avaient bâti une solide fortune. De la dignité, du sérieux, de la gravité, beaucoup de compétence, la haute bourgeoisie française et son langage de froide modération, c'était cela la famille Balsan : une classe sociale que Gabrielle avait jusque-là ignorée.

Le peuple et l'armée étaient tout ce qu'elle connaissait de la France.

Le 90e d'infanterie tenait garnison à Châteauroux depuis trente ans. Quand vint pour le fils Balsan le temps du service militaire, c'est dans cette unité qu'il fut tout naturellement incorporé. Fantassin... Etrange état pour un conscrit qui avait pour toute ambition celle d'élever des chevaux de course. Cette nouvelle le mit au désespoir. Que faire ? Comment échapper à l'exercice, à Châteauroux, à la caserne, à sa famille ? Ce fut alors qu'il parvint à se faire muter à Moulins, dans une section d'étude de langues orientales. C'était bien joué. Il arriva aux applaudissements des chasseurs. Ces messieurs le considéraient comme un des leurs. Ils espéraient beaucoup d'un tel boute-en-train. Ils ne se trompaient pas.

Leur enthousiasme redoubla lorsqu'ils apprirent que leur ami avait réussi à convaincre ses chefs qu'il lui fallait apprendre un dialecte de l'Inde, les intérêts de la patrie pouvant nécessiter, qu'un jour, on ait à expédier là-bas des espions... Mais le dialecte était si peu connu qu'il n'y avait personne d'assez compétent pour l'enseigner.

Tout cela avait été savamment conduit. Le fils Balsan allait pouvoir se la couler douce, monter les meilleurs chevaux, faire la fête.

Là-dessus il rencontra Coco. Il n'aspira pas d'emblée à l'enlever. Qu'aurait-il fait d'elle ? La façon de vivre de cette jeune personne n'indiquait en vérité aucun talent mondain. Mais il fut, comme les autres et même plus qu'eux, absorbé par l'idée de la lancer. Dans quoi ? Toute la difficulté était là.

Bien qu'il ait conçu plein de doutes sur les dons vocaux de Coco, Etienne Balsan fit son affaire de faciliter l'aventure vichyssoise.

Il offrit à Gabrielle et à Adrienne de les aider dans leurs emplettes. Mais il se fût bien gardé de le faire savoir. Il n'aimait pas qu'on eût des obligations à son égard. A l'époque où le talent de Gabrielle Chanel devint un fait acquis et où sa notoriété dépassa, de loin, la limite de nos frontières, il n'eût tenu qu'à Etienne Balsan de se raconter... Il y tenait si peu. Ce qu'il avait fait ? Pourquoi en parler ? Il se bornait à dire, d'une voix modeste : « Je lui ai mis le pied à l'étrier. »

Grâce à lui, Gabrielle et Adrienne entrèrent chez les bonnes gens de la rue de l'Horloge non plus en employées mais en clientes. Ce n'était pas tout de savoir tailler et coudre, encore fallait-il acheter le nécessaire. Elles choisirent quelques pièces de ce nouveau tissu dont toutes les femmes raffolaient : le surah. Après quoi, elles se conformèrent aux conseils de *L'Illustration*. Les chasseurs n'avaient point d'autre lecture. Elles n'eurent pas d'autre guide.

La chronique mondaine de cette publication influençait les provinciales ayant quelque coquetterie. Sa rédactrice, la baronne de Spare, avait la confiance de la bourgeoisie. Gabrielle et Adrienne n'échappèrent pas à ses diktats. Elles s'interdirent ces mélis-mélos de couleurs que la baronne réprouvait, et, pour les mêmes raisons, renoncèrent à faire usage de ce *satin radhamès* « qui était tapageur et empêchait que l'on fît la différence entre une femme du monde et une *horizontale* ». Pour le tailleur, la baronne préconisait le drap amazone, affirmant qu'il n'y avait « rien de plus distingué ou de mieux porté ». Elles en achetèrent.

Il devenait pour le moins utile de remercier Balsan. Sans doute éprouvaient-elles autant d'étonnement que de reconnaissance. Comment le lui faire sentir ?

Jamais Etienne Balsan ne put s'expliquer à qui Coco avait fait allusion lorsqu'elle lui avait dit : « J'ai déjà eu un protecteur du nom d'Etienne. Lui aussi faisait des miracles. »

Pouvait-il deviner de quel Etienne il s'agissait ? Elle ne lui avait jamais parlé d'Obazine.

Il s'éleva des discussions autour des chapeaux.

Suivant, en cela, l'exemple de tante Julia, Gabrielle et Adrienne se mirent en devoir de transformer du *tout fait*, comme au temps de Varennes. Mais de qui s'inspirer ? La baronne ne connaissait pas meilleure faiseuse à Paris que Mélanie Percheron, tandis qu'à ce nom les chasseurs s'esclaffaient, affirmant que, dans leurs familles, les femmes ne portaient que les créations de Caroline Reboux, la grande dame de la rue de la Paix. C'était à n'y rien comprendre. La baronne pouvait-elle se tromper ? Elles hésitaient.

Ce fut Gabrielle qui trancha.

Ses résolutions furent inflexibles : elle ferait des chapeaux *à son idée*. Adrienne n'eut qu'à se soumettre.

Ainsi arrivèrent-elles à Vichy s'étant fait chapeaux et robes elles-mêmes.

Les premières photos connues de Gabrielle Chanel datent de cette époque-là.

Il y a de l'amazone en elle et quelque chose qui, en dépit d'une féminité évidente, tient sa rigueur d'une façon très romantique de paraphraser l'uniforme. Carrure précise, haut col, corsage net, ceinture bien bouclée, aucun enjolivement, mais sur la manche et, ton sur ton, une imperceptible broderie, hommage timide à la soutache des chasseurs.

Ce qui émerveille ? La gravité du regard et la simplicité des effets. A côté d'elle, Adrienne, la beauté même, est un rien plus lacée, plus sanglée... Tandis qu'il est très précisément impossible de ne pas sentir sur le corps de Gabrielle la volonté de n'admettre que ce qui glisse.

Il suffit d'évoquer ce que ces photos ne montrent pas, les autres, les élégantes du Casino, les femmes aux reins arc-boutés, aux croupes rebondies, aux chapeaux comme des fardeaux écrasants, pour mesurer ce que l'apparition de Gabrielle annonçait de promesses.

Elle se présentait *déjà* en miraculée, sauvée des ridicules d'époque.

III

UNE SAISON À VICHY

VARENNES est relégué aux vieilles lunes. Encore une page de tournée.

Vichy marque une étape essentielle dans le destin singulier qu'est le sien. Gabrielle va se familiariser non pas avec le grand monde ni même avec une élégance cosmopolite — Vichy n'est ni cette « basse-cour de rois [1] » qu'est Cannes, ni la succursale estivale du Paris grand-bourgeois qu'est Deauville —, mais avec une image de la France que Moulins était loin de lui offrir dans sa totalité.

C'était, en vérité, un grand bond en avant que de passer des modestes ombrages du jardin de la Rotonde aux fastes du parc de Vichy, avec la parure de ses boutiques, que des cocottes assagies devaient à la reconnaissance de pachas par elles autant que par la cure stimulés, et devenues si convenables, ces commerçantes, si rangées, qu'elles avaient pour clientes tout le petit monde de la guerre de Cent Ans, toutes les châtelaines de la région, toutes les duchesses à mâchicoulis qui impressionnaient si fort les bonnes gens de la rue de l'Horloge. Ce qui parut nouveau à Gabrielle ? La longue file des calèches aux gracieux baldaquins, leurs chevaux aux oreilles gainées de blanc, le saisissant décor des buvettes vichyssoises aux ferronneries du plus pur *style métro*. Leurs verrières, comme de grands papillons aux ailes déployées, abritaient de tardifs regrets : ceux des hauts fonctionnaires, le teint pour toujours brouillé par de

1. Lettre de Maupassant citée par Paul Morand dans sa *Vie de Maupassant* (Flammarion).

trop copieux repas, des hommes d'Etat vaincus par la lourdeur et la longueur des banquets. Et puis les officiers... Ceux-là étaient victimes du devoir et des Ouled-Nail[1].

Si, en ce temps-là, la France mangeait trop, que penser de sa faim de conquêtes ? L'abondance des repas autant que le romanesque expéditionnaire sous toutes ses formes assuraient à Vichy une clientèle sans cesse renouvelée. Chaleur, vie sous la tente, rencontres au café maure et amours exotiques, opéraient des ravages sur les fils de famille. Ils revenaient en métropole démantelés. Pas d'autre solution que de leur prescrire une cure. Ils se rendaient à Vichy où la saison se prolongeait six mois. On se soignait avec femme ou maîtresse. Ce qui importait était de guérir tout en prenant du bon temps.

Peu de Russes, beaucoup d'Orientaux. Des Libanais, des Egyptiens en si grand nombre que l'on disait que « c'était le Nil et non l'Allier qui coulait à Vichy[2] ». Les diplomates arrivaient de l'étranger avec leur domesticité. On devinait leur provenance à la couleur de leurs valets. Que l'un d'eux se fasse congédier et il errait par la ville, utilisant au mieux ce qu'il savait de français pour se procurer un autre emploi. Souvent des Méridionaux, seigneurs de l'huile ou du savon, négociants ou armateurs, qui en matière d'exotisme en avaient vu d'autres, sautaient sur l'occasion... On les entendait se félicitant entre eux : « Mon cher, j'ai hérité du négro de l'ambassadeur Un tel... » Et ils repartaient vers la Provence avec un Nubien assis à côté du cocher ou une fatma assoupie dans ses voiles.

1. Tribu nomade de l'Algérie qui fournissait en danseuses, aux tatouages bleus et aux lourds joyaux, les cafés maures d'Alger, et en prostituées les bordels de la Kasbah.

2. *Souvenirs et témoignages*, par Yvan Loiseau, *Les Cahiers bourbonnais*, Moulins.

Tels étaient les curistes que voyait passer Gabrielle, tels étaient les promeneurs qu'elle croisait.

Elle avait loué une chambrette des plus modestes qu'elle partageait avec Adrienne. Ni impasse, ni passage mais un peu de tout cela à la fois, c'était dans une de ces rues comme il n'en existe qu'à Vichy, une rue de garçonnières, de rez-de-chaussée où nichaient des femmes faciles, des employées sans le sou et des cabots en tournée.

A en croire des amies de cette époque — comme elle occupées à s'évader et qui avaient, autant qu'elle, redouté le risque, toujours grand, de la chute ou de la rechute dans le prolétariat —, les débuts de Gabrielle à Vichy auraient été difficiles, ses premières expériences peu encourageantes. Les confidences de ces intimes avaient une saveur extraordinaire. Des femmes étonnantes malgré leur grand âge... On devinait ce qu'avait pu être leur séduction cinquante ans auparavant.

Elles qui avaient été admirées, adulées, parfois sincèrement aimées, mais toujours jugées inépousables, moururent seules, sans argent, sans amis, dans de misérables petits hôtels. On sentait qu'elles enviaient trop la fulgurante réussite de Coco, devenue chef d'entreprise, pour vouloir la grandir. Aussi n'en rajoutaient-elles pas. Elles se limitaient à l'essentiel et ce qu'elles racontaient, dans un langage simple et sans enflure, semblait digne d'une créance absolue. Par un réflexe d'autoprotection ou de solidarité féminine, elles se montraient étonnamment discrètes sur le chapitre des amours. Pas un mot là-dessus. Elles se limitaient à décrire ce qui, de leur point de vue à elles, ne compromettait personne. La rude lutte pour *arriver*... Grandeurs et misères de leur jeune temps. Pour le reste, ayant toute leur vie souffert des vilenies dont étaient victimes les femmes entretenues, ayant aussi, et par tous les moyens, cherché à paraître respectables aux yeux de leurs contemporains, accréditant la thèse d'une vie irréprochable où seul le cœur comptait, elles se taisaient, sachant qu'elles ne disposaient pas de meilleure arme. Silence qui ne se limitait pas à jeter un voile pudique sur leurs émotions personnelles, mais bien sur la vie amoureuse d'un *milieu* — leur milieu — où, cinquante ans après, Adrienne et Gabrielle se trouvaient toujours englobées.

Croyons-les lorsqu'elles laissaient entendre qu'on ne décrochait pas un engagement à Vichy aussi facilement que dans un beuglant de Moulins.

Les spectacles avaient une autre qualité.

Rien que des artistes classés, des Parisiens, des Parisiennes en représentation. Et l'on ne risquait pas d'y faire des débuts en «poseuse». Il y avait belle lurette que les directeurs avaient supprimé un usage jugé humiliant et ne correspondant plus à l'esthétique bourgeoise. Ces pauvres filles, offertes en pâture, serrées comme un troupeau de brebis apeurées derrière la vedette, faisaient dorénavant l'objet d'appellations injurieuses : « Le cercle vicieux... » On n'en avait que faire à Vichy.

Mais rien n'arrêtait Gabrielle. Il ne lui arrivait jamais d'hésiter ou de penser : « Je fais fausse route. » Elle voulait faire carrière dans la romance. Elle allait tout simplement de l'avant.

Plus les difficultés s'accumulaient, plus elle apportait de feu à les surmonter. Cette volonté de réussite laissait ses contemporaines un peu vacillantes et comme étourdies. Adrienne surtout...

Toute la question était de choisir la porte où frapper. Au Grand Casino il ne fallait pas songer. Son prestige interdisait le moindre espoir. Alors où ? A l'Eden Théâtre, dont le café était situé dans un jardin très frais ? C'était tentant. L'Eden donnait dans l'opérette. A la Restauration ? Le spectacle était animé mais le public guindé. A l'Alcazar, le temple des variétés ? Avec son éclairage *a giorno*, ses tables posées autour de la scène, son quadrille naturaliste, son salon pour les photographies souvenirs, son concert tunisien et ses vraies almées pour la danse du ventre, l'Alcazar cherchait à égaler le Jardin de Paris qui, sur les Champs-Elysées, attirait les milieux *vlan* de la capitale. Les curistes, les commerçants cossus, les ministres en villégiature, de sémillantes étrangères et des silhouettes « bien parisiennes » venaient en masse prendre leur part de gaieté à l'Alcazar de Vichy. Mais voudrait-on de Gabrielle ?

Elle réussit à y obtenir une audition.

Cela se passait dans une cave située sous le Café. Un pianiste, vaguement compositeur, serinait de vieux airs à des candidats faméliques. Il était en cheville avec une marchande à la toilette. Lorsqu'une recrue offrait quelque talent il lui suggérait d'aller, à ses frais, louer un costume. Après quoi il alertait le directeur.

Parfois, assistaient à ces auditions des impresarios-négriers, venus de Paris. Ne fallait-il pas toujours du nouveau à jeter dans l'arène ? Alors ils s'asseyaient, écoutaient et jugeaient.

Le caf'conc' était avant tout affaire de spécialisation. Que penser de cette apprentie timide ou de ce pauvre jeune homme? Vers quel genre les diriger ? Ferait-on de la fille une *gambilleuse* ou une *romancière*, du garçon un *monologuiste* ou un *excentrique* ? Et quel style leur donner ? Fallait-il leur conseiller le réalisme ou la pantomime ?

Les résultats de l'audition de Gabrielle furent décevants. Elle avait de la présence et un charme acide qui pouvait plaire mais de voix, elle n'en avait pas. Enfin... A peine un filet.

On lui laissa espérer un emploi de *gommeuse*, genre dont la vogue grandissante de Polaire avait suscité d'innombrables copies. Mais avant cela il fallait qu'elle travaille. Tout dépendait des progrès qu'elle ferait. En fait, on ne pouvait rien lui promettre.

A Adrienne on ôta ses dernières illusions.

Elle avait un air de princesse qui ne convenait pas à ce métier.

Il lui fut conseillé, sans ambages, d'aller faire carrière ailleurs. Elle s'en retourna à Moulins.

Coco se mit au travail.

Le pianiste maison offrait ses services. Il trafiqua à son intention des succès parisiens, histoire de lui poser la voix. Bien sûr, dans un emploi de gommeuse, il fallait jouer des hanches, volter, virevolter. Tout était dans la robe, la *gambille* et le *moulinet*. Mais il fallait aussi chanter. Coco susurrait « Moi je suis pas méchant » de Moricey que le pianiste lui avait mis au féminin. Cela donnait : « Moi j'suis pas méchante, j'suis bien patiente, mais quand je me fâche, v'lan, je lui rent' dedans » qu'elle lançait d'une voix blanche. Elle chantait aussi : « Tra-la-la-la-la, v'là les English » de Max Dearly où elle était un peu plus convaincante.

Son répétiteur ne lui ménageait pas les critiques.

« Tu as une voix de crécelle, t'as pas de mimique, t'es raide comme un passe-lacet, et, de plus, on te voit les os... Fais-toi ajouter des frous-frous au décolleté. »

Coco était persévérante et sans indulgence pour elle-même. Mais ses progrès étaient lents.

Les leçons n'étaient pas gratuites, et s'essayer tantôt en gommeuse, tantôt en *gigolette*, chercher sa voie — on disait *bricoler* — entraînait quantité de dépenses. Toujours avides, les marchandes à la toilette ne manquaient pas de prétextes pour filouter les débutantes. Elles n'étaient que reproches, constataient des dégâts imaginaires, des déchirures, des taches. Il fallait repriser, repasser, rafraîchir les costumes, les retaper. Sans quoi, ma fille...

Gabrielle passait ses nuits l'aiguille à la main.

La gommeuse était le plus souvent en robe pailletée. Rien de plus efficace aux feux de la rampe. Mais le travail que cela donnait ! Le chiendent... Au moindre accroc, les paillettes filaient comme une maille à un bas. Les débutantes partaient à la cueillette. On les trouvait à croupetons, affolées : « Mes paillettes ! » On compatissait. Tandis que la marchande à la toilette, inflexible, fonçait sur elles, au pas de charge, et réclamait un supplément.

Mais Coco tenait bon. Elle ne pouvait plus s'imaginer ailleurs. Qu'espérait-elle ? Faire sienne l'aventure de Zulma Bouffar à Ems ? Rencontrer à Vichy, faisant sa cure, un Offenbach pour décider de sa carrière ?

De toute façon, elle était heureuse.

Elle apprenait à se maquiller, à danser, à chanter. Elle vivait dans la coulisse de son rêve.

Jusque-là, la mode pour les gommeuses avait été aux paillettes rouges. Le public en raffolait. Mais à Paris, Mme d'Alma avait osé le parme. On ne l'appelait plus que la gommeuse mauve. Jusqu'à son chapeau qui était pailleté. Jamais on n'avait vu ça. En province les gommeuses se mirent aussitôt au mauve. Là-dessus, toujours à Paris, une môme de la campagne, pas jolie, la bouche en tirelire, avait fait un bout de succès en exploitant le genre gommeuse et la paillette noire. Du noir ! Il fallait être culottée ! Du noir, une rose au corsage et des jambes, cela avait suffi. Ses premiers succès dataient d'environ six ans et déjà elle commençait à faire figure de vedette. Ses camarades l'appelaient Jeanne mais les gens de métier ne la connaissaient que sous son nom de scène : Mistinguett... Ils en déparlaient. Les cafés-concerts de province s'étaient aussitôt empressés d'adopter son costume. Si bien que Coco avait trouvé à louer une robe en paillettes noires, la classique robe de gommeuse, courte, dessinant les hanches, très décolletée, le corsage moulant étroitement le buste, la jupe bordée d'un bouillonné de tulle, s'évasant légèrement jusqu'à mi-mollet.

Une robe qui n'était d'aucune famille, d'aucun pays, d'aucun passé, mais dont la grâce allait hanter Gabrielle toute sa vie. Mais cela elle l'ignorait encore...

Vint le temps, autour des années 30 où les femmes, sous l'impulsion de Chanel, adoptèrent la robe pailletée des gommeuses. Lorsque l'une d'elles apparaissait, que ce fût dans un salon ou dans les lumières éclatantes d'une salle de spectacle, lorsque, par un singulier effet, ce vêtement sans artifice s'imposait par sa seule séduction et brillait comme un miroir noir, peut-être Gabrielle était-elle seule à savoir tout ce que cette robe signifiait. Alors, peut-être, entre ces paillettes, voyait-elle glisser le reflet confus d'un passé ancien.

*

Le difficile était de trouver de l'argent.

Une fois apaisées les marchandes à la toilette, et payé le pianiste, le logement, la nourriture, qu'allait-il rester des économies de Gabrielle ? L'argent... Combien gagnait-on à Paris ? Les débuts y étaient-ils aussi durs qu'on le disait ? A en croire les gens de métier, avant de réussir, les idoles du jour avaient toutes connu la pire misère. Deux francs par jour... Ce qui avait été offert pour un lever de rideau à une inconnue, venue de Normandie : Yvette Guilbert. Trois francs pour faire rire un public de commis voyageurs... La paye quotidienne d'un gamin de treize ans : le petit Chevalier. Il avait grandi et commençait à faire parler de lui. Et Polin de retour d'Amérique ? Plein aux as, à ce qu'on disait... il avait été payé à coups de pied dans le cul, du temps où il cherchait à faire applaudir ses premières chansons par des cochers et des cuisinières. Mais était-ce une consolation ? Une raison de persévérer ? Et Gabrielle pouvait-elle se dire qu'elle partageait le sort commun ?

Dès 1906, elle pensa que si l'argent tenait tant de place dans les conversations — l'argent... les gens du music-hall n'avaient que ce mot à la bouche — le mieux était de s'appliquer à en gagner.

Qu'elle exerça à Vichy plus d'un métier, pas de doutes possibles. Tous les témoignages concordent.

Elle sut occuper ses journées. Mais à quoi ?

Non point à des *reprisages*, comme plus tard le laissèrent supposer dédaigneusement certaines clientes. L'image par trop convenue de la triste chambrette où la jeune fille pauvre, pour assurer sa subsistance et satisfaire ses ambitions, ravaude à longueur de jour la literie des curistes, paraît relever de l'invention comme (toujours de même source) l'assertion qu'elle ait mené la vie galante... ce dont aucune preuve ne peut être avancée. Ne voyons là que mesquineries.

« La presse américaine me fait arriver à Paris en sabots, disait Gabrielle avec un rire sarcastique. Pourquoi pas en femme de chambre ? »

Les photographies de Gabrielle Chanel, en 1906, démentent catégoriquement ces fantaisies. Ni femme galante, ni ravaudeuse. Trop modestement mise pour le premier de ces emplois, trop bien mise pour se satisfaire de l'autre. Mais qu'elle ait reçu Etienne Balsan à Vichy plus souvent qu'un autre, qu'il ait continué à l'aider, sans pour autant la mettre à l'abri des tâches subalternes, voilà qui semble plus vraisemblable. Imagine-t-on Gabrielle Chanel renonçant à une vocation aussi impérieuse ? Croyons plutôt les amies des temps difficiles quand elles assuraient que, malgré ses efforts, malgré ses espoirs, Gabrielle se retrouva au bout de quelques mois ce qu'elle avait été au départ de Moulins, couturière en chambre, retouchant les vêtements d'anciennes clientes de la rue de l'Horloge, venues à Vichy prendre les eaux. N'ayant toujours pas réussi à se faire engager à l'Alcazar, mais forte de la recommandation d'un officier du 10e chasseurs qui avait des intelligences dans la place, elle s'adressa en solliciteuse à l'Etablissement thermal. On l'accepta comme donneuse d'eau à la Grande Grille. Alors, vêtue de blanc, les pieds au sec dans de petites bottes aux curieuses proportions — blanches, elles aussi, courtes et faisant partie de l'uniforme —, Gabrielle fut l'employée qui, au fond d'une profonde fosse, choisissait un verre parmi ceux qui pendaient au mur dans leur gaine de paille, formant une assez étrange guirlande. Au centre, sous un dôme de cristal, la source giclait précieuse et chaude. Gabrielle allait, et, avec un air de componction, elle emplissait le verre, puis l'œil critique vérifiait la dose. Elle plaisait. Des curistes se penchaient. Des mains se tendaient. Les compliments fusaient. A quoi pensait-elle ? Aux bottes qui lui parurent tout de suite comme le comble du confort ? Ou à la musique ? Aux deux peut-être...

Au loin, l'Harmonie municipale donnait à la terrasse du Grand Casino son concert de « musique variée ». Toujours *Madame l'Archiduc* et *La Grotte de Fingal*.

Son impatience lui rendait la vie intolérable. Mais ne regrettons pas ce qui lui semblait des temps morts. C'est grâce à eux qu'inconsciemment elle s'enrichissait d'idées nouvelles. Un jour, autant que la robe dansante des gommeuses, allaient revivre, rue Cambon, les petites bottes des donneuses d'eau. Aux pieds de Chanel. Ses bottes des jours de bataille...

Quand, sous le soleil timide de la mi-octobre, la saison de Vichy toucha à sa fin, les rues retrouvèrent peu à peu leur calme provincial. Le flux migrateur des coloniaux s'amenuisa. Les cochers de fiacre reprirent avec leurs chevaux ces tranquilles tête-à-tête que les appels des grooms ne vinrent que rarement interrompre.

Puis vint le mois de novembre et l'on ôta aux attelages toute trace de frivolité. Les baldaquins frangés furent repliés, les oreillères mises au camphre. Certaines boutiques affichèrent leurs adresses parisiennes et les cafés-concerts effectuèrent leur fermeture annuelle dans un bruit de planches, de clous et de marteau.

C'était fini.

Le succès se refusait. Coco avait perdu la partie.

IV

LES GOÛTERS CHEZ MAUD

QUAND Gabrielle retrouva Adrienne, celle-ci n'habitait plus Moulins, mais aux environs de Souvigny, où son amie Maud Mazuel possédait une villa. Elle l'avait invitée à demeure.

Merveilleusement pratique, cette maison de Maud. A quelques pas de la petite gare de Coulandon-Marigny, une demeure assez vaste et que les gens du pays, conscients de ce qui s'y passait, appelaient le « château [1] ».

Maud recevait beaucoup.

Sans soustraire Adrienne à l'entourage strictement « cavalier » de ses débuts, son amie l'avait présentée à des châtelains de la région, plus âgés que les officiers du 10e chasseurs, ayant plus de moyens et plus de libertés qu'eux. Mais comme hobereaux et

1. En 1973, vivait encore à Souvigny un boulanger en retraite qui se souvenait de Maud. Jeune mitron, à l'époque, il allait, chaque matin, jusque chez elle livrer du pain en quantité et des croissants.

officiers appartenaient au même monde et étaient guidés par les mêmes goûts, jouissant d'une infaillibilité égale pour ce qui était l'« essentiel » — c'est-à-dire chevaux, femmes, vêtements, chasse et vins —, il ne se passait de semaine que le tortillard d'intérêt local n'amenât à Souvigny son lot d'habitués, civils ou militaires. Ils se déplaçaient ensemble et se rendaient en groupe aux journées de courses à Vichy et à ces garden-parties de l'Etablissement thermal que fréquentaient des dames du monde le plus élégant, mais où parvenaient à se faufiler aussi des inconnues, acceptées pour leur beauté, ainsi que quelques déclassées notoires.

Maud Mazuel était demoiselle. Elle avait de grands appétits mondains, et un vif désir de réussite. Née dans un autre milieu, elle aurait tenu salon. A cause de sa naissance obscure — elle était fille d'un maître maçon et sœur d'entrepreneur — elle dut se limiter à ménager des rencontres et peut-être à favoriser des liaisons. Sa maison ne désemplissait pas. De quoi vivait-elle ? Qu'un couple formé chez elle s'aimât pour de bon, et elle veillait à ce que, tout amoureux qu'ils fussent, ces jeunes gens n'aient garde d'oublier ce qui lui était dû, à elle, l'amie Maud. On lui prêtait en outre un protecteur aux moyens modestes.

Rondouillarde, sans mérites intellectuels, elle se savait dénuée de charme. Mais elle avait de l'entrain, de l'assurance et, quand elle le voulait, un air de dignité qui tenait, pour beaucoup, aux réminiscences historiques dont témoignaient aussi bien ses chapeaux d'esprit mousquetaire, et que dominait un plumet piqué comme un étendard, le jabot de ses corsages de style Louis XV, ou bien encore la coupe de ses tailleurs, dont les basques en sifflet inspirées du Directoire, ne réussissaient pas à masquer le tracé étonnamment accidenté de sa vaste personne.

Elle avait deux vocations contradictoires : celle de

boute-en-train et celle de chaperon. Elle sut être les deux à la fois.

Les thés, chez Maud, étaient des goûters.

On rencontrait, chez elle, des provinciales venues en voisines, des *irrégulières*, celles de messieurs les officiers de la garnison de Moulins (et, fort admirée, la jolie ballerine du théâtre de la Monnaie auprès de qui le jeune comte d'Espous était plus assidu que jamais), mais point de femmes légitimes.

La chère était bonne, chez Maud, et l'on vivait sans façons. Goûteurs et goûteuses se retrouvaient au jardin. Des chaises longues étaient tirées à l'ombre des arbres; les gâteaux, le chocolat, les pots de crème passaient de main en main, le pain était présenté dans des corbeilles. Mais la grande plaisanterie consistait à se coiffer, en quelque tenue que l'on fût, d'un canotier de paille noire, dont il y avait profusion, chez Maud, pour les jours de soleil. Alors les dolmans perdaient un peu de leur discipline et les cols se dégrafaient. C'était l'instant où Messieurs les officiers discutaient avancement tout en « croquant un morceau sur le pouce », où les hobereaux, cigare aux lèvres, menaient entre eux des conversations agricoles, tandis que les éleveurs mettaient tout le sérieux dont ils étaient capables à s'inquiéter de l'avenir de la Société d'encouragement. Le Comité n'accueillait-il pas parmi ses membres « des gens qui n'étaient pas du Jockey » ? Où allait-on ?

Pendant ce temps, les belles provinciales s'alanguissaient.

Mais pas une d'entre elles, aussi jolie fût-elle, qui eût la ligne, le port, le maintien royal d'Adrienne. Plus séduisante que jamais, elle était l'inestimable parure des goûters chez Maud.

Ces jours-là, Maud cherchait à se donner un air champêtre. Elle piquait des pâquerettes dans son chapeau dont elle laissait les brides lâches sous le cou.

Elle s'ébattait dans un de ses *teagowns* en coutil qui, disait-elle, la laissait aussi à l'aise qu'en chemise de nuit. Mais qu'il fût question de se montrer en public et aussitôt les membres du clan découvraient en la personne de leur hôtesse, dûment baleinée, gainée et chapeautée, l'irremplaçable paravent dont ils n'auraient su se passer. Maud permettait aux jeunes femmes en quête de réussite amoureuse de se déplacer sous la protection d'une dame de compagnie, et aux autres, les provinciales en quête d'amants, de rassurer les jaloux, les familles inquiètes ou soupçonneuses... puisqu'elles étaient avec Maud.

Les petites fêtes à Souvigny offrirent à Gabrielle l'occasion d'être introduite dans le clan.

A Moulins, le train-train continuait comme par le passé : toujours des tasses de chocolat bues en troupe A la Tentation, toujours autant de hautes jambes garance par les rues et de joyeux farceurs à la Rotonde.

Aucun des admirateurs de Gabrielle n'avait été rendu à la vie civile.

En apparence donc, rien de changé.

Et pourtant elle avait vite compris les méfaits de son expérience vichyssoise qui lui avait rendu ce retour insupportable. Pressentait-elle que son séjour à Moulins serait une pause, rien de plus ? Encore une année d'incertitude. Elle n'en apprécia que plus les goûters chez Maud, regrettant toutefois qu'Etienne Balsan refusât de l'y accompagner. Il nourrissait un préjugé à l'encontre des dames de Souvigny, les jugeant ennuyeuses.

Gabrielle n'était pas loin de partager cet avis. Néanmoins étant curieuse de tout, elle fréquenta assidûment la maison de Maud.

De nombreuses photos, où ne figure pas Etienne Balsan, la représentent, en cette année 1907, avec sur le visage les signes d'une insolente indifférence.

Faut-il en conclure que l'expérience de Vichy l'avait aussi éloignée de Balsan ? Ou faut-il, pour une fois, accorder crédit aux dires de Chanel vieillissante, lorsqu'elle affirmait qu'il n'avait été longtemps, pour elle, qu'un « bon camarade » ? Gabrielle, qui ne pouvait, pour l'instant, réaliser le seul rêve qui lui tînt au cœur — chanter — se comportait, à Souvigny, comme dans les caves du café de l'Alcazar : une fois de plus elle « bricolait », elle cherchait sa voie.

Voici Gabrielle à une heure cruciale de sa vie. La voici un dimanche, aux courses de Vichy, assise non pas dans la tribune des propriétaires mais tout bonnement parmi les bourgeois du département qui, en allant aux courses, affichaient une importance nouvelle. La voici, toujours plus *différente*, à cause de ce quelque chose d'alerte que n'ont point les opulentes personnes qui l'entourent, la voici contredisant par sa simplicité hardie l'extrême raffinement d'Adrienne — celle-ci, en grande tenue, s'offrait une débauche de plissés et de dentelles de Chantilly —, voici donc Gabrielle faisant son entrée dans les divertissements de la bonne société tandis que, la dominant de toute la hauteur de son plumet, assise entre les demoiselles Chanel et officiant avec majesté, apparaît l'amie Maud dans son rôle de duègne.

*

Gabrielle s'irrita-t-elle d'un mode de vie qui ne laissait aucune place à ses ambitions personnelles ? Ou se lassa-t-elle d'afficher des manières n'ayant d'autre but que de décrocher un emploi de demi-mondaine ?

Peut-être entrait-il aussi, dans sa lassitude, quelque inquiétude de ne savoir mener ce jeu avec autant de brio qu'Adrienne.

Car Adrienne avait un chevalier servant.

Le comte de Beynac était de ces aristocrates aux solides attaches terriennes, aux vigoureuses moustaches, passionné de chasse à courre, et pourvu de cette pointe d'extravagance qui, tout en faisant de lui un *personnage*, constituait, aux yeux de ses familiers, l'essentiel de son prestige. Jamais on n'entendait parler des mots, des collections ni même des châteaux du comte de Beynac, moins encore de sa fortune, mais toujours de son accent et de son originalité. Et si l'on se répétait quelque anecdote le concernant, c'était pour mieux mettre en valeur son pittoresque : M. de Beynac était ce Nemrod qui venait avec sa meute de forcer non point un cerf mais un loup, le dernier que l'on ait vu en Limousin; M. de Beynac était ce joueur qui, d'un seul coup de dés, avait gagné quatre danseuses du Casino de Paris à quatre de ses camarades, et qui, pour fêter sa victoire avait embarqué les demoiselles dans son break, puis, chantant à tue-tête et en patois, avait fait remonter les Champs-Elysées à tout son monde, au grand galop de ses quatre anglo-normands; M. de Beynac, enfin, était ce gaillard qui, à quelque temps de là, ayant aussi joué ses chevaux et les ayant perdus, s'était vu contraint de regagner sa province à pied... ce qu'il avait fait comme en se jouant.

Tel était l'homme qui s'était épris d'Adrienne.

Plus qu'aux trois quarts ruiné, il avait trouvé en la personne de son meilleur ami — le marquis de Jumilhac — une sorte de mécène, toujours prêt à lui faciliter ses frasques à condition d'y être associé. L'un et l'autre, tout en courtisant Adrienne, servaient de mentors au fils d'un châtelain de la région. Fort joli garçon, le jeune homme était déjà bon chasseur et excellent cavalier. En ce domaine ils n'eurent rien à lui apprendre. Mais ils s'attachèrent à le guérir du sérieux provincial. Sachant faire son profit de l'expérience de ses mentors, le jeune homme était devenu en peu de temps un clubman d'une élégance ébouriffante.

C'était donc un trio d'admirateurs qui se disputaient la compagnie d'Adrienne.

S'il ne faisait nul doute qu'en sa qualité d'aîné, c'était au comte de Beynac que revenait le rôle de protecteur en titre, il ne semblait pas aussi évident qu'il fût le seul favori.

Ainsi naquit le projet de s'en aller tous ensemble en Egypte. Adrienne serait du voyage et la jolie ballerine aussi, ainsi que l'amoureux de cette dernière et cela d'autant plus ouvertement que le comte d'Espous avait décidé de mettre du sérieux dans sa vie et parlait d'*épouser*, résolution des plus inhabituelles dans cette société.

Maud triomphait.

Hélas ! avertis de ce projet, les parents d'Espous, depuis leurs terres languedociennes, avaient décrété que jamais une roturière ne porterait leur nom et qu'ils préféreraient rompre à tout jamais avec leur fils plutôt que de le laisser se déshonorer. Lui, le plus beau nom du département ? Etait-il devenu fou ? Grue, gueuse, horizontale, poule, dégrafée, étaient les qualificatifs les plus nuancés dont ils usaient à l'égard de la maîtresse de leur fils. Effrayés, les amants avaient décidé d'attendre, dans les bras l'un de l'autre, la mort de leurs chers parents.

Mais cela n'empêchait pas qu'en remontant le Nil on se donnât un goût de voyage de noces.

Curieusement, Gabrielle était seule à dire que les Pyramides, les Pharaons, le désert, Khartoum, les temples et le reste ne l'intéressaient pas. Il fallait pourtant bien qu'elle se décidât. Maud Mazuel s'était fait forte de la convaincre. Elle avait échoué. Gabrielle déclarait qu'elle ne *voyait* pas ce qu'elle irait faire en Egypte. « Mais tu verras le Sphynx », lui disait-on. D'évidence elle s'en fichait.

Les choses en étaient là, et Adrienne choisissait déjà ses tenues de voyage, assortissant ses voiles à ses chapeaux et ses cache-poussière à ses tailleurs, lorsqu'à Moulins la classe à laquelle appartenait Balsan fut libérée. Outre la satisfaction de retrouver la vie civile, plus rien ne le forçait à vivre à Châteauroux. Son père était mort, sa mère aussi. Par hasard un domaine s'était trouvé à vendre, à Royallieu, près de Compiègne. Il l'avait acheté à la veuve d'un entraîneur, en décembre 1904, alors qu'il venait d'hériter de ses parents.

Tout, à Royallieu, les prés autant que les bâtiments où les écuries occupaient une vaste surface, se prêtait aux désirs de Balsan. Il voulait y installer un haras et se risquer dans la compétition. Courir le cross à Pau, tenter sa chance au Grand National de Liverpool, Etienne rêvait de mener conjointement la vie d'un éleveur et celle d'un *gentleman-rider*.

Ces projets le grandissaient aux yeux de Gabrielle.

La première fois qu'il lui en parla, elle s'en fit une fête. Elle professait pour les jockeys la plus vive admiration. Le cérémonial traditionnel de la pesée, lorsque la cloche sonne au-dessus de la salle des balances, la lente procession dans le « rond », suivie de l'instant d'émotion où le cheval s'éloigne, caracolant, et faisant corps avec le jockey dans sa casaque éblouissante, tout cela lui plaisait à la folie. Elle avait même un « numéro » que ses amis lui réclamaient souvent : Gabrielle savait mimer la minute de vérité où les petits hommes en culotte blanche se font hisser en selle. Alors ses admirateurs entonnaient tous ensemble : « Les courses, les courses, ah ! il n'y a que cela », refrain d'une revue que venaient de créer les membres du Jockey et qui était le signal de l'entrée en action. Aussitôt Coco « présentait la jambe » et l'auditoire s'écroulait de rire. Après quoi, elle contrefaisait les mimiques sévères des entraîneurs vérifiant les sangles.

C'était le comte de Beynac qui, le plus souvent, tenait le rôle du cheval.

Apprenant les projets de Balsan, Gabrielle lui demanda :

« Tu n'as pas besoin d'une apprentie ? »

Il la prit au mot.

« Ah ! la petite Coco veut qu'on lui apprenne à monter à cheval, elle veut qu'on l'emmène, eh bien, on l'emmènera ! »

On était loin de l'enlèvement romantique, loin du langage de la passion. Mais Etienne mettait Paris à sa portée. Elle lui sauta au cou.

V

UN BEAU PARTI

TOUT était inhabituel à Royallieu et jusqu'à la présence d'Etienne Balsan en ces lieux. Une chose surtout semblait choquante, c'était qu'il ait choisi la campagne. Ce n'était pas dans les habitudes de la bonne société pour qui le mot « s'installer » était limité à un usage strictement parisien. *S'installer*, cela sous-entendait l'obligation de louer, à Paris et pour neuf ans, un appartement aussitôt agrémenté de pâtisseries Louis XV et tendu de tissus inusables. Car se préoccuper d'ameublement plus d'une fois dans une vie était de ces aventures... Un homme bien ne s'y hasardait pas.

Quant à *installer* un château, cela n'était pas concevable. On entrait en possession d'un domaine familial qui demeurait dans l'état où on l'avait reçu en héritage et l'initiative s'arrêtait là. Les tableaux de famille restaient accrochés à la même place, le cercle des fauteuils inchangé, les salles d'eau aussi rares. Seuls les Rothschild faisaient exception. Mais loin de considérer de bon ton que le baron Alphonse ait fait installer le téléphone entre son château de Ferrières et sa banque de la rue Laffitte — initiative inouïe qui avait nécessité la pose de quatre-vingt-dix kilomètres de fil double — les gens du Faubourg considéraient que le baron avait surtout cherché à frapper les imaginations et l'on continuait à voir d'un assez mauvais œil des châtelains dont les demeures offraient plus d'une salle de bain par étage. A quoi bon ? Les motifs d'un tel luxe échappaient à une société qui faisait dépendre l'élégance d'autres valeurs que celles du confort ou de la propreté. L'aristocratie se lavait peu [1]. C'est qu'elle jugeait préférable de limiter ses ablutions au contenu d'une bouilloire plutôt que d'être contrainte, par suite de dépenses inconsidérées, à lésiner sur la taille, le nombre ou les livrées de ses valets de pied.

Aussi comprenait-elle mal Etienne Balsan.

Où voulait-il en venir en rénovant une bâtisse ignorée de ses ancêtres ? Il était orphelin, riche, et célibataire. On attendait de lui qu'il se montrât assidu auprès des pucelles épousables. Or il se terrait loin des bals. Qu'est-ce que cela signifiait ?

Balsan, à chacune de ses permissions, s'était fait remarquer, en divers lieux à la mode. Et les Balsan ne s'étaient pas fait faute, face à ses bonnes fortunes, de manifester autant de vanité que de transes. Mais du fait même de la brièveté de ses toquades, Etienne passait pour un homme ayant de la défense. Avoir réussi à larguer Emilienne d'Alençon au bout d'une liaison éclair n'était pas un exploit négligeable.

Emilienne, au demeurant la meilleure fille du

1. « On ne se lavait jamais », lit-on dans les mémoires de la comtesse Jean de Pange, *Comment j'ai vu 1900*, tome II, Editions Grasset.

monde, bien que passablement gourmande, se voyait attribuer d'innombrables victimes. Le jeune duc d'Uzès ne s'était-il pas ruiné pour elle ? Alors, ne sachant plus par quoi la retenir, il lui avait offert une parure puis une autre et tous les bijoux de famille y étaient passés. Pour mettre un terme à une liaison aussi ruineuse, sa mère n'avait trouvé d'autre moyen que de l'expédier au Congo. Aussitôt arrivé, il y était mort... de dysenterie.

De sorte qu'Etienne Balsan, pour avoir su décrocher à temps, faisait à la fois figure de héros et de beau parti aux yeux des mères nobles.

Mais qu'allait-il faire à Compiègne ?

Royallieu était au cœur d'une province où la gloire des chevaux primait tout. Il était admis qu'un pur sang, pour être conduit aux plus hautes destinées, devait être entraîné dans cette région et dans nulle autre. Cette dernière particularité était ce qui avait attiré Balsan à Royallieu.

Venues de Grande-Bretagne, des dynasties entières d'entraîneurs s'y étaient établies. Chantilly et Maisons-Laffitte étaient des villages anglais. Dans leurs maisons en brique rouge, les Bartholomew, les Cunnington, les Carter jouissaient d'une considération dont la presse se faisait l'écho. Pas moins d'une dizaine de publications spécialisées et une page dans chaque quotidien de l'époque étaient entièrement consacrées aux nouvelles du *turf*. Un domaine où la moindre irrégularité s'enflait jusqu'au scandale. Que se confirmât une rumeur selon laquelle certains propriétaires, cherchant à se renseigner sur la valeur de leurs concurrents, s'étaient assuré les services d'espions, *L'Illustration* en faisait aussitôt sa première page, et la presse française tout entière prenait feu.

C'est au spectacle de cette passion que fut mêlée Gabrielle Chanel, à peine arrivée.

Pouvait-elle se douter que sa situation à Royallieu

allait différer si peu de ce qu'elle avait cru fuir en quittant Moulins ?

Elle allait vivre dans l'intimité d'un homme réalisant le type parfait du *sportsman*, coupé du monde hormis celui des courses, ne fréquentant que quelques amis intimes et des demi-mondaines.

Etienne Balsan ignorait Paris, ses artistes, ses gens de lettres, ses peintres et les snobismes d'une société dont il ne partageait ni les goûts ni les préoccupations. Il ne se souciait pas plus des déplacements des grands de la terre que de se mêler de leurs activités charitables. Les femmes qu'il accueillait n'étaient jamais celles dont la chronique mondaine louait l'élégance en villégiature et le dévouement dans les kermesses. Ce n'était pas des dames d'œuvres.

Pour être invitée à Royallieu il fallait être gaie, toujours en bottes, et prête à galoper des journées entières d'un bout à l'autre de la forêt.

Royallieu ? Une joyeuse bande d'amis. Et sorti de cela, sorti du cheval, du rire et du plaisir, rien.

ENTRETENEURS ET ENTRETENUES
1906-1914

> « Quand Mme de Villeparisis traversait le hall, la femme du Premier Président, qui flairait partout des *irrégulières*, levait le nez de son ouvrage et la regardait d'une façon qui faisait mourir de rire ses amies. »
>
> MARCEL PROUST,
> *A l'ombre des jeunes filles en fleurs.*

I

LA VIE DE CHÂTEAU

ROYALLIEU était un monastère de fondation presque aussi ancienne qu'Obazine. Mais que restait-il de son austérité primitive lorsque Gabrielle y arriva ? Seuls le couloir carrelé, l'escalier assez raide, et le porche d'aspect féodal portaient encore la marque du temps où les chapelains de Philippe le Bel, et le roi lui-même, venaient à Royallieu faire leurs dévotions. Quant au reste des bâtiments, ils avaient gagné en grâce et perdu en rigueur au cours des XVIIe et XVIIIe siècles. Aux moines avait succédé un ordre de femmes, les bénédictines de Saint-Jean-du-Bois, et les aménagements qu'elles avaient apportés à leur monastère étaient à l'image d'un siècle qui fut par excellence celui du charme français. Royallieu devait à ses premières abbesses de ressembler à une belle demeure provinciale.

Gabrielle était à cent lieues de penser qu'elle souhaiterait un jour en posséder une semblable.

Ce jour ne viendra qu'un quart de siècle plus tard, sur les bords de la Méditerranée, lorsqu'elle fera construire, à Roquebrune, une villa à l'échelle de ses conquêtes : *La Pausa*, le domaine de pierre et de ciel de l'autocrate qu'elle sera devenue, mais aussi une demeure dont la sobriété lui sera dictée par ce qu'elle aura retenu du décor d'Obazine comme du décor de Royallieu.

Une façade percée de hautes fenêtres, des pièces lumineuses dont les belles boiseries n'attendaient qu'un coup de peinture pour retrouver leur éclat, tel était Royallieu lorsque Balsan entreprit sa remise en état. D'antiques vasques, des chapiteaux romans, seuls vestiges de colonnes brisées, allèrent compléter le décor du parc. De la sévère rampe en fer forgé ne subsistaient que quelques éléments. Etienne Balsan en fit exécuter une autre, identique.

Les travaux se prolongèrent jusqu'à son retour de Moulins.

La maison était enfin prête lorsqu'il découvrit, au grenier, un tableau caché là à l'époque où les bénédictines avaient été chassées par la Révolution. Gris de poussière, c'était le portrait d'une moniale. Qui était-elle ? On entreprit des recherches. Elle s'appelait Gabrielle. La toile représentait cette première abbesse qui sut redonner à Royallieu un lustre perdu. L'effigie de la très pieuse Gabrielle de Laubespine retrouva sa place en haut de l'escalier. Mais, fait significatif, ce ne fut pas dans sa chambre, la plus belle et la plus vaste de la maison, que logea Gabrielle. Elle n'eut droit qu'à un appartement plus modeste.

Balsan jugeait-il que c'eût été lui accorder trop d'importance que de la loger là ?

Il la traitait en invitée subalterne. Après tout, elle n'était pas une femme à afficher, moins encore à épouser, la gentille Coco rencontrée à la Rotonde... Et même plus une gamine. Elle allait sur ses vingt-cinq ans.

Gabrielle sut se satisfaire d'un état qui, ne lui assignant aucune tâche précise, lui laissait une certaine liberté.

Etienne faisait d'elle sa maîtresse, soit. Mais il ne s'attendait pas à ce qu'elle assumât la charge de maîtresse de maison.

En ce domaine, où tant et tant de Parisiennes, tant

d'amies d'Etienne excellaient, Gabrielle était la plus inexpérimentée des femmes. Son incompétence se manifestait aux moments où l'on s'y attendait le moins. A vrai dire, elle se sentait *dépassée* et tout à Royallieu la stupéfiait : le confort, le luxe des salles de bain, à la cuisine des fourneaux comme elle n'en avait jamais vu et, accolée à la façade, une curieuse petite bâtisse, où Balsan pratiquait un jeu dont elle n'avait jamais entendu parler : le jeu de squash. Les lads, les garçons d'écurie, étaient les seuls êtres qui tinssent un langage familier. Ils la mettaient à l'aise.

Ce n'est que plus tard, une fois définitivement perdues ses illusions quant à sa carrière théâtrale, qu'elle songera à tenir à Royallieu un rôle définitif. Mais qu'en dira Etienne ? Jamais il ne put prendre la chose au sérieux. Il lui offrait un toit. Il ne souhaitait pas que ce geste fût pris pour de l'amour.

*

Tant par sauvagerie naturelle que par plaisir, Gabrielle passa les premiers mois de son séjour à Royallieu sans jamais en sortir. Elle s'en tenait à ce que Balsan attendait d'elle : amuser et vivre dans l'oisiveté.

Consacrant son temps et toutes ses ressources à se maintenir parmi les meilleures cravaches françaises, se désespérant lorsqu'il n'y parvenait pas — de 1904 à 1908 il oscilla entre la première et la treizième place sur la liste des cavaliers en obstacle, et ses activités lui coûtaient plus qu'elles ne lui rapportaient —, Balsan ne se préoccupait plus de favoriser les ambitions de Gabrielle. Etant de ce milieu où le désœuvrement se comprend le mieux, il aurait considéré comme une bizarrerie qu'elle s'entêtât à vouloir travailler. Mais il ne pouvait s'empêcher de s'émerveiller qu'elle profitât si fort des avantages de la vie de château. Il n'avait rencontré personne qui eût autant qu'elle le goût de traîner au lit. « Elle restait couchée jusqu'à midi à ne rien faire, sinon boire du café au lait et lire des romans de quatre sous. La plus cossarde des femmes... », avouera-t-il quelque trente ans plus tard. Mais qu'il fût question d'une expédition matinale et cette paresseuse était la première levée.

Etienne semblait voir Gabrielle pour la première fois. C'est qu'il vivait sans savoir qu'une soudaine sécurité pût être source de bonheur. Tandis que Coco... Elle n'avait, jusque-là, profité de rien. Installée à Royallieu, elle convoita des biens raisonnables mais les voulut tous, et sur l'heure : dormir autant qu'il lui plaisait, devenir, coûte que coûte, la meilleure cavalière, réfléchir le moins possible, apprendre l'insouciance, en un mot, battre les amis d'Etienne sur leur propre terrain. La vie, qu'était-ce après tout ? Un perpétuel *on verra bien*.

Elle vit dans son succès la preuve qu'elle ne se trompait pas.

Cependant on comprend mal que, jouissant d'une telle fortune, Balsan ait consenti que Gabrielle s'adressât à un tailleur de campagne, n'ayant pour clientèle que celle des lads et des piqueux. Eût-il été de famille noble, on aurait pu voir là les signes d'une avarice traditionnelle, croire qu'il agissait ainsi par dispositions héréditaires, et tenir pour responsable quelque aïeul ayant de l'épargne la conception parcimonieuse qu'en avait ce prince de Beauvau qui, riche de biens considérables et vivant entouré d'une centaine de familiers, ne servait à sa table que de la piquette, ou ce prince de Broglie qui faisait habiller sa fille par le tailleur chargé d'exécuter les livrées de ses domestiques. Mais rien de semblable parmi les ancêtres des Balsan. Une telle marque d'avarice, chez un jeune homme dont les amis vantaient la prodigalité, décèle la véritable nature de ses sentiments pour Gabrielle : elle n'était qu'une protégée pour laquelle on ne se mettait pas en frais. Et pas plus que ne lui était attribuée la vaste chambre de l'abbesse, ne lui était offerte cette amazone de chez Redfern dont une femme bien entretenue, aimée et traitée avec respect, ne se fût pour rien au monde passée.

A Royallieu, comme au temps où elle allait, avec une petite somme en poche, faire ses emplettes chez les bonnes gens de la rue de l'Horloge, Gabrielle était encore et toujours de celles que l'on expédie, sans façon, acheter ce dont elles ont besoin chez le *commerçant du coin.*

Tout continuait donc comme à Moulins.

S'en offensa-t-elle ? Bien au contraire. Gabrielle en fut reconnaissante à Etienne, toute sa vie : il la traitait en jeune fille de bonne famille, habillée à peu de frais.

Il faut attribuer cette réaction au fait que seuls des célibataires fréquentaient Royallieu. Ce que Gabrielle découvrait de la ville lointaine qui avait nom Paris se résumait forcément à ce qu'ils lui en disaient. Or, parce qu'ils se complaisaient à lui raconter leurs frasques, ne lui parvenaient que les échos du demimonde. Aussi crut-elle longtemps qu'un certain faste, ce qui était empanaché, voyant, « ruineux », tout ce qui menait grand train, des Acacias jusqu'au Tir au Pigeon, tout ce qui prenait un verre à Armenonville, fréquentait le Palais de glace et soupait chez Maxim's était l'apanage exclusif de ces cocottes auxquelles il ne fallait, pour rien au monde, ressembler. Une illusion de provinciale.

L'étonnant est que cet état d'âme, où l'on a du mal à déceler ce qui répondait à un désir de libération et ce qui n'était que crainte ou timidité, ait été le point de départ d'une carrière, et partant, d'une mode.

En s'habillant à sa guise, en s'appliquant à faire le contraire de tout ce qui, aux yeux de ses amis, passait pour le luxe, Gabrielle croyait échapper au sort qu'elle redoutait le plus : celui de femme entretenue.

C'est que déjà elle croyait au *costume* au point d'imaginer qu'en évitant de le porter elle éviterait *le rôle*.

Elle ne se doutait pas de la rapidité avec laquelle se mettent en marche les rouages de la médisance mondaine.

Comment, elle qui ne connaissait personne et ne sortait jamais, comment eût-elle suspecté la curiosité qu'elle suscitait ? D'avoir été accueillie à Royallieu suffisait amplement pour que déjà lui fût faite la réputation qu'elle craignait le plus.

Elle était l'*irrégulière* de Balsan aux yeux de tous ceux qui voyaient dans l'éloignement d'Etienne la preuve qu'il avait quelque chose à cacher.

II

UN TAILLEUR EN FORÊT

ELLE alla donc chez ce tailleur inconnu, planté à la Croix-Saint-Ouen, comme au centre d'une clairière. Devant la porte de sa boutique défilaient les mail-coaches se rendant aux déjeuners champêtres dont la mode, venue d'Angleterre, se répandait dans un milieu qui était anglophobe en politique et anglomane dans ses façons de vivre. Passaient aussi tous ceux qui allaient forcer le cerf avec les meutes du marquis de l'Aigle ou suivre la chasse, de loin : dog-carts allégrement conduits par des jeunes gens bottés, harnachés et déjà en tenue d'équipage — habit gris-bleu, gilet, collet et parements en velours rouge, galons de vénerie, culotte blanche —, gardes allant « faire les bois », breaks où s'entassaient petites filles et petits garçons accompagnés de leurs gouvernantes françaises, de leurs nurses anglaises, de leurs bonnes allemandes et de leurs abbés, tonneaux et buggies qui emmenaient les nourrices italiennes en bonnet à rubans et leur charge de bébés. C'était un incessant va-et-vient de voitures bien attelées, de chevaux bien lustrés, se dirigeant au petit trot jusqu'au lieu de rendez-vous.

On remarquait aussi de rares voitures électriques et des automobiles plus rares encore, des Rochet-Schneider dernier cri, mais si proches de la voiture à cheval par leur hauteur, leur forme, leurs stores et leurs lanternes d'angle semblables à celles des diligences, que l'on pouvait se méprendre. Les beuglements qui s'échappaient d'une énorme trompe faisaient se cabrer les chevaux et s'enfuir les passants. Les chauffeurs, d'anciens cochers, n'avaient pas encore renoncé aux larges favoris. Juchés à l'arrière, les valets de pied préposés au pique-nique se tenaient, comme par habitude, le dos très droit et les bras croisés sur le gilet.

C'est ce que regardait avec respect le modeste artisan qui, après avoir fait son temps à Compiègne, au 5e dragons, et s'être illustré, ciseaux en main, au service du colonel Granier de Cassagnac, avait, en retrouvant la vie civile, ouvert boutique en cet endroit.

Le choix était judicieux.

Cela faisait plus d'un siècle que chassait, en forêt de Compiègne, l'équipage du Francport. Mais que de changements de tenue ! Vêtus de rouge en 1790, les chasseurs du Francport s'étaient mis en vert en 1848, et cela jusqu'à ce que Napoléon III ait eu la malencontreuse idée d'adopter lui aussi la tenue verte. Alors ils s'étaient vus forcés de renoncer au vert et de se mettre en gris-bleu. Or chaque fois qu'il y avait changement pour les maîtres, il en allait de même pour les valets. Et c'était cela surtout qui intéressait l'ancien tailleur du 5e dragons. Car il avait choisi pour métier d'habiller non pas les occupants de ces miroitantes voitures en redingote flottante et huit-reflets, ni les belles dames que peignait Boldini, pas plus d'ailleurs que les amazones en tricorne, mais leurs serviteurs, piqueux, valets de chiens et palefreniers en livrée.

Gabrielle Chanel n'allait rien oublier de tout cela.

Elle parlait souvent de l'ahurissement de l'artisan en la voyant entrer. Il lui arrivait de décrire minutieusement la boutique, la clientèle en *leggins* et chapeau mou, la vague odeur de vernis anglais mêlée à celle du crottin que répandaient les vêtements des visiteurs; toutes choses si bien dépeintes que cela faisait supposer qu'elle disait vrai.

Elle prétendait même, qu'autour des années 30, l'ayant reconnue sur une photo, le tailleur lui avait écrit, et qu'elle avait reçu, rue Cambon, « un petit vieux, très ordinaire » dont les traits ne lui rappelaient rien mais dont l'odeur, elle, ne faisait pas de doute... « Il sentait toujours la même chose : le cheval. »

Ils avaient correspondu jusqu'à l'époque de la guerre. Ensuite rien... Elle semblait moins attristée qu'indignée par cette disparition. L'idée qu'il fût mort ne l'effleurait pas.

En cette année 1907, si dès les premiers beaux jours, les adeptes de la vie au grand air se hissaient sur un *mail* et, attelés de chevaux superbes, s'en allaient vers les nids de verdure pour vider « sans façon » des paniers de provisions, les femmes n'en gardaient pas moins les mêmes atours à la campagne qu'à la ville.

C'est ainsi que les hommes les aimaient.

La mode était désastreuse.

Avec le siècle s'était déclarée une sorte de folie

dont les effets se prolongeaient. La Belle Epoque n'était que réminiscences. On avait commencé par s'ébattre en plein Louis XVI, après quoi il avait fallu mettre au goût du jour le taffetas à toute heure, les chapeaux bergères et les motifs floraux en faveur à la cour de Louis le Bien-Aimé. Rien, pas plus l'ameublement que la littérature, le théâtre ou les divertissements mondains, n'échappait à cette frénésie. Au cours d'une garden-party improvisée, les grands noms du Faubourg s'étaient retrouvés chez la marquise de Sommery, festoyant sous les arbres en chapeaux Pompadour et cheveux poudrés à frimas. Jusqu'à Sarah Bernhardt... Elle avait monté la plus mauvaise pièce de son répertoire, pour le seul plaisir d'incarner le personnage de Marie-Antoinette, dans le pitoyable *Varennes*, de Lavedan et Lenotre.

Jupes longues, chapeaux encombrants, souliers étroits, hauts talons, tout ce qui entravait la marche et rendait nécessaire que l'on aidât les femmes à se mouvoir, donnait bonne conscience aux maris, dans la mesure où ils voyaient là un signe de soumission. Si leurs épouses continuaient à ne pouvoir se passer d'eux, c'est que la vie en plein air, cet inquiétant vagabondage, ne mettait pas leur autorité en danger. Quant à la nécessité de se vêtir et de se conduire où qu'elles fussent en objet fragile, précieux, exigeant soins et protection, c'était de ces obligations auxquelles elles pouvaient d'autant plus difficilement se soustraire qu'il s'agissait moins d'une mode que d'un privilège, moins d'une recherche vestimentaire que d'un signe de caste aussi révélateur, aux yeux de la foule, que la déformation des pieds imposée aux femmes de l'ancienne Chine ou la bouche écartelée des négresses à plateaux. Les toilettes des élégantes rendaient évidente leur appartenance à un milieu où les libertés accordées au beau sexe avaient leurs limites, évident aussi que, coiffées de la sorte, parées de ces coûteux catafalques où reposaient, toutes ailes dehors, tant d'innocents volatiles, elles ne seraient jamais de celles qui, sous prétexte de tâter des plus récentes nouveautés, se laissaient lorgner en tenue de bain de mer, s'exhibaient sur la passerelle des omnibus automobiles [1] ou se lançaient à vélo dans les allées du Bois.

Le cheval, le cheval seulement.

Existait-il un exercice ayant plus de dignité, un sport qui préservât mieux le mystère féminin ? Les clubmen s'accordaient pour considérer d'une extrême indécence que l'on exigeât des femmes qu'elles se hissent sur la banquette d'une automobile alors qu'elles pouvaient monter en coupé sans dévoiler un pouce de cheville. Et ce qui ajoutait au plaisir de les voir à cheval, ce qui rendait une amazone encore plus désirable, était que sa longue jupe lui battît les talons.

Nombreux étaient ceux qui croyaient que le moteur ne serait qu'un engouement passager.

Bien qu'un grand nombre de véhicules, plus ou moins expérimentaux, aient commencé à encombrer les communs des hôtels particuliers et que, lentement, le garage se soit mis à empiéter sur la surface réservée aux écuries, au point que l'on put organiser à Paris des ventes après décès entièrement consacrées aux tricycles, quadricycles à pétrole, vélocipèdes, voitures et voiturettes électriques dont certain prince d'Empire [2] avait eu l'usage, tout cela n'empêchait pas qu'une femme du monde ne se serait jamais risquée à conduire pareils instruments. Dans les allées d'un parc, à l'abri des regards indiscrets, passe encore... Mais en public ? Comment se montrer en culotte cycliste, le mollet visible, tenue qui, si l'on appliquait un arrêté du ministère de l'Intérieur, interdisait pratiquement

1. Ils étaient apparus à Paris en décembre 1905, au moment du cinquième Salon de l'automobile.

2. Vente après décès du prince et de la princesse Murat, le 29 mai 1902 (Archives nationales).

que l'on mît pied à terre. Deux jeunes étrangères, les demoiselles Basquez de la Maya, venaient d'en être victimes, qui avaient osé déposer leurs vélos au pied d'un arbre, pour faire quelques pas en culottes dans les bois de Saint-Gratien. Le préfet de l'Eure les avait aussitôt signalées à la Direction de la Sûreté générale[1]. Qu'étaient-elles venues chercher en France ces petites métèques, ces filles de rastaquouères ?

Les culottes autant que celles qui les portaient parurent suspectes.

De quelle force est l'ignorance chez ceux qui, par tempérament, savent oser ! La plus simple façon de braver l'opinion, n'est-elle pas encore de la braver sans le savoir ?

Gabrielle Chanel ne mesurait certainement pas ce que sa décision avait d'outrancier le jour où elle alla chez le tailleur de la Croix-Saint-Ouen pour qu'il exécutât, à ses mesures, une culotte comme il n'aurait jamais rêvé qu'une femme pût en porter. Dès cette première rencontre, face à la modeste cliente qui lui demandait de copier des *jodhpurs* prêtés par un palefrenier anglais, il dut comprendre à quel point cette visiteuse était différente de ce qu'il avait rencontré jusqu'à ce jour.

L'inconnue n'avait aucune hésitation quant à l'opportunité de ce costume puisqu'elle voulait faire l'économie d'une paire de bottes mais néanmoins monter à califourchon.

Cela ne paraissait pas pensable mais c'était ainsi.

Si bien que l'habiller fut pour le tailleur une aventure aussi folle, que celle vécue, quarante ans plus tôt, par une jeune ouvrière de la rue Louis-le-Grand, lorsqu'elle vit deux vastes crinolines s'introduire avec peine dans sa mansarde... La comtesse de Pourtalès et la princesse de Metternich allaient révéler à la cour

1. Rapport d'un préfet de l'Eure au ministre de l'Intérieur, l'informant qu'il a fait des remontrances. (Archives nationales.)

des Tuileries le nom d'une modiste inconnue : Caroline Reboux.

Mais à la Croix-Saint-Ouen les choses se passèrent tout autrement.

Jamais le petit tailleur n'allait sortir de l'ombre.

Ainsi se dessinait déjà un des traits du caractère de Chanel, cet acharnement à ne vouloir jamais reconnaître d'autre mérite ni imposer d'autre nom que le sien.

Rien n'effrayait Gabrielle.

Elle se mit à l'équitation qu'il plût ou qu'il ventât, à toutes les heures et quelle que fût la saison. Son endurance était en proportion directe avec l'ampleur de son ambition : étonner. Elle y parvint, fièrement, rageusement.

Et le moins surpris ne fut pas Etienne Balsan.

Tous les témoins de ces années-là en convenaient : les dons de Grabrielle étaient plus qu'inhabituels.

Jamais Gabrielle n'eut d'autre instructeur qu'Etienne. Elle lui dut de savoir conduire les chevaux à l'entraînement avec les apprentis, cela aux petites heures du matin et, en cours de journée, quittant sa tenue de lad, de savoir se transformer en une stricte et digne amazone.

A quatre-vingt-un ans passés, Gabrielle expliquait, dans un langage et avec des gestes fort crus, les secrets d'une bonne assiette et comment on doit se tenir à califourchon.

« Pour y parvenir, disait-elle, un moyen et un seul : s'imaginer que l'on porte une précieuse paire de couilles (ici, le geste) et qu'il ne saurait être question d'y prendre appui. Bon. Vous m'avez comprise ? »

Le langage cavalier lui revenait tout naturellement à l'esprit. C'était le parler des écuries de Royallieu.

*

Jamais Etienne ne chercha à faire recevoir Gabrielle.

Peut-être savait-il qu'il n'y parviendrait pas.

Mais du moment où elle s'imposa par sa supériorité équestre, alors il éprouva de la fierté et comme il y avait du Barnum en lui et que, d'une façon ou d'une autre, il n'avait pas renoncé à la lancer, il mit un terme à sa réclusion.

Gabrielle devenait montrable.

Mais à qui ?

Non pas à l'aristocratie des haras, aux « grands », aux présidents de sociétés, aux dirigeants du sport hippique sur les champs de courses de Deauville ou de Longchamp, mais si l'on en juge par les photos, au cercle très restreint de ses copains, fussent-ils en situation irrégulière. Car à ces jeunes gens s'ajoutèrent très vite certaines jeunes femmes d'un rang assez inférieur, leurs maîtresses du moment.

L'hospitalité de Balsan avait entre autres avantages celui d'exclure tout snobisme. Ce n'était donc pas le seul plaisir de retrouver Etienne et de profiter de son luxe qui attirait cette joyeuse bande de cavaliers mais le rare plaisir de pouvoir afficher une liaison.

Etienne avait banni de sa maison la cohorte des épouses vertueuses, des douairières redoutables et l'on vivait chez lui à l'abri du « feu impitoyable des faces-à-main [1] ». Avait-il reconnu la futilité, la sottise de la comédie mondaine ou son dégoût n'était-il né que de l'ennui ? Toujours est-il qu'un nom illustre était de moindre intérêt pour lui que l'éclat d'une grande carrière sportive.

Qui accueillait-il ? Tout d'abord les gloires du turf.

Eleveurs, entraîneurs semblent avoir été les seuls habitués de ces années-là et Balsan paraissait rechercher la compagnie des moins nobles. Une assemblée si étonnamment démocratique pour l'époque, surtout si l'on tient compte du fait que « faire courir » était,

1. Proust, *A l'ombre des jeunes filles en fleurs.*

jusqu'en 1914, l'apanage exclusif du plus pur gratin.

Mais Etienne Balsan ne s'embarrassait pas de règles, et, ne jugeant les hommes qu'à leur poids de connaissances équestres, il n'est pas étonnant qu'il ait eu pour ami un Maurice Caillault aux modestes origines, moustachu sans élégance, mais si unique dans sa manière de juger des *yearlings*, qu'associé au comte de Pourtalès, il avait réussi à battre les plus illustres éleveurs sur leur propre terrain. Caillault avait gagné deux fois le Grand Prix.

Tous ensemble, les amis d'Etienne participaient à l'opération capitale qu'étaient les farces du maître de maison. La plus appréciée consistait à demander aux dames de se faire belles et de les emmener aux courses de Compiègne non point en voiture mais à dos d'âne, par des chemins forestiers. Le vide, l'isolement des longues sentes permettaient toutes les facéties. Un célèbre parcours avait opposé Gabrielle Chanel à Suzanne Orlandi, ravissante personne aux yeux en amande qui, à l'époque, était l'*irrégulière* du baron Foy. La consigne avait été de mener l'épreuve au galop. Parmi les hommes, les uns misaient sur Suzanne, les autres sur Gabrielle. Ce fut Mlle Forchemer, la petite amie de Maurice Caillault, qui gagna. Il n'en fut pas peu fier.

A qui Gabrielle était-elle redevable de connaissances assez inhabituelles sur la psychologie des équidés ? A voir son visage lorsqu'elle disait : « Vous savez ce que c'est, hein, quand un de ces satanés bourricots s'est mis dans la caboche d'aller au pas. Bien fort celui qui réussit à le faire changer d'allure... », on aurait pu penser qu'elle faisait allusion à un souvenir précis. Mais il était inutile d'essayer de lui en faire dire davantage. Et comme on cherchait un sens à cette phrase, elle rétorquait que ce n'était là que souvenir d'enfance, lorsqu'elle vivait chez son père à l'époque où il élevait des chevaux. Les mensonges naissaient si naturellement ! Elle ajoutait : « Chacun de nous avait son âne, vous savez. » Faisant sans doute allusion à ses frères et sœurs.

Des facéties en forêt de Compiègne, jamais un mot.

Et combien cette réaction semble naturelle lorsque l'on prend connaissance du document où tous les membres de ces cavalcades sont réunis, à Robinson, devant l'objectif d'un photographe ambulant. Que d'insatisfaction au fond des yeux si beaux de la Gabrielle de ce temps-là. Le visage délicat sous l'immense chapeau porte les traces d'une insondable amertume. La réserve est évidente, l'ironie aussi. Le sourire qui n'en est pas un, cette bouche en colère, toute une grâce ombrageuse déconcertent autant qu'un déguisement. Seule éclate, dans toute son évidence, la volonté d'affranchissement de cette fière amazone.

Et se devine l'essentiel... La crânerie inimitable du petit nœud papillon qui fait de celle qui le porte un prodige de singularité. Comparée aux jolies filles qui l'accompagnent, elle semble appartenir à une autre humanité.

On constate que la technique vestimentaire de Chanel, telle qu'elle s'exprimera quinze ans plus tard, est déjà résumée dans le costume qu'elle portait ce jour-là et dont l'humble tailleur de la Croix-Saint-Ouen fut sans doute l'artisan.

Autour de la veste aux revers étroits, dépouillée d'ornements, autour de ce col rabattu, opposant une sorte de mâle simplicité aux charmes mousseux des fraises Henri II qui engoncent le cou et font des autres membres de cette chevauchée des amazones-fantômes prêtes à entrer en robes d'aïeules au musée du Costume, autour de ce chapeau d'un noir superbe, déjà soumis aux lois d'une autre perspective et qui fait paraître anachroniques les surcharges de voilette, d'organdi et de ruban dont son couronnées les demoiselles Forchemer et Orlandi, s'organise ce qui, en bousculant les habitudes, va distinguer Gabrielle Chanel des autres femmes et bientôt l'arracher à l'inconnu.

*

Le lundi à Saint-Cloud, le mardi à Enghien, le mercredi au Tremblay, le jeudi à Auteuil, le vendredi à Maisons-Laffitte, le samedi à Vincennes, le dimanche à Longchamp, c'était cela vivre avec Etienne, c'était aller d'hippodrome en hippodrome.

Trois ans s'écoulèrent ainsi dans un monde où les joies et les soucis du turf étaient censés suppléer à tout. Sans perles ni dentelles, toujours vêtue en jeune fille, tailleur strict et canotier, car, dans sa hantise d'être prise pour une cocotte, elle forçait la dose du convenable, Gabrielle menait une vie de plante vivace, tendue vers le vide des performances sportives, avec, pour occuper ses loisirs, les amis d'Étienne, le nez sans cesse fourré dans le *Journal des courses* et se laissant taquiner et emprunter leurs vêtements (c'était sa manie à Gabrielle que d'emprunter les cravates ou les manteaux), avec des soirées aux surprises immuables — après un bon repas, les lits en portefeuille, puis, dans l'obscurité du couloir, le guet pour surprendre les airs d'indignation des invités, oh ! la rage des demoiselles qui trouvaient leurs mules clouées au parquet, « Mes pantoufles ! Mes pantoufles ! » et les batailles à coups de polochon et les barbouillages au savon à barbe sous l'œil serein de l'autre Gabrielle, celle qui pendait au mur, la bonne abbesse, — bref, toute une gaieté de potache à laquelle Coco prêtait sa voix d'élève qui mue, tout un train-train qui, s'il l'emmenait cinq ou six fois l'an vers les champs de courses de la province, la ramenait bien vite aux odeurs sylvestres de Royallieu et parfois à la curiosité d'accueillir les nouveaux venus.

Quelques célébrités furent offertes, comme en rêve, à la provinciale qu'elle était toujours. Et, parmi elles, Emilienne d'Alençon en compagnie de sa dernière conquête, Alec Carter, l'idole des foules.

Emilienne était un peu passée de mode en 1907. Fini le temps des aspirations littéraires et l'on ne parlait plus de ce *Temple de l'Amour*, recueil de poèmes dont elle se disait l'auteur. Finie aussi sa grande époque, quand huit membres du Jockey s'étaient constitués en société pour la combler de rentes, de chevaux, de tableaux et acquérir ainsi le droit d'aller chez elle « prendre le thé », chacun à son tour.

Mais elle faisait encore figure de curiosité touristique.

On la montrait du doigt comme la pièce de résistance du Paris-pervers, et son nom était connu des fêtards, de Bucarest à Londres, autant que des populations laborieuses de Mézières-Charleville.

Avec son petit nez retroussé, ses bonnes joues, ses larges hanches, ses belles cuisses, Emilienne offrait quelque chose de dense et d'authentique que l'on célébrait entre militaires pour venir à bout de la mélancolie.

Un bon point au concours d'entrée au Conservatoire, des bouts de rôles de-ci, de-là, et cela jusqu'au numéro de dompteuse de lapins blancs sur la piste du Cirque d'Eté, les débuts d'Emilienne, à quinze ans, avaient coïncidé avec les cris horrifiés des Parisiens devant leur capitale défigurée par de profondes tranchées. On avait commencé à parler d'elle à peu près en même temps que du métro. Mais c'était fini tout ça, et il ne s'agissait plus, lorsqu'elle vint pour la première fois à Royallieu, de faire courber la nuque aux jeunes ducs et aux vieux souverains, mais bien de s'amuser. Elle avait trente-trois ans. Elle avait fait sa pelote, et sa vie, dorénavant, n'était consacrée qu'à la plus franche rigolade, activité dans laquelle elle montrait une aisance extrême et un entrain qui constituaient l'essentiel de son charme.

Les belles snobs ne craignaient même plus la concurrence d'une séductrice devenue trop peuple pour être dangereuse.

Née dans une loge de concierge de la rue des Martyrs, Emilienne était la favorite des badauds qui reconnaissaient en elle une des leurs. Ils la contemplaient avec une sympathie teintée d'approbation.

C'est qu'elle fraternisait maintenant avec les jockeys.

L'année précédente, les gazettes avaient annoncé ses fiançailles avec Percy Woodland. Et voilà qu'elle s'offrait Alec Carter, l'homme aux quatre cents victoires. Car c'était elle qui se l'offrait... Le contraire n'eût pas été possible, compte tenu des appétits d'Emilienne et des moyens malgré tout limités de ce fils d'entraîneur.

Ce dont on parlait moins et qui allait assez rapidement lui porter ombrage était sa présence de plus en plus fréquente dans des lieux à clientèle strictement féminine : les cafés pour dames seules.

En vérité, Emilienne décevait un peu : en plus des jockeys elle s'offrait une violoniste.

Si Gabrielle observa avec attention une femme qui tutoyait le roi des Belges tout en affirmant que les Français, à condition qu'ils fussent du gratin, étaient les seuls hommes à savoir faire correctement l'amour, jamais Gabrielle n'éprouva la moindre jalousie à l'égard de cette ancienne maîtresse d'Étienne, qui n'avait partagé avec lui que brièvement sa garçonnière du boulevard Malesherbes — il y avait cinq ans de cela — et qui ne venait à Royallieu que pour accompagner Carter. Emilienne portait chemise à plastron, col cassé, tantôt monocle, tantôt œillet blanc à la boutonnière, et toujours une cravate à la mode des clubmen nationalistes, sobre, foncée, et ponctuée d'une épingle.

Parlant d'elle, Gabrielle se limitait à préciser qu'elle « sentait le propre », ce qui, dans sa bouche, équivalait à un vibrant hommage. Elle avait toujours été une olfactive et les récits des amis d'Etienne qui prétendaient que les bals blancs étaient des « fournaises puantes » lui levaient le cœur.

Mais Carter ? Gabrielle fit plus que l'observer, elle le dévora des yeux.

C'était un séducteur qui portait depuis cette année-là le titre redoutable d'invaincu. Issu d'une dynastie d'entraîneurs anglais établis à Chantilly, le fait qu'il ait rompu la tradition pour se consacrer à la carrière de jockey, lui conférait une sorte de primauté. A la pelouse, où l'on ne s'expliquait pas que l'on puisse choisir le danger de préférence aux certitudes, le public croyait au beau geste et l'adorait. Lorsque Carter se mit à gagner, l'enthousiasme n'eut plus de bornes.

Il incarnait, aux yeux des connaisseurs, l'art équestre poussé à son extrême degré de perfection.

« La plus belle position de mains qu'on ait jamais vue et le meilleur camarade du monde », disaient, soixante ans plus tard, ceux des membres du Jockey qui se souvenaient de lui. Quant aux femmes, elles en étaient folles et le poursuivaient de leurs assiduités.

Il n'est pas indifférent qu'une cocotte « qui n'avait pas de prix » et qu'un jockey, anglais de surcroît, aient été dans la vie de Gabrielle les premières personnes grâce auxquelles elle ait fait connaissance avec la célébrité.

Par ses façons de prince de quelque royaume où les chevaux eussent été dieux, Alec Carter apparaît comme un signal posé à l'un des tournants du destin de Gabrielle, indiquant à la fois les chemins qui ramenaient à ses origines, temps obscurs de sa naissance saumuroise et de l'apprentissage moulinois face aux culottes rouges, mais aussi les chemins de l'avenir, car Alec Carter annonçait l'autre vie de Gabrielle, que dis-je, sa troisième, sa quatrième vie, lorsqu'à soixante-dix-huit ans elle déclarait, sans autre explication, qu'elle allait acheter une pouliche, la donner à monter au plus célèbre jockey de France — Yves Saint-Martin — et se rendre aux courses chaque dimanche. Ce qui fut fait. En 1961.

Le pathétique de ce recommencement... Un dialogue de fantômes.

Quelle transformation de toutes choses ! Elle était, désormais, celle que l'on entourait, celle que l'on saluait, celle dont on recherchait la compagnie et dont les gazettes reprenaient les propos. Pour la presse, elle était la Grande Mademoiselle. Aux yeux de ses contemporains, Gabrielle était la magicienne à laquelle suffisaient une paire de ciseaux et quelques gestes patients sur une matière informe, pour que s'échappât de ses mains un de ces objets inexplicables auxquels elle devait d'être ce qu'elle était : le luxe même.

Allait-elle aux courses pour se distraire, ou pour se venger des dames de jadis, portant jumelles de nacre, chapeau à plumes et robe balayant l'herbe à chaque coup de cloche annonçant le moment de regagner la tribune « réservée », cette tribune où l'*irrégulière* de Balsan n'avait pas accès.

Longtemps Gabrielle n'avait eu droit qu'au voisinage des charcutiers endimanchés, des boutiquières, des camelots, des titis, des bookmakers, des filles de petite vertu, des marles, des pickpockets, des Parisiens et Parisiennes de la pelouse. Car il fallait éviter de croiser telle ou telle personne qu'une rencontre avec les jeunes femmes de l'entourage d'Etienne risquait d'offenser.

A Longchamp, toutes sortes de détours s'imposaient afin de ne pas buter contre la belle Anita Foy, née Porgès, femme combien légitime de Max, le comte Foy, celui des haras de Barbeville en Calvados, qui, pas plus que sa femme, ne saluait l'*irrégulière* de leur frère, la petite Orlandi aux grands yeux en amande. Ils l'accusaient de l'avoir « dévoyé ».

Et sur le champ de courses de Montpellier...

Même stratégie, mais cette fois pour n'être pas vus du père de Philippe d'Espous et de sa mère, cette comtesse d'Espous qui dans chacune de ses lettres écrivait à son fils : « Ta gueuse me fera mourir... »

Et à Vichy...

Que de crochets à Vichy, pour éviter qu'Adrienne ne tombât sous les regards courroucés de la famille de ce fils de châtelains dont elle était devenue la maîtresse.

Car à son retour d'Egypte, Adrienne avait fait son choix.

Des trois chevaliers servants qui s'étaient associés pour lui offrir une croisière sur le Nil, deux d'entre eux s'étaient volontairement désistés — Jumilhac et Beynac — en faveur du plus jeune d'entre eux, leur protégé à tous deux, auquel Adrienne avait, une fois pour toutes, accordé ses faveurs. Prévisible... Ce qui l'était moins fut que là encore on parlât mariage.

Les parents s'étaient aussitôt prononcés.

Torrents de larmes maternelles : « Jamais de mon vivant. » Propos définitifs du père : « Ce doit être une femme de chambre en goguette. »

Alors de crochets en crochets, les amants de Vichy, comme les amants de Montpellier, attendaient.

Croyez-vous que l'on puisse oublier ? Les yeux détournés, les haussements d'épaule, oublie-t-on ? C'était un temps cruel, la Belle Epoque des autres, un passé paradoxal que Gabrielle retrouvait avec un goût amer tandis que cinquante ans plus tard, au Tremblay, entourée d'égards, elle regardait galoper sa pouliche *Ro-*

mantica et gagner son jockey, Yves Saint-Martin, en casaque et toque rouges.

III

LA BELLE ÉPOQUE DE QUI ?

A VINGT-SIX ans Gabrielle connaissait mal Paris.

Connaît-on une ville de ne l'avoir vue qu'en coup de vent ? Courses de chevaux, défilés militaires et bicyclettes tournant au vélodrome d'Hiver, c'était, en matière de distractions, l'essentiel de ce que lui avait offert Etienne. Et si l'on ajoute quelques grands magasins dont le plus étonnant, le Printemps, faisait son admiration — bâtisse toute en fer et glaces, qui avait exactement le même âge qu'elle — alors on en sait sur Paris à peu près autant qu'en savait Gabrielle à cette époque.

Il y avait bien eu quelques expériences automobiles. Léon de Laborde, le meilleur ami d'Etienne, mettait parfois sa voiturette au service de la bande de cavaliers. C'était un coupé rouge, carrossé par Charron, dont il fallait sans cesse remplir le radiateur. Mais jamais cette voiture ne conduisait Gabrielle où elle aurait voulu aller : au palais de Glace, au Bois un jour de concours d'élégance, au Tir aux pigeons, ces endroits où, si l'on en croyait les gazettes, tout se passait.

Pressés d'arriver sur les hippodromes où les appelaient leurs obligations, Etienne et ses amis ne faisaient qu'aborder les faubourgs, après quoi ils contournaient la capitale dont Gabrielle n'apercevait que les aspects les moins spectaculaires : la porte de Vincennes, la porte de Saint-Cloud, la place de la République, le temps de voir, veillant sur l'affligeante statue, un ridicule lion aux allures de caniche et, triste comme un pot de chambre aux pieds de la grosse dame, l'urne du Suffrage universel. Gabrielle avait peine à croire que ce fût là Paris.

La plupart des déplacements s'effectuaient en train. Les amis d'Etienne, revanchards, chauvins et cocardiers, se faisaient un devoir d'assister chaque année à la revue du 14 Juillet.

C'était une distraction traditionnelle.

Que le général Picquart, ministre de la Guerre, tombât de cheval alors qu'il passait les troupes en revue paraissait à Etienne et à ses amis infiniment plus grave que la chute de Clemenceau qui, la même année, cessait de gouverner la France, ce dont la petite bande de cavaliers s'étaient à peine aperçus.

Dans le wagon du retour, Etienne et ses compagnons déployaient une couverture et jouaient aux cartes sur leurs genoux, jusqu'à l'entrée en gare de Compiègne. Il y avait en eux comme une volonté, sans cesse exprimée, de manifester leur dédain à l'égard des façons de vivre de la génération précédente. Chapeau mou rejeté sur la nuque, beaux tweeds anglais, une certaine recherche dans le négligé, ils affirmaient ainsi leur désaccord avec l'élégance guindée de leurs pères, gens de pesage en faux col et cravate à plastron, avec monocle, canne et œillet à la boutonnière. Rien de commun entre eux.

Pendant ce temps, les jeunes femmes de la bande récapitulaient les émotions de la journée tout en discutant *mode* et surtout *chapeaux*. Famille, enfants, amours, bijoux, rien, et dans plus d'un milieu, ne soulevait autant d'intérêt que cette question-là. Un engouement, datant des belles années du Second Empire, et qui ne s'était jamais démenti. Comment ne pas constater une troublante pérennité dans ce goût de la parure ? Il suffirait de rapprocher la stupéfaction si souvent manifestée par tous ceux qui, se trouvant entre l'impératrice Eugénie et la princesse de Metternich, s'attendaient à entendre ces dames échanger des propos historiques — or, elles ne faisaient que « discuter de la façon la plus seyante de placer leurs chapeaux » — et l'ahurissement de cette solennelle bécasse d'Alice Tocklas qui, à en croire son « autobiographie », rencontrant Fernande Olivier, maîtresse de Picasso, ne s'expliquait pas comment cette dernière pouvait être aimée d'un tel génie alors qu'elle n'éprouvait d'intérêt véritable que pour les créations de sa modiste.

Pas à s'étonner, par conséquent, de ce que le savoir de Gabrielle se limitât aux noms de quelques généraux et de quelques modistes. Pour le reste... Avait-elle seulement entendu parler de Diaghilev [1] ? On peut en douter. Au cours des saisons précédentes il avait pourtant révélé aux Parisiens un monde de sons et de couleurs auprès desquels les bulbes en carton-pâte et le simili-slavisme de l'Exposition universelle semblaient nés d'une esthétique de carte postale. Mais que savait de Serge le Magnifique la recluse de Royallieu ? Et de Chaliapine et de « Boris » ? Rien sans doute.

Elle devait le plus clair de ses connaissances à la lecture de *L'Excelsior*, journal que l'on voyait traîner sur les tables de Royallieu. C'est dire qu'en fait de Serge et de Boris, elle ne connaissait que les grands-ducs et par le seul truchement de la presse.

Ils défrayaient la chronique.

Amours à Nice, incognitos ratés, faisaient l'objet

1. Il avait fait une première visite à Paris, en 1906, avec une exposition d'Art russe au Salon d'automne. Il revint en 1907 avec Glazounov, Rimski-Korsakov et Rachmaninov qui dirigèrent leurs œuvres à l'Opéra. En 1908, il présenta au public parisien un chanteur, Chaliapine, au cours d'une admirable représentation de *Boris Godounov*. Ce ne fut qu'en 1909 qu'eut lieu la première saison des Ballets russes, au théâtre du Châtelet.

d'une rubrique particulière. Qu'une princesse d'Empire refusât de les saluer depuis que l'un d'eux s'était permis de siffler, en direction de sa fenêtre, pour la prier de descendre et les amateurs de potins en étaient aussitôt informés. Décidément ces Serge et ces Boris-là avaient de curieuses mœurs. Ils battaient leurs domestiques... Et sous prétexte de les « garder sous la main », ils faisaient coucher leurs aides de camp dans la baignoire. Pouvait-on l'ignorer ? Cela se passait au Négresco... Et le chroniqueur de profiter de cette nouvelle pour placer aussitôt un jeu de mots dans le goût du jour. « Il est vrai que messieurs les aides de camp ont des noms à coucher dehors ! »

Enfin, si les grands-ducs donnaient dans les polissonneries du demi-monde, les demi-gloires du théâtre et les « princesses d'amour », c'était peut-être pour oublier que d'autres Serge et d'autres Boris, demeurés à Saint-Pétersbourg, leurs frères, oncles ou cousins, étaient la cible des nihilistes. La flotte était anéantie. La Russie des tsars s'effilochait. En Pologne, au Caucase, sur les rives de la mer Noire, à Moscou enfin, se succédaient grèves, pillages, révoltes, massacres. L'armée impériale ne récoltait que revers. La tsarine avait un visage sinistre. Le tsar paraissait absent... C'était assez pour excuser les frasques hivernales des Romanov de Nice ou d'ailleurs.

Et puis la presse ne respectait rien.

Paris découvrait Debussy, Proust, Renoir, Bonnard, une nouvelle forme d'expression théâtrale et les poètes de *La Revue blanche*.

Mais à Royallieu, le jeu seul savait distraire du cheval.

On ne s'intéressait ni à la musique, ni à la peinture et moins encore à l'avant-garde. Sarah Bernhardt était la seule artiste dont on prononçât le nom. Et encore, avec quelques réticences... N'était-elle pas Juive ?

Adrienne, de passage à Paris, toujours fiancée à son

jeune amoureux et toujours escortée de sa duègne, avait invité Gabrielle à aller applaudir « Madame Sarah » dans un récital poétique. Adrienne était transportée d'admiration. Maud Mazuel se disait au bord des larmes. Fallait-il croire Chanel lorsqu'elle affirmait, en ses vieux jours, qu'elle avait *toujours* jugé Sarah du dernier grotesque ? « A se tordre... Un vieux clown[1]... » Et le dédain qu'elle manifestait pour le théâtre des premières années du siècle, qu'en penser ?

En février 1964, lors d'une représentation de *Cyrano de Bergerac* au Théâtre-Français, la violence de sa désapprobation avait scandalisé ses voisins.

Le culte de ce qui est encore considéré comme le chef-d'œuvre d'Edmond Rostand existe, on le sait, depuis bientôt quatre-vingts ans. Mais loin de se laisser impressionner par les « chut » retentissants et les protestations qui fusaient autour d'elle, Chanel, devenue le point de mire de la salle, continuait à ironiser sans qu'il fût possible de la faire taire.

On l'entendait accablant comédiens et auteur de ses quolibets.

« Non, mais quelle infection !... Des vers de mirliton... Le mauvais goût de tout ça ! Quelle prétention ! Affreuse époque ! Et le cocorico français, quelle bêtise ! Un patriotisme de concierge. »

A l'instant le plus pathétique, on l'entendit nettement qui lançait entre ses dents un « Cocorico » cinglant. Elle fulminait.

De quel désarroi intime, de quelle revendication cette hostilité était-elle la compensation ou l'aveu ? Contre qui exerçait-elle sa dérision ? Etait-ce contre Rostand ? A moins que ce ne fût contre elle-même et contre un passé d'autant plus pesant qu'elle en mesu-

1. Peut-être cette antipathie était-elle due surtout au fait que Sarah Bernhardt avait immortalisé l'uniforme blanc, la culotte ajustée, l'habit plastronnant du duc de Reichstadt, dessiné par le jeune Poiret.

rait mieux la médiocrité. Moulins, le répertoire patriotique du beuglant, l'esprit « culotte rouge »... S'en voulait-elle d'être demeurée prisonnière des plaisirs et des goûts d'une caste, celle-là même qui, l'ayant découverte, l'avait ensuite reléguée à un rang inférieur ? Regrettait-elle aussi comme un temps perdu ce qui avait été le « temps de Royallieu » ? Elle s'était contentée trop longtemps de monter à cheval, et de participer aux farces d'Etienne, à ses déplacements, à son badaudage en des lieux si conventionnels qu'ils semblaient ne faire presque pas partie de la ville dans laquelle ils se trouvaient... A Pau, le petit meublé au-dessus d'Old England où tous les sportifs se retrouvaient après cinq heures mais où comme à Souvigny, comme à Royallieu, leurs épouses ne venaient jamais... Et à Nice, et à Vichy et à Deauville ? Ces garçonnières dans lesquelles ils logeaient... Toujours meublées de façon si semblables que le matin en s'éveillant, elle s'interrogeait : où suis-je ?

On pouvait retenir de sa colère au moins ce cri : « Affreuse époque ! »

Sans doute mentait-elle lorsqu'elle affirmait que tel avait toujours été son sentiment. Sans doute ce cri n'était-il, en vérité, que le fruit d'une évolution ultérieure. Mais cela n'ôtait rien à sa sincérité.

Affreuse époque, celle où, de crainte d'être rangée parmi les *dégrafées*, il lui avait fallu adopter une mode qui n'était qu'imitation, surcharge, contrainte. Affreuse époque, celle qui l'avait soumise au port d'un busc aussi rigide qu'un carcan. Affreuses gens dont l'emprise l'avait empêchée d'être parmi les premières à contempler l'aube radieuse que semblaient inspirer à la fois musiciens, peintres, poètes de ces années-là.

Elle n'avait été ni la première à les comprendre, ni la première à les aimer.

D'autres qu'elle...

Cette Misia qu'elle allait bientôt connaître.

Que lisait Misia Natanson [1] à l'époque où Gabrielle, prisonnière d'une maison sans livres, dévorait les fadaises de M. Decourcelle, le plus médiocre feuilletoniste de l'époque ? Misia apprenait à connaître écrivains et critiques de l'entourage de son mari : Mardrus qui traduisait *Les Mille et Une Nuits*, André Gide, Léon Blum, le jeune Proust qui n'avait publié que *Les Plaisirs et les Jours*. Et tandis que Gabrielle applaudissait au passage de ces défilés dans lesquels Etienne et ses amis trouvaient tant de satisfaction, Misia lisait dans *La Revue blanche* ce Tolstoï [2] dont les écrits faisaient frémir le faubourg Saint-Germain : « Le patriotisme est un sentiment artificiel, déraisonnable, source funeste de la plupart des maux qui désolent l'humanité. » Misia personnifiait une intelligentsia dont Gabrielle, à cette époque, ne soupçonnait pas l'existence.

Strictement corsetée, portant tout ce qu'il convenait de porter pour être bien vue, manchon, immense chapeau de velours noir, longue veste hanchée battant les mollets et voilette, Gabrielle déambulait sous les palmiers de la promenade des Anglais avec son escorte d'admirateurs.

La même année, à quelques kilomètres de là, Colette, au soleil de Saint-Tropez, écrivait à un ami : « Je suis dans le sable avec six chiennes et deux chevaux. Et quelles pêches ! Pas de chaussures, pas de bas, pas de chapeaux, pas de jupe, pas de corset, pas de gants. Parlez-moi de Cabourg, à côté de cette vie-là, pour me faire hausser les épaules [3] ! »

1. Misia Sophie Olga Zénaïde Godebski, née à Saint-Pétersbourg le 30 mars 1872, morte à Paris en 1950.

2. « Tolstoï est au zénith... son traducteur, le comte Prozov, est une personnalité bien parisienne. Ses doctrines inondent le boulevard. *La Revue blanche* de Natanson l'invoque comme le Messie. » (Paul Morand, *Paris 1900*.)

3. Lettre de Colette à André Saglio, directeur de *La Vie parisienne*, Saint-Tropez, 1908 (Archives nationales).

Non, Gabrielle n'avait pas été la première et ne le pardonna jamais à l' « affreuse époque », qu'elle tenait pour responsable.

IV

LA RECHERCHE DE LA LIBERTÉ

TOUS les amis d'Etienne l'avaient remarqué, pendant le printemps 1908, un nouvel habitué s'était montré particulièrement assidu à Royallieu. La bande s'était accrue d'un Anglais aux cheveux bruns et drus, au teint mat.

Un physique séduisant mais inhabituel.

Que savait-on de lui ? Qu'il avait vécu la plus grande partie de sa jeunesse dans les meilleurs collèges. D'abord à Beaumont, collège de jésuites pour fils de gentlemen catholiques, puis à Downside, institution non moins chic, dirigée par des bénédictins. Qu'il était donc de bonne famille, mais qu'un mystère pesait sur sa naissance. Il ne figurait pas au *Who's who.* Il s'appelait Arthur Capel. On l'appelait Boy. Jamais il ne parlait de sa mère. Certains le disaient fils naturel d'un Français, mort peu de temps avant que Boy n'eût terminé ses études. Un nom était prononcé : il aurait été fils d'un Pereire. Bâtard de banquier... Mais on ne lui en tenait pas rigueur, pas plus du reste que de ce peu de sang israélite car, vérifications faites, il était prouvé qu'à Londres il fréquentait les endroits les plus élégants. Alors, parce que les Anglais appréciaient ses rares qualités au polo et trouvaient original ou amusant que ce garçon ait pris plaisir à s'instruire, puis à travailler, les Parisiens acceptèrent de bon cœur d'en faire autant, au point que plus personne ne s'intéressait aux singularités de sa naissance.

Par contre on célébrait volontiers sa séduction et le fait qu'il ait fait fructifier les intérêts dont il avait hérité dans les charbonnages de Newcastle.

Mais il était évident que bien que l'ami des hommes du monde les plus brillants — et, parmi eux, Armand de Gramont, duc de Guiche —, Arthur Capel ne pensait ni ne raisonnait comme eux. Rien ne lui paraissait plus important que le travail. Si bien qu'il éprouvait souvent de l'agacement, sans qu'il y parût, à l'égard de ceux qui l'avaient le mieux accueilli. Etait-ce par impossibilité d'ignorer qu'il ne serait jamais complètement des leurs ? Son état d'esprit expliquerait alors certains aspects de sa vie et celui-ci en particulier : Gabrielle Chanel allait trouver auprès de Boy une compréhension qu'elle avait jusque-là vainement quêtée. C'est qu'il savait mieux que quiconque ce qu'il en coûtait de devoir sans cesse « faire front ». Il vivait en *self-made man*.

Or Gabrielle piaffait d'impatience.

Lorsque avaient éclaté, entre elle et Etienne, les premiers dissentiments au sujet de son désir de changer de vie, Arthur Capel avait été le seul à la soutenir. Elle était lasse de vivre retirée à Royallieu ? Elle confessait qu'elle s'ennuyait ? Quel mal à cela ? Il fallait qu'elle s'occupe.

Elle parla de se remettre au chant. Mais personne ne l'y encouragea. Ses précédents essais avaient été infructueux et sa plus jeune sœur, Antoinette, à peine libérée du couvent, avait cru, elle aussi, réussir dans cette voie.

Sans plus de succès que Gabrielle.

Et voilà que pour avoir compté sur sa bonne mine et la finesse de sa taille, voilà qu'Antoinette se trouvait à Vichy sans ressources ni engagement d'aucune sorte. Etablie sur place pour ne pas s'éloigner de son jeune châtelain, Adrienne s'était chargée d'elle, l'aidait financièrement et lui cherchait un emploi.

N'était-ce pas assez d'une victime du chant dans la famille ?

Gabrielle se laissa convaincre. Il valait mieux se frayer un autre chemin. Alors, encouragée par Boy, elle accepta la suggestion d'Etienne.

Il s'agissait dans l'esprit de Balsan d'un passe-temps bien plus que d'une occupation. Faire des chapeaux pour ses amies, n'était-ce pas une bonne idée ? Ne lui en réclamait-on pas déjà ? Et ne s'amusait-elle pas, dans le secret de sa chambre, à faire essayer aux visiteuses les chapeaux qu'elles avaient admirés, portés par elle ? Ses armoires en étaient pleines. Emilienne d'Alençon elle-même... Un des canotiers de Coco lui avait plu au point qu'elle l'avait gardé. Depuis lors, on ne la voyait plus qu'en canotier... Surchargé il est vrai, enlaidi de mille trouvailles personnelles. Mais enfin... L'influence de Gabrielle, en la circonstance, ne pouvait être niée.

C'est que Gabrielle possédait un don qui en imposait. Le devait-elle aux vacances à Varennes et aux journées passées à enjoliver les chapeaux de tante Julia ? Dans l'aisance avec laquelle elle savait donner du chic à n'importe quelle sparterie, on ne sentait pas seulement qu'elle avait du goût, on sentait surtout une faculté héréditaire : « Faire quelque chose de rien ».

Il y avait de cela dans les inventions de Coco.

Ce qu'elle proposait était souvent d'une grande simplicité et il était curieux de voir certaines de ses amies accueillir ce dépouillement comme une manifestation nouvelle d'excentricité. Se coiffer d'une large passe ondulante, à calotte à peine visible et ne servant de support à rien ? Cela plaisait à quelques femmes qui s'en amusaient par esprit de bravade et aussi pour intriguer.

Car enfin un chapeau qui ne portait ni plumes d'autruche en couronne, ni plumet dressé, ni tulle froncé en chou, ni coques de velours, ni flots de ruban, de qui pouvait-il être ?

On était amené à faire des suppositions, à poser des questions. On entendait : « Qui est votre faiseuse ? » On se consolait de *ne pas savoir* en inventant. Rue de la Paix, rue Royale, dans le quartier de l'Opéra, ce n'était pas les modistes qui faisaient défaut. Alors ce chapeau ? Etait-il de Camille Marchais, de Charlotte Enard, de Carlier, de Georgette, de Suzanne Talbot ? Et pourtant non... Aucune des modistes en vogue n'était à l'origine de cet embellissement d'une grâce si accomplie.

Faire sienne une création de Gabrielle, c'était comme porter un rébus en guise de couronne, c'était aussi apprendre à plaire en prenant le contre-pied des modes existantes.

*

Installer Gabrielle à Paris posait des problèmes. Lui acheter un commerce ? Signer un bail en son nom ? Etienne s'était moqué du jugement d'autrui aussi longtemps que l'inconnue de Moulins avait vécu retirée à Royallieu. Mais il attachait grande importance à ce que pensaient de lui ces messieurs du Jockey. Avoir une maîtresse, l'entretenir, vivre avec elle, tout cela pouvait passer pour un élément essentiel de prestige. Mais faire travailler une femme ? Voilà qui était inadmissible et Etienne pouvait s'attendre à être blâmé.

Et puis, semblable en cela à bien des hommes de sa sorte, Etienne n'éprouvait de plaisir qu'à dépenser pour ses chevaux.

Alors, sous ce prétexte ou sous un autre, prétendant qu'il voulait aider son amie sans la froisser, il se contenta de lui proposer son rez-de-chaussée du 160, boulevard Malesherbes, convaincu que les efforts d'émancipation de Gabrielle trouveraient tout naturellement leur place dans ce cadre.

En quoi il ne se trompait pas.

L'installer en garçonnière, lui donner pour adresse celle où, avec ses amies du beau monde, Etienne avait « fait ses folies », n'était-ce pas une manière fort inattendue de la lancer ? Ses anciennes liaisons allaient éprouver un frisson tout nouveau à discuter chapeaux là où, quelques années auparavant, elles avaient cédé à Etienne et au prix de quels risques ! Se débarrasser d'un attelage à l'insu d'un mari, simplifier, à l'insu d'une soubrette, un habillage qui était la complication même, se dévêtir, entreprise qu'il convenait, selon la remarque de Jean Cocteau, « de prévoir à l'avance, comme un déménagement[1] », prendre un amant enfin, ce tour de force... Et voilà que cette même garçonnière devenait un but avouable. Il ne s'agissait plus de s'y déshabiller, mais d'y faire son *shopping*.

Que tout cela était inattendu ! Ah ! n'y aurait-il eu l'attrait des chapeaux, que l'idée à elle seule aurait suffi.

Le succès ne se fit pas attendre.

Les amies d'Etienne, les unes entraînant les autres, se précipitèrent.

Boy passait en voisin. Il logeait tout à côté et prodiguait ses encouragements. Charmante, comme elle savait l'être, et toujours vêtue en pensionnaire, Gabrielle buvait ses paroles. Voilà qu'un homme lui témoignait de la considération. Cela ne lui était encore jamais arrivé.

Bientôt Boy, lui aussi, adressa à Gabrielle ses belles amies.

1. Jean Cocteau, *Portraits-souvenirs*.

Tout le milieu des courses défila chez elle.

Gabrielle ne manquait pas d'idées. Mais elle manquait de pratique et, ce qui était plus grave, de métier. Elle avait de l'éloquence à revendre. Comme son père et son grand-père, elle était bonne vendeuse. Mais, face à cette nouvelle clientèle, cela non plus ne suffisait pas. Il n'y avait pas plus exigeantes que ces Françaises-là. Déçues, ne risquaient-elles pas de s'en aller aussi vite qu'elles étaient venues ?

Etienne fut mis une fois de plus à contribution. Bien que le jeu devînt un peu trop sérieux à son goût, il conseilla de s'assurer une aide technique. Il fallait faire vite. Alors s'opéra la rencontre avec une jeune femme, de trois ans la cadette de Gabrielle : Lucienne Rabaté. Les personnes consultées avaient toutes été formelles : c'était Lucienne qu'il fallait et personne d'autre. Ce qui permet de croire que cette Lucienne Rabaté était comme une valeur non encore cotée mais que suivaient déjà, en cette année 1909, les plus fins stratèges de la rue de la Paix [1].

Gabrielle courut chez elle.

Il s'agissait de la rallier à sa cause.

La chose était possible. La dénommée Lucienne cherchait à se constituer une clientèle. Des actrices, des femmes du monde ne juraient que par elle. Elle accepta la proposition de Gabrielle et profita de son départ de chez Lewis pour débaucher deux de ses meilleures ouvrières.

1. Par la suite, vers 1912, Lucienne entra chez Caroline Reboux à la demande des trois « premières » auxquelles la célèbre modiste venait de céder sa maison. Il y régnait un esprit social des plus rares à l'époque. Les employées de la Maison Reboux étaient intéressées aux bénéfices! Il est vrai que la grande dame des chapeaux n'avait pas seulement été l'amie de Reynaldo Hahn, de Jean Cocteau et de Philippe Berthelot, mais aussi de Léon Blum.

Lucienne allait rester quarante-quatre ans, dans cette maison, dont elle devint la directrice. On la considéra, à juste titre, comme la plus grande modiste du Paris des années folles.

C'était amplement suffisant pour commencer.

Un jour, le succès aidant, il fallut faire appel à Antoinette. Gabrielle confia à sa sœur cadette la mission de recevoir ses clientes et de tenir un salon qu'elle ne déparait pas. La petite était devenue jolie fille. Une fois correctement mise, elle ne manquait pas de charme, encore que le bas du visage fût un peu lourd et l'ensemble de la physionomie empreint d'une certaine sottise. Elle avait les hardiesses de Gabrielle sans en avoir aucun des talents. Mais, poussée par Adrienne qui affirmait que « la petite était cent pour cent employable », Gabrielle s'était laissé convaincre : elle la « protégerait ».

Et puis Antoinette avait hérité de certaines qualités familiales.

Elle était dure au travail. Jamais elle ne rechignait. Etant la seule à dormir sur place, elle veillait plus tard que Lucienne, plus tard aussi que Gabrielle qui continuait à loger à Royallieu. Et le matin suivant, à l'heure de l'ouverture, le travail se trouvait terminé. Brave petite Antoinette qui se chargeait aussi des livraisons tardives.

Adrienne, de sa lointaine province, applaudissait. Il lui plaisait que deux sœurs Chanel sur trois fussent enfin réunies, et comme au temps de Varennes occupées à volanter, doubler, recouvrir, cranter, perler, découper.

Adrienne, plus que jamais, souhaitait que, face à l'opinion publique, se détruisent les piquantes allusions au passé familial. Elle était pourtant la plus simple et la plus franche des filles. Mais elle avait, en plus de son bon cœur, un vif désir de respectabilité. Il lui était dicté par les réactions du milieu dans lequel elle souhaitait être accueillie. Les intraitables parents de son jeune châtelain continuaient à proclamer qu'ils ne voulaient à aucun prix de ce qu'ils appelaient « un mariage de garnison ».

Et Adrienne n'était toujours pas *acceptée*.

Elle ne le fut jamais.

Pourtant que d'amour... Cruel destin que celui de cette belle jeune femme qui attendit vingt ans qu'un mariage vienne couronner un sentiment aussi sincère que tenace.

V

COMMENT ON DEVIENT MODISTE

FÉVRIER 1910. Campée depuis bientôt un an dans la garçonnière de Balsan, Gabrielle voyait sa clientèle s'accroître de jour en jour.

Elle travaillait à l'étroit.

Au monde des courses avait succédé le monde tout court, de jolies femmes que l'on savait clientes de Worth, de Redfern, de Doucet. Ces dames ne commandaient pas toujours mais elles *passaient*, mues par la curiosité.

Il avait fallu renoncer à loger Antoinette afin de transformer sa chambre en atelier. Où la mettre ? C'était un problème de plus.

Alertés, les cavaliers de la bande de Royallieu avaient volé au secours de la pauvre « sans logis » et avaient aussitôt trouvé à lui prêter un autre rez-de-chaussée, tout petit, mais commode parce que proche de l'atelier.

Le quartier se prêtait à ces sortes de trouvailles.

De construction récente et de style pâtissier, avec leurs vastes antichambres parées de marbres dont les harmonies pourpres et les contrastes compliqués évoquaient irrésistiblement d'immenses étalages de galantine ou un déferlement de saucisson, les hautes maisons du quartier Malesherbes avaient toutes été conçues pour abriter, en plus de spacieux appartements bourgeoisement habités, de discrets rez-de-chaussée où les séducteurs de l'époque pouvaient, à l'insu de leurs épouses, avoir « leurs habitudes ».

Bien sûr, c'était appréciable d'être tous logés à la même enseigne et tous à quelques rues les uns des autres — l'atelier au 160 du boulevard Malesherbes, le rez-de-chaussée d'Arthur Capel au 138, celui d'Antoinette au 8, avenue du Parc-Monceau —, mais le problème demeurait entier. Le local professionnel était insuffisant et l'adresse ne faisait pas sérieux.

Alors Gabrielle demanda à Balsan de lui accorder un prêt. Elle voulait louer une boutique et s'installer à son nom.

Etienne refusa tout net. A Royallieu, il lui avait fallu faire face à de nouvelles dépenses pour acquérir des prés avoisinants. Ses chevaux lui coûtaient bien assez cher comme ça. Il ne pouvait rien de plus.

Elle insista.

Il y avait, disait-elle, quantité de risques à continuer à travailler dans ces conditions, sans payer patente et dans un local qui ne se prêtait pas à cet usage. Cela était vrai. Si vrai que sa collaboration avec Lucienne n'y avait pas résisté. Etait-ce le genre de la maison qui lui avait déplu ? Un certain désordre, les allées et venues de Boy, du beau Léon de Laborde, d'Etienne ? Lucienne n'avait jamais imaginé qu'une modiste pût être courtisée par autant d'hommes à la fois. Et que penser de jeunes gens affichant un négligé aussi outrancier ? Etait-ce un nouveau dandysme ?

Soumise très jeune au dressage de « premières » exigeantes, formée à la dure école des ateliers parisiens, Lucienne était une vraie professionnelle. Elle avait gravi, un à un, les échelons d'un métier qui avait fait de la jeune apprentie en sarrau, astreinte aux tâches les plus humbles, une apprêteuse, puis une garnisseuse, puis une « aide-seconde », sa sébile d'épingles à la main, courant sans trêve de l'atelier au salon où trônait la cliente que l'on s'évertuait à satisfaire, et enfin une « petite-première », espèce humaine autorisée à assister en silence à la cérémonie de l'essayage et même à être celle qui, puisant dans le grand panier aux parures, présentait aux officiantes aigrettes et oiseaux de paradis, destinés à enrichir ces tableaux de chasse qu'étaient les chapeaux.

Et c'est à ce stade qu'en était Lucienne, l'année où elle avait renoncé à son emploi pour suivre Gabrielle.

La mode en garçonnière lui était tout d'abord apparue d'une irrésistible drôlerie. Antoinette autant que Coco avait la manie du chant. Aussitôt qu'une cliente avait le dos tourné, les sœurs Chanel y allaient de leur refrain. L'atelier retentissait de chansons. Parfois, elles se donnaient la réplique dans un répertoire assez canaille. Des filles impayables, ces Chanel. C'était autrement gai que chez Lewis...

Mais Lucienne avait eu vite fait de mesurer les risques de cette association.

Gabrielle n'aimait pas à partager. Elle commençait à prendre confiance et, bien qu'elle en sût infiniment moins que Lucienne, n'écoutait guère ses conseils.

Certains secrets de la société apparaissaient à Lucienne comme des éléments dont il fallait tenir compte si l'on voulait bien faire son métier. Tous ensemble ils formaient comme un code non écrit mais combien respecté. La plus naïve des apprenties de la rue de la Paix en était avertie au bout de quelques mois de travail. Tandis que Gabrielle... Comment eût-elle été instruite des arcanes d'un protocole qui interdisait que l'on donnât rendez-vous à la baronne Henri de Rothschild à la même heure qu'à la belle Gilda Darthy — les deux dames ne devant sous aucun prétexte se rencontrer encore que leurs factures à toutes deux fussent à adresser au baron Henri —, ou de l'existence de deux princesses Pignatelli qu'il fallait traiter de façon fort différente, l'une étant une grande dame venant tout exprès de Naples pour faire ses achats tandis que l'autre n'était qu'une tapageuse, s'étant exhibée en son jeune temps en costume plus que léger sur la scène de la Scala ? Ces finesses lui échappaient.

A quoi bon s'évertuer ? Lucienne avait suffisamment d'expérience pour que la plupart de ces femmes fussent connues d'elle. Elle avait cherché à convaincre Gabrielle qu'il était parfois profitable de renoncer à une clientèle pour en gagner une autre. Il fallait, disait-elle, établir une échelle des valeurs et l'on ne pouvait recevoir de la même façon Réjane, Bartet ou la dernière actrice de l'Odéon. Enfin les égards dont Gabrielle entourait une certaine Claire Gambetta — grande femme olivâtre, outrageusement fardée, dont le nom produisait sur elle un effet magique — étaient immérités. Gabrielle lui tournait autour en répétant « Mademoiselle Gambetta » comme on chante un refrain. Un faux pas de plus... Car s'il y avait une cliente à ne pas recevoir c'était bien cette actrice, ou soi-disant telle, qui s'était attiré le mépris général en cherchant à faire argent de son nom. Elle avait chanté : « T'as cassé ta pipe, ta pipe, ta pipe » la nuit où sur les hauteurs de Ville-d'Avray, son oncle le tribun, Léon Gambetta, l'homme des provinces perdues, l'idole des populations d'Alsace-Lorraine, agonisait.

C'était une folie. Il fallait que cette femme unanimement blâmée ne revînt pas.

Mais en apprenant ce dont s'était rendue coupable Mlle Gambetta, Gabrielle se tordit.

Cette « gaffe » était loin de lui paraître chose à justifier une attitude méprisante ou hostile.

« Elle faisait son métier », rétorqua-t-elle d'une voix cassante.

D'où des heurts.

Alors Lucienne avait sauté sur la première proposition qui lui avait été faite pour s'en aller, et Gabrielle était livrée à elle-même.

Voilà ce qu'il en coûtait de travailler en amateur.

Mais comment convaincre Etienne ?

Gabrielle tenta un nouvel assaut. Lucienne l'avait quittée. C'était un argument qui pouvait peser sur la décision de Balsan. Elle mit d'autant plus d'insistance à le faire céder qu'Arthur Capel l'encourageait. Il croyait fermement au talent de Gabrielle et lui aussi considérait le moment venu de l'installer autrement. Il prenait sa défense en toutes circonstances.

Balsan fut surpris et assez irrité par le revirement de son meilleur ami. Soudain, Arthur Capel prenait au sérieux un « travail », celui de Gabrielle, dans lequel, comme Etienne, il n'avait vu qu'un jeu. Qu'est-ce que cela signifiait ?

Vint le moment où les raisons d'une volte-face aussi imprévisible devinrent évidentes : Capel était amoureux. Du reste il en convenait. Il aimait Coco.

La lune de miel à trois était terminée.

Pour bien comprendre Etienne, il faut savoir que des maîtresses vénales, connues trop jeune, lui avaient rendu l'amour suspect. Mais que d'autres y croient était ce qui pouvait le mieux le toucher.

Ainsi Boy et Gabrielle...

Bon prince, il continua à prêter sa garçonnière bien qu'il n'ignorât pas que Gabrielle logeait ailleurs.

La passation des pouvoirs se fit sans cris ni scènes. Ce fut un chassé-croisé dans les meilleures traditions du marivaudage français.

Arthur Capel se substitua tout naturellement à Balsan et c'est lui qui fit l'avance nécessaire à l'achat d'un fonds de commerce.

Aux derniers mois de l'année 1910, Gabrielle se retrouva travaillant en entresol au numéro 21 d'une rue dont le nom fut associé au sien pendant un demi-siècle : la rue Cambon.

Royallieu demeura le lieu de rendez-vous habituel de la bande sans qu'en apparence rien fût changé.

A quelques détails près, néanmoins.

Balsan délaissé devint jaloux. Avec quelle légèreté Gabrielle avait accepté l'idée de la rupture ! Atteint dans son orgueil, il se mit à la regretter.

Gabrielle revint à Royallieu, avec Arthur Capel et en invitée. Des séjours limités aux week-ends. On aurait dit une autre femme. Ses amazones d'un gris perlé faisaient, d'un coup, apercevoir que sa vie avait changé. A la finesse du drap, au chic avec lequel était rattrapé l'oblique de la jupe, à l'asymétrie voulue de la longue jaquette qui plombait par-devant afin, qu'une fois en selle, il y eût assez d'ampleur pour recouvrir largement le genou remonté par la fourche, à l'allégresse enfin avec laquelle Gabrielle, vêtue de la sorte, apparaissait chaque matin aux yeux de ses amis, il eût fallu être aveugle pour ne pas reconnaître que son rêve longtemps caressé s'était enfin réalisé. Elle était habillée par un des grands maîtres du genre... Un de ces Anglais auxquels s'adressaient les belles cavalières en haut-de-forme et faux gilet dont l'incomparable élégance faisait battre le cœur du jeune Marcel Proust.

Mais quel qu'ait été ce couturier, et le respect qu'il ait inspiré à Gabrielle, elle était quand même parvenue à lui imposer des particularités où se révélaient certains liens secrets avec sa jeunesse. Qu'importait ce qu'il lui affirmait ? Qu'il était inconcevable, sous quelque prétexte que ce fût, qu'une amazone renonçât à la chemise stricte et au triple enroulement de la cravate de chasse en piqué blanc, qui, une fois épinglée, donnait le même effet de rigueur qu'un faux col ? Qu'avait-elle à faire de cette rigueur ? En d'autres circonstances peut-être... Mais à Royallieu ?

« Nous faisons de l'équitation entre amis, sans façons », dit-elle en guise d'explication.

La vie là-bas autorisait certaines fantaisies.

Ce n'était pas l'avis du couturier qui manifesta sa désapprobation et presque du chagrin à voir une aussi jolie femme envisager froidement de le déshonorer. De quoi parlait-elle ? D'aller en amazone, sans cravate avec une chemise à col ouvert ? Pure folie. Et quoi encore ? De porter, avec un costume tailleur de coupe stricte, un corsage à col Claudine et une cravate en mousseline nouée en lavallière. Cette idée !... Qu'elle laisse donc cela à la jeunesse des écoles.

Le couturier était ulcéré.

Et Gabrielle ne se montra guère plus accommodante sur d'autres points. Ainsi réserva-t-elle mauvais accueil à sa suggestion d'aller commander, chez Motsch, un haut-de-forme en peluche noire avec monocle fixé à la passe comme en portait la princesse Murat. Ce n'était pas plus dans ses goûts que le petit tricorne noir garni de quelques plumes d'autruche dont la princesse de Caraman-Chimay venait de lancer la mode.

Elle ne voulait point de ces coiffures.

Son intention était de porter un serre-tête en piqué qui, fixé sous son chignon, suffirait bien à tenir ses cheveux.

Le couturier se fit répéter ces propos par deux fois.

« Un serre-tête ? demanda-t-il d'une voix incrédule. Vous dites un serre-tête ? Quelque chose rappelant la coiffure des tenniswomen ?

— Non, rétorqua-t-elle. Plus étroit... Bien sec... Un peu comme le bandeau des nonnes. Vous voyez ce que je veux dire ? Porté au ras du front. »

Cette affirmation renforça le couturier dans ses doutes.

Etre la petite amie d'Arthur Capel était assurément un rare privilège. Ce n'était quand même pas une raison pour se poser en arbitre des élégances. La jeune femme n'irait pas loin. Elle mélangeait les genres.

Les premiers fournisseurs de Gabrielle avaient, dit-on, gardé d'elle le plus mauvais souvenir.

VI

LES NOUVELLES AMIES

GABRIELLE CHANEL a soutenu en de nombreuses circonstances qu'elle n'avait aimé qu'une fois et connu, une fois seulement, un homme qui parût créé pour elle : Arthur Capel. Et il est à peu près certain que, pour une fois, elle disait vrai.

L'accent étranger de Capel, le rythme d'une existence nouvelle, le prestige d'un homme occupé, ponctuel, les grands yeux noirs qui la regardaient avec un air d'autorité, les cheveux, noirs eux aussi, et d'un noir si profond qu'ils dessinaient autour de sa tête une ombre de jais, tout cela créait un climat nouveau.

C'en était fini de la bande folle, fini des galopades en forêt. Pour agir et construire, il fallait auprès de soi un compagnon solide sur lequel s'appuyer. Arthur Capel était ce compagnon.

Toujours elle avait souhaité sortir du rôle médiocre auquel l'avaient limitée officiers frivoles et sportifs désabusés. Or, voilà qu'un être lui témoignait tendresse, confiance, estime. Etait-ce une nouvelle vie ? Une nouvelle vie pour de bon ?

Capel avait eu d'innombrables maîtresses. Il les avait quittées. Elles cherchaient à le reprendre. Il était décidé à les ignorer. Etait-ce la preuve d'un amour durable ? Face à l'espérance, Gabrielle n'était qu'interrogations. Ce Capel, pouvait-elle s'y fier ? Ses goûts n'étaient-ils pas, à quelque chose près, ceux de Balsan ? Un sportif... Encore et toujours des sportifs dans sa vie. Mais il n'était pas que cela. C'était un homme curieux de tout, s'intéressant à la politique, à l'histoire, lisant quantité de livres bizarres. Les ouvrages d'un socialiste tel que Proudhon, *Du principe fédératif*, d'un érudit farfelu tel que Fabre d'Olivet, *Histoire du genre humain*, d'un illuminé tel que Saint-Yves d'Alveydre, *La Mission des souverains*, étaient ses livres de chevet. Mais on trouvait aussi, pêle-mêle dans sa bibliothèque, Nietzsche, Voltaire, les Pères de l'Eglise, *Les Essais politiques* d'Herbert Spencer et les *Mémoires* de Sully qu'il voulait à toute force faire lire à Chanel. Gabrielle découvrait que l'on pouvait être à la fois champion de polo et fervent de lecture. Que de surprises !...

Alors se produisit une de ces réactions comme la vie sait en ménager. Chanel dut reconnaître que le travail l'attirait moins lorsqu'elle était amoureuse que lorsqu'elle ne l'était pas. Elle faisait l'expérience du bonheur et, à son étonnement, constatait que c'était là un état se suffisant à lui-même.

Il fallait pourtant continuer à faire progresser son commerce.

Elle chercha à convaincre Lucienne de revenir et y parvint, au moins pour quelque temps.

Alors, rassurée, Gabrielle s'accorda une période de flottement : envie éperdue de ne jamais sortir de chez elle afin que l'être aimé n'ait jamais à l'attendre; puis réaction violente : elle ne voulait quand même pas se cloîtrer; enfin, tout aussi violent, le remords. Alors, ne bougeant plus de chez Boy, elle rêvait de ne vivre que pour lui. Mais ce n'était pas une vie... Alors ?

Le café-concert avait cessé de l'intéresser. Pourtant

il avait suffi que des amies de Boy fassent état devant elle de leurs visites à Isadora Duncan pour que Gabrielle se sentît à nouveau piquée par la tarentule du spectacle.

Ce qui attirait ses belles clientes dans l'atelier de l'Américaine n'était que curiosité. Elles espéraient qu'une visite à celle qui à travers la danse, prêchait la liberté des sens, leur apporterait quelque mystérieuse révélation. Or, ce n'était pas cela que cherchait Gabrielle. La rythmique était à la mode. Plus qu'une méthode de danse, cela devenait un système d'éducation et des gens de tous âges s'en allaient comme en pèlerinage à l'Institut que venait de créer, à Dresde, le maître du genre : Jacques Dalcroze. Alors Gabrielle voulut apprendre à danser. Informé de son désir, Arthur Capel l'encouragea. Quel mal y avait-il que son amie, en plus de ses chapeaux, fît de la danse ? Et pourquoi ne pas essayer ? Il ne redoutait rien tant que les femmes désœuvrées.

Ce furent pourtant de ces désœuvrées qui associèrent Gabrielle à une expédition avenue de Villiers, un jour de réception.

Isadora vivait en phalanstère, entourée de joyeux lurons, artistes en tous genres. Elle recevait la poitrine nue sous un péplum. Un jeune homme fort maigre et portant une barbe de faune ne la quittait pas. Des mélanges alcoolisés d'une saveur très nouvelle circulaient. On riait, on causait, les jeunes femmes s'amusaient, Gabrielle écoutait. Quand vint l'instant tant attendu, où Isadora annonça qu'elle allait improviser, on la vit s'élancer, les bras levés, comme si tous les dieux de l'Olympe avaient trouvé à se loger dans la verrière du plafond. Ses attitudes étaient convaincantes. On en oubliait la pauvreté des accessoires : une guirlande de roses en papier fripé.

La danse eut pour effet d'envoyer le jeune barbu d'un bond jusqu'au milieu de l'atelier, ce qui vint tout gâter aux yeux de Gabrielle. L'alcool aidant, le jeune homme — c'était Kees Van Dongen — se comporta en satyre. Il empoigna, à pleines mains, les fesses de la grande prêtresse sans qu'elle en parût le moins du monde offensée.

Isadora alla jusqu'au bout de son improvisation et continua à s'adresser au plafond avec des gestes magnifiques.

Le milieu des arts, ne fût-ce que par mépris des conventions, pouvait applaudir. Gabrielle pas. Rien ne l'avait préparée à ces sortes de véhémences, pas même l'épaisse gaieté des beuglants. Elle n'avait d'expérience que celle de la grivoiserie. Or c'était de licence qu'il s'agissait chez Isadora. Elle jugea cette exubérance de mauvais aloi. Respectueuse des convenances, Chanel ? Oh combien ! Pouvait-on attendre autre chose d'une élève des religieuses ? Et d'une demimondaine ? Or, elle était tout cela à la fois.

Dans les dernières années de sa vie, elle semblait n'avoir gardé aucun souvenir des péripéties de cette réception. Mais lorsque parlant d'Isadora, elle disait : « Je ne l'ai jamais connue qu'éméchée. C'était une muse de sous-préfecture », alors on sentait qu'elle rassemblait, dans ce jugement, ce qu'elle avait ressenti de gêne et de perplexité en cette lointaine circonstance.

Renoncer à devenir une adepte de la méthode Duncan ne signifiait pas renoncer à danser. Gabrielle continua à chercher et finit par trouver un professeur à son goût : Caryathis, danseuse de caractère. Une forte hérédité paysanne, une mère auvergnate et couturière, une enfance vécue en grande partie dans un couvent où les premières communions étaient plus solennelles que partout ailleurs parce que Mgr de Dreux-Brézé venait, en personne, présider à leur célébration, que de points communs entre le passé de Caryathis et celui de Gabrielle. Et le père ? Une réplique du père Chanel. Ses enfants l'appelaient « Monsieur le saltimbanque... » Colporteur en mercerie, il avait sillonné les routes de France, sac au dos et pieds nus. Mitron chez un seigneur du Périgord à l'époque de son mariage, il avait acquis ensuite, devant les fourneaux de chez *Larue*, une certaine célébrité avant de disparaître pour toujours, chef de cuisine à bord du Transsibérien, puis amant d'une dame russe, puis plus rien... Alors, l'épouse abandonnée s'était placée chez une chanteuse richement entretenue et la petite Caryathis, tout en aidant sa mère à tailler des robes de gommeuses, attendit ses quatorze ans, âge auquel on fit d'elle une arpète, chez Paquin. Etait-ce cela qui avait attiré Gabrielle ou bien était-ce le style de cette danseuse ? Elle mêlait à des éléments de danse classique les méthodes rythmiques de Dalcroze.

L'extravagante femme dont le nom reste lié à d'étranges improvisations chorégraphiques, telles que la création de la danse du Serpentin vert dans *Ma mère l'oye* de Ravel et de *La Belle excentrique* d'Erick Satie, et qui, jusqu'à sa rupture avec la danse, avait mené une vie des plus folles, fut, à partir de 1929 et pendant quarante ans, l'épouse de Marcel Jouhandeau, apportant dans sa vie autant que dans son œuvre l'écho d'une permanente discorde conjugale. La muse des cafés montmartrois, l'indomptable auprès de qui, entre feu et larmes, s'étaient succédé tant de compagnons divers, entra donc par mariage dans la légende littéraire.

Elise Jouhandeau se souvenait parfaitement d'avoir reçu Gabrielle, rue Lamarck. Le studio qu'elle habitait à l'époque abritait ses tumultueuses amours avec Charles Dullin. Sans son témoignage, nous ne saurions rien des apparitions matinales de Gabrielle sur les hauteurs de Montmartre en 1911, rien de ses ambitions chorégraphiques, rien non plus des subterfuges auxquels elle eut recours pour se faire accepter dans le cours de Caryathis. Elle prétendait ne venir que pour accompagner sa meilleure amie. « Une célèbre cocotte », affirmait Caryathis. Mais bien que cette dernière ait tout fait, tout vu, tout dit dans sa vie, jamais elle ne livra le nom de cette amie de Chanel, qui depuis « était devenue quelqu'un », ajoutait-elle, pour justifier son silence.

Gabrielle n'eut guère plus de succès rue Lamarck qu'elle n'en avait eu dans le sous-sol d'un café de Vichy, huit ans auparavant. Elle n'était pas douée. Mais ce ne fut pas faute de persévérance. Caryathis la vit presque chaque jour. Au bout de plusieurs mois, Gabrielle se rendit à l'évidence : il fallait renoncer.

Telle fut sa dernière tentative.

Après quoi elle continua à fréquenter le cours de «Carya » par hygiène, et il lui arriva même de remplacer le *tapeur*, aux rires de l'assistance.

Quel souvenir gardait-elle de sa découverte d'un quartier où l'on vivait les poches vides mais aussi heureux qu'en une lointaine province ? Montmartre était un mot que Chanel ne prononçait jamais, un lieu où il semblait qu'elle n'eût jamais mis les pieds. Or, quoi de plus exaltant que la Butte, en 1911 ? A quelques pas du studio de la rue Lamarck, le boulevard de Clichy où venait de s'installer Picasso, la rue Caulaincourt et l'atelier de Van Dongen, le Bateau-Lavoir où vivait Juan Gris, le 12 de la rue Cortot, domicile d'Utrillo, de Valadon, de Reverdy et de l'inquiétant Almereyda [1]. Tous connaissaient Caryathis, tous étaient connus d'elle. Mais Gabrielle ne se douta de rien et s'en retourna sagement au cœur de la grande

1. De son vrai nom Bonaventure Vigo. Contemporain de Chanel. Né à Béziers en 1883, Devint, sous le nom d'Almereyda, rédacteur en chef du *Bonnet rouge*, le quotidien anarchiste. Arrêté en 1917, il mourut à la prison de Fresnes, sans doute assassiné sur ordre de trois ministres en exercice, ses bailleurs de fonds. Jamais le mystère de cette mort, survenue en pleine guerre, ne fut éclairci.

ville où se préparaient, à son insu, tant d'événements mémorables. Que savait-elle du Châtelet, et des créations qui s'y succédaient ? En 1910, *L'Oiseau de feu*, en 1911, *Petrouchka*. Et Nijinski dans *Le Spectre de la rose* ? Le monde du ballet lui fut aussi étranger que Montmartre.

Ne l'occupaient que ses amours, son métier et une vocation manquée dont elle allait rester marquée pour la vie.

Toujours Gabrielle Chanel garda le goût de la romance et des grands airs d'opéra. Pour peu qu'on l'y poussât, elle ne refusait pas de faire étalage de ses connaissances. Son répertoire allait de *La Fille de Madame Angot* aux *Puritains*. Quand elle chantait — de la voix un peu criarde qui avait été celle de ses débuts au beuglant de Moulins — tout un passé tremblait en elle dont elle ne cherchait même plus à s'expliquer l'amère résonance.

Quant à ses tentatives chorégraphiques... Ses espoirs en ce domaine avaient été plus brefs et moins brûlants. Et pourtant, les documents ne manquent pas où l'on voit, entre les bras de Serge Lifar, une Chanel vieillissante s'essayer à d'assez pitoyables entrechats. Elle rêvait encore.

A partir de 1911 Gabrielle cessa de délaisser ce qui s'offrait : une clientèle de plus en plus fervente et qui, cherchant à s'approprier tout ce que Chanel inventait pour elle-même, l'encourageait à élargir son champ d'action. Des tricots comme Arthur Capel en portait au polo, à la plage, c'était cela qu'elle aurait souhaité imposer à ses clientes. Et puis des sweaters et des blazers. Pourquoi n'en fabriquait-on qu'en Angleterre ?

L'idée demeura à l'état de projet.

Il lui semblait que les femmes n'étaient pas aussi prêtes qu'elles le disaient à accepter ses innovations. Il y avait encore dans l'air trop de fanfreluches à la

Doucet, trop de turqueries à la Poiret. Mieux valait, pour le moment, se limiter aux chapeaux.

Il lui fallut perdre encore quelques illusions avant que de faire d'un métier le but unique de sa vie.

Elle aimait, elle était aimée. Elle avait vingt-huit ans. Elle était belle et ce n'était pas tant cela qui comptait, mais qu'elle fût unique. Mince, brune, débordante de vie, souple comme personne et avec un charme bizarre, Gabrielle avait déjà découvert ce qui allait être, un jour, le secret de la *séduction-selon-Chanel* : on lui aurait donné dix ans de moins que son âge. Sa boutique ? Ce n'était pour le moment qu'un passe-temps dont Arthur Capel était le commanditaire. Elle n'y tenait que dans la mesure où elle ne voulait pas décevoir celui dont elle attendait tout.

Qu'elle ait ardemment souhaité épouser Boy, cela non plus ne fait aucun doute. Le bonheur, la respectabilité, l'estime de la société, c'est, avec la fortune, ce que lui aurait apporté ce mariage. Il n'en fut jamais question.

VII

LES DIMANCHES DE ROYALLIEU

NULLE condescendance dans le sentiment d'Arthur Capel pour Gabrielle. Il se donnait tout entier à ce qu'il éprouvait, sortait avec elle et la présentait à ses amis en homme ayant ses entrées partout. Le naturel de Gabrielle et sa causticité étant celles de ses qualités qu'il admirait le plus, Boy insistait pour qu'elle participât à la conversation. Dans les premiers temps de leur liaison, cela la mettait au supplice. « Qu'as-tu à dire ? » demandait-il. Rien qui vaille... L'inculture de

Gabrielle dépassait tout. Sortie des performances de quelques ravageuses en vogue, des records de quelques pur sang et de quelques jockeys, qu'avait-elle à raconter ? Que le boa, couleur de flamme, de Liane de Lancy était le plus long, le corset de la belle Otero le plus baleiné, la langue de Louise Balthy la plus acérée et que Cléo de Mérode était la belle entre les belles... Encore et toujours des records. Le sempiternel blabla des cocottes.

C'est à Arthur Capel que Gabrielle fut redevable d'être tirée hors du cercle restreint de la galanterie. Si nul ne put effacer le tort que fit peser sur elle son passé — et elle eut plus d'une fois l'occasion d'en souffrir au cours de sa vie —, du moins cessa-t-elle de n'avoir pour amies que des demi-mondaines.

L'année 1911 fut celle de ce tournant. Une année de bonheur comme Gabrielle en connut peu.

Boy lui présenta sa sœur préférée, Bertha. Une très jeune fille que l'exemple de son frère exaltait. Bertha ne pensait qu'à s'échapper d'Angleterre pour vivre libre dans la franchise et la passion. Elle fit bon accueil à Gabrielle. Ce qui encouragea cette dernière à rechercher sa compagnie. Une étrangère... N'était-ce pas quelque chose de nouveau à observer ? Elle n'eut pas à le regretter. Bertha lui réservait plus d'une surprise.

Et ce fut Arthur Capel, encore lui, qui introduisit Gabrielle dans le monde du théâtre. Un milieu très libre et dont la qualité première n'était certes pas la vertu, mais qui, néanmoins, offrait autrement plus d'attraits que l'entourage habituel de Gabrielle. Et puis, dans ce milieu-là, on ne jugeait pas que la séduction fût la seule arme dont disposât une femme. Entre comédiennes on disait même que l'essentiel était le talent.

Aux yeux d'artistes, qui souvent avaient eu des débuts aussi difficiles qu'elle, la situation marginale de

Chanel passait inaperçue. On ne lui demandait ni qui elle était, ni d'où elle venait. Libérée de toute gêne, elle put enfin être elle-même.

Les dimanches de Royallieu prirent un caractère nouveau. Non qu'on s'y amusât moins, — les facéties continuaient de plus belle — mais Capel et Balsan avaient uni leurs amis. Ceux de Balsan étaient toujours des hommes de chevaux, ceux de Capel des artistes. La bande y gagna en qualité.

Une deuxième Gabrielle fit son apparition, jeune comédienne d'une rare présence : Gabrielle Dorziat [1]. En la personne d'une cantatrice, Marthe Davelli — qui venait de débuter avec éclat à l'Opéra-Comique mais qui, sortie de scène ne rêvait que rigolade et bamboche —, la bande avait trouvé son boute-en-train et Gabrielle Chanel un sosie. Les deux femmes accentuaient encore leur ressemblance en se coiffant et en s'habillant de la même façon. Naquit, entre elles, une amitié dont la raison profonde fut qu'aucune des deux ne se résignait à n'être pas l'autre. Gabrielle aurait donné tout au monde pour chanter comme Davelli tandis que cette dernière, soumise à la rude discipline de son métier, n'enviait rien tant que la liberté et les succès amoureux de Gabrielle. Parmi les nouvelles recrues de Royallieu figurait aussi un jeune animal féminin, romantique à souhait, et qui aurait, fort bien, pu inspirer peintres ou écrivains du XIXe siècle. Elle avait un passé de comédienne, ayant tenu au Gymnase, sans grand talent il est vrai, de petits rôles de femmes élégantes. Elle se faisait appeler Jeanne Léry.

Toutes ensemble ces jeunes femmes s'ingéniaient à distraire Etienne Balsan.

1. Née en 1880, elle a tenu la scène parisienne de 1908 à nos jours. A paru au théâtre de Sarah Bernhardt du vivant de cette dernière, a joué Paul Bourget avec Lucien Guitry, Molière et Giraudoux avec Jouvet, le théâtre de Cocteau sous la direction de l'auteur. Entre 1922 et 1962, Dorziat a interprété une soixantaine de films.

Un soir son maître d'hôtel engageait une servante, et Jeanne Léry, méconnaissable, portant manchettes amidonnées et bonnet tuyauté passait les plats en se prenant les pieds dans son tablier. La semaine suivante, par la voix d'un prélat, il était demandé si l'évêque pourrait faire halte à Royallieu, en route pour Beauvais. Etienne que cette initiative flattait — Balsan ne détestait pas qu'on le traitât en châtelain — s'empressa d'accepter et sermonna ses amis afin qu'ils fissent montre de tenue.

Les jeunes femmes endossèrent leurs plus chastes toilettes et Gabrielle ajouta, en hâte, une « modestie » à sa robe des grands soirs, qui fut longtemps appelée « la robe de l'évêque ».

A la tombée du jour, l'évêque arriva en grand arroi. Gabrielle fut parfaite. Elle accompagna le prélat et lui fit les honneurs de ses appartements. Arthur Capel, qui était catholique, la félicita d'une maestria dans ses rapports avec les ecclésiastiques dont personne ne l'aurait crue capable. C'était ignorer Moulins, Obazine, les longues années au couvent.

Mais quelques instants plus tard, alors que l'évêque faisait sa toilette, la femme de chambre fit irruption dans le salon en se plaignant que Monseigneur ait cherché à la lutiner.

La bande s'esclaffa.

Etienne parla d'« accident » et exigea de ses amis qu'ils se comportassent comme si de rien n'était.

Et l'on se remit à attendre l'évêque. Enfin, il fit son entrée.

Le dîner se déroula de la plus odieuse façon. Dès le potage, Monseigneur se mit à boire outre mesure, puis il accabla le maître d'hôtel de ses prévenances, s'adressant à lui en des termes qui ne laissaient nul doute sur ses intentions. Il l'appelait : « Mon petit coquin... »

Ce ne fut qu'à l'issue du dîner qu'Etienne — dont

le côté provincial et naïf était peut-être ce qu'il avait de plus touchant — découvrit enfin la vérité. La farce avait été montée par Davelli. L'évêque était un figurant de l'Opéra.

Ainsi se déroulaient les dimanches à Royallieu en cette année 1912.

Mais plus mémorable encore fut cette nuit de mai où Capel et ses amis décidèrent de faire chez Etienne une « entrée » costumée dont le secret devait être gardé jusqu'à l'ultime seconde.

Le soin de l'organiser avait été laissé à l'imagination de Gabrielle. Elle improvisa une *Noce de campagne*.

Peut-être saisit-on ici ce qu'était la réalité d'un thème, servant de substitut à la fois à ce qu'elle avait été et à ce qu'elle souhaitait être. La « noce » associait aux vêtements du passé — ceux de paysans endimanchés — cette robe nuptiale qui était l'expression de son désir secret.

La mariée, son époux et leur suite avaient été habillés dans les grands magasins. Etienne, plus surpris et peut-être plus touché qu'il ne voulait le paraître, accueillit une mariée virginale, vêtue de linon blanc, au corsage curieusement fleuri d'un bouquet de mandarines — c'était Jeanne Léry; une vieille dame vêtue de coutil gris qui se révéla être Arthur Capel; un bébé coiffé d'un étonnant bonnet — Léon de Laborde; et les deux Gabrielle se donnant le bras.

L'une, Gabrielle Dorziat, était en villageoise, un peu demeurée, portant chaussettes trop courtes et robe trop longue. L'autre, Gabrielle Chanel, lui servait de cavalier. Elle incarnait un adolescent timide, un Fortunio de village, dont la petite veste en fil à fil, portée sur un gilet blanc, la chemise à col rabattu, fraîchement amidonné, la lavallière maladroitement nouée, le relevé blanc et les bottines à hautes tiges, avaient été achetés au rayon garçonnet de la Samaritaine.

On ne pouvait offrir plus de séduction que cette fille page et il y a lieu de s'interroger sur la nature de son magnétisme. Il tenait à l'habileté avec laquelle Gabrielle avait revêtu un costume d'homme, tout en s'attachant à souligner ce qu'il y avait en elle de plus féminin. D'où cette impression qu'elle ne s'était pas déguisée mais plutôt préparée à poser pour un peintre. Rien de révélateur comme cette ébauche d'une recherche dans laquelle plus tard elle excella : faire sienne une mode masculine pour la mettre au féminin. Et puis, au-delà du costume, il y avait ce qu'il évoquait : une ambiguïté, un dandysme qui appartenaient au monde de Marivaux et à celui de Musset, et peut-être, par la tristesse rêveuse du modèle, au monde de Watteau. Si bien que l'on est forcé, une fois de plus, de trouver, pour seule explication à une grâce si française, celle de l'hérédité.

Mais qui nous dira ce qui faisait la modernité de cette silhouette ? Détachée d'une page d'album, voilà une photographie jaunie qui, bien que datant d'une époque où fleurissait le style métro, ouvrait déjà toutes grandes les portes de notre temps.

Succès, amusement, conquêtes, et l'impression, parfois, que sa vie commençait, certaines chaînes tombaient... Mais Gabrielle n'aurait su dire ce qui la faisait libre.

Elle demeura longtemps la petite lorette du beuglant de Moulins, ne témoignant confiance qu'aux femmes de même condition qu'elle. Et il est curieux de constater que si une cocotte fut l'intermédiaire qu'elle choisit pour se faire accepter d'une femme dont l'inconduite était notoire, Caryathis, ce fut avec Jeanne Léry et non avec Gabrielle Dorziat qu'elle se lia.

Fille d'un demi-castor, Jeanne Léry avait été victime d'une passion. Elle avait disparu de Paris pour cacher sa liaison avec l'un des amants de sa mère : le grand-duc Boris[1]. Celui-ci lui ayant interdit de rester à Paris, Jeanne fit un pas hors de la route commune en renonçant à sa carrière théâtrale. Puis elle mit au monde un garçon. Sur quoi son amant l'abandonna. Jeanne Léry avait aussitôt renoué avec Paris et ses amies du monde théâtral. On ne pouvait rien refuser à l'intrépide qui avait joué toutes ses chances en une fois. Ce fut elle que Chanel chargea d'aller supplier Gabrielle Dorziat. Ce qu'elle voulait ? Faire les chapeaux de la pièce qu'elle répétait au Vaudeville. C'était une chance à courir. Gabrielle Dorziat tenait le premier rôle (celui de Madeleine Forestier) dans une adaptation de *Bel-Ami* d'après Maupassant. Elle allait être habillée par le plus célèbre couturier de la rue de la Paix : Doucet. Mais à qui commanderait-elle ses chapeaux ? Dorziat se laissa convaincre. Ses chapeaux furent signés Chanel. Les deux pailles qu'elle créa, sans panache ni garniture, complétèrent à merveille les toilettes de la célèbre comédienne.

Ce furent là les débuts à la scène de Gabrielle Chanel. Des débuts très remarqués. S'ouvrait pour la mode une ère nouvelle dont la simplicité faisait pressentir la fin des opulences de la Belle Epoque.

1. Le grand-duc Boris, né le 2 mai 1879, était le fils du grand-duc Wladimir qui fut le premier mécène de Serge de Diaghilev. Sa mère, Maria Pavlovna, née duchesse de Mecklembourg, veuve en 1909, demeura l'amie de Diaghilev et continua à le voir en exil. Devenue présidente de l'Académie des beaux-arts à la mort de son mari, critiquant sans ménagement l'aveuglement de l'impératrice et les atermoiements de Nicolas II, allant jusqu'à préconiser son abdication, Maria Pavlovna aura été une des rares femmes de qualité des dernières années du tsarisme. Le grand-duc Boris a fait à Gênes un mariage morganatique et a terminé sa vie à Paris.

VIII

DEAUVILLE OU LA FÊTE MANQUÉE

LE printemps 1913 avait été chaotique.

En mai, il y eut la secousse du *Sacre*[1] dont on se remettait mal. Plusieurs personnes s'étaient senties directement visées par l'apostrophe de Florent Schmitt[2] : « Silence, les putes du XVIe ! »

On admirait qu'insensible à l'insulte, l'influente Mme Muhlfeld, dont le salon attirait tout ce qui comptait dans le monde de la critique, ait continué à donner le ton en se tenant les côtes et la haute société avec elle.

« Aller au *Sacre* » avait, pourtant, été le projet auquel on s'était le plus attaché au cours des semaines passées. Engouement qu'expliquaient l'attrait d'une salle neuve, celle du théâtre des Champs-Elysées, le fait aussi que le chorégraphe ne fût autre que Nijinski, enfin, attrait majeur, qu'il ait eu recours à la collaboration d'une disciple de Jacques Dalcroze : Marie Rambert. Allait-on assister à la consécration de l'école « terre à terre » ? comment en douter ? Diaghilev rentrait d'un pèlerinage à Dresde.

Ce soir-là, les gloires du Tout-Paris étaient allées au spectacle dans l'espoir de voir les Russes exécuter, en guise de ballet, une sorte de gymnastique mondaine faite pour une bonne part de poses gracieuses et d'improvisations timides. Illusion que le sabbat qui se déchaîna allait cruellement démentir.

1. *Le Sacre du printemps*, créé par les Ballets russes de Diaghilev le 29 mai 1913. Musique et livret d'Igor Stravinski. Chorégraphie de Nijinski.
2. Florent Schmitt. Compositeur français dont le chef-d'œuvre, *La Tragédie de Salomé*, a été dansé en 1907 par la Loïe Fuller puis monté par Diaghilev en 1913 pour Ida Rubinstein.

Une provinciale éberluée assistait au tumulte : Gabrielle Chanel. Elle devait ce privilège à Caryathis qui, elle-même, était l'invitée de von Reklinghausen, son amant allemand et riche, tout en faisant profiter de l'aubaine son amant français mais pauvre, Charles Dullin. D'où l'obligation d'inviter Gabrielle, cela afin de ménager la susceptibilité de Dullin : il ne supportait pas l'idée du ménage à trois.

Due à un hasard, la rencontre de Dullin et de Chanel allait avoir des suites fructueuses.

Caryathis, qui croyait voir dans le *Sacre* la confirmation de ses plus chères théories, applaudissait à tout rompre. Les hurlements, les sifflets, le scandale ? Il fallait plus que cela pour l'effrayer. Ceux de la « bande à Carya » étaient donc parmi les fous, les exaltés qui applaudissaient aux galeries. Sans réussir pour autant à infléchir le cours des événements. La fureur du parterre fut telle que Stravinski ne dut son salut qu'à la fuite.

Que l'on juge ce que fut la stupéfaction de Gabrielle devant un tel déchaînement. Qu'étaient les chahuts d'un beuglant de province comparés aux paroxysmes de la capitale ? Jamais elle n'aurait imaginé les riches clientes de Mr. Doucet et Poiret, empaquetées de soie, portant turbans et aigrettes, mêlées à un pareil tapage.

La mode hésitait.

Quelques fraîches beautés, en renonçant au *style Shéhérazade*, annonçaient à la fois le déclin du turban et celui de Poiret. Si l'on en croit *Comœdia*, le peigne (« complément aux souples ondulations ») faisait fureur : « Aux galas somptueux que constituent les représentations des Ballets russes, Mlle Gabrielle Dorziat, qui est un peu la Pétrone moderne de nos élégances féminines, a été l'une des premières à concourir à cette rénovation. On ne voit plus que des nuques joliment ornées d'écaille blonde ou jaspée. »

Toute de blanc vêtue, un immense boa d'autruche lui tombant des épaules, Dorziat, la copine des galopades à Royallieu, une cascade de cheveux formant comme une écume dans sa nuque, trônait au parterre. Elle était promue vedette.

Tandis qu'aux galeries, Gabrielle encore prisonnière du demi-monde passait inaperçue.

Mais que dire de la coiffure de Caryathis ? Quelque temps auparavant, dans un mouvement d'humeur, elle avait coupé son abondante chevelure, l'avait entourée d'une faveur et laissée, pendue à un clou, chez un homme dont elle n'était pas parvenue à éveiller l'ardeur. Elle était donc en Jeanne d'Arc, une frange lui barrant le front. Aspect qui offensait les regards presque autant que les pieds en dedans, la crudité des attitudes et les transes collectives des Russes de Diaghilev soumis aux dissonances barbares de la partition de Stravinski.

Il est hors de doute que cette soirée donna à Gabrielle l'idée de se couper les cheveux — ce qu'elle ne fit que trois ans plus tard après avoir mûrement réfléchi. Mais autour des années 25, passant à juste titre pour celle qui avait imposé aux femmes cette révolution, elle imagina un petit fait divers qu'elle répéta souvent par la suite et que l'on trouve fidèlement transcrit sous la plume d'innombrables journalistes : le réchaud à gaz qui sauta, lui brûlant les cheveux à l'instant où elle se préparait à se rendre à un gala, puis le coup de ciseaux réparateur, le sacrifice de sa chevelure et l'invention de la coiffure qui allait être celle de toutes ses contemporaines. Venait ensuite son entrée à l'Opéra où elle faisait sensation face au public des grands soirs. N'ajoutons foi qu'au succès. Quant au reste, n'en croyons rien. Plutôt qu'un accident, imaginons un acte réfléchi, un plan bien concerté, digne de la femme qu'elle était entre-temps devenue.

La soirée avec Caryathis marqua pour Gabrielle le début d'une certaine connaissance de Paris. Allait-elle se développer ? Hélas ! l'été s'annonçait mal. La presse se faisait l'écho d'une crainte de plus en plus répandue : celle d'un « conflit » inévitable.

Au mépris de toute logique, la haute société parisienne, que les projets d'un impôt sur le revenu inquiétaient infiniment plus qu'une menace de guerre, se comporta, cet été-là, comme l'autruche dans le désert. Elle alla à Deauville s'enfoncer dans le sable. Et Gabrielle, avec elle. Etat d'esprit qui n'avait rien de nouveau dans un pays où l'habitude était prise; cela faisait deux fois, en moins de quarante ans, que l'on allait à Deauville fuir des menaces qui se manifestaient toujours en été.

En 1870, déjà, le 15 juillet, le duc de Gramont, alors ministre des Affaires étrangères, tenu de lire à la tribune de la Chambre la déclaration de guerre de la France à l'Allemagne, s'était vu contraint de « rester à Paris ». Si l'on en croit les mémoires de sa petite-fille, « le monde chic était à Deauville ». Ce qui permet de mesurer à quelle extrémité en était réduit son excellent aïeul. Il y avait la guerre. Mais, tout aussi affligeant, il y avait que le duc de Gramont allait être privé, cet été-là, de son mois d'août à Deauville.

En 1913, le gros aigle de l'Empire s'était envolé, mais rien dans la villégiature normande et rien dans les esprits n'avait changé. Vastes hôtels sur les façades desquels les rudes colombages normands se voyaient associés à toutes sortes de complications d'époque, riches villas qui se voulaient à la fois cottage, castel et chalet suisse, continuaient à attirer les représentants de la plus pure frivolité parisienne. L'esprit de vacances autorisait certaines libertés. Encore fallait-il en user avec discernement et ne se montrer qu'aux heures et dans des lieux où l'on ne rencontrait que des gens de son monde. Car, face à ce public *fashionable*, s'ébrouaient — plus libres et donc plus dangereuses qu'à Paris — irrégulières et théâtreuses, enfin de ces femmes que l'on n'aurait eu garde de saluer.

Pour la promenade du matin, la jetée seule était admise. Se baigner était une mode qui prenait mal. Quelques aventureuses — et parmi elles Chanel — s'y risquaient. On suivait leurs évolutions à la lorgnette, tout en les désapprouvant. La mer n'était là que pour être regardée et non pour s'y baigner. On laissait la plage aux bonnes, aux nounous et aux enfants, avec permission d'y faire des pâtés.

Une certaine évolution se manifestait dans les modes. Mais bien timide. « Le Faubourg bouge » était la remarque apeurée des douairières, s'appliquant à la comtesse de Chabrillan qui venait de manifester son esprit de rébellion par trois coups d'éclat : elle avait fait remonter ses bijoux, redécorer son hôtel et se mettait à porter des bas de soie, au grand scandale de Mme de Lévis-Mirepoix, sa mère.

L'apparition, un jour de vent, de deux Anglaises en bérets avait suscité des mouvements divers. « Une coiffure qui donne à la femme quelque chose de dégagé, de rural et de rapin », notait dans son compte rendu hebdomadaire la chroniqueuse de service. Tandis que le quotidien rival considérait que c'était une excentricité à laisser aux *misses*. Polémique jugée sans intérêt par mesdames les épouses des châtelains et des Parisiens en villégiature, qui se seraient bien gardées de se risquer dehors un jour de vent, ne faisaient du *footing* que dans leur jardin et se sentaient, de toute manière, protégées de pareilles incongruités par leur mode de vie.

De longs après-midi se passaient pour elles en visites dans les propriétés des environs, en thés au polo, en glorieuses apparitions aux courses où elles se rendaient vêtues de linon blanc — de ces robes, brodées au plumetis, travaillées d'entre-deux en valenciennes, qui étaient le cauchemar des femmes de chambre. La mode exigeait aussi que l'on portât souliers pointus à quadruples brides, qui ne se fermaient qu'à grand-peine et avec l'aide d'un tire-bouton, un triple rang de perles cascadant au corsage, une ombrelle à la main, et aussi qu'une élégante charriât sur un chapeau en point d'Angleterre tout ce qu'il fallait de plumes d'autruche et de roses en mousseline pour tenir son rang.

Telle était la mode, en cette année 1913 où Gabrielle Chanel, encouragée et commanditée par Arthur Capel, ouvrit une boutique au cœur de Deauville. C'était rue Gontaut-Biron, *la rue chic par excellence*, celle qui toujours sépare le *Normandy*, séjour de haut luxe, du Casino où l'on joue gros jeu. Gabrielle engagea deux braves filles, qui n'avaient pas seize ans et savaient à peine coudre. Qu'importe... Cela suffisait pour se mettre au travail. Puis, parce que sa boutique était du bon côté de la rue — « côté soleil » —, elle y ajouta un grand store blanc sur lequel son nom, pour la première fois, se détacha en lettres noires.

On peut mesurer l'effet qu'elle fit, s'activant par la ville en tailleur de coupe masculine, en souliers confortables, à bouts ronds, aussi dérangeante à pied qu'à cheval, n'ayant renoncé à aucune des folies que lui avaient tant déconseillées les experts en élégance. Elle se montrait au polo en col ouvert, coiffée d'un curieux chapeau, une sorte de melon aplati, un panama de son invention. Enfin, et ceci était le comble, elle affichait ouvertement une liaison, sans toutefois renoncer à la présence autour d'elle d'une cohorte d'admirateurs. Léon de Laborde, Miguel de Yturbe, et jusqu'à Etienne Balsan, se relayaient à ses côtés chaque fois que ses occupations retenaient Arthur Capel loin de Deauville.

Boy faisait figure de vedette. Il menait ses affaires en homme pressé que n'embarrassaient pas les sacro-saints principes de la prudence bourgeoise. Aucune susceptibilité à ménager entre membres d'un conseil d'administration familial. Il était son propre maître et ne suivait que son flair. Or, d'instinct, Arthur Capel allait vers les points chauds. Sa flotte de navires charbonniers ne cessait de s'accroître.

Bien que les incidents s'y succédassent, le Maroc, cette pomme de discorde, ce *guêpier*, disait Jaurès, attirait Boy. Un autre aurait hésité. Pas lui. Les conquêtes coloniales, il le pressentait, allaient lui ouvrir de nouveaux marchés. Les troupes de Lyautey n'étaient pas à Fès depuis un an que Boy Capel investissait déjà et parlait de faire de Casablanca le port d'importation du charbon anglais pour toute l'Afrique du Nord.

Banquiers de diverses nationalités, qu'ils fussent baron d'Erlanger ou de Rothschild, hommes de gouvernement, politiciens, financiers dont nul ne pouvait définir les activités, journalistes à l'affût de scandales que multipliait l'influence croissante des milieux d'affaires, magnats de la presse, que ce fût Edwards, Hebrard ou Bailby, ménages en vue, beautés internationales suitées d'époux aux titres et aux mœurs contestables, telle la troublante Olga de Meyer, que l'on disait fille du roi d'Angleterre, et son baron de mari, pionnier de la photographie de mode, c'était parmi ces gens que louvoyaient désormais Arthur Capel et Gabrielle.

Les maisons anglaises furent les premières dont ils franchirent le seuil. Les lords en villégiature — moins rigoristes que leurs homologues français — se souciaient peu de connaître les antécédents de la jolie personne dont Capel était amoureux. Le fait, en soi, suffisait, à leurs yeux, pour qu'ils fussent reçus ensemble.

Jamais Gabrielle n'allait l'oublier.

La véhémente sympathie qu'elle témoigna toute sa

vie à ce qui était britannique, la supériorité qui lui paraissait être, en tout, celle de l'Angleterre, n'avaient point d'autre cause.

Ensemble aussi, Arthur Capel et Gabrielle excitèrent la verve de Sem.

Cela faisait au moins trois ans que le célèbre caricaturiste avait changé de terrain de chasse. Il avait jusque-là manifesté une préférence pour Paris, et plus particulièrement pour l'allée des Acacias où il se postait chaque matin, dès dix heures, avec son ami Boldini. Sem avait une silhouette de jockey et ne se montrait en public que tiré à quatre épingles. Boldini était aussi large que haut. Il avait une tête énorme sur laquelle tenait mal un minuscule chapeau. Les deux compères à l'affût ne passaient pas inaperçus. Mais c'était fini cette époque-là de Sem. Et c'était maintenant à Deauville qu'il exerçait son ironie.

L'impitoyable crayonneur que redoutaient tous ceux qui souhaitaient échapper à cette sorte de consécration (mais que tant d'autres auraient volontiers payé pour qu'il les remarquât), représenta le beau Boy en centaure, coiffé d'un casque de polo, enlevant au galop une femme reconnaissable entre toutes : Gabrielle. Au bout d'un maillet, brandi comme une lance, se balançait une toque emplumée. L'allusion était claire, mais pour qu'elle le fût davantage et que nul n'ignorât que le centaure, s'il était l'amant, était aussi le commanditaire, Boy tenait en plus de sa proie un carton à chapeaux sur lequel on lisait ce seul mot : Coco. Le Tout-Deauville n'eut plus de doutes. Cela équivalait aussi à un lancement sans précédent. Gabrielle commençait à être *quelque chose* aux yeux du monde. Si l'on ajoute que Sem se mit à lui vouer une amitié tenace, qu'on vit souvent auprès de Gabrielle le petit homme au visage de ouistiti, au regard espiègle, et qu'enfin elle restait en relation amicale avec un être aussi intransigeant et d'un génie aussi vif que Dullin, on en vient à penser que la modiste de la rue Gontaut-Biron, avait un cercle de relations des plus inhabituels.

Tout occupée de son succès, car sa boutique ne désemplissait pas (et une fois de plus elle dut faire appel à sa sœur) Gabrielle fut-elle avertie de ce qui se tramait à Paris ? On prêtait à Boy d'autres conquêtes, d'autres liaisons, des étrangères, de vraies dames avec de beaux noms, des aventures enfin, qui se succédaient à un rythme étourdissant. Gabrielle pouvait-elle croire que seules les obligations professionnelles étaient causes d'aussi fréquentes absences ?

Ce qui se préparait lui échappait complètement et elle eût été portée à minimiser l'importance des ragots, s'ils lui étaient revenus aux oreilles. Et pourtant elle était perdue. Mais elle ne le savait pas. Trop de choses se liguaient pour empêcher qu'elle s'en doutât, certaines tristes d'autres gaies ou folles.

Il y eut la mort de son aînée, Julia, la sœur malchanceuse. Le sort du neveu inconnu, livré à la solitude dans sa lointaine province avait de quoi émouvoir Capel autant que Gabrielle. Ils se chargèrent de l'orphelin et l'envoyèrent à Beaumont, dans le collège anglais où avait été élevé Boy. Sans leur secours que serait-il devenu ? Plus que probablement comme ses oncles, comme Lucien et comme Alphonse Chanel, un enfant de l'Assistance. Seule la jeune Bertha Capel, la tête toujours farcie d'idées folles, se refusa à croire que ce petit garçon n'était pas un enfant de Gabrielle. A quelques années de là, à force de sous-entendus et de demi-confidences, Bertha suscita une légende tenace : celle du fils de Boy ou du faux neveu de Chanel.

Il y eut l'arrivée d'Adrienne, toujours plus belle et toujours plus amoureuse. Elle vint à la boutique, emprunta des chapeaux, en acheta d'autres, en changea chaque jour et fit, en se montrant, tant parler d'elle, que la clientèle de Gabrielle doubla. Chanel qui, sans le savoir, venait de découvrir l'utilité des mannequins, embrigada aussitôt Antoinette. Au bras l'une de l'autre, les deux élégantes étaient envoyées à l'heure chic du côté de la jetée. Elles en revenaient triomphantes : tous les regards s'étaient arrêtés sur elles. Alors, réfugiées au fond de la boutique, dans ce qu'elles appelaient le « confessionnal », les trois élèves des chanoinesses de Saint-Augustin, enfin réunies, s'épanouissaient dans une gaieté complice. Du temps de Varennes, du temps de Moulins qui aurait pu prévoir le tour qu'allaient prendre leurs vies ? Parfois, la journée finie, Maud Mazuel venait se joindre à elles. Car elle figurait encore aux côtés d'Adrienne, quoique dans un rôle nouveau. Ce n'était plus le chaperon faisant profiter Adrienne de ses belles relations mais bien le contraire : Maud était devenue l'amie qu'Adrienne, pourvue d'un fiancé solide aux intentions inébranlables, remorquait. Les voyages aidant, on espérait bien trouver un mari à cette brave Maud.

Celle qui se posait le plus de questions était toujours Gabrielle. Elle avait cru qu'avec Capel, la vie serait autre chose. Or elle s'apercevait qu'à beaucoup d'égards il demeurait prisonnier de son milieu. C'était d'autant plus curieux qu'il manifestait, en bien des domaines, une rare liberté de vues.

C'est que Boy, lui aussi, avait un compte à régler avec la société. La plaie secrète du père inconnu le minait. Dans une France où se manifestait, avec une violence inouïe, un antisémitisme et un chauvinisme grandissants, les exemples ne manquaient pas de personnalités que l'on s'était efforcé d'abattre en leur découvrant, entre autres tares, celle d'origines incertaines. La conviction d'Arthur Capel — si surprenante chez un homme de cette trempe —, sa certitude que, pour déjouer les guets-apens d'ennemis tenaces et réussir à les dominer, il lui fallait d'abord s'allier avec un grand nom, ne s'explique que par le contexte politique du moment.

Et ce n'était pas le seul changement qui se manifestait dans la nature de Boy. Il développait un goût du pouvoir qui étonnait. Etait-ce de l'arrivisme ? On le voyait en d'étranges compagnies. Ainsi que cherchait-il auprès de Clemenceau ? L'ancien président du Conseil n'était pas homme à se laisser aisément séduire. Alors ? Comment expliquer l'intérêt qu'il témoignait à l'amant de Chanel ?

Il y avait là quelque chose qu'entre clubmen on tolérait mal.

Clemenceau, à l'époque, n'était aux yeux de la droite qu'un personnage douteux. N'avait-il pas fait du quotidien qu'il dirigeait une sorte de machine de guerre, tirant à boulets rouges sur le respectable M. Poincaré ? De quoi se mêlait ce Clemenceau ? Le chef de l'Etat avait-il besoin de sa permission pour aller en visite officielle à Saint-Pétersbourg ? Aux yeux d'une société vieillie et qui ne croyait qu'aux convenances, Clemenceau avait tous les torts. Le pire étant qu'il n'avait foi ni en la force du tsar, ni en la souveraineté du pape. Douter du tsar, douter du pape ? Et c'était un homme de cette sorte que fréquentait Arthur Capel, un laïque, aux costumes flottants, qui avait osé expulser le nonce apostolique ?

Le chapeau de Clemenceau, ses gants de filoselle comme n'en portaient que quelques fermiers endimanchés et les gens de maison, excitaient l'ironie. Barrès, qui lui au moins était un *gentleman*, ne se trompait pas lorsqu'il écrivait : « Clemenceau est un de ces cochers comme il y en a trop... » C'était frappé au sceau du bon sens : un cocher. Le beau Boy s'était entiché d'un homme qui ne quittait jamais ses gants, d'un paysan qui prenait son petit déjeuner chaussé d'affreuses pantoufles, coiffé d'une casquette à carreaux, et, dans cette tenue, mijotait une mixture effroyable, une soupe épaisse qui empestait l'oignon. Etait-ce un ami digne d'un jeune armateur, d'un prince des affaires ? Et pourquoi accepter de Clemenceau ce qui, commis par d'autres, eût été qualifié d'attentat à la pudeur ? Pouvait-on oublier qu'en guise de réponse à un berger du Var qui le traitait d'espion, de traître vendu à la Grande-Bretagne, Clemenceau n'avait trouvé que cette facétie : ouvrir son pantalon ? Puis, ajoutant une goujaterie à une autre, il s'était écrié : « Que voulez-vous, mon ami, la reine d'Angleterre est folle de ce bijou-là. Elle n'en veut pas d'autres. » Etait-ce admissible ? Et c'était Arthur Capel, un Anglais, catholique de surcroît, qui trouvait du génie à ce rustre ? Il y avait là comme une inconvenance à laquelle on ne pouvait s'attendre.

Les doutes qu'il suscitait n'eurent d'autre effet sur Arthur Capel que de le confirmer dans ses convictions. Comme Clemenceau, et peut-être sous son influence, il ne croyait plus que la paix fût sauvable. La terrible échéance approchait, mettant en évidence ce qu'il y aurait à attendre des charbonnages de Newcastle, des navires de Boy et de la connaissance qu'il avait des affaires. Le charbon n'allait-il pas être la clef de tout ? Alors, se voulant invulnérable, il pensa plus que jamais à se ranger.

Il aurait souhaité que Gabrielle fût sa seule confidente. C'était toujours vers elle qu'il revenait. N'aurait-il pas mieux valu reconnaître là le signe qu'il n'aimait qu'elle ? Il n'en fit rien et la vérité ne lui apparut qu'une fois l'erreur faite... lorsqu'il fut marié.

Quant à Gabrielle, ses illusions étaient mortes : il ne l'épouserait pas. Le grand amour dont elle avait rêvé menaçait de tourner court. Une rupture ? Perdre Boy ? C'était hors de question. Il ne lui restait donc qu'à tolérer l'intolérable, se contenter d'un amour imparfait et accepter, une fois de plus, une de ces situations en marge comme elle en avait toujours connu.

L'année 1913 fut celle à partir de laquelle Chanel n'espéra plus. Elle n'en laissa rien paraître. Mais commençaient à poindre les signes d'une amertume qui, à la longue, allait la submerger.

Par un mouvement de revanche, elle ne connut désormais d'autre aspiration que celle d'assurer son indépendance. Elle se voulait libre, libre de tout, du monde, des hommes, de l'amour. Un sentiment qui allait donner un sens nouveau à sa vie. Car pour satisfaire une pareille ambition, elle ne disposait que de son travail. Il n'y eut donc plus que cela, désormais. Elle s'y attela avec un acharnement et une surabondance de force que la conquête manquée du bonheur laissait inemployée.

L'étrange est qu'en une société où gagner sa vie était la chose la moins considérée, elle avait réussi à rencontrer, sinon le bonheur, du moins un homme qui avait ce goût en commun avec elle : réussir, travailler. Peut-être était-ce là ce qui les liait le plus profondément. Quelles que fussent les traverses — d'abord la guerre puis le mariage de Boy —, ils ne renoncèrent jamais l'un à l'autre et jamais, non plus, à poser ensemble les bases de l'empire Chanel.

*

Un beau mois de juin, celui de 1914. Jamais la saison de Deauville ne s'était annoncée sous de meilleurs auspices. Un record d'affluence pour l'époque. Les Anglais, les enfants, les sportifs, tous étaient là et toutes les villas étaient ouvertes, livrées à des armées de serviteurs, veillant à ce que jardins, fourneaux et salons fussent en état de servir, quand éclata en Bosnie-Herzégovine un coup de revolver qui s'entendit jusqu'à Paris.

Mais pas à Deauville où il ne fit que peu de bruit.

Gabrielle Chanel venait d'accroître sa clientèle de

noms considérables. Son succès ne lui laissait aucun répit. Elle le devait à une Rothschild. Celle-ci, ayant été l'objet d'un affront sans précédent, tenait d'autant plus à lancer Chanel qu'elle avait juré la perte de Paul Poiret. Il avait osé la chasser de ses salons et cela en présence d'une foule de clientes.

D'une façon générale la colère du « sultan » de la haute couture semblait parfaitement justifiée.

Cette Rothschild, on la disait folle d'élégance et d'hommages masculins. Personne, il est vrai, n'achetait plus qu'elle, personne non plus n'affichait un plus grand luxe d'amants. Ces jeunes gens avaient, entre autres particularités, celle de continuer à fréquenter sa maison longtemps après avoir été chassés de son lit. D'où une sorte d'escorte permanente. Ayant, sous prétexte d'une maladie soudaine, prié Poiret, dont elle était la meilleure cliente, de lui envoyer sa collection à domicile, insistant pour qu'elle fût présentée sur ses plus beaux mannequins, elle les fit défiler dans des conditions qu'elles jugèrent inacceptables. La baronne, les cheveux défaits, vêtue d'un *tea-gown* orange aux multiples ruchés, trônait sur une chaise longue au centre d'un cercle de gigolos égrillards qui ne portèrent aucune attention aux robes mais grande attention aux mannequins. Poiret, qui vit ses employées revenir en furies outragées, fit serment de les venger.

Ce fut de cette vengeance exemplaire que Gabrielle Chanel bénéficia.

Interdite chez Poiret, la baronne s'empressa de conduire chez Chanel ses plus brillantes amies, gloires du pesage deauvillois, de celles précisément dont Gabrielle s'était vue forcée, à l'époque Balsan, d'éviter la rencontre : la marquise de Chaponay, la comtesse de Pracomtal, la princesse de Faucigny-Lucinge... Une demoiselle de Saint-Sauveur ne s'habilla plus que chez elle. D'assez jolie, la demoiselle devint extrêmement belle. A quelques années de là, Léon de Laborde, l'habitué des dimanches à Royallieu, le complice de Gabrielle et son plus fervent admirateur, perdit la tête pour cette personne qu'il n'avait jamais regardée auparavant, et l'épousa. Décision qui dut inspirer à Chanel d'amères réflexions. La situation ne manquait pas de cruauté.

Enfin la baronne de Rothschild présenta à Gabrielle Cécile Sorel qui, ne se limitant plus à faire applaudir sur scène le luxe de ses toilettes, donnait déjà de si fastueuses réceptions que Rolls et Panhard et Levassor créaient, ces jours-là, à la porte de sa demeure du quai Voltaire, un embarras de voitures. Rencontre non négligeable, car si les gloires de la haute société ne virent en Gabrielle qu'une jeune modiste de talent, plus perspicace, Sorel reconnut en elle une personnalité. Elle lui commanda des chapeaux mais lui fit aussi promettre de ne pas manquer de venir chez elle, à son retour à Paris.

C'est chez Cécile Sorel, trois ans plus tard, que Gabrielle rencontra la seule femme dont la souveraineté pouvait l'éblouir : Misia Sert.

Vint le mois de juillet, et une chaleur de plomb. Gabrielle jugea que l'heure d'innover avait sonné. Se devine, à l'arrière-plan de la décision de Gabrielle, l'héritage de tous ceux qui, avant elle, avaient vécu tributaires des caprices du temps.

Il n'était pas impossible, en effet, qu'à la faveur d'un été brûlant, et sur lequel pesaient tant de menaces, les femmes consentissent à porter des vêtements lâches et désinvoltes. Chanel mit alors à exécution ce projet qu'elle avait depuis longtemps en tête. Elle se procura deux tissus caractéristiques du vestiaire britannique, empruntant à Boy le tricot de ses sweaters et la flanelle de ses blazers. Geste qu'elle allait souvent répéter par la suite, car toujours elle fouilla dans les armoires de ses amants à la recherche d'idées nouvelles.

Ainsi naquit un premier modèle qui, par sa coupe,

tenait de la marinière, et par sa matière, du pull-over des garçons d'écurie. La ligne en était lâche et ne nécessitait le port d'aucun corset. Le corps n'était que suggéré.

Or une mode qui renonçait à se donner pour seul but l'accentuation des appas féminins — et cela, parfois, jusqu'à la caricature — se situait à l'opposé des tendances du jour. Gabrielle s'y risqua. Elle était convaincue que, respectant le naturel, elle n'ôtait rien à la féminité, bien au contraire. L'accueil qu'elle reçut le lui confirma.

Elle obtint ainsi son premier succès de couturière. Mais presque aussitôt ce fut la mobilisation générale. La guerre ? Personne à Deauville n'y croyait. C'en était fait pourtant d'une certaine forme d'existence prospère. L'étalage obligatoire de la richesse, l'amusement érigé en devoir, les mœurs, les modes de la haute société française, tout cela allait sombrer. En vérité c'était, avec quatorze ans de retard, l'agonie de l'increvable XIXe siècle qui se préparait. Mais de cela non plus on ne se souciait pas à Deauville.

La noblesse alla gaiement à son rendez-vous avec la mort. Elle y alla comme elle eût couru chez une maîtresse trop longtemps négligée. La guerre... La guerre, si ç'était elle, avait un sens. Personne ne l'ignorait. En retrouvant les frontières d'avant 70, on allait rendre à la patrie deux provinces perdues. La guerre ? C'était elle. Comment en douter plus longtemps ? Les armées ennemies étaient en marche.

En quelques heures, frères, maris, serviteurs s'en allèrent. « Une poignée de main égalitaire pour tous, ni pleurs, ni baisers[1]. » Les dames retombèrent sur leurs canapés en cretonne tandis qu'un « Jésus ! Maria ! » aux lèvres, les caméristes allemandes décrochaient en hâte des murs de leur soupente la litho

1. Elisabeth de Gramont, *Clair de lune et taxis-autos* (Grasset).

glorifiant un Kaiser déjà esclave de son personnage, les yeux fixes, les mâchoires crispées.

Le 31 juillet, nouveau coup de revolver dont le bruit se perdit aussi, mais cette fois dans le brouhaha des départs. On avait assassiné Jaurès. La voix du barbu, en chapeau melon, qui avait crié aux Français : « Voulons-nous être un peuple de guerre ou un peuple de paix ? », cette voix s'était tue et des jeunes gens se pressaient vers la gare de l'Est en chantant : « Vive la tombe ! la mort n'est rien. »

Les leadeurs de l'opposition surent donner à ses obsèques l'ampleur d'un vaste rassemblement populaire. A l'étonnement général, assistait à cette cérémonie le vieil ami de Boy Capel et l'ennemi juré de Jaurès : Clemenceau. Egal à lui-même, le regard toujours aussi dur, ganté de gros fil, « habillé sévère », la cravate comme une ficelle nouée à la diable autour du col haut, on le trouva cependant un peu plus jauni et plus ridé avec les années. Clemenceau avait soixante-treize ans. Mais il gardait assez de générosité pour venir, à cette heure, et en dépit des conséquences que son geste pourrait avoir, manifester sa confiance dans le patriotisme des travailleurs. Le vieux partisan s'effaçait, d'instinct, devant l'homme d'Etat.

Le lendemain dans *L'Homme libre*, sous la signature de Clemenceau, un article révélait sa farouche détermination : « Et maintenant aux armes !... Il n'y aura pas un enfant de notre sol qui ne sera de l'énorme bataille... Le plus faible aura sa part de gloire... Une nation c'est une âme. »

Vingt-cinq ans plus tard et presque dans les mêmes termes, les discours de Churchill allaient témoigner de la même combativité.

*

Ainsi, une fois de plus, la guerre avait vidé Deauville.

Le fier garde-à-vous des villas, dressées face à l'horizon, ne dominait que des espaces sans cesse davantage dévorés par le vide et le silence. Plus de robes claires, plus d'ombrelles à la Potinière et plus de nounous sur la plage. Les boutiques avaient perdu leur air de fête. Le Royal fermait ses portes et, parce qu'il restait ouvert, *Le Normandy* semblait hors du temps.

A l'exception de Mrs. Moore[1], Américaine tenace, les étrangers s'en étaient allés. Puis les automobiles avaient été réquisitionnées, le prix de l'essence majoré et les chevaux avaient repris leurs droits. Alors, les vacances semblèrent frappées d'une condamnation si évidente que Mrs. Moore à son tour lâcha prise. Mais où aller ? A Biarritz ? Elle en avait gardé un souvenir très vif. C'était là, qu'à la faveur d'un stratagème, elle avait réussi à être présentée au roi d'Angleterre. Soudoyé, le chauffeur d'Edouard VII avait simulé une panne afin que, passant comme par hasard, Mrs. Moore puisse humblement offrir à Sa Majesté le secours de sa propre voiture. Tout un passé délicieux... Le roi avait daigné accepter. Mais qu'advenait-il de la côte basque ? On disait qu'à Biarritz les gens croyaient encore au rite des dîners en ville. Mrs. Moore y retourna. De nombreuses étrangères fixées en France en firent autant. Exode dont Gabrielle Chanel put à loisir méditer les conséquences.

Car elle ne bougea pas.

Mobilisé à son tour, Boy lui avait conseillé d'atten-

1. Kate Moore créa un personnage de snob américaine presque unique dans les annales parisiennes. Elle parvenait à se faire inviter dans les cercles les plus fermés à force de larmes. Paul Morand, commentant sa mort en 1917, remarque qu'elle disparaissait « au moment où les Américains allaient enfin avoir une situation en Europe »! La remarque de Proust dans *Le Temps retrouvé* : « Les dîners, les fêtes mondaines étaient pour l'Américaine une sorte d'Ecole Berlitz » pourrait la définir parfaitement.

dre : « Attends. Ne ferme pas. On verra bien. » Elle obéissait. Elle attendait sur cette plage qui, sans qu'elle sût pourquoi, paraissait brusquement coupée du vaste monde d'où montait la rumeur maintenant grandissante de la tourmente.

Un autre étranger avait quitté Deauville. Celui-là était de nationalité russe et de nom polonais. Il venait de perdre son emploi. Trop désargenté pour se payer des vacances, il avait compté sur le journalisme pour lui en offrir. Il était chargé par *Comœdia* de suivre les festivités balnéaires de la « Reine des Plages ». Voilà qu'il était chroniqueur mondain ! Lui ! Cela ne faisait pas sérieux. Mais faute de mieux... Arrivé à Deauville le 26 juillet, l'annonce de la mobilisation l'avait surpris tandis qu'il observait, autour du tapis vert, les habitués du Grand Casino. Dans le vaste vaisseau, tout en hautes vitres et blancheur électrique, quelques secondes avaient suffi pour qu'une partie des musiciens quittent brusquement l'estrade, que les tables s'éclaircissent et que les notes incertaines d'un dernier tango manifestent une étrange lenteur à mourir.

L'envoyé spécial de *Comœdia* s'appelait Wilhelm de Kostrowitzky. Il aurait pu s'appeler Flugi d'Aspermont comme son Italien de père, si ce gentilhomme l'avait reconnu, ce qui n'était pas le cas. Et ce fut sous le nom de Guillaume Apollinaire que cet étranger-là devint un artilleur puis un mort français.

Il avait intitulé son reportage *La Fête manquée* et racontait, en termes doux-amers, les adieux de Deauville à son passé.

Reportage d'une qualité unique. Ainsi, lorsque le poète dit avoir vu, le 31 juillet 1914 au matin, « un Nègre merveilleux vêtu d'une simarre de couleurs changeantes... » parcourir les rues de Deauville à bicyclette puis atteindre la mer où il s'enfonça, son turban vert disparaissant lentement à la surface de l'eau. Mais, cela mis à part, Apollinaire fit œuvre de journaliste consciencieux. Rien ne lui échappa, ni Mrs. Moore engluée dans son snobisme, ni le nez en forme de boomerang de M. Henri Letellier. Il observe, il note : « Au tango peu de tangueurs. » Il avoue : « Nous ne croyons pas à la guerre. » Il voit tout, le regard épouvanté des Allemandes et le vide des rues. Ainsi, ceci : « La rue Gontaut-Biron présentait chaque jour, entre midi et une heure, l'aspect désolé d'une rue de Pompéi... » Et le poète s'en alla. Une auto l'emportait « qui jetait un jus énorme sur des populations de plus en plus clairsemées ».

C'était l'époque où ses amis cubistes émaillaient leurs toiles de lettres et de fragments de journaux, tandis qu'Apollinaire, coupable de recherches du même ordre — introduction de clichés dans les textes typographiques, et premiers calligrammes — se faisait suspendre de ses fonctions de critique d'art à *L'Intransigeant*. « Vous vous êtes obstiné à ne défendre qu'une école, la plus avancée, avec une partialité, et une exclusivité qui détonnent dans notre journal indépendant... », lui avait écrit le directeur[1] dans sa lettre de licenciement.

En cette nuit de 1914, son trajet de retour inspira à Apollinaire un poème qu'il calligraphia en forme de petite auto : « Je n'oublierai jamais ce voyage nocturne où nul de nous ne dit un mot... » Il se dirigeait vers Paris. Il quittait Deauville, cette Pompéi où, dans la rue Gontaut-Biron, Gabrielle Chanel demeurait accrochée à sa boutique comme une naufragée à une bouée.

1. Léon Bailby, lettre à Guillaume Apollinaire, le 5 mars 1914. Paris, Archives Guillaume Apollinaire, collection particulière.

LES BASES D'UN EMPIRE
1914-1919

Nous étions de cette génération qui, à dix-huit ans, quand le printemps vint de l'an 1915, et l'on comprit que ce ne serait pas de sitôt que les hommes seraient arrachés des tranchées, de cette génération qui eut cette chance extraordinaire, pour la première fois depuis, je ne sais pas, cinquante fois qu'on avait eu dix-huit ans en France, de voir la cheville des femmes dans la rue. »

ARAGON,
Henri Matisse, roman.

I

UNE ODEUR DE GANGRÈNE

LES journées de Gabrielle s'écoulaient toujours plus vides, lorsque le 23 août 1914, au prix de la bataille de Charleroi, le conseil de Boy — « Attends » — acquit un à-propos dramatique.

Deauville se remplissait à nouveau.

Le 27, les troupes allemandes entraient à Saint-Quentin; le 28, un communiqué dramatique, « De la Somme aux Vosges... » dévoilait l'ampleur de l'invasion. A Deauville, le Royal fut précipitamment rouvert à l'usage d'hôpital tandis qu'affluèrent, dans les villas de famille et les propriétés environnantes, non point des petites gens, mais des châtelains de la Meuse, des Ardennes, de l'Aisne, tous ceux qui, voyant leurs demeures envahies ou menacées, se réfugiaient dans leurs résidences d'été.

« Nous vous montrerons, en effet, que nous sommes des barbares. » Telle était la proclamation que von Kluck venait de jeter à la face des populations. Alors, parce que les plus beaux châteaux de France tombaient comme capucins de carte — Tilleloy, joyau du XVe siècle, au comte d'Hinnisdal, brûlé, Anisay, au marquis d'Aramon, détruit, Pinon, à la princesse de Poix, anéanti jusqu'aux fondations —, Deauville devint la ville aristocratique de l'« arrière ».

Les dames arrivaient, « ayant tout perdu », disaient-elles. Et c'était vrai. Sauf les moyens de se refaire une garde-robe. Elles s'adressèrent à la seule boutique ouverte : chez Chanel.

Celle-ci leur proposa aussitôt ce qu'elle portait elle-même. Une jupe droite au ras du sol, laissant à peine apparaître un bout de pied, une marinière, un chemisier, des souliers à talons bottiers, un chapeau sans la moindre garniture, une paille toute nue, c'était cela sa tenue de guerre. De quoi se déplacer à pied, marcher vite, aller partout sans embarras, on n'en demandait pas davantage. La tenue Chanel devint la tenue du moment.

Puis ce fut l'arrivée des premiers blessés : des hommes au teint verdâtre étendus sur la paille des wagons. De Deauville à Charleroi la route était longue. Vision d'horreur... Le Royal se mit à sentir la gangrène.

Les vins chauds offerts en gare n'étant pas encore de saison, les dames proposèrent leurs services au médecin-major, qui les accepta. Mais il fallut calmer leurs ardeurs. Elles allaient, elles venaient, elles parlaient trop. On leur ordonna d'adopter la tenue blanche. Où trouver des blouses, des tabliers, des coiffes ? Les lingeries d'hôtels n'offrirent que d'anciennes tenues de femme de chambre, à grosses manchettes froncées et de longs tabliers à poches profondes, comme en portaient les serveuses des « Bouillons Duval [1] ». Réserves dont le médecin-major organisa aussitôt la distribution. Le soir même, après un grand affairement d'épingles maniées sans résultat, d'essayages infructueux, d'échanges inutiles effectués chez les unes ou les autres, enfin, après des angoisses qui rappelaient étrangement celles qu'elles avaient éprouvées les soirs de bal masqué, il ne leur resta qu'à s'adresser à Chanel.

1. Les « Bouillons Duval » étaient une chaîne de restaurants à bon marché dont la particularité, fort rare à l'époque, tenait au fait que le service était entièrement assuré par des femmes.

Le temps n'était plus où, pour assister sa fille qui allait accoucher, Elisabeth Greffulhe avait commandé chez Worth une tenue d'infirmière en dentelle de Cluny. Mais en demandant à Chanel de mettre ces blouses à leurs tailles, les bénévoles la prièrent quand même de chercher à leur donner quelque élégance. Gabrielle acquiesça : elle allait en faire *quelque chose*, de ces robes.

Avant tout, renoncer au bonichon dentelé, attribut par trop symbolique de celles auxquelles il avait été destiné, oui, remplacer *ça*. Par quoi, demandaient les futures infirmières ? Par une coiffe sèche et noble. Le reste, disait-elle, s'arrangerait tout seul.

Elle était bonne modiste, ces dames le savaient. On lui fit confiance.

Le résultat dépassa toutes les espérances.

Mais ses nouvelles clientes se trompaient lourdement, si elles croyaient que c'était à la modéliste parisienne qu'elles devaient ce miracle. C'était bien plutôt à l'enfant d'Obazine et aux dimanches chez tante Julia.

Il avait fallu appeler à l'aide. Antoinette était allée d'un trait chercher Adrienne. Elle revint bredouille. Adrienne n'avait pas le cœur à bouger. Elle vivait dans l'angoisse. Sans nouvelles de son « adoré », elle n'était plus qu'une femme en pleurs. Antoinette l'avait trouvée défaite, assistée de ses fidèles suivantes : Maud Mazuel et l'ex-danseuse étoile du théâtre de la Monnaie, l'éternelle fiancée du comte d'Espous. Gabrielle, furieuse, renouvela son ultimatum : le sort de l'« adoré » d'Adrienne était celui de tous les « adorés » de France, et la poste aux armées laissait encore à désirer, ajoutait-elle, plus péremptoire que réconfortante. Du reste, rien de mieux que le travail pour se changer les idées. Adrienne céda.

C'était le compagnonnage de Moulins qui renaissait dans la vapeur légère du repassage, l'odeur des fers chauds et l'amidon qui collait aux doigts. Gestes rapides. Paroles rares. Personne ne mesura sa peine. Tout recommençait comme par le passé. Des coiffes presque monacales passaient de main en main, et, tandis que les hautes jambes garance faisaient campagne, une fois de plus, les filles Chanel cousaient.

A cela, à ces tenues d'infirmières hâtivement élaborées, se limita la contribution de Gabrielle à la lutte nationale. On ne la vit jamais parmi les blessés du Royal, jamais elle ne fut infirmière. Plus tard, les guerriers — ceux du moins qui en avaient réchappé — s'étonnèrent. Balsan en particulier : « Tu ne t'es guère montrée, Coco. » Pourquoi n'avoir pas été, elle aussi, infirmière ? « Pas dans mes cordes », répondait-elle. Et jamais une visite, même lorsque « aller au front » était devenu presque une mode parmi les amoureuses, qu'elles fussent épouses ou maîtresses. « Pas mon rayon », disait Gabrielle.

Elle avait réponse à tout. Mais elle ne dévoilait jamais les raisons profondes de ce refus.

En vérité, elle voulait à toute force couper avec son passé. Pour cela un seul moyen : éviter ceux qui en avaient été les témoins — les militaires.

Aux premiers jours de septembre, le front cédait de partout, on ne disait plus les Allemands mais les Boches, et le gouvernement de la France était à Bordeaux. Deauville reçut un deuxième afflux de réfugiés : encore des châtelains, en majorité de Seine-et-Oise. Mais ceux-là Gabrielle les connaissait pour les avoir entrevus de loin, beaux chasseurs, au cou cravaté de blanc, amazones en tricorne, au temps où elle menait chez Balsan une existence anonyme.

Or sa notoriété naissante fit que dorénavant ils la considéraient *saluable*. Et puis c'était la guerre. Enfin, ces dames-là aussi avaient besoin de refaire leur vestiaire. Donc, on la salua... Quelques mots distants furent échangés. C'est ainsi que Gabrielle apprit qu'un état-major allemand occupait le domaine d'Etienne. Que cela faisait mal ! Des soldats et le désordre militaire dans la maison qui l'avait accueillie, dans ce jardin qui, pour un temps, lui avait paru le plus beau de la terre. Royallieu défiguré, envahi, c'était un aspect, entre autres, des ravages qui s'accomplissaient.

Mais les événements avaient sur la vie professionnelle de Chanel les conséquences les moins prévisibles. D'une certaine façon ils la servaient. Et force lui était de constater que ce qui dépouillait les autres l'aidait à forger son avenir. Curieux destin que celui d'une femme à laquelle l'ennemi fournissait d'autant plus d'occasions de se libérer qu'il menaçait Paris de plus près.

Lorsque les armées allemandes ne furent plus qu'à trente kilomètres de la capitale, Gallieni entoura la ville de barbelés, enrôla quarante mille civils et fit creuser des tranchées. Les théâtres affichèrent « Relâche ». Acteurs, actrices, auteurs, critiques s'en allèrent. On ne vit plus qu'eux à Deauville.

Ce fut le dernier arrivage.

Les chambres manquaient. Mais « gaieté en moins, le hall du Normandy avait repris son aspect coutumier [1] ».

Quant à Gabrielle, ne sachant où faire asseoir ses clientes, elle disposa tables et chaises sur le trottoir et l'on fit salon devant sa porte, à l'ombre de son grand store baissé. Oisiveté. Papotages angoissés. Nouvelles contradictoires. « Le maire de Deauville eut fort à faire pour empêcher les propos défaitistes et ordonna silence [1]. »

Les derniers arrivants laissaient entendre que du côté français quelque chose se préparait. Etait-ce vraisemblable ? Personne n'ignorait que Gallieni ne dispo-

1. *Mémoires*, d'Elisabeth de Gramont.

sait que de soldats fourbus. Aux Français, encore sous le coup de la bataille de Charleroi, étaient venues se joindre les troupes épuisées de Sir John French. Alors commença pour Gabrielle une attente fiévreuse. Elle comprit enfin ce qu'endurait Adrienne. Deux fois mêlée, au cours d'une longue vie, aux affres d'une nation en guerre, ce fut la seule fois qu'elle partagea les tourments de ses contemporaines. C'est que l'état-major de Sir John French comptait le lieutenant Arthur Capel parmi ses officiers de liaison.

Ce qui se déclencha le 6 septembre avait de quoi surprendre : Deauville vit arriver des troupeaux. Ils occupèrent l'hippodrome, sous l'œil vigilant de leurs gardiens, bergers improvisés, ni jeunes, ni vieux, et, de par leurs vêtements, ni civils ni militaires. C'était, venu de Paris, un contingent de la territoriale, des hommes ayant pour mission de tenir au vert les réserves en viande bovine.

Depuis le début de la guerre aucune voix populaire ne s'était fait entendre à Deauville. Voilà que dans ce décor presque irréel à force de luxe, s'exprimaient tantôt pleins de gouaille, tantôt résignés et porteurs d'une patience millénaire, gens de la rue et gens de la terre, cochers de fiacre, charretiers, enfin toutes sortes de représentants d'une humanité solide et qui paraissait infaillible. Ils avaient été témoins des transformations de la capitale : magasins fermés, civils faisant l'exercice sur les esplanades, journaux réduits à une seule page et se limitant à publier le communiqué, taxis et autobus réquisitionnés. Ils furent assaillis de questions. Par eux on se faisait dire la guerre. On alla les écouter sur l'herbe comme des conteurs arabes.

Ainsi, la ville frivole prit conscience de ce qui se préparait : avec ses *poilus* et ses *tomies* harassés, Joffre passait à l'offensive. Vint son ordre : « Se faire tuer sur place plutôt que de reculer. » Alors commença pour les dames en longue jupe une attente fiévreuse. Chargés de renforts, cahotant sur la route du front, les taxis de Paris entrèrent dans la légende. Ce fut la Marne : Paris était sauvé.

Les troupeaux repartirent avec leurs gardiens. Ils laissaient un vide. On les regretta. Mais il fallait nourrir les combattants. L'on resta à Deauville entre privilégiés.

Les dames les mieux nées osèrent alors ce qu'elles n'auraient jamais envisagé deux mois plus tôt : se baigner.

Gabrielle Chanel imagina à leur intention des costumes de bain fort chastes dont les culottes bouffantes s'arrêtaient au genou.

II

DES BONIMENTEURS

Ce fut à la mi-octobre, cette année-là, que Gabrielle reçut des nouvelles de son frère Alphonse. La calligraphie, une ronde sans bavures qu'elle connaissait bien, ses *a* tout sages, ses *o* alignés comme des œufs dans un panier et chaque lettre tracée avec ce qu'il fallait de pleins et de déliés, était l'écriture de tous ceux qui, comme Alphonse, avaient appris à écrire sous la férule d'un prêtre de campagne.

Mobilisé, Alphonse lui écrivait à l'instant de son départ. Il rejoignait le 97e d'infanterie, laissant sans ressources dans une bourgade des Cévennes, une femme enceinte et un petit garçon. La lettre n'en disait pas davantage. Mais Gabrielle ne pouvait douter que cette belle-sœur dans le besoin était Madeleine Boursarie, ouvrière en soie, dont le mariage avait été célébré le

17 novembre 1910 à Valence et annoncé aux membres du clan sur papier-compliment, comme on en trouvait dans les foires. Gabrielle, qui faisait ses débuts de modiste à l'époque, avait aussitôt félicité son cher Alphonse.

Les quatre enfants de Jeanne Devolle étaient restés en contact les uns avec les autres. Ecrire à Alphonse, le suivre à travers ses aventures qui étaient aussi celles de Lucien, le féliciter à l'occasion de son mariage, Gabrielle, jusque-là, n'avait pas été en mesure d'en faire davantage. Elle savait qu'aussitôt en âge de travailler, Alphonse, la forte tête, et le gentil Lucien avaient été placés apprentis chez un forain, qu'à quelques années de là ils avaient recueilli l'écorce sur les pentes du mont Aigoual, puis le charbon au fond d'une mine cévenole. Les frères Chanel ne s'étaient séparés qu'en 1907, lorsque Lucien avait contracté un engagement dans l'Infanterie. Il avait dix-huit ans et, bien que de nature pacifique, rêvait de mener la vie militaire. Mais au bout d'un an on l'avait réformé et il s'était retrouvé une fois de plus sur le pavé.

Deux solutions alors s'offrirent : aller vers le nord et rejoindre son père qui s'était établi en Bretagne ou reprendre la route avec Alphonse, devenu, dans le Gard, « voyageur en journaux ». Ce fut à la première solution que Lucien s'arrêta. Il était sans rancune. En se présentant chez son père il lui prouverait assez qu'il ne lui en voulait pas.

D'aubergiste à la mort de sa femme, Albert Chanel était redevenu forain. Ce géniteur — dont Gabrielle fit un viticulteur puis un « disparu », après lui avoir prêté un destin riche en voyages de toutes sortes, l'expédiant aux Etats-Unis pour y faire fortune — se bornait à officier sur le champ de foire de Quimper. Pas un membre du clan ne l'ignorait. On n'ignorait pas non plus qu'il s'était remis à courir les femmes et qu'il avait développé un goût très vif pour la boisson.

Mais tout cela n'aurait pas suffi à le couper du clan s'il n'y avait eu *autre chose*.

Et tout d'abord qu'il ne se souciait pas de ses parents. C'était tante Julia, encore et toujours elle, qui, avec l'aide de Gabrielle, les avait recueillis.

Henri-Adrien Chanel allait sur ses quatre-vingts ans. Il vivait désormais à Varennes, avenue de la Gare, non loin de chez les Costier. A l'âge de la retraite, l'ex-paysan avait renoué avec son passé. Les gens de Varennes qui ne l'avaient connu que bêchant son jardin, brûlant les mauvaises herbes et pêchant la grenouille ne pouvaient imaginer qu'il avait été forain. Pour eux, le vieil homme était un montagnard des Cévennes terminant dignement ses jours entre sa femme et sa fille, la respectable Mme Costier, épouse d'un employé de la S.N.C.F.

Adrienne, grappillant des petites sommes de-ci de-là, faisait de son mieux pour améliorer leurs vieux jours. Elle allait régulièrement en visite à Varennes où les voisins des Costier la trouvaient d'une élégance excessive pour une fille de paysan. C'était louche, mais ce qu'elle était belle ! Et combien son père aimait que dans sa réussite elle continuât à penser à lui. Des dix enfants qu'il avait mis au monde, elle était toujours « sa petite dernière », sa préférée. Adrienne arrivait par le train de Vichy, superbement vêtue, un panier de victuailles au bras. Ce jour-là, tante Julia sortait sa nappe blanche et l'on faisait bombance. Alors, la maison de Varennes redevenait, pour un jour, le lieu d'élection où se retrouvaient les membres dispersés de la tribu errante.

Ce qui avait fait que les Costier avaient définitivement rompu avec Albert Chanel résultait de la visite de Lucien à Quimper, en 1909. Il avait trouvé son père en ménage avec une femme plus jeune mais buvant autant que lui.

Albert Chanel, bien que dans une dèche noire, avait

fait bon accueil à son fils. Il le logea dans le garni qu'il partageait avec sa compagne et lui proposa de l'embaucher. Là-dessus, profitant de cet appoint de main-d'œuvre inattendue, il avait disparu. « En tournée », disait-il.

Ces tournées, Lucien apprit de la concubine de son père en quoi elles consistaient. Albert louait à crédit un bel attelage, empanachait ses chevaux et courait les environs en annonçant, à grand renfort de discours, qu'il allait revenir avec la vaisselle d'un châtelain dont il était l'homme de confiance. Le châtelain était en difficulté, annonçait-il. Il se séparait de ses assiettes, de ses plats, les mettant en vente le lendemain, et il ne fallait pas manquer une pareille occasion.

Le lendemain Albert revenait en effet...

Il réussissait, à force de boniments, à convaincre les villageois d'acheter une banale vaisselle de foire, tout en leur assurant que c'était là les trésors du marquis de Barrucan, son maître. Il manquait rarement son coup. Le nom du marquis était d'un effet magique. Inutile d'ajouter que ce M. de Barrucan n'existait pas. Le nom, lui aussi, était inventé, il dérivait du mot *barrique*. On voit que jusque dans une déchéance qui avait toutes chances d'être définitive, le vieux rêve viticole continuait à hanter Albert Chanel. Et l'on ne peut que mieux comprendre sa fille Gabrielle qui, cherchant à travestir ses origines, et s'obstinant à faire siennes les affabulations paternelles, lui conférait ainsi, aux yeux du monde, cette dignité à laquelle il aurait tant souhaité accéder. Elle en faisait un viticulteur. Elle se vengeait de la vie autant qu'elle vengeait son père : Albert Chanel obtenait satisfaction à titre posthume.

Mais Lucien apprit aussi, aux dires de cette femme, qu'Albert avait dû, une fois au moins, quitter précipitamment le théâtre de ses exploits. Il y avait quelques années de cela, elle ne savait trop où. Mais ce n'était pas sans raisons qu'Albert était venu jusqu'à Quimper, une ville où il ne connaissait personne et où personne ne le connaissait. La femme, sans en être certaine, croyait qu'avant son arrivée en Bretagne, Albert avait eu maille à partir avec la maréchaussée.

Et ce n'était pas tout. Lucien s'aperçut, à ses dépens, que la compagne de son père était de mauvaise vie. Profitant de l'absence d'Albert elle mit en péril la vertu du jeune homme. Fuyant cette Phèdre en guenilles, Lucien quitta Quimper sans attendre le retour de son père.

Il se réfugia à Varennes. Là, le tribunal familial fut impitoyable. Ivrognerie, malhonnêteté, dépravation, c'en était trop. Albert fut radié du clan. Son nom ne fut plus jamais prononcé.

Lucien réussit à se procurer un emploi. Comme son père, comme son grand-père, il devint forain. Il y eut à nouveau un Chanel, marchand de chaussures, au chevet de la cathédrale de Clermont-Ferrand. Entre la rue des Gras et la rue des Chaussetiers, Lucien occupait au marché un emplacement attitré. Il avait une clientèle fidèle, faite de gens de la campagne. Alors il décida de prendre femme. Ce qu'il fit en 1915. Presque aussitôt l'armée se souvint de lui. Lucien fit observer qu'il avait été réformé, contre son gré, et à titre définitif. Il n'en fut pas moins dirigé sur un régiment d'infanterie : le 92e.

Plus timide qu'Alphonse, Lucien n'osa rien demander à cette sœur lointaine qui, disait-on entre membres du clan, « avait fait fortune ». Il se borna donc à lui annoncer qu'il partait soldat comme il lui avait annoncé, quelques mois auparavant, son mariage. Mais à chacune de ses permissions il s'arrêta à Paris. Gabrielle l'accueillit avec bonté tout en se gardant bien de lui parler de la pension mensuelle qu'elle versait à Alphonse. Craignait-elle qu'il ne lui en demandât autant ? Une employée de Gabrielle, sa complice depuis l'époque de Moulins, Mme Aubert, devenue la directrice de ses salons, adressait chaque mois au clairon Alphonse Chanel un mandat de trois mille francs, somme considérable pour l'époque. Mais pourquoi fallait-il expédier cette somme au secteur postal d'Alphonse ? N'aurait-il pas été plus simple de l'envoyer directement à son épouse ? A cela une raison : la mère des enfants d'Alphonse Chanel n'était pas sa femme légitime. Quand et comment Gabrielle l'apprit-elle ? Elle ne demeura certainement pas longtemps dans l'ignorance de la situation irrégulière qui était celle de son frère. Mais elle ne lui en tint pas rigueur. Alphonse vivait en concubinage ? Ce n'était pas le premier homme de la famille auquel cela arrivait. N'était-elle pas, elle-même, née hors mariage ? Alphonse Chanel bénéficia de sa générosité pendant vingt-cinq ans, sans qu'il fût jamais question d'un retard ou d'un oubli.

C'est en 1911, dans le Gard, qu'Alphonse avait rencontré une demoiselle Causse, anguleuse jeune fille ayant un bien modeste du côté du Vigan. Il négligea de lui avouer qu'il s'était marié l'année précédente. Aussi, se trouvant enceinte, s'étonna-t-elle qu'il ne l'épousât point. La famille de Jeanne Causse était des plus honorables. Il lui fallut donc cacher son état. Elle s'enfuit de chez elle, alla se réfugier à Nîmes, prit un emploi de domestique et, le moment venu, accoucha à l'hospice d'un enfant qu'elle déclara sous son nom. C'était, à quelque chose près, l'aventure qu'avait vécue Jeanne Devolle, un quart de siècle auparavant.

Alphonse, à l'époque, était mécanicien à Saint-Laurent-le-Minier. Il entretenait les bennes de la mine, se familiarisait avec les premiers moteurs automobiles et menait joyeuse vie. Occasionnellement il allait jusqu'à Nîmes où Jeanne, amoureuse et consentante, l'attendait. Trois ans plus tard, leur liaison durait toujours, Jeanne Causse était à nouveau enceinte et Alphonse mobilisé. Jeanne perdit son emploi et se réfugia chez une parente à Florac. C'est là qu'elle accoucha d'une petite fille, qu'en reconnaissance de la miraculeuse pension on appela Gabrielle.

Entre-temps, le mariage d'Alphonse avec Madeleine Boursarie — que Jeanne continuait à ignorer — avait été dissous. Le jugement en divorce avait été enregistré par le tribunal civil de Valence un mois avant la déclaration de guerre.

Soudain, saisi d'un sentiment de responsabilité — sans doute dû au seul fait qu'un père de famille mobilisé bénéficiait de certains avantages dont les moindres n'étaient pas les permissions —, Alphonse Chanel décida de reconnaître ses deux enfants. Il ne mentionna pas son état de divorcé et, sur l'acte de reconnaissance, il fut déclaré célibataire.

C'est ainsi qu'il y eut, tardivement reconnue, une Gabrielle Chanel de plus, à laquelle vint s'ajouter en 1919 un troisième enfant, une petite Antoinette née à Ganges dans le Gard.

Alphonse Chanel et Jeanne Causse s'établirent définitivement dans un concubinage qui dura quarante ans [1].

Comme Jeanne Devolle, Jeanne Causse avait été la plus malheureuse des épouses. Alphonse Chanel était la réplique parfaite de son père. Qu'il fût soûl ou couvert de dettes, Jeanne le voyait toujours réapparaître.

« Dieu de rues, diable de maison », disait-elle.

Le dicton local lui servait à dépeindre l'homme dont elle avait décidé de partager le destin.

1. Ce n'est qu'en 1953, à la mort de leur père, que les enfants d'Alphonse apprirent que leurs parents n'avaient jamais été mariés.

Elle ne manqua pas de courage. A l'époque où naquit sa fille Gabrielle, des terres qu'elle possédait au Vigan, il ne restait rien. Alphonse s'était très vite chargé de croquer son bien et ses économies. Mais, quoi qu'il fît, Jeanne ne perdit jamais espoir de le voir s'assagir.

En 1919, le fantassin Chanel revint de guerre. La pension que lui versait Gabrielle lui assurait une indéniable aisance. Il décida de s'installer à Valleraugue, petit village des Cévennes au fond d'une profonde vallée. Tout près de là, les sommets enneigés de l'Aigoual, des sapinières, des torrents et quand venait le mois des cueillettes, des paniers et des paniers de myrtilles.

Les gens du pays, les vieux de Valleraugue se souvenaient encore récemment de l'arrivée, en 1919, d'un gars déluré, en vélo, un moustachu, père de famille qui semblait avoir la bosse du commerce. Aussitôt installé, Alphonse Chanel avait acheté une jardinière, un cheval, et c'est en cet attelage qu'il allait chaque jour à Ganges acheter des légumes. De quoi alimenter un petit bazar que tenait sa femme. Mais, cette occupation, trop modeste, ne fut pas longtemps à son goût. Il réussit alors à se faire attribuer l'unique bureau de tabac de Valleraugue. Preuve qu'Alphonse avait le bras long... Car il lui avait fallu faire jeter à la rue le buraliste en titre. Comment avait-il fait ? Tout lui avait été bon, boniments, démarches, appuis politiques, mais aussi qu'à trop sonner la charge au 97e d'infanterie, il avait gagné une bronchite chronique. Un débrouillard.

Autour des années 20, on vit le buraliste Chanel circuler au volant d'une jolie voiture et l'on apprit du même coup — par le facteur — qu'il avait à Paris une sœur couturière qui le faisait bénéficier de ses largesses. Alors on témoigna au buraliste généreux, qui payait volontiers à boire, perdait au jeu, et disait lui-même qu'il ne mettait jamais un sou de côté, la plus vive considération.

On flaira l'homme d'importance.

Valleraugue traita Alphonse Chanel en monsieur. Il était le personnage le plus connu du village avec le maire, le pasteur et le curé.

III

« CES BOUGRES D'ANGLAIS »

AUX derniers mois de 1914, les Parisiens, jugeant que la capitale était à nouveau à distance suffisante du front, retournèrent à Paris. Les aristocrates et les bourgeoises, n'ayant plus ni « jour », ni domestiques, ni charbon, ni même une pâtisserie ouverte où se retrouver à l'heure du thé, découvrirent brusquement les avantages des hôtels. Parce qu'il était le plus central et le mieux chauffé, le Ritz devint le rendez-vous de prédilection de personnes élevées dans les mêmes couvents, ayant dansé aux mêmes bals et subi, de la part de maris sourcilleux, les mêmes contraintes.

Pour elles, l'hôtel n'avait eu de destination, jusque-là, que la villégiature et, partout ailleurs, le péché. Livrées à elles-mêmes, les épouses esseulées se passèrent de la permission de leurs conjoints pour oser se montrer au Ritz. Elles pénétrèrent au bar, lieu dont l'accès leur avait été, en temps de paix, rigoureusement interdit. La grande nouveauté était qu'une dame pût s'adresser directement à un barman, coudoyer, autrement qu'à son insu, un politicien athée, partager la même banquette qu'un parvenu et assister à une discussion entre spéculateurs.

Rien ne pouvait empêcher que la guerre rapprochât

les femmes de ce qui, toujours avait été hors de leur portée : la liberté.

Et, une fois de plus, ce fut la guerre qui fit le jeu de Gabrielle Chanel. Située 21, rue Cambon par pur hasard et parce qu'à l'époque aucune autre possibilité ne s'était offerte, sa boutique parisienne se trouva désormais sur le chemin que suivaient, chaque jour, des femmes apprenant à connaître ce qui se meut et vit dans une ville, parce que, pour la première fois, elles allaient par les rues de Paris seules et à pied.

Alors, comme l'aïeul, cet Henri-Adrien Chanel qui autour des années 1860 s'était laissé guider par le rythme éternel des pèlerinages, Gabrielle, douée du même flair, de la même mobilité, jugea le temps venu de quitter Deauville. C'était un risque à prendre. Il fallait confier son commerce à une vendeuse jusqu'au printemps suivant; il fallait plier bagage et s'en retourner à Paris... Ce qu'elle fit et Antoinette avec elle. Tout entière de luxe aux yeux de ceux qui croyaient la connaître le mieux, elle était en vérité tout entière de sang paysan, encore et toujours celle qui savait, depuis son plus jeune âge, que gagner sa vie signifiait être indéfiniment cahotée de ville en ville.

En décembre 1914, les sœurs Chanel avaient réintégré leurs garçonnières respectives, dans le quartier Malesherbes. Adrienne était rentrée à Vichy où l'avaient appelée de tristes devoirs. Ses parents étaient morts : Angelina, tandis qu'elle se trouvait en visite chez Adrienne, Henri-Adrien, un an plus tard, à Varennes. Ainsi disparaissaient, presque en même temps, le vieux migrant et cette Angelina demeurée à ses yeux, jusque dans le grand âge, l'adolescente, la sauvage, la soumise, sur laquelle il s'était jeté, jadis, avec une espèce de rage, et qui, pour le plaisir et la douleur, l'avait suivi au temps de leur jeunesse vagabonde. Il appartenait à Adrienne de leur donner à tous deux une sépulture décente. Elle les fit inhumer ensemble, à Vichy.

Que de deuils ! Les noms des disparus jalonnaient les lettres échangées. Tantôt c'était Adrienne qui annonçait à Gabrielle la mort d'un des joyeux drilles qui avaient eu si grand-faim de rire à la Rotonde, tantôt c'était au tour de Gabrielle de laisser entendre à Adrienne qu'elle avait perdu tel ou tel de ces jeunes beaux qui étaient allés, en briseurs de cœur, prendre le thé chez Maud. Et puis la bande de Royallieu avait, elle aussi, perdu son plus glorieux cavalier : Alec Carter, le jockey britannique, comptait parmi les premiers tués. Il s'était engagé au 23e dragons pour demeurer avec ses amis français. On l'avait aussitôt nommé maréchal des logis. Il en avait éprouvé une joie folle. Une semaine plus tard... Mort... Comme s'il ne servait à rien à un homme d'armes d'avoir incarné en temps de paix l'art et la science équestres.

Les soldats commençaient leur long ensevelissement dans la boue des tranchées. A Paris s'activaient les gens d'affaires. Le drap, le charbon, devenus matières rares, faisaient l'objet de spéculations forcenées. Boy, bien qu'assumant ses obligations militaires, profitait de la moindre occasion pour venir, en coup de vent, veiller à ses intérêts.

Nommé président de la commission de l'Armée, son ami Clemenceau était le politicien le plus redouté de France. Il harcelait les ministres, dénonçait les munitions insuffisantes, les lenteurs de l'armement, l'incapacité du service de Santé. Les blessés... Une honte ! On les évacuait dans le crottin et l'urine, sur de la paille ayant servi au transport des chevaux. Etait-ce admissible ? Il s'attaquait aussi aux profiteurs, aux embusqués et à ce Malvy, surtout, sa bête noire, un ministre de l'Intérieur que l'on surprenait en partie fine à Arcachon, chez Nelly Beryl, une demimondaine, et cela tandis que des hommes se battaient et mouraient. Saisie, interdiction, censure, rien n'y faisait et le journal de Clemenceau était le plus lu. Cent mille exemplaires...

Mais à cela ne se bornait plus son action. Il s'était attelé à une tâche qu'il n'allait plus lâcher. Pourquoi se limiter aux discussions entre galonnés de l'arrière ? Il alla chercher la vérité sur place, jusque dans les tranchées.

Vêtu comme pour une séance au Sénat, à cette seule différence qu'il chaussait ses bottes et troquait son melon contre un feutre cocasse, usé à n'être plus qu'un fantôme de chapeau — il eut toute sa vie le goût des galurins imprévisibles — Clemenceau multiplia les visites au front.

Ce fut au cours d'une de ces inspections qu'il traversa un village, proche des lignes, où cantonnait une unité anglaise. Des hommes au repos. Dans un groupe de cavaliers, Clemenceau reconnut une silhouette familière : Arthur Capel. Il jouait au polo sous les yeux de Sir John French [1]... Derrière Clemenceau, une délégation frissonnante s'attendait au pire : railleries, avalanches de sarcasmes, propos féroces égrenés au nez des Anglais. D'un geste Clemenceau balaya leurs craintes. « Ces bougres d'Anglais ! » Ils l'enchantaient. S'entraîner, devant des maisons de guingois et des murs écroulés, quel flegme ! Il tint à s'arrêter. Il voulait les féliciter en personne.

Etait-ce faire preuve de parti pris, de légèreté ?

Arthur Capel, comme certains le prétendaient, l'avait-il envoûté ?

C'était bien d'autre chose qu'il s'agissait. D'un vieil accord avec sa jeunesse... Trente ans auparavant Clemenceau avait été, comme Capel, un homme passant d'un monde à l'autre, prenant pêle-mêle ce qui s'offrait, femmes du monde, comédiennes, filles, cô-

1. Lettre inédite de Paul Morand à l'auteur.

toyant à plaisir le scandale, l'escroquerie, comme pour se donner le vertige. Le lui avait-on assez reproché ? Ses adversaires s'étaient-ils assez acharnés sur ses maîtresses, ses dettes, ses chevaux ? Ah ! oui, ses chevaux... Parce que l'équitation avait été sa passion. Il en avait même fait métier, aux Etats-Unis, lorsque, jeune homme et sans le sou, il cherchait un emploi. Près de New York, à Stamford, professeur dans un collège féminin, chargé des cours de français et maître de manège, il avait aussi été cela, un gandin dont les élèves étaient folles. Et à ce propos encore, les injures dont on l'avait accablé !... Mary Plumer, cette fille de pasteur dont il avait divorcé... Pourquoi ? Qu'il s'explique. Et puis ne parlait-il pas trop bien l'anglais ? Mais cela c'était une autre histoire. L'anglophilie de Clemenceau avait toujours paru louche.

A qui Arthur Capel dut-il d'être nommé à la Commission franco-anglaise pour les charbons de guerre ? Il paraît peu probable que Clemenceau ait été étranger à cette décision.

Tandis qu'en cette année 1915 les combattants voyaient, sans qu'une voix s'élevât, s'allonger le tragique inventaire des instruments de la mort — 1915 c'était, dans le ciel des combats le tapage des premiers avions, au sol l'assaut des premiers tanks, et, dans l'air, le poison sans remède des gaz asphyxiants —, ce qui s'ouvrait à Boy était un monde auquel peu d'hommes osaient encore songer. Vivre entre Paris et Londres, s'éloigner de la zone des combats, s'arracher à la misère, à la souffrance, n'être plus un officier comme tant d'autres, mais de ceux qui, entre toutes les décisions en choisissaient une et l'imposaient, cela non plus n'allait pas sans vertige.

Tout cela doit être entendu comme le rêve du parfait ambitieux.

Et certes, Arthur Capel l'était.

Il avait voulu acquérir ce qui le vengerait d'une injustice, cette bâtardise dont il avait souffert. C'était chose faite. Il allait pouvoir retourner en Angleterre et là, traiter d'égal à égal avec les fils de famille.

Mais avant cela il eut droit à une permission d'été. Quelques jours seulement. Juste assez pour s'offrir des vacances. Il emmena Gabrielle à Biarritz.

*

La France assistait à une nouvelle répartition des populations : au front ceux qui souffraient, à Paris ceux qui parlaient, à Deauville ceux qui attendaient, à Biarritz ceux qui profitaient.

Le Miramar avait son air de paix. L'hôtel du Palais aussi. On y dansait tous les soirs. Les permissionnaires, les oreilles encore bourdonnantes d'une tout autre musique, reprenaient pied sur les parquets cirés. Le tango était l'antidote. En quel ton jouait-on *Sous le ciel de l'Argentine...* ? Ailleurs, là où le ciel n'était qu'éclatements, les obus sifflaient en mi bémol. C'était du souvenir de cette chanson-là qu'il fallait se défendre.

De l'autre côté de la frontière, arrivait une clientèle fidèle de bruns calamistrés et d'Espagnoles caquetantes, animées d'un sens fort vif de l'élégance et d'un grand appétit de plaisir. Elles piquèrent des colères devant les pâtisseries fermées. Que se passait-il ? Biarritz n'était plus « tout à fait ça ». Et les Russes, où étaient-ils passés, les Russes ? Plus de cordon de police pour protéger les ébats nautiques du prince Youssoupov et du grand-duc Dimitri. Ce qu'ils plaisaient, ces deux-là ! Beaux comme des anges. Les femmes s'attroupaient. A la longue, les anges s'étaient lassés : allait-on leur ficher la paix, à la fin ? La municipalité s'en était alarmée. D'où le cordon. Mais Biarritz était pauvre en gendarmes. Alors les aides de camp faisaient un rempart de leurs corps et tendaient très vite des peignoirs. Peine perdue. Il n'y avait pas plus grand qu'un grand-duc. Leur tête toujours dépassait.

Mais c'était fini ce temps-là, bien fini. Envolés les Félix, les Dimitri et, à moins que l'on se transportât, avec son pâtissier et un stock de farine — ce à quoi certains se résignèrent, en dépit des complications que cela entraînait — plus de gâteaux. Choquant tout cela ? Soit dit entre parenthèses, Gabrielle s'en fichait. Boy aussi. Il y avait des profiteurs, des embusqués ? Eh bien voilà, c'était ainsi, il y en avait. Que les conflits en aient toujours suscité n'était-ce pas plutôt cela la honte ?

A tout prendre, la bêtise eût été, au nom d'on ne savait trop quel principe, de s'interdire d'exploiter ces gens-là. Les enrichis se disaient disposés à acheter *n'importe quoi* ? En temps de guerre, n'importe quoi avait un sens précis : le luxe. Il fallait donc leur en donner. L'idée vint à Boy autant qu'à Gabrielle de renouveler à Biarritz l'expérience qui, un an auparavant à Deauville, avait eu de si heureux résultats. Où voulait-il en venir ? Etait-ce désir de recréer le climat du passé ? Ou bien voulait-il ajouter un fleuron à la couronne de Gabrielle ? A moins, qu'inconsciemment, il ait souhaité éloigner Gabrielle de Paris à l'instant où il allait y séjourner davantage.

Il y avait peut-être de ces arrière-pensées dans l'esprit de Boy. Mais prévalait surtout le goût, qu'ils avaient en commun, de risquer et d'entreprendre. C'était l'élément déterminant. A quelques jours de son départ, Arthur Capel fit une avance de fonds et Gabrielle ouvrit à Biarritz non plus une boutique, mais une maison de couture, une vraie, avec une collection et des robes à 3 000 francs [1].

Jamais la ville de Biarritz n'avait vu une couturière s'installer plus somptueusement. Au lieu d'un maga-

1. Environ 6 000 francs d'aujourd'hui.

sin, une villa[1], située dans la descente à la plage et face au Casino. Une demeure se donnant des airs de castelet avec une tourelle sur rue, une vaste cour intérieure et une muraille de pierre. Gabrielle commença par la louer et par remplir la cour d'hortensias.

C'était beaucoup d'argent dépensé. Encore fallait-il réussir.

Elle tenta d'extraire de sa retraite Adrienne, la seule femme en qui elle eût confiance. Mais rien à attendre d'Adrienne. Gabrielle, qui ne supposait jamais que l'on pût lui résister, proposa des robes superbes, des vacances. Adrienne maintint son refus. Le 25e dragons était au repos. L'autorisation de passer quelques jours avec son « adoré » était sur le point de lui être accordée. Elle vivait dans l'expectative. Mais plus tard... Elle promettait que plus tard...

Lorsqu'elle arriva, Gabrielle, implacable, se fendit d'une de ses remarques dont elle eut le secret toute sa vie :

« Ton *plus tard* est désormais *trop tard*. »

C'est qu'Antoinette — toujours elle — bêtasse mais bonne fille, était accourue et, déjà, s'était établi entre Paris et Biarritz un va-et-vient d'ouvrières qui allait permettre de mener à bien l'apprentissage des nouvelles recrues.

Adrienne fut donc accueillie fraîchement.

Cette amoureuse qui, pour un rien, s'immobilisait dans une attente pétrifiée, commençait à agacer prodigieusement Gabrielle. Qu'avait à craindre une femme dont un homme était épris au point de ne connaître d'autre préoccupation que de l'épouser ? Bien plus : Adrienne semblait mal se contenter de ce qui aurait comblé Gabrielle; elle se voyait à tout instant menacée dans sa *respectabilité*.

1. La « villa de Larralde », rue Gardères, appartenait à la veuve du comte Tristan de L'Hermite, née de Larralde-Diusteguy.

Ainsi se faisait-elle un monde de ce qui était apparu à Gabrielle, et demeura longtemps pour elle, un sujet de joyeuse plaisanterie. Adrienne était revenue de sa visite au front mortifiée et confuse. L'homme qui vérifiait la validité des autorisations, après lui avoir demandé : « Vous n'êtes pas l'épouse du lieutenant de X... ? » et qu'elle lui eut répondu par la négative, avait ajouté avec une franchise où il entrait plus d'ingénuité que d'irrévérence : « Alors, ça va, je vous laisse passer. Le colon préfère les poules aux légitimes. Il dit, comme ça, que l'épouse amollit tandis que la poule... » Mais Gabrielle avait brisé par un jugement sans appel toute tentative de pleurnicherie. Elle n'avait souci d'entendre que ce qui concernait son travail. Elle ajouta que la remarque dont Adrienne s'était offensée n'était pas si sotte qu'elle paraissait. Et puis, si elle redoutait tant le parler militaire, il eût mieux valu ne pas se risquer dans la zone des armées.

Ici se situe le premier froid entre elles et se profile aussi le nouveau visage de Gabrielle. Celui d'une femme chez qui surgissaient à l'improviste les signes d'une animosité mal contenue. La vision d'un amour partagé, d'un bonheur tout simple la jetait bas. Elle se rebiffait devant ce qu'elle n'avait jamais connu. Mais si des songes rongés vivaient en elle, ce n'était qu'adroitement camouflés. Elle déguisait ce début d'amertume en refusant de mettre en balance le poids de l'amour avec l'urgence qu'elle éprouvait à réussir.

*

Gabrielle avait son plan de guerre. Biarritz ? Une sorte d'avant-poste qui mettait l'Espagne à sa portée. Un pays neutre était là, tout proche, avec ce que cela sous-entendait de réserves en matières premières et en clientèle. Il s'agissait de s'installer solidement, comme derrière une porte entrebâillée. Ensuite ? Happer tout ce qui passait, fil, tissus ou femmes.

Sa tactique consistait, aussitôt cette conquête assurée, à retourner rue Cambon et à y établir son quartier général. Elle avait hâte de se libérer. Boy était à Paris sans elle. Compter sur Adrienne ? Inutile. Elle laisserait Antoinette à Biarritz avec les pleins pouvoirs. Qu'elle s'y fixe. On ne lui en demandait pas davantage. Gabrielle se faisait fort de la convaincre que son avenir était là et nulle part ailleurs.

Antoinette était une femme un peu criarde. Elle fit des manières. Mais Gabrielle s'acharna. Soudain la violence était plus forte que son désir de plaire. Elle s'échauffait. Elle usait de toutes ses armes : la menace, la peur. Antoinette était-elle devenue idiote ou quoi ? Pouvait-elle ailleurs qu'à Biarritz rencontrer quelque étranger, séduisant, riche, susceptible de l'épouser ? L'important ? Se marier. Antoinette n'avait pas de temps à perdre.

Quant aux essayages, Antoinette n'aurait pas à s'en soucier; les premières étaient là pour ça. Elle n'aurait qu'à diriger les salons et à recevoir la clientèle. Et que lui fallait-il à cette vaniteuse ? Elle allait vivre sur le même pied que des grandesses, des beautés internationales et de belles mondaines, société partout ailleurs en voie de disparition. Paris, elle le savait, « ce n'était plus ça ». Le faste ? Où le pratiquait-on ? A Biarritz, rien qu'à Biarritz. Or il n'était pas vain de vouloir habiller ce dernier carré. Un jour, la paix revenue, ne verrait-on pas renaître et s'échapper de sous les ruines le fantôme des élégances passées ? C'était en prévision d'une surprise de cet ordre qu'Antoinette devait obéir à Gabrielle. Tenir Biarritz, c'était en cela que consistait la guerre des sœurs Chanel. Il était temps qu'elle le comprenne. Les dernières dentelles, les dernières broderies, le crêpe de Chine, les guipures ? Seule Antoinette en aurait l'emploi. Allons, trêve d'atermoiements. L'imprudence eût été de perdre la main.

Le projet avait été ébauché en juillet 1915. En septembre tout était prêt.

Gabrielle ne tarda pas à mesurer combien son initiative était payante. Mais pouvait-elle imaginer qu'elle le fût à ce point ? Les commandes de la cour d'Espagne, celles du Tout-Madrid, de Saint-Sébastien, de Bilbao... L'atelier de Biarritz travailla à plein rendement avec plus de soixante ouvrières.

A la fin de l'année, forte de cette victoire qui n'était qu'à elle seule, Gabrielle était de retour à Paris où son personnel allait apprendre à la connaître sous son vrai jour : impulsive, changeante, autoritaire, cassante. Elle se conduisait en maître absolu, assurant elle-même la liaison entre ses différents postes avancés. Elle ravitaillait directement Antoinette depuis Paris où l'un de ses ateliers ne travaillait que pour l'Espagne. Alors, comme un chef d'armées déplace ses réserves au gré des nécessités de la guerre, Gabrielle prélevait sur Paris le personnel qui lui faisait défaut dans le Pays Basque et, initiative plus risquée, tentait avec succès la manœuvre inverse. Elle harcelait des provinciaux épouvantés qui s'opposaient à ce que « leur jeune fille montât à Paris », elle les « disputait », les persuadait que leur devoir était de la laisser partir. Mais les dangers de la ville, de la guerre, mais les soldats en vadrouille, mais les Zeppelins ? « Eh quoi ! » rétorquait Gabrielle la voix hargneuse. Etaient-ils patriotes, ou ne l'étaient-ils pas ? Les familles vaincues courbaient le dos et cédaient.

Ainsi, tandis qu'à Verdun se livrait un combat sans merci, Gabrielle Chanel consolidait son empire. Paris connaissait un hiver glacial, dont allait témoigner, là-haut dans ce Montmartre où Gabrielle n'avait plus nécessité d'aller, Pierre Reverdy. Constamment dominé par la faim, le froid et jusque par le boucan que faisait Utrillo dans le logement d'au-dessus, Reverdy levait un coin de voile sur ce que fut ce temps lointain.

> *En ce temps-là, le charbon*
> *était devenu aussi précieux*
> *et rare que des pépites d'or*
> *et j'écrivais dans un grenier*
> *où la neige, en tombant par*
> *les fentes du toit, devenait*
> *bleue.*

Faute de chauffage des enfants mouraient. Sur les industries de guerre pesait en permanence la menace d'une pénurie de houille. Du charbon dépendait la victoire, et Boy faisait fortune. Ses intérêts personnels coïncidaient si bien avec l'intérêt général qu'il pouvait s'y consacrer sans le moindre scrupule.

Aux premiers mois de 1916, Gabrielle Chanel exerçait un pouvoir absolu sur trois cents ouvrières. Son indépendance était assurée.

Pour qui nourrissait encore des idées d'élégance, la troublante alternative « Chanel ou Poiret ? » avait cessé de se poser. Le redoutable concurrent de Gabrielle exerçait ses talents au bénéfice exclusif de l'Armée. Mobilisé dans l'Intendance, en *normalisant* la coupe des capotes militaires, il réussissait à économiser soixante centimètres de tissu par soldat et quatre heures de travail par vêtement confectionné [1].

Gabrielle Chanel demeurait donc seule en scène. C'était assurément un avantage appréciable que d'être femme en ces années-là.

Elle n'en prit conscience que lorsque, à sa surprise, elle se vit en mesure de rembourser Arthur Capel. Ce

1. M. Contini et Yvonne Deslandres, *5 000 ans d'élégance* (Editions Hachette).

que, guidée par un instinct très sûr, elle s'empressa de faire, sans même lui demander son avis. Elle savait qu'il allait s'émerveiller que les décisions d'un soir de vacances, prises gaiement, légèrement, fussent devenues si vite une réussite dont elle allait pouvoir vivre. Elle devinait aussi, assez confusément, qu'acquitter sa dette changeait les termes du problème. La meilleure preuve étant que Boy redevenait à son endroit d'une jalousie extrême. Avec quelle joie il lui eût laissé l'entier bénéfice de son succès ! Mais ce dont il s'agissait cette fois c'était d'accepter son indépendance. Une surprise à laquelle il n'était pas préparé.

Cette façon d'être qui était maintenant celle de Gabrielle, ce changement profond, allait mener Boy à regretter chaque plaisir qu'il goûtait sans elle.

*

De ces générations tenaces, décidées à se maintenir sur des terres pauvres à travers combien de crises et de dommages, d'elles naquirent, une à une, les découvertes de Gabrielle. D'elles et de ces artisans, ennemis du « semble-beau », n'admettant pour leur usage personnel que le durable, le vrai, — et qu'est, je vous le demande, qu'est un tissu, si une fois taillé, cousu, il ne peut vêtir deux, voire trois générations ? De leur intransigeance enfin, lorsque, à leurs moments perdus, ils s'attelaient à ces graves chefs-d'œuvre qui faisaient leur orgueil, n'étant qu'affaire de main plus que de riche matière. Coiffes adroitement brodées... Que l'on ne cherche pas à me faire dire qu'il y a plus grande élégance ou coquetterie plus délicate que celle de cette fillette du Comtat que l'on voit en bonnet de fiancée aux cimaises du *muséon Arlaten*. Et si je disais qu'il existe à Mâcon une miniature où figure une jeune femme portant, comme une reine, la coiffe des Bressanes, ce brelot de velours noir, digne d'une infante de Castille... Il n'entrait nul hasard dans la découverte, puis dans l'utilisation par Gabrielle de ce qui allait être son arme secrète, mais un pouvoir particulier que lui léguait ce passé-là, avec tout ce qu'il sous-entend d'ingéniosité et d'adresse manuelle.

En 1916, à Paris, cherchant à ne point s'écarter de ce qui avait fait son succès à Deauville, se voulant fidèle à elle-même, il lui fallut trouver ce qui se rapprochait le plus du tricot. Et ce choix en dit long. Le tricot... Eternelle occupation des habitants de la campagne. Mais point de fins travaux d'aiguille à attendre d'une époque où la laine était rare et ne servait qu'aux passe-montagnes des combattants.

C'est alors que d'avoir été, de naissance, vouée à la pauvreté, devint un avantage. Se tromperait-on en ajoutant que ce sont là atouts des plus fragiles, de ceux que quelques années de luxe, je veux dire de réel gouvernement des modes et de tout ce que cela entraîne de contagion, auraient suffi à détruire ? Le moindre péril n'eût pas été d'avoir subi la fascination des Ballets russes, et de n'avoir imaginé la séduction féminine que noyée dans une orgie de tissus. Un art de plaire en tout point conforme aux canons de la beauté selon Bakst ? On le sait, tel n'était pas le cas et la contagion de ce « grand vent venu des steppes » avait épargné Gabrielle. Renoncer à l'*ornement* ? Une clientèle pour qui richesse et élégance étaient tout un, l'eût peut-être rendu impossible à un Poiret, un Worth, un Doucet. Mais Chanel ? Rompue dès son jeune âge à l'emploi de ce dont les autres ne voulaient pas, elle n'avait ni à se transformer, ni à renoncer. Aussi, lorsqu'un fabricant nommé Rodier lui soumit, faute de mieux, une marchandise inemployée et qu'il croyait inemployable, grande fut sa surprise devant l'intérêt qu'il suscita.

C'était un tissu fabriqué à titre expérimental.

En le créant à usage de bonneterie, son inventeur

pensait répondre aux vœux des sportifs. Rodier imaginait que les jeunes gens, fous de plein air et de « style anglais », apprécieraient un tissu qui avait pour nom « jersey », et que caleçons longs marqués au chiffre, chemises de nuit à double pan, et maillots de corps faits sur mesure, en justifieraient largement l'emploi.

Il n'en fut rien.

Lors de sa présentation, le tissu fut jugé trop sec par les uns, trop rêche par les autres, « pas amusant » et puis qu'est-ce que c'était que cette texture ? Une maille mécanique ? Allons, les prodiges de l'outillage n'empêcheraient jamais que ça *gode*, que ça *poche*, ne me dites pas le contraire ! Sa teinte ? Un beige que les bons fournisseurs jugèrent « indigent ». Cela faisait wattman, manœuvre, vêtement de travail... Enfin personne n'en avait voulu. Là-dessus ce fut la guerre, Rodier eut d'autres soucis et ses stocks de jersey lui restèrent sur les bras.

Gabrielle en fit l'acquisition.

C'était exactement ce qu'elle cherchait : du tricot, mais fabriqué sur machine. Elle affirma que, par sa sobriété, ce tissu allait conquérir une place jusque-là réservée à la fantaisie. Rodier n'en crut rien, doutant qu'elle imposerait aux femmes un matériau que les hommes avaient décrété trop sévère pour eux. Elle ne tint aucun compte de cette mise en garde et lui en commanda davantage. Il refusa, ne se hasardant pas à le remettre en fabrication au risque de gâcher de la matière première.

Qu'elle essaye d'abord, on déciderait ensuite.

Une discussion s'ensuivit. Mots aigres échangés. Elle traita Rodier de pleutre. Il tint bon. Ce n'était là qu'une timide ébauche de ce qu'allaient être pendant un demi-siècle les rapports de Chanel avec ses fournisseurs et associés. De quelque importance que fussent les services rendus, les risques partagés, elle en arrivait toujours à ébaucher des plans pour les supplanter, les évincer et fabriquer à leur place. Cela se terminait, selon les cas, en comédie ou en drame, procès, réconciliation, porte claquée, cris : « J'en ai assez », annonce d'un divorce définitif... et l'on recommençait. Constatons, pour n'y plus revenir, que l'entente avec ceux dont, par la nature même de son métier, elle *dépendait*, s'avéra toujours impossible. Et ce n'était pas une question de personnes mais la dépendance qui lui était intolérable.

Une preuve que Gabrielle ne se trompait pas vint apaiser les doutes de Rodier : ce qu'elle fit de ce tissu qu'elle adopta aussitôt pour elle-même. Une redingote décintrée s'arrêtant à mi-jupe, sans ornement d'aucune sorte et presque masculine à force de rigueur.

Quelqu'un de moins averti que Rodier, et même n'y connaissant rien mais attentif à ce qui fait l'élégance d'une femme, aurait distingué, à première vue, qu'il y avait dans ce vêtement une force inconnue.

Ce qui avait prévalu jusque-là ? Les exigences d'une clientèle à laquelle tout était dû : l'exclusivité de l'ornementation, du tissu et parfois du modèle. On retaillait, on transformait selon les désirs des célébrités mondaines, si bien que ce qu'elles portaient était « la synthèse de leurs goûts personnels et de ceux de leur couturier [1] ». Et malheur à celui-ci, si cette belle privilégiée remarquait, sur une autre, un vêtement offrant quelque ressemblance avec le sien !

Or, voilà que soudain, l'ornementation s'effaçait au bénéfice exclusif de la ligne, voilà qu'apparaissait un vêtement né de la seule logique d'un créateur face aux nécessités d'une époque. Si la mode féminine restait redevable à Poiret d'innovations majeures, tels l'allégement du corset, et une tentative de raccourcissement des jupes — audaces que ses adulateurs ont

1. François Boucher, *Histoire du costume en Occident* (Flammarion).

trop souvent attribuées à Chanel sans du reste susciter de sa part le moindre démenti —, si Poiret fut un coloriste comme on n'en connut point après lui, ce fut néanmoins en cette année 1916 que Gabrielle Chanel imposa à la mode des changements si déterminants qu'elle la faisait changer de siècle. Droit des femmes au confort, à l'aisance des mouvements, importance accrue du style au détriment de l'ornement et enfin un anoblissement soudain des matériaux pauvres qui entraînait *ipso facto* la possibilité de créer dans un proche avenir une élégance à la portée du plus grand nombre.

Et puis, elle avait voulu ce que personne, avant elle, n'avait osé avec pareille franchise : des femmes allant toutes droites, dans des vêtements ne marquant plus ni la taille, ni la cambrure, des femmes qui portaient une jupe radicalement raccourcie. Poiret laissait voir le pied ? Gabrielle accentua l'escalade en dégageant largement la cheville. Poiret avait imposé une mode sans étranglement à la taille ? Chanel fit mieux, elle la supprima. Le fit-elle exprès ? Ou bien, comme certains l'affirment, n'était-ce là qu'une conséquence de la médiocre qualité du jersey ? Pas de doutes possibles : Gabrielle ne pouvait faire autrement. Et pour la première fois une révolution dans l'habillement féminin, loin d'obéir à la fantaisie, consistait principalement, et par inflexible nécessité, à la supprimer.

C'est que ce tissu ne se laissait pas travailler. A la moindre pince, la trame, trop lâche, s'effilochait. Une autre qu'elle aurait renoncé. Gabrielle s'acharna. Simplifier, pas d'autre solution. La robe chemise s'arrêta très au-dessus de la cheville.

Du même coup, Gabrielle effaçait un geste vieux de plusieurs siècles et que tant d'hommes, à l'instant où une femme gravissait une marche, avaient voluptueusement guetté : celui par lequel une jupe était discrètement troussée. Disparaissait un certain temps de la femme, le temps des mille plis au corsage et des cascades de voile au chapeau, le temps de Vichy, de Souvigny, le temps des conquêtes d'Adrienne.

Gabrielle, en effaçant son propre passé, transformait pour toujours le spectacle de la rue.

Ainsi, celle qui avait laissé « s'étaler derrière elle, la longue traîne de sa robe mauve [1] », avait vécu. C'était d'une personne à la démarche délivrée, qui pouvait s'habiller seule et se déshabiller en un tournemain, qu'il fallait dorénavant se garder. Quant aux nostalgiques, quant à ceux, fort nombreux, qui allaient regretter la belle défunte, ils allaient être comme autant d'Orphées aux plaintes sans effet. Les « hélas ! », les « quelle horreur ! » de Proust allaient redoubler. Mais ni ses soupirs au vu de robes qui, écrivait-il, « ne sont même pas en étoffe », ni sa tristesse devant des femmes « quelconques », rien n'allait rendre à la vie Mme Swann.

La nouvelle venue avait de quoi décourager. C'était une femme toute neuve, une femme dont l'habillement était *sans allusions*. Inutile de l'interroger. La règle du jeu avait été délibérément brouillée.

De quel œil regarder une mode dont les mots clefs ne se trouvaient pas au Musée ? On avait beau faire preuve d'érudition, cette femme passait l'imagination. Et qui aurait eu l'idée d'aller chercher les sources d'une telle réforme au plus profond d'une province déshéritée ? Nul n'a entendu dire que les raffinements de la mode ont leur origine en pleine pierraille.

1. Marcel Proust, *Du côté de chez Swann*, 3e partie.

IV

LA « CHARMING CHEMISE DRESS »

LA disparition des journaux de mode[1] explique pourquoi le fait de montrer un peu plus de la cheville demeura jusqu'à la fin de la première guerre mondiale l'apanage des Parisiennes. Ce n'est qu'en 1919 qu'elles prirent conscience qu'avec leur taille basse et leur manteau droit elles surprenaient vivement les visiteurs étrangers.

Ce qu'elles portaient allait aussitôt devenir la Mode.

Et ce n'est pas le moindre paradoxe de l'histoire de ces Françaises-là que d'avoir été, en un temps de noir malheur, une image de l'avenir. Elles avaient, à leur insu, préfiguré la bruyante jeunesse du temps de paix.

Aucune jambe visible par les rues d'Amérique en 1916, où les jupes continuaient à battre les talons. Et pour mieux s'en convaincre il suffit de se reporter à une photo, prise en 1917, où les femmes du *Cosmopolitan Club* défilent toutes ensemble à New York. A peine si un bout de cheville dépasse.

Or il y a là une contradiction qu'on ne sait comment résoudre, car c'est dans la presse américaine que parut pour la première fois le nom de Chanel.

En 1916, *Harper's Bazaar* publia le premier modèle jamais reproduit de Gabrielle, un modèle défiant la description. Voilà un vêtement qui ne pouvait se définir que par de successives négations. Mais il se prêtait admirablement au dessin, étant d'une seule venue et d'une ligne pure.

1. *La Gazette du bon ton* et le *Journal des dames et des modes* cessent de paraître en 1914.

C'était une robe de la collection de Biarritz. Destinée aux belles clientes d'Antoinette, elle était d'une indéniable séduction, mais sans le moindre parfum d'avant-guerre. Pas de violettes au corsage, moins encore de catleyas et pour une bonne raison : il n'y avait plus de corsage. Ni ruchés ni volants à l'encolure car il n'y avait pas plus d'encolure que de corsage. Le vêtement était fendu en V comme d'un coup de sabre et s'ouvrait sur un gilet de coupe masculine qui, entre ses revers — ô audace ! —, laissait apparaître le cou nu et même plus que le cou. Pas de bouffants aux manches ni de coupe *kimono* chère à Poiret, mais un fourreau gainant le bras, de l'épaule jusqu'au poignet, comme un bas. Ni voiles ni ombrelles, rien qu'un chapeau à large bord, dont la calotte bien emboîtante et faisant petite tête ne portait rien de ce qui avait été, jusque-là, la gloire des chapeaux. Pas de couteaux en plumes de perdrix dressés vers le ciel, pas de *pleureuses*, ni d'*amazones* puisque point d'autruche. En revanche un tortil étroit et plat garnissait un côté de la calotte comme un ruban... A cette seule différence que le tortil en question n'était point fait de ruban mais de zibeline, et que l'on pouvait bien penser de ce détail que c'était ceci ou cela, discret rappel du manchon, adoucissement nécessaire, il n'en demeurait pas moins que jamais on n'avait vu une femme porter de la fourrure de cette façon-là. Quant à la taille... Mais qui vous parle de taille ni d'aucune ceinture ? Glissant autour des hanches, une écharpe à longs pans et aux couleurs de la robe flottait comme une écharpe de commandement.

Découragés par tant de suppressions, mais néanmoins admiratifs, les rédacteurs américains avaient salué cette robe par une brève légende. Ils en faisaient la *Chanel's charming chemise dress*.

Gabrielle allait attendre quatre ans que la presse française la prît en considération.

Le temps pour un pays de retrouver le goût de la frivolité.

Pas un mot sur Chanel, pas un modèle reproduit avant 1920.

*

On a de la peine à imaginer l'effet que fit à Gabrielle ce début de renommée outre-Atlantique. En fut-elle seulement avertie ? Rien de moins certain. *A charming chemise dress...* La nouvelle d'une telle consécration n'eût pas été pour lui déplaire. Mais retranchée dans sa neutralité, l'Amérique devenait de plus en plus lointaine.

Qu'étaient les Etats-Unis pour la Gabrielle de 1916 ? Elle avait là-dessus une idée bien arrêtée : puisqu'elle aimait Boy, il fallait qu'elle pensât en tout comme lui. Or Boy, en la matière, pensait en tout comme M. Clemenceau. C'est dire que les *jusqu'au-boutistes* de sa sorte s'opposaient au président Wilson, et à ses rêves de paix sans victoire. Etait-ce une éventualité admissible, en cet été 1916, alors qu'on venait, enfin, d'arrêter les Allemands à Verdun ? Et voilà qu'à Berlin, l'ambassadeur des Etats-Unis proclamait que jamais les relations germano-américaines n'avaient été meilleures. Il choisissait bien son moment ! Pouvait-on s'attendre à trouver un représentant du président Wilson brusquement rangé dans le camp des révolutionnaires russes ou allemands et prônant les mêmes solutions que l'anarchiste Almereyda ? Des défaitistes, des traîtres, clamait Clemenceau, tous créatures de la propagande allemande. Quand donc le gouvernement allait-il se décider à sévir ? Qu'une enquête soit ouverte et que l'on sache, une bonne fois, par qui était subventionné cet Almereyda. Trois maîtresses, trois résidences, trois automobiles, n'était-ce pas un peu beaucoup pour un journaliste que l'on avait connu en traîne-savate quelques mois auparavant ? Et voilà qu'il débarquait à Paramé, en cet été 1916, avec une maîtresse des plus voyantes, un valet espagnol et un chauffeur nègre. C'en était trop. Clemenceau n'hésita pas à accuser publiquement le ministre de l'Intérieur. Le bailleur de fonds ? L'affreux Malvy, bien sûr... et sa clique de défaitistes. Le ton montait. Boy et son entourage en oubliaient la *charming chemise dress* et les lauriers de Gabrielle.

D'autant que malgré les objurgations du Quai-d'Orsay, c'était au président Wilson en personne que s'en prenait désormais Clemenceau [1]. Aussitôt, de tous les secteurs de l'opinion, s'élevèrent d'acerbes critiques. Ce n'était pas un moyen de hâter l'entrée en guerre des Etats-Unis et ce Clemenceau faisait plus de mal que de bien. Tandis qu'à âge égal, Sarah Bernhardt... Elle se révélait autrement utile avec ses tournées triomphales. On ne parlait que d'elle à New York. Ne se disait-elle pas de taille à décider les Américains à marcher ? A droite, *L'Action française* traitait Clemenceau de « bateleur funeste », d' « agitateur ». Il était insulté par Barrès, sali par Daudet. Les ouvriers, les gens de la campagne qui n'avaient guère aimé Clemenceau en temps de paix, continuaient à le redouter. La bourgeoisie ? De ce côté-là non plus rien de changé. Les boutades de Clemenceau horripilaient. Voilà qu'il tournait Joffre en ridicule : « Il ne suffit pas d'un képi galonné pour transformer un imbécile en homme intelligent. » Où Clemenceau allait-il s'arrêter ? Et aurait-on dit : « Il ne s'arrêtera qu'à la victoire finale », qu'aurait répondu la bourgeoisie ?

Curieuse situation que celle de Clemenceau. Décidément, l'arrière le détestait. Aussi fit-il ce que toujours il fit en pareilles circonstances. L'ami d'Arthur Capel alla prendre un bain de boue... dans les tranchées.

1. Philippe Erlanger, *Clemenceau* (Editions Grasset).

C'était octobre. Il ajouta à sa tenue quotidienne la touche baroque d'une large écharpe *tricotée main* et, une fois de plus, on se voit forcé d'évoquer ce qui le rapproche de celui qui, vingt-cinq ans plus tard, sut, en des circonstances similaires, témoigner d'une imagination vestimentaire au moins aussi inhabituelle : Churchill. Qui nous ôtera de la mémoire le chapeau Cronstadt et la canne du Premier ministre visitant les défenses côtières anglaises en 1940 le « zyp sirensuit » dans lequel il reçut Eisenhower en 1944, ou, mieux encore, la silhouette du vieil homme qui, en 1942, à El Alamein, passait en revue les troupes britanniques, une ombrelle blanche à la main ?

Un Clemenceau en cache-nez alla donc encourager ceux qui, un an avant le reste de la France, l'avaient déjà plébiscité. Les poilus traitaient en soldat ce sénateur qui usait de sa canne comme d'un piolet pour ramper jusqu'à eux, et là, s'assurait que la troupe ne manquait ni d'armes ni de pain; ils l'appelaient le « Vieux ». Il était même arrivé qu'ils en oublient le respect. Ainsi ce guetteur qui, dans le secteur de Commercy, s'entendant interpeller par un moustachu qui, soit dit en passant, avait une drôle de touche, et ne pouvant imaginer que le bonhomme qui apparaissait là, si soudainement, dans le trou à côté du sien était un vénérable sénateur, lui ferma le bec d'un « Boucle-la ! T'entends pas le Boche qui tousse ? » Clemenceau était aux anges. Cet octobre-là, il alla aussi en zone britannique rendre visite à Sir Douglas Haig. Il décréta que son organisation était « admirable ». Ah ! ces Anglais quand même, ces bougres d'Anglais... On pouvait compter sur eux.

A son retour du front, Clemenceau tomba en pleine effervescence diplomatique. Le président des Etats-Unis s'était entremis à nouveau. Il souhaitait que les belligérants acceptent de traiter. 874 000 morts dans les rangs français, 634 000 dans ceux des Britanniques, ne fallait-il pas mettre un terme à cette tuerie ? Après quoi, il crut bon d'adresser au Sénat français une longue note pacifiste. Clemenceau y vit une attaque personnelle. On venait le braver jusque dans son fief.

Il monta à la tribune et, aussitôt, le Quai-d'Orsay de trembler.

« On nous assassine, monsieur, ce n'est pas le moment de discourir. »

Ainsi se terminait sa furieuse diatribe. Etait-ce là une façon de s'adresser au président des Etats-Unis ?

Là-dessus, se répandit le bruit que la révolution était aux portes du palais du tsar, et que l'image du « colosse russe » n'était qu'un gros sac de bêtises, jeté à la tête du combattant français pour le tromper. Enfin on disait aussi, sans en être certain, que les beaux baigneurs aux mains blanches avec des yeux jolis, les fils de princes dont les ébats nautiques à Biarritz avaient si fort ému leurs admiratrices, le grand-duc Dimitri et le prince Félix Youssoupov s'étaient révélés de redoutables justiciers. Eux, des tueurs ? On les suspectait d'avoir organisé à Saint-Pétersbourg une sorte de guet-apens-party, d'avoir mêlé du cyanure au vin de Porto, puis offert d'une main des petits fours roses mais empoisonnés, tandis que de l'autre ils dissimulaient un revolver chargé, tout cela dans le but d'assassiner Efim Novy, le moine paillard, conseiller intime de leur très sinistre cousine, Alexandra, impératrice de toutes les Russies. Comment le croire ? Mais s'ils n'étaient pas coupables, pourquoi le tsar aurait-il expédié le beau Dimitri au fin fond de la Perse et relégué l'irrésistible Félix dans son domaine de Komsk ? L'affaire était étouffée. Mais le moine ? Mort ou pas ? On ne parlait que de ça.

Et c'est ainsi qu'en décembre 1916, il n'y eut plus, à Paris, de compagnie plus recherchée que celle de la princesse Lucien Murat.

Elle avait été, jusque-là, plus souvent brocardée pour son laisser-aller vestimentaire que louée pour son esprit. Soudain, la société parisienne, oubliant que, toujours, on lui voyait son jupon, trouva à cette jeune femme toutes sortes de qualités : vivacité, drôlerie et — pourquoi pas ? — un *certain chic*. C'est que la princesse Marie recevait chaque semaine une lettre de Russie. Charles de Chambrun [1], attaché à l'ambassade de France à Saint-Pétersbourg, s'il l'avait pu, aurait écrit à cette Marie chaque jour. Mais... Il y avait un mais. Le prince Lucien, n'est-ce pas...

Parmi les lettres de Russie, il en fut une que la princesse Marie put lire à haute voix. Ce fut la lettre des fins de déjeuners parisiens, cet hiver-là. On l'entendit chez Cécile Sorel comme chez Philippe Berthelot [2]. Gabrielle Chanel, à l'une de ces tables comme à l'autre, en eut connaissance.

« Je rentre du Yacht Club où le grand-duc Dimitri finissait son dîner pendant que je commençais le mien, disait la lettre. Il me fit signe. A la table voisine les quatorze convives parlaient tous à la fois, avec une véhémence incroyable. Soudain la voix de Nicolas Michaïlovitch [3] domina le vacarme :

« — Et moi je vous déclare qu'il n'est pas mort. »

« ... Je me tournai vers mon voisin, le grand-duc Dimitri. Celui-ci était blanc comme la nappe. Son œil injecté trahissait l'inquiétude. En m'asseyant à côté de

1. Le comte Charles de Chambrun, alors premier secrétaire à l'ambassade de France, puis ambassadeur de France à Ankara et à Rome, attendit que Marie Murat fût veuve pour l'épouser en 1934.

2. Philippe Berthelot, adjoint du directeur politique au Quai-d'Orsay. Dès 1917, Berthelot est considéré comme le membre le plus influent du ministère. Il reçoit, avec sa femme, dans son hôtel particulier du boulevard des Invalides sous des plafonds peints par Sert, mêlant duchesses, comédiennes, fonctionnaires, poètes, hommes politiques.

3. Le grand-duc Nicolas, neveu du tsar Alexandre II, historien, fusillé à la citadelle Pierre-et-Paul, le 30 janvier 1919.

lui j'eus l'impression que la main qu'il me tendait avec un pâle sourire, avait trempé dans le drame. Sensation indéfinissable.

« — Et vous, Monseigneur, lui demandai-je à voix « très basse, croyez-vous que Raspoutine soit mort ?

« — Oui, je le crois, murmura-t-il.

« — Sait-on le nom des meurtriers ?

« — Ce sont peut-être les premiers de Russie », fut sa réponse à peine perceptible.

« Puis Lorenzaccio se leva, fit sonner ses éperons, salua cavalièrement :

« — Au revoir, messieurs, c'est aujourd'hui samedi, « je vais faire un tour au théâtre Michel[1]. »

C'était ce que disait la lettre de Russie.

Alors de coup de théâtre en coup de théâtre, la *charming chemise dress* de Chanel et ce dessin dans le *Harper's Bazaar*, franchement on n'avait pas la tête à ça.

*

Encore quelques jours, en mai 17, les derniers pendant lesquels Gabrielle fut brièvement une femme heureuse.

Ces jours-là, Arthur Capel fêta avec elle, à Paris, la parution de l'ouvrage[2] auquel il avait travaillé depuis plus d'un an et qui venait d'être publié à Londres. Car, entre deux voyages, il s'était attelé à une tâche des plus inattendues : un livre. Lorsqu'on lui demandait son titre, Boy répondait : « *Reflection on*

1. Comte Charles de Chambrun, *Lettres à Marie* (Editions Plon).

2. Arthur Capel, *Reflections on Victory and a Project for the Federations of Governments* (Werner Laurie, Londres 1917). Cinquante ans plus tard, une grosse épingle tenait embrochés quelques feuillets froissés du manuscrit de cet ouvrage. C'était une relique que Gabrielle Chanel conservait amoureusement et ne montrait qu'à de rares privilégiés.

Victory. » Il fallait avoir une confiance en l'avenir peu commune pour risquer, à cette époque-là, des réflexions de cet ordre. Clemenceau, qui avait eu connaissance du projet, avait fait savoir qu'il fournirait toute la documentation nécessaire. Et puis à ses *Réflexions sur la victoire* s'était ajouté un *Projet pour la fédération des gouvernements* et un avant-propos dans lequel Boy précisait qu'il était Anglais mais qu'il avait vécu assez longtemps en France pour aimer ce pays et penser en Français. C'était comme l'aveu de cette double appartenance qui le déchirait. Il ajoutait que c'était en France et nulle part ailleurs que devait jaillir la source d'union des peuples, ce qui, dit par un Anglais, avait de quoi surprendre.

Arthur Capel étayait ses thèses par des citations qui révélaient le caractère assez disparate de ses lectures. Il se réclamait à la fois de Bismarck et de Napoléon, de Plutarque ou d'Hermès Trismégiste, de Guillaume le Taciturne et de Balzac, mais c'était surtout aux *Mémoires* de Sully qu'il se référait.

Curieux esprit, livre étrange où les contradictions ne manquaient pas. L'auteur, parlant de la victoire comme si elle était imminente, alors qu'en dépit de l'entrée en guerre des Américains jamais, depuis 1914, la situation des Alliés n'avait été plus précaire, exposait sa croyance dans l'élaboration possible d'une Cité future, respectant les traditions démocratiques. Mais il rejetait cette entité — « une des innovations les plus factices et les plus funestes des cent trente dernières années » —, le citoyen... Il traçait un portrait sévère de l'Etat centralisateur, « déplorable commerçant, fournisseur antipathique, mauvais exploitant, mauvais administrateur », qu'il souhaitait voir disparaître au profit d'une fédération à l'échelle européenne, laissant à chaque corporation, région, peuple, race, sa pleine autonomie. Ce qui pouvait laisser supposer qu'Arthur Capel ait été un « Européen » avant la lettre, partisan d'une décentralisation à outrance ôtant toutes chances à une Europe des patries et d'un corporatisme nourri de principes qu'il croyait inspirés de ceux d'un Proudhon. Encore que ce dernier ne voyait de solution aux injustices de ce monde que dans la suppression du capital, réforme qui n'aurait pas été du goût d'Arthur Capel.

Autre paradoxe, l'ouvrage était un plaidoyer en faveur de la jeunesse. « Dans notre société civilisée, écrivait notre auteur, ce sont les vieux qui mangent les jeunes en les faisant languir dans des emplois subalternes... » Il constatait que la Révolution française avait été le fait d'hommes qui n'avaient pas trente ans et reprochait au roi Louis XVI d'avoir été, à vingt ans, « vieux de toute la vieillesse de la Monarchie ». Propos auxquels on ne pouvait s'attendre de la part d'un fidèle sujet de Sa Majesté britannique, conservateur par surcroît.

Enfin il s'en prenait à la gérontocratie qu'il tenait pour responsable de la « boucherie » à laquelle étaient livrées les nations européennes. Pour éviter que se renouvellent de pareils crimes, un seul moyen : « libérer la jeunesse », lui donner la parole et le pouvoir. Langage surprenant si l'on considère qu'en France, Arthur Capel mettait tous ses espoirs dans le retour au pouvoir d'un homme de soixante-seize ans : Clemenceau.

La qualité essentielle de l'ouvrage tient à ce qu'il ait été écrit à pareille époque. Vue sous cet angle, l'angoisse de l'auteur face aux problèmes de l'après-guerre prend sa véritable signification. Et l'on est surpris de découvrir, en un temps où l'esprit de vengeance prédominait, un jeune homme doutant qu'une paix puisse s'établir en écrasant toutes les aspirations du peuple allemand et comme par châtiment. Cette paix-là, à l'en croire, n'aurait d'autres conséquences que l'éveil d'un nouvel esprit de revanche.

L'ouvrage parut le 10 mai 1917. Cinq jours plus tard s'ouvrait une des plus noires périodes de la guerre. Plus de cent sept régiments touchés. Des hommes refusant de monter en ligne. Dans les gares, des permissionnaires s'attaquaient aux gendarmes, les injuriaient. Que se passait-il ? Etait-ce l'« esprit russe » qui gagnait ?

A la tribune du Sénat, Clemenceau analysait les causes du mal avec sa véhémence habituelle. Les mutineries ? Elles n'étaient que légitime lassitude et effets d'une honteuse propagande. Il fallait relever le moral des troupes et juguler les défaitistes. Il menaçait, et une fois de plus dénonçait :

« Monsieur le ministre de l'Intérieur, je vous accuse d'avoir trahi les intérêts de la France. »

Si l'on voulait enrayer le drame il fallait neutraliser tout ce qui grouillait autour de Malvy et de Caillaux. Quinze personnes à mettre en prison, pas d'autre remède.

On conçoit qu'en ces circonstances, un livre consacré à l'après-guerre et ne mettant pas en doute la victoire, ait suscité de nombreux commentaires. On s'étonnait qu'un dandy eût tant d'idées en tête et Boy, désormais, n'était plus évoqué pour ses succès au polo ou sa perspicacité en affaires mais bien pour la place qu'occupait son ouvrage dans les colonnes du *Times*[1]. Le critique du supplément littéraire s'étendait longuement sur les vues d'avenir de l'auteur : « *Mister Capel's notion is to form* at once *a federation of the British Empire and the Allies which should be used as an instrument for bringing about and preserving peace by inviting neutrals to join in and eventually including* these of our ennemies *who really desire peace.* » Le *Times* jugeait particulièrement audacieuse l'idée d'essayer de détacher du bloc al-

1. *The Times Literary Supplement*, 10 mai 1917.

lemand celles des nations ennemies qui paraissaient les mieux prêtes à rompre leur alliance. Il regrettait néanmoins que l'auteur ait négligé d'approfondir l'aspect pratique des choses, et surtout qu'il n'ait pas étudié les moyens à employer pour que cette fédération devienne une réalité.

Une fois Arthur Capel reconnu par la presse anglaise, ses séjours à Londres se firent de plus en plus fréquents. Bien qu'il fût toujours épris de Gabrielle, il suivait le chemin de ses ambitions et ne faisait nul mystère de ses intentions. Déjà à Paris il avait donné dans les jolies veuves. A Londres, il en rencontra d'autres. Un groupe de jeunes Anglaises du plus haut rang l'avait accueilli avec une gentillesse qui l'avait surpris. Il allait chercher à se marier dans cette aristocratie-là. De son côté, Gabrielle, qui n'avait que son amour pour Boy au cœur, réussissait à force de volonté à se convaincre qu'il tenait dorénavant moins de place dans sa vie. Elle commençait à nourrir des préventions contre ses façons de faire. Elle avait cru à l'amour éternel et une fois de plus s'était trompée. Elle se sentait méprisée jusque dans la confiance que Boy lui témoignait. Qu'il courtisât qui bon lui semblait mais qu'il cessât de considérer nécessaire de la tenir informée ! Décidément le fossé qui la séparait des nouvelles amies de Boy était infranchissable. Voilà qu'il voyait chaque jour des gens qu'elle ne connaissait pas et ne connaîtrait sans doute jamais, voilà où ils en étaient, *son* Boy et elle...

Cependant Gabrielle s'en souciait moins depuis qu'elle constatait qu'elle aussi avait été accueillie par des amis intelligents, des femmes belles et brillantes. Mais il s'agissait d'une tout autre société. Chez Cécile Sorel, Gabrielle avait rencontré Misia Sert. L'événement est consigné dans le journal de Paul Morand à la date du 30 mai 1917. « La mode depuis quelques jours est pour les femmes de porter les cheveux courts. Toutes s'y mettent : Mme Letellier et Coco Chanel, tête de file, puis Madeleine de Foucault, Jeanne de Salverte, etc.

« Cocteau raconte un déjeuner inouï hier, chez Cécile Sorel. Il y avait les Berthelot, Sert, Misia, Coco Chanel qui décidément devient un personnage[1]. »

Et lorsque l'écho des succès de cette Gabrielle-aux-cheveux-courts parvenait jusqu'à Londres, Boy, à son tour, s'étonnait. Voilà que *sa* Gabrielle s'était introduite dans une société pour qui lui, Boy, n'était rien, voilà où ils en étaient arrivés après tant et tant de promesses échangées. Peut-être en avait-elle assez de lui maintenant qu'elle était indépendante et presque riche. Arthur Capel, à cette idée, était d'autant plus troublé qu'il n'avait jamais envisagé que Gabrielle pût se passer de lui.

V

L'IRRÉSISTIBLE ASCENSION DU BEL ARTHUR

NOVEMBRE 1917. Paris vivait un curieux automne. La vie d'hôtel battait son plein. Il était de bon ton d'afficher un amant. Les aviateurs étaient de loin les plus demandés. La ville était un carrefour où se croisaient des permissionnaires de toutes nationalités. On s'ingéniait à amuser les Américains. Mais l'infortunée Mrs. Moore n'était plus là pour recevoir ses compatriotes. Au columbarium de Biarritz un vase contenant ses cendres était tout ce qui restait d'elle. Elle était morte à l'hôtel Crillon à l'issue d'un dernier dîner « même pas très chic ». Cette mort d'une snob

1. Paul Morand, *Journal d'un attaché d'ambassade* (Gallimard).

des suites d'un faux pas — elle était tombée dans les escaliers — prenait valeur de symbole. C'était toute la vie mondaine des temps de guerre qui la suivait dans sa glissade vers l'abîme.

Les difficultés de ravitaillement faisaient oublier que l'on avait coffré quelques traîtres et fusillé la belle Mata Hari malgré les larmes de son avocat qui se trouvait être aussi son amant. Une espionne de moins. Mais qu'est-ce que cela changeait ? Les nations coalisées étaient au bord du désastre. En Italie c'était Caporetto, la déroute, un corps d'armée entier culbuté, et, sur le flanc droit des Alliés, la défense italienne anéantie. En Russie, plus de tsar, plus d'armée, d'abord le chaos, puis Lénine au pouvoir. Le colosse russe se dégonflait comme une baudruche. Une garantie de puissance sur laquelle tant de Français s'étaient reposés leur était brusquement arrachée. L'opinion se sentait bernée. Voilà qu'il y avait eu révolte dans un pays dont on s'était complu à raconter les fastes mais jamais les drames ou les misères. Terminé le spectacle « d'une magnificence que nulle cour au monde ne pouvait égaler[1] ». Plus d'escorte rouge de cosaques hirsutes, barbus, superbes, plus d'autocrate de toutes les Russies, galopant, « suivi de l'escadron étincelant des grands-ducs et des aides de camp[2] »; et vide la tribune où, pour recevoir Poincaré, avaient trôné sous des vélums blancs les tristes impératrices et leurs innocentes filles. « L'incroyable série d'accidents et de mécomptes qui depuis dix-neuf ans jalonnaient le règne de Nicolas II[3] » se terminait par une abdication, et la salve mortelle de Iekaterinenbourg allait sonner aux oreilles des bourgeois français comme un bruit de fin du monde. Et voilà qu'on leur refermait au nez un

1. Maurice Paléologue, *La Russie des tsars pendant la guerre* (Plon).
2. Maurice Paléologue, *op. cit.*
3. *Ibid.*

beau livre d'images. Plus de tsar ? Comble de l'étonnement. Mais le Français n'était pas niais au point de croire que Vladimir Ilitch allait honorer les engagements de Nicolas II. Alors comme Sganarelle pleurant son maître et criant à tout venant « Mes gages ! Mes gages ! », le petit épargnant français criait « Mes titres ! » et se lamentait en vain sur l'emprunt auquel, saoulé de magnificence, il avait souscrit.

Sur le terrain militaire, la situation était pire encore. Pas de miracle à attendre : les Russes allaient déposer les armes. Le redoutable Ludendorff, chef suprême de l'armée allemande, allait retirer d'un front désormais sans menaces et lancer sur la France cent quatre-vingts divisions et peut-être plus, peut-être deux cents. Les Allemands s'assuraient une supériorité numérique que l'entrée en guerre des Etats-Unis était loin de compenser. Les troupes de Pershing étaient là, il est vrai. Atout décisif mais que l'on ne pouvait utiliser. L'armée américaine n'était pas encore en état de combattre.

Telles furent les conditions dans lesquelles Clemenceau fut appelé à gouverner la France. « La guerre, rien que la guerre », il n'avait que cela à promettre. Certes, l'heure viendrait où Paris accueillerait nos troupes victorieuses. Mais cette gloire ne pourrait être acquise que dans « le sang et les larmes [1] ». Les combattants cessèrent de l'appeler le « Vieux », et le « Tigre » fit irruption dans le parler populaire.

Aussitôt Clemenceau au pouvoir, Arthur Capel alla le trouver [2]. Passer par-dessus la tête des ministres, ignorer ses plus proches collaborateurs, faire fi du tout-puissant Mandel [3], et arriver ainsi, à trente-cinq

1. Discours du 10 novembre 1917.
2. Lettre inédite de Paul Morand à l'auteur.
3. Jeune chef de cabinet de Clemenceau, Georges Mandel (1885-1944), ministre de l'Intérieur en mai 1940, fut assassiné durant l'occupation allemande par les miliciens aux ordres du gouvernement de Vichy.

ans, jusqu'au chef du gouvernement, rien ne pouvait satisfaire Clemenceau autant que cette façon d'agir. Pour sa part, il mutait les ambassadeurs et rendait leur commandement aux généraux en disgrâce sans même consulter le président de la République. Mais que lui voulait Capel ? Sa flotte... Ses navires charbonniers... Il les mettait à la disposition de la France et, en dépit des menaces de guerre sous-marine, se faisait fort d'alimenter nos usines. Clemenceau accepta et fit à tout propos l'éloge de Boy. Capel, lui, s'en retourna à Londres. C'est ainsi qu'il passa des milieux importants aux milieux dirigeants.

Dès les premiers mois de 1918, Capel profita d'un voyage en France pour aller rendre visite à la duchesse de Sutherland [1]. Grande, très droite, d'allure royale — Churchill l'a décrite comme la plus belle femme qui ait jamais existé —, la duchesse de Sutherland avait la charge d'une ambulance dans la zone des armées. Lady Dudley, la duchesse de Westminster, nombreuses étaient les grandes dames anglaises qui, entraînant à leur suite filles, nièces et jeunes amies des unes et des autres, en avaient fait autant [2]. La duchesse de Sutherland ne faisait donc pas exception. Mais était-ce pour cette Millicent que Boy passait par là ou pour l'une de ses infirmières ? Parmi elles se trouvait une jeune personne qu'il avait déjà remarquée à Londres. Elle était la plus jeune fille de ce quatrième et dernier baron Ribblesdale dont le portrait par Sargent est un des joyaux de la National Gallery. Tous les Ribblesdale ressemblaient à ce portrait, c'est dire qu'ils étaient tous d'une beauté exceptionnelle. Comment résister à l'envie de demander cette jeune femme en mariage ? Fille et belle-fille de lord, à peine mariée aussitôt veuve, elle

1. Millicent (1867-1957), fille du quatrième duc de Rosslyn. Elle avait épousé le duc de Sutherland le jour de ses dix-sept ans. Son mari était l'ami d'enfance de Winston Churchill.
2. Diana Cooper, *The Rainbow Comes and Goes*.

était une jeune femme fragile, candide, douce et désemparée. La guerre lui avait tout arraché. Après son mari ses amis d'enfance, « *who stood for something very precious to me, for an England of my dreams, made of honest, brave and tender men*[1]... », écrivait son frère, Charles Lister, avant d'être tué à son tour. Boy auprès d'elle se sentait des ailes d'ange gardien, sentiment qu'il laissa grandir jusqu'à s'imaginer qu'il l'aimait. Il hésita néanmoins. D'autres possibilités s'offraient. Certaines en France, certaines en Belgique... Ce n'étaient pas les jolies veuves qui manquaient. Et puis, avant toutes choses, il fallait que Gabrielle fût avertie.

A peine de retour à Paris, Boy se reprit à regretter d'avoir à annoncer une aussi triste nouvelle. Le succès sied aux femmes : Gabrielle avait encore embelli. Son affaire de Biarritz prospérait. Elle venait, cette année-là, d'acheter la villa de Larralde et de la payer 300 000 francs[2] comptant. Elle était entourée, admirée, n'attendait aucun secours et n'avait de sentiment pour personne. Dynamique cette Gabrielle, et tonique... Boy aimait-il autant qu'il le croyait les femmes désemparées ?

Il trouva mille excuses pour retarder l'instant de l'aveu. Une façon d'intimité se rétablit en eux. Soudain, amour, passion, tout recommença. Boy lui avoua que ce qui reprenait n'avait jamais fini. Ils se remirent à habiter ensemble. Mais la fatale nouvelle était sans cesse sous-entendue. A la fin, n'en pouvant plus, Gabrielle fit en sorte de lui faciliter la tâche. Boy avait quelque chose à lui dire ? Qu'il fasse vite. Elle était prête à l'entendre, prête depuis longtemps. Cela faisait plusieurs années qu'elle longeait le malheur en cherchant à ne pas le voir de trop près. Voilà que le malheur était là.

1. Evelyn Waugh, *The Life of the Right Reverend Ronald Knox* (Chapman and Hall).
2. Environ 600 000 francs d'aujourd'hui.

Quelques jours passèrent sans que Boy se décidât. Il pouvait. Non, il ne pouvait pas... Le dominait la peur de la perdre. C'était cela le danger, il n'en voyait pas d'autres. Mais elle insista. Alors il avoua : Diana Lister, ambulancière, fille d'un lord, c'était elle qu'il souhaitait épouser.

Gabrielle l'écouta sans une larme : Boy s'associait avec tout ce qu'elle n'était pas.

A quelque temps de là, les va-et-vient d'Arthur Capel entre Paris et Londres se multiplièrent. Il venait d'être nommé secrétaire politique de la section britannique, au Grand Conseil interallié de Versailles.

Pour Gabrielle, cette nouvelle n'avait d'autre signification que celle-ci : Boy allait résider plus longtemps et plus souvent en France.

Il revint en effet, et bien qu'officiellement fiancé à Diana Lister, revit Gabrielle comme par la passé.

Alors se posa la question de son logement. Gabrielle ne pouvait continuer à loger boulevard Malesherbes sous son toit. S'en aller... Nouvelle torture. La pire, peut-être. Arthur Capel s'employa à la convaincre de trouver une maison dans la proche banlieue. Pourquoi cette insistance et pourquoi en banlieue ? Elle en conçut des doutes. Cherchait-il une fois de plus à l'éloigner ? Gabrielle devina qu'il y avait de cela mais aussi autre chose. En prévision d'un changement de vie imminent, il souhaitait qu'elle s'établisse en *irrégulière* dans un lieu discret, où il pourrait aller la rejoindre.

En somme, elle perdait Boy et ne le perdait pas.

Ce fut l'époque où Paris se trouva sous le feu d'une arme d'invention récente, un canon à longue portée, et où les murs de Saint-Gervais s'écroulèrent sur les fidèles du Vendredi saint; ce fut le temps où de gracieuses créatures allèrent du Ritz chez Chanel pour se procurer des tenues nocturnes, vite mises, leur permettant de se montrer dans le hall, puis dans la cave de l'hôtel, autrement qu'en chemise de nuit. Gabrielle les mit en pyjama. Première et hâtive ébauche des pantalons qui allaient apparaître quatre ans plus tard, portés par des femmes aux nuques rases, coiffées de feutres, maniant pochette et cigares, de ces émancipées, vêtues en beaux jeunes gens, et qui firent à certains l'effet d'un outrage aux mœurs.

Ainsi, tandis que Boy continuait à n'être pas obéi — vivre en banlieue signifiait s'éloigner de lui; elle n'y songeait pas —, Gabrielle envoyait les *happy few* à la cave en pyjama d'écarlate. La couleur surprenait. On lui demanda : « Pourquoi ? » Elle répliqua : « Pourquoi pas ? » On n'allait pas, en plus, exiger des explications peut-être ? Elle claquait les portes sur son passé et n'aima jamais qu'on la priât de les rouvrir. Mais ce costume, eût-il été imaginé hors du souvenir des hautes jambes garance ? Face à la menace de la grosse Bertha, consciemment ou non, Gabrielle se réclamait à la fois de Moulins et du 10e chasseurs. Etrange ressemblance. Les fidèles du Ritz prenaient sans le savoir la relève des joyeux cavaliers du beuglant.

Puis ce fut l'affreux recommencement, comme si quatre ans de lutte n'avaient servi à rien. De nouveau c'était la percée allemande, la 6e Armée britannique prise en écharpe, et, remontant au galop de Pontoise, de Lyon, de Nevers, de Moulins, les chasseurs, ceux que Gabrielle cherchait à oublier, occupés depuis quelques semaines à mater des grévistes, les dragons, et parmi eux l'« adoré » d'Adrienne, précipitamment expédiés en renfort, mais trop tard, et, face à une brèche profonde de vingt-quatre kilomètres, la jonction avec les Britanniques impossible; c'était les hommes de Douglas Haig battant en retraite, Clemenceau allant inlassablement d'un quartier général à l'autre — ah ! ces Anglais, que se passait-il, sacré nom de Dieu, voilà que ces bougres d'Anglais n'arrêtaient plus le

Boche — c'était lui encore, comme un vieil elfe tragique s'aventurant jusqu'à trois cents mètres des positions ennemies et sortant des villages sous la mitraille, tandis que les Allemands y pénétraient par l'autre bout, Oberon centenaire, Till Eulenspiegel voûté de fatigue, souillé de poussière, paraissant et disparaissant, ne quittant plus le front, haranguant les troupes australiennes en anglais, chantant avec les Sénégalais, appelant les Japonais à intervenir, injuriant le comte Czernin, l'empereur Charles et tout ce qui subsistait de la Double Monarchie, ameutant le monde tandis qu'en France il sévissait, et c'était les anarchistes arrachés à leurs repaires montmartrois, des peines de mort prononcées contre les complices d'Almereyda, le Tigre en furie rugissant au nez des députés : « Politique intérieure ? Je fais la guerre. Politique étrangère ? Je fais la guerre. Je fais toujours la guerre... Et je continuerai jusqu'au dernier quart d'heure, car c'est nous qui aurons le dernier quart d'heure », Clemenceau choisissant, de préférence à Pétain, Foch, *ce bougre plein de radium*, et lui confiant la direction des opérations, toutes les réserves françaises engagées, mais elles ne tenaient pas mieux que les troupes britanniques ces réserves, et c'était un nouveau Chemin des Dames, le désastre, sept cents canons perdus, quatre-vingt mille prisonniers, Compiègne à nouveau sous les bombes, l'ennemi aux portes de Paris, la grosse Bertha plus active que jamais, la panique, les concierges abandonnant leur loge, les cuisinières refusant d'aller au marché, les douairières choquées se substituant aux lâcheuses, les rues désertes, les trains bondés, les femmes de bien, les gens à auto fuyant la ville secouée d'explosions, s'en allant aussi vite qu'ils le pouvaient vers Biarritz, vers Deauville, et là, les fières villas et les canapés en cretonne s'offrant à nouveau à des dames en pleurs mais toutes changées parce qu'elles montraient leurs chevilles.

Que de deuils ! Personne n'était épargné. Les belles clientes de Gabrielle comptaient leurs morts... Le lieutenant prince Alexandre de Wagram, le lieutenant prince Jocelyn de Rohan; le capitaine prince de Polignac, le lieutenant comte Jean du Breuil de Saint-Germain, le capitaine Adrien de Gramont-Lesparre, le lieutenant aviateur Sanche de Gramont, Charles de Chevreuse, Henri d'Origny, et l'on avait versé ce qui restait du 10e chasseurs dans l'infanterie.

*

La liberté de Gabrielle consistait à être différente. Ni famille, ni mari, ni enfants, pas de mort à pleurer, rien ne la forçait à quitter Paris.

Quatre ans auparavant, à Deauville, pendant la bataille de la Marne, elle avait vu se multiplier sa clientèle. Que pouvait-elle attendre du Chemin des Dames ? Pour atroce qu'elle fût, cette défaite, une fois de plus, ne la desservait pas. Elle retenait Boy en France. A Versailles, le Grand Conseil interallié siégeait en permanence. Comment se marier dans ces condition ? Les permissions avaient été suspendues. Un sursis ? C'était le mariage de Boy momentanément retardé.

Un appartement de fortune, loué dans la confusion de la ville menacée, malgré un genre bizarre et une alcôve à faire rire, fut pour Gabrielle l'appartement des derniers bonheurs. Les murs dégageaient un puissant arôme. Comme une odeur de cacao... La crainte de manquer d'opium avait chassé l'inconnu qui l'avait précédée en ces lieux. Il avait décampé laissant, dans ses armoires, une collection de kimonos et à Misia Sert le soin de trouver un sous-locataire. Hasard dont Coco bénéficia aussitôt.

C'était, quai de Billy, un rez-de-chaussée, dont les fenêtres prenaient jour d'un côté sur la Seine et de l'autre sur la colline du Trocadéro. Mais on ne profitait d'aucune de ces vues, les vitrages ayant été tendus de soie opaque. Une clarté crépusculaire. La disproportion entre les meubles posés à ras du sol et un bouddha géant frappait dès l'entrée. L'alcôve était tapissée de miroirs. Dans l'antichambre, d'autres jeux de miroirs et un plafond laqué noir. Détails qui allaient rester profondément marqués dans l'esprit de Gabrielle. Inlassablement transposés, remaniés, personnalisés, ils revinrent comme des motifs obsédants dans ses demeures successives. Ils restituaient un décor hors duquel elle eût subi comme un dépaysement intolérable.

« Qui qu'a vu Coco dans le Trocadéro ? » Celle qui traversait une saison de malheur évoquait-elle, parfois, l'autre Gabrielle, celle qui avait rêvé d'être, un jour, reine du music-hall. « Qui qu'a vu Coco... » Elle y était au Trocadéro et « arrivée », comme on dit. Mais à quoi ? Amour, sécurité tout se refusait. Le peu qu'elle possédait lui avait coûté efforts et difficultés. Ainsi rien ne lui avait été offert sinon un rôle, toujours le même, celui d'amante secrète, d'éternelle *marginale*. Marginale, soit. Elle était disposée à abandonner la lutte et à accepter l'emploi. Mais à la condition que ce qui faisait sa joie durât toujours. Elle mesura ce qu'aurait été sa vie, privée de la surprise quotidienne des visites de Boy. Sans lui, tout lui aurait manqué. Elle songea plus que jamais à le garder.

Aux premiers beaux jours, l'armée américaine fut prête. En septembre le dénouement était en vue. Quelques rudes épreuves encore, les combats de l'Argonne, et ce fut octobre. Arthur Capel avait regagné l'Angleterre. La nouvelle de son mariage parvint à ses amis français, dans le temps où la victoire s'ébauchait.

Un fief du comté d'Inverness avait été le décor de ses noces : Beaufort Castle, dressé sur une butte dominant un paysage où terres, eaux, landes et lacs s'enchevêtraient assez capricieusement pour que l'on ne pût douter que l'on se trouvait bien au cœur de l'Écosse. La cérémonie s'était tenue dans la chapelle privée de Lord Lovat, beau-frère de la mariée, et quatorzième baron du nom. Le souvenir de la fille des forains cévenols pesa-t-il sur Boy tandis que l'accueillait une famille dont la célébrité tenait à sa noblesse mais aussi à ses particularités ? Lord Lovat jouissait à la chambre des Lords d'un prestige dû à d'exceptionnelles connaissances. Les affaires intérieures de l'Ecosse autant que les mœurs de la grouse n'avaient point de secret pour lui. Il faut ajouter que lors de la guerre des Boers, il avait commandé les *Lovat scouts*, un régiment privé, formé d'hommes de son clan, levés sur ses terres et incorporés par ses soins. Ses enfants, ses familiers emplissaient une demeure où tables, potiches, cheminées, paravents, abat-jour, chevalets écrasés de tissu, et tant d'autres accumulations victoriennes avaient peu à peu effacé les rigueurs de la place forte primitive. L'hospitalité des Lovat ne ressemblait à nulle autre. Ils donnaient l'impression qu'ils étaient, de naissance, à l'abri des passions partisanes. Politiciens ennemis, tories ou libéraux, jeunes gens fraîchement sortis d'Oxford et affichant le socialisme tempéré que l'on se piquait de professer entre étudiants de la haute société, prédicateurs et poètes, — tels Ronald Knox [1] et Maurice Baring [2] — étaient reçus à longueur d'été et s'il était un risque auquel on s'exposait en séjournant à Beaufort Castle, c'était d'en revenir gagné aux idées de Rome car, suprême singularité pour un aristocrate écossais, Lord Lovat était catholique.

1. Le révérend Ronald Knox (1888-1957), universitaire qui faisait autorité parmi les catholiques de Grande-Bretagne. Il fit de nombreuses conversions et s'illustra dans la traduction en langue anglaise de la Vulgate.
2. The Hon. Maurice Baring, poète et romancier (1874-1945).

De bonnes âmes se complurent à faire, devant Gabrielle, la description de cette prestigieuse demeure qui, du fait de l'amitié de Lady Laura Lovat pour sa sœur, la jeune Mrs. Capel, s'ouvrait largement à Boy. Voilà qu'il avait acquis ce qu'il souhaitait le plus : un établissement solide.

Arthur Capel avait changé de camp.

Gabrielle Chanel pensa que sa liberté désormais consistait à s'offrir un jardin où se reposer d'un métier auquel tenaient ses seules certitudes. Des lilas, des roses, une vue étendue, quelque chose à regarder avec cette espèce d'amitié qu'elle n'éprouvait plus pour Boy. Elle crut à une aspiration définitive et loua à Saint-Cucufa une villa, *La Milanaise*, où elle alla passer des journées solitaires. C'était pour les lilas et pour les roses, pour la vue sur un Paris qui criait victoire, où les gens chantaient et pleuraient à la fois, où une foule délirante acclamait Clemenceau, tout un enthousiasme auquel elle ne participa pas. Mais n'était-ce que pour cela ? Et la maison de Saint-Cucufa, dans son isolement, ne matérialisait-elle pas un vœu de Boy ? Une maison discrète, tranquille où elle pourrait vivre hors d'*atteinte*. Les douceurs de Saint-Cucufa n'aidèrent point Gabrielle à s'accoutumer au mal qu'elle endurait. Une rancune atroce.

Alors il y eut des hommes dans cette maison, des hommes par vengeance, des hommes par dépit, il y en eut pour se prouver qu'elle était libre, il y en eut aussi pour la seule raison qu'ils étaient plus riches, plus célèbres, plus beaux, plus nobles que les plus nobles jeunes femmes que s'offrait Boy... Gabrielle prit des amants comme elle aurait cherché à détourner le malheur par l'alcool, le jeu, la drogue, l'errance, le danger des lieux inavouables, la mort.

Et il y eut encore autre chose dont elle se soûla : la découverte d'un nouveau monde, celui de Misia. Découverte qui fut menée comme on se noie.

VI

DE BONS MARIAGES

A L'ANNÉE 1919 tint le malheur de Gabrielle. Arthur Capel était pourtant de retour, et l'on pouvait douter qu'il ne se résignait pas à rompre avec elle. Riche, marié, ayant acquis tout ce qu'il désirait, il ne cessait de regretter ce qu'il avait perdu : une vie plus diverse, une « vie de garçon » dans laquelle Gabrielle avait occupé la première place. Auprès d'elle, il avait dominé bien des préjugés, conduit sa carrière avec succès, et enduré les affres d'un conflit d'où le monde sortait bouleversé. Gabrielle s'identifiait avec la guerre. Elle était son *aventure*... Qu'y pouvait-il ? Des entreprises communes qui lui avaient paru jusque-là secondaires — ainsi les divers épisodes du lancement de Gabrielle et comment il avait subventionné ses débuts — prenaient un autre sens, depuis son mariage. Elles acquéraient chaque jour une place plus grande, jusqu'à se confondre avec des actes nobles ou exaltants. En fait, tout se passait comme si l'amour de Gabrielle était indispensable à Boy pour mener à bien cette périlleuse entreprise qu'était son mariage avec une autre.

Gabrielle assistait à ce revirement. Mais à l'inverse d'Adrienne ou de ces autres *irrégulières* dont elle avait trop longtemps partagé le destin, elle n'était pas faite pour les sacrifices indéfiniment consentis. Elle éprouvait, à l'égard de Boy, une sorte de déception agacée.

Non qu'elle l'aimât moins. Mais s'épuisaient, en elle, ces facultés d'aveuglement, sans lesquelles, qu'on le veuille ou non, se vident les forces de l'amour. Il y avait là les prémices d'un désenchantement dont elle allait souffrir jusqu'au dernier jour de sa vie. Car, perdant estime pour les façons d'aimer de ce qu'il était convenu d'appeler l'*élite*, elle en arriva très vite à la considérer sans indulgence. De là à la critiquer, puis à mettre en doute sa prééminence — l'élite ? quelle élite ? — il n'y avait qu'un pas. Le franchir était une des libertés qui lui étaient laissées. Gabrielle ne s'en priva pas. Singulier état d'esprit chez elle qui allait être, par métier, appelée à fréquenter cette prétendue *élite* quotidiennement.

*

Rien n'allait confirmer Gabrielle dans ses doutes autant que l'aventure saugrenue qui, à quelque temps de là, fut celle de Bertha Capel, choisissant, de son plein gré, d'être mariée sans l'être. Décision qu'on ne peut expliquer que par un grain de folie, une façon de bravade à l'anglaise.

La récente expérience de Boy ne démontrait-elle pas que le mariage était une institution qu'il convenait d'abandonner radicalement, du moins sous ses formes traditionnelles ? N'était-il pas tentant de mettre en lumière l'entière comédie des mariages négociés ? Ne point prétendre à l'harmonie des corps et afficher, hors de toute communauté physique, un mariage qui n'était qu'intérêt, tel fut le choix de la sœur d'Arthur.

Invitée dans une villa de Deauville, Bertha avait été l'enjeu d'un marché comme on aurait pensé qu'il ne pouvait plus en exister.

Avec ses cent kilos, une fortune qui passait pour être une des plus considérables d'Angleterre et un surnom révélateur — on l'appelait Cupide — Lady M. évoquait quelque sorcière échappée au monde des Mille et Une Nuits. Chaque été, elle venait à Deauville, en compagnie de son mari et de deux jeunes gens dont l'un seulement, le cadet, était son fils.

L'aîné était d'un premier lit de Lord M. Ce fut en faveur de ce dernier que Cupide intervint auprès de Bertha. Il n'avait que dix-neuf ans mais il importait de le marier. Elle multiplia les prétextes pour les faire se rencontrer. Les jeunes gens ne se déplurent pas. Alors, comme la mauvaise fée des contes, Lady M. jura à Bertha que, si elle consentait à épouser son beau-fils, « elle aurait tout lieu d'être contente d'elle ». Lady M. était prête à consentir à sa future belle-fille une rente annuelle d'un million de livres. Cependant il y avait une clause à ce contrat : pas de progéniture. Mais le fiancé ? Lady M. se disait sûre de lui. A la première rebuffade, il renoncerait. Il était plus que probable qu'une épouse rebelle serait en tous points conforme à ses goûts.

Cela dit, liberté de vivre à sa guise était accordée à Bertha. La jeune mariée pouvait s'offrir des amants à condition que cela ne se sût pas. Les exigences de Lady M. se limitaient donc à ceci : ni scandales, ni enfants.

Etait-ce une vengeance de Lady M., comme beaucoup le prétendirent ? Bertha aurait été la maîtresse très aimée de son mari. Mais plus nombreux encore furent ceux qui jugèrent qu'une fois de plus Lady M. justifiait à merveille son surnom : Cupide. Car, en privant son beau-fils de descendance légitime, elle faisait de son fils le seul héritier et du titre et de la prodigieuse fortune de Lord M.

Etre riche, vivre délivrée des formalités du mariage, Bertha n'avait jamais rêvé d'autre chose. Elle accepta le marché et, une fois mariée, sut si bien se faire oublier de son époux que quarante ans plus tard, une table de jeu les ayant réunis, ils ne se reconnurent point.

A se vouloir originale, Bertha M. était devenue, au fil des ans, de ces excentriques comme la société britannique est seule à en susciter, aucune convention sociale ne leur interdisant d'apporter à la poursuite de l'extravagance autant de soin qu'il leur plaît. Toutefois le visage de l'inconnue éveilla chez le mari une vague impression de déjà vu. « Ce visage me dit quelque chose, confia-t-il au maître d'hôtel. Qui est cette vieille ?

— C'est Milady, Milord. »

Les témoins de la scène virent Lord M. s'en aller aussi vite que les bienséances le lui permettaient.

*

Vint le tour d'Antoinette. Elle aussi se maria en 1919.

Les aviateurs, on le sait, étaient fort recherchés. Celui qu'elle se choisit était de l'espèce la plus appréciée : un Canadien de bonne éducation, ayant quitté famille et patrie pour s'engager dans les forces aériennes britanniques.

Oscar Edward Fleming avait vingt-trois ans lorsqu'il arriva à Paris, venant de Brighton. L'entraînement au dur métier de pilote ne l'avait pas empêché de mener une vie qui dut lui paraître singulièrement différente de celle à laquelle sa jeunesse l'avait préparé. Son père, un avocat, avait onze enfants et point de fortune. Avec quatre sœurs le précédant dans la lignée familiale, Oscar était l'aîné des garçons. Sœurs, mère, père, tous s'attendrirent sur sa qualité de volontaire, d'aviateur, et l'austérité naturelle des Fleming ainsi que leurs principes d'économie cédèrent devant l'évidence qu'Oscar méritait d'être aidé. Il en profita pour dépenser plus que sa solde et se laissa vivre à l'européenne, c'est-à-dire avec excès, et en compagnie de jeunes gens plus riches que lui.

Il n'est pas de masque plus trompeur que l'uniforme. Il n'est pas non plus d'époques plus confuses que les lendemains de guerre. Antoinette fut victime d'un malentendu des plus courants : elle prit Oscar pour ce qu'il n'était pas. Elle le crut riche. Ce ne fut pourtant point par froide considération de fortune qu'elle encouragea le sentiment qu'il avait pour elle, mais pour réussir là où Gabrielle avait échoué : se marier selon son cœur. Cet Oscar lui plaisait. Mensonge infini du costume... Elle imagina un rang flatteur, un perpétuel va-et-vient entre le Canada et la France, et se vit au bras d'un gandin, ambassadrice des élégantes régnant sur l'Ontario.

Ils se fiancèrent.

Inquiets, les Fleming expédièrent à Paris Gussie, leur fille aînée, avec mission de les renseigner. Mais Gussie succomba à son tour aux charmes de l'Europe, et, après avoir adressé à ses parents quelques lettres vagues mais enthousiastes, annonça qu'elle ne rentrerait d'un an. Transportée comme elle était, on ne comprenait pas grand-chose à ses projets, sinon que, sur le conseil de Gabrielle Chanel, elle voulait se consacrer à la décoration. Elle avait toujours aimé à bibeloter. Il semblait que ce fût aussi Gabrielle qui envoyait Gussie en Espagne, avec des recommandations des plus flatteuses. Gussie allait dans ce pays que la guerre avait épargné afin d'y collecter des meubles Renaissance. Fallait-il poursuivre l'enquête, insister et envoyer en Europe un autre informateur ? Les Fleming jugèrent que mieux valait s'en tenir là. Bertha, leur deuxième fille, se portait volontaire. Sa candidature ne fut pas retenue. Qu'elle aille enquêter à son tour, était-il bien certain qu'elle reviendrait ?

Le mariage d'Oscar eut lieu à Paris, le 11 novembre 1919. Antoinette avait pour témoins un capitaine de chasseurs qui n'était autre que *l'adoré* d'Adrienne et Arthur Capel — armateur et chevalier de la Légion d'honneur. Comme on ne pouvait passer sous silence le père de la mariée, il fut déclaré *négociant* et, pour plus de commodité, domicilié à Varennes, ce qui, encore qu'inexact, sonnait bien.

Après un bref séjour à Brighton, son entraînement terminé, Oscar Fleming annonça son retour à Windsor dans la vaste maison familiale. Antoinette, sa jeune épouse, l'accompagnait. Elle voyageait avec une femme de chambre, dix-sept malles et une caisse contenant un service à thé en argent, œuvre d'un orfèvre réputé, dont le samovar, en forme d'urne, prenait une place énorme. Frères et sœurs d'Oscar terminaient leurs études. L'atmosphère n'avait rien de frivole chez M. Fleming père. En plus de ses activités d'avocat, il portait grand intérêt aux affaires politiques du pays. Il était spécialiste en voies navigables et occupait ses loisirs à étudier le cours du Saint-Laurent.

Antoinette n'eut l'occasion ni de mettre les somptueuses toilettes que lui avait offertes Gabrielle ni, faute de réceptions, d'utiliser le samovar qui ne fut pas tiré de sa caisse. Ne parlant pas l'anglais, elle avait grand mal à se faire entendre de sa nouvelle famille. Une de ses jeunes belles-sœurs ayant traité sa femme de chambre de « singe », seul mot français qu'elle connût, la caméristе outrée rendit son tablier à peine arrivée. Il fallut la rapatrier aux frais des Fleming. Mme Fleming mère fit grise mine à Antoinette qui avait un goût exagéré pour la parure, ce qui tournait la tête aux demoiselles de la maison. Et puis elle fumait en public, ce qui était contraire aux habitudes de la bonne société ontarienne. Les relations avec Antoinette se tendirent encore davantage lorsque Mme Fleming surprit sa dernière fille fumant en cachette dans les toilettes. Antoinette fut accusée de lui avoir donné le goût du tabac. Là-dessus, Oscar fut envoyé à Toronto pour faire son droit. On jugea qu'il se concentrerait davantage s'il partait seul. Demeurée à Windsor, Antoinette s'ennuya mortellement.

De Paris, par de judicieux conseils, Gabrielle autant qu'Adrienne cherchaient, dans chacune de leurs lettres, à gagner du temps. Elles conseillèrent à Antoinette de se rendre utile. Gabrielle lui confia la représentation des modes Chanel au Canada. C'était pour lui faire prendre patience. C'était aussi le plus sûr moyen de trouver enfin à utiliser le coûteux trousseau.

Des robes toutes droites, frangées de perles, d'autres de plumes [1] furent extraites des malles. Antoinette alla les présenter dans certains grands magasins de Detroit. Mais les acheteuses n'en voulurent point. Ces robes ne semblaient pas acceptables. Elles n'étaient pas conformes aux goûts de la clientèle locale. Antoinette insista. Rien à faire. Alors, vaincue, elle ne chercha plus. Elle avait épousé un étudiant sans le sou et se trouvait reléguée au fond d'une province qui, en matière de vêtements, donnait dans la banalité la plus extrême. C'était fini. Elle fit acte d'allégeance auprès de Gabrielle et lui demanda un billet de retour. Le plus tôt serait le mieux. Alors, hasard ou moyen dilatoire, Gabrielle écrivit à sa sœur de surseoir et à son beau-frère de profiter de ses vacances pour accueillir à Windsor un jeune Américain du Sud, désireux de se familiariser avec les façons de vivre ontariennes, avant de retourner dans sa patrie. Les Fleming lui offrirent l'hospitalité. Le jeune homme était Argentin, il avait dix-neuf ans, les cheveux collés à la gomina, un éternel œillet à la boutonnière, de curieux vestons cintrés et des guêtres blanches qu'il portait sur des bottines de cuir fauve. Il était de naturel aimable et très riche. Il transportait dans ses valises un gramophone à manivelle démontable et à cornet pliant, sur lequel il faisait jouer pour

1. « Certaines robes ont été conservées, notamment une robe du soir, ornée de plumes de paon, que les Fleming auraient voulu prêter à Katherine Hepburn quand elle était venue à Toronto jouer l'opérette *Coco*, mais les plumes étaient effilochées. » Lettre du 9 février 1972 de Mlle Campana à l'auteur. Mlle Campana, devenue ambassadrice de France, était à l'époque consul général à Toronto.

lui seul ce qui se dansait à Paris : le Pas de l'ours et la Danse du crabe. Il essaya d'instruire les demoiselles Fleming, affirmant que c'était là des danses américaines. Elles en doutèrent, cela ne ressemblait à rien de ce qui se dansait dans l'Ontario. Et puis le *tempo* de ces danses fut jugé excessif et les attitudes choquantes. Tandis qu'Antoinette... Aussitôt le gramophone en marche, elle ne se possédait plus. Elle revêtait une de ses belles toilettes et, la tête secouée de mèches blondes, passant des bras d'Oscar à ceux du jeune Argentin, se laissait plier en tous sens. Antoinette fut une fois de plus sévèrement jugée. Les parents Fleming s'interrogèrent. Pourquoi leur avait-on adressé cet Argentin et que venait-il faire à Windsor ? Ils s'imaginèrent qu'il était le fils de Gabrielle et que sa venue au Canada n'avait d'autre but que de distraire Antoinette. Allait-il bientôt s'en aller ?

Il s'en alla, en effet, sans que les Fleming aient jamais pu s'expliquer ce qu'il était venu faire.

Antoinette le suivit de peu.

Avoua-t-elle qu'elle partait pour toujours ? Le fait qu'elle n'emporta rien, pas plus les robes emplumées que le samovar en forme d'urne, laisserait supposer qu'elle s'en garda bien.

Son mariage avait tenu le temps d'un bref enivrement à Brighton, suivi d'un maussade séjour à Windsor : moins d'un an. Mais cela n'empêchait qu'Oscar regrettait sa conquête parisienne. Son engouement pour cette petite Française si vive, si gaie, qui dansait et chantait si bien, avait été sincère. Enfin, il l'avait aimée. On évita de lui en parler. Il se consola sans mal et trouva assez vite remède à son malheur.

A peu de mois de là, Oscar annonça à son père qu'il était veuf. Il en paraissait assez satisfait. Antoinette était morte en Argentine. M. Fleming, qui ne plaisantait pas sur le chapitre de la morale, suspecta là une ruse de son fils pour pouvoir se remarier. Il ordonna une enquête qu'il confia aux soins de la Royal Bank of Canada. La confirmation ne tarda pas. Les complications d'une grippe espagnole avaient emporté Antoinette alors qu'elle effectuait, en Amérique du Sud, une « tournée de prospection » au bénéfice de l'entreprise Chanel.

Qui eût cru que, des trois orphelines d'Obazine, deux allaient si tôt disparaître ? Après Julia, Antoinette.

Aucune lumière sur ce que fut l'affliction de Gabrielle. Mais il est fort probable que la douleur qu'elle endurait à l'époque la rendait insensible à toute autre souffrance. Boy... Boy... Gabrielle était seule.

Le mariage d'Antoinette avait donc été la dernière occasion de se retrouver entre membres du clan de Royallieu, entre complices. Aucun des hommes présents, hormis Oscar, n'ignorait ce qu'avait été le pauvre, l'humble début des demoiselles Chanel. Sans doute éprouvaient-elles une joie très grande à pouvoir, en pareille circonstance, se montrer sous leur vrai jour. Ne rien avoir à cacher aux beaux séducteurs qui depuis tant d'années leur témoignaient une sollicitude attendrie, quel repos ! Mon Dieu, ce mariage... Avec Adrienne toujours plus sereine, toujours plus aimée, avec Boy et l'*adoré* d'Adrienne habillés comme pour aller aux courses un jour de Grand Prix, l'un comme l'autre en jaquette, arborant des croix de guerre toutes fraîches et servant de témoins à l'Antoinette charmante que sa sœur avait si bien habillée, n'était-ce pas gentil tout ça ? Qu'il y avait longtemps que l'on avait si bien ri !... Et le bon Etienne toujours magnanime, et Léon de Laborde aux moustaches rêveuses, entourant Gabrielle dans son rôle d'aînée, si séduisante qu'on ne réussissait jamais à l'égaler. Elle avait prêté sa voiture à la mariée : une Rolls superbe dans laquelle ses ouvrières la voyaient arriver chaque matin. Aux fenêtres des ateliers, les cousettes la guettaient : « Gare ! V'là la patronne ! » Le chauffeur, en casquette molle, cache-poussière et leggins, lui ouvrait la portière et elle apparaissait avec une assurance vraiment souveraine. Mais, ce jour-là, elle était arrivée toute soumise et docile au bras de Boy, ce qui avait donné lieu à des plaisanteries sans fin, et puis à toutes sortes de sourires mi-figue mi-raisin. Car enfin Boy s'affichait avec Gabrielle et cela dans le moment où sa jeune épouse, qui ne quittait guère Londres, attendait son deuxième enfant. Ce Boy, quand même, quel type... Il paraissait toujours plus décidé à mener double vie.

Tous les participants de la noce surprise à Royallieu, cette inoubliable entrée déguisée que l'on ne cessait d'évoquer, étaient là. La gentille Jeanne Léry avait l'air des plus *comme il faut*. L'idylle avec le grand-duc Boris, les timides essais sur la scène du théâtre du Gymnase tout cela était bien oublié. Voilà qu'elle annonçait qu'elle était sur le point de se marier. Cette épidémie... Son fiancé, qui avait été de la bande de Royallieu, portait un beau nom. C'était un jeune homme ayant mangé sa fortune au contact de personnes assez folles. Il s'appelait Pèdre Lacaze. Mais il fallait ôter à l'*e* final toute sonorité, l'écraser cet *e*, comme si l'on avait été enrhumé du cerveau, car c'était ainsi que faisaient les gens de bonne position.

Aussitôt marié, Pèdre allait tenter de se « refaire », disait-il. Pour cela il avait décidé de s'établir en Patagonie, une nouvelle qu'on lui faisait toujours répéter deux fois.

« Où ça, dis-tu ?

— En Patagonie. »

Cela apparaissait comme une entité plus idéale que réelle, une sorte d'expression abstraite pour dire qu'il allait, avec Jeanne, se mettre à l'abri des folies, car personne ne savait où se trouvait cette contrée au nom bizarre.

Et puis Maud Mazuel. Adrienne triomphait. Voilà que Maud était enfin casée. Un Américain... Maud hésitait. Pouvait-on se lier à un homme portant d'aussi étranges bottes ? Cloutées, pointues, avec un soupçon de talon, elles avaient suscité une certaine ironie parmi les cavaliers de Royallieu. Maud ne l'ignorait pas. Et puis elle craignait, en quittant cette vie brillante, de « s'enterrer ». Mais l'*adoré* d'Adrienne, qui, soit dit en passant, en avait plein le dos de traîner partout cette Maud, avait fait l'estimation des richesses immenses auxquelles elle allait renoncer si elle refusait un parti inespéré. D'autant que Maud n'était pas des plus fraîches. Alors c'était décidé. Le chaperon des demoiselles du beuglant de Moulins, l'accueillante hôtesse de Souvigny, celle à laquelle Adrienne devait son bonheur, allait s'expatrier pour convoler avec un capitaine de belle tournure, le type du parfait Texan, au rire sonore, au parler éclatant.

VII

CETTE NUIT D'AVANT NOEL

TOUT ce que nous savons du dernier voyage d'Arthur Capel nous vient des témoignages contradictoires de ses contemporains. Il s'en alla en automobile avec Mansfield, son mécanicien. Certains voient en ce départ, dans les premiers froids de l'hiver, un désir de rupture avec Gabrielle. Sa jeune femme l'attendait à Cannes où ils allaient passer ensemble les fêtes de Noël. Boy s'en allait donc vers la côte méditerranéenne, comme s'il espérait qu'en s'éloignant de Paris, il mettrait un terme à cette folie d'amour pour Gabrielle. D'autres donnent à ce voyage un tout autre sens. Boy, affirment-ils, vivait pratiquement séparé de sa femme. Il partait à la recherche d'une maison isolée, où séjourner avec Chanel en toute tranquillité.

Choisisse qui voudra l'une ou l'autre de ces raisons. Les prétextes diffèrent mais non le dénouement.

Peu importe que cette maison qui occupait ses songes fût blanche ou rose et que l'ombre qui la protégeait fût celle des cyprès ou bien des cytises... Peu importe ce qui décida Arthur Capel à partir, puisque la retraite dont il rêvait se refusa. La mort seule l'attendait.

Il reste quelques traces de l'événement dans les quotidiens anglais de l'époque.

Sous le titre « *English motorist killed in France* », le *Times*, à la date du 24 décembre 1919, publie : « *Lord Rosslyn, telegraphing last night from St Raphaël, stated that Captain Arthur Capel, who was killed in an automobile accident on Monday, is being buried to day a 2,30 p.m at Fréjus with full military honours.* »

Un télégramme de l'agence Reuter donne quelques détails supplémentaires : « Le capitaine Capel venait de Paris et se dirigeait sur Cannes lorsqu'un pneu de son automobile éclata. » Le fidèle Mansfield était grièvement blessé.

Enfin dans le *Times* du 29 décembre 1919 ceci encore : « *Captain Capel's death is a great blow to his many friends in Paris. He was probably one of the best known Englishmen living in France, where he had important coal interests. During the war, he did excellent liaison work both officialy and unofficialy, and was a great favourite with Clemenceau. He was a thorough sportsman and at the same time a lover of books.* »

Ce « bougre » d'Arthur faisait donc, en plus des

missions classiques d'un officier de liaison, ce qu'en langue anglaise on appelle pudiquement : du travail officieux... A quel point *tout est costume !...*

Enfin, avec ce franc-parler dont la presse britannique est seule capable, au mois de février 1920, le *Times* publiait le testament d'Arthur Capel « *of Boulevard Malesherbes, Paris, and of Cheyne Walk, Chelsea, S.W., lately liaison officier at the Versailles Conference* ». Cent mots, écrits de sa main, répartissaient entre ses héritiers légitimes et ses maîtresses l'ensemble de sa fortune : sept cent mille livres. Les illusions tombaient. Eclatait aux yeux de tous le donjuanisme du disparu, et l'on était frappé par cette sorte de haussement d'épaule posthume, ce « Puisque me voilà mort, tant pis ! », qui paraissait clairement exprimé.

Les exécuteurs testamentaires étaient, pour l'Angleterre, Lord Ribblesdale et Lord Lovat; pour la France, Armand Antoine Auguste Agénor de Gramont, duc de Guiche. Le *Times* publiait le document *in extenso* et aucun mystère n'était fait autour du nom des deux irrégulières qui y figuraient. Recevaient une somme égale — quarante mille livres — une Française, Gabrielle Chanel, et une comtesse italienne, jeune veuve dont le mari avait été tué à Verdun. Tout le reste, à l'exception de divers dons à ses sœurs, devenait la propriété de son épouse anglaise et après elle « *to our child* ».

Car Arthur Capel avait eu une fille en avril 1919. Sans doute peu informé de l'anticléricalisme de Georges Clemenceau, ignorant le calvaire qu'il avait imposé jadis à sa fiancée américaine, nièce de pasteur — « Entre Dieu et moi, il faut choisir » — Lord Lovat, qu'aveuglait un peu son esprit de dévotion, crut honorer à la fois la fille d'Arthur Capel et Clemenceau en demandant à ce dernier d'être parrain. Ce n'était pas la première fois que pareille demande lui était faite. Paysans vendéens, « poilus », fonctionnaires, l'avaient souvent sollicité. Et vainement. Parrain, lui ? Ses secrétaires transmettaient un refus indigné. Mais dans ce cas-ci, Georges Clemenceau accepta. Il est vrai que la cérémonie devait se tenir en Angleterre et qu'il n'avait nulle intention de s'y rendre. Celui qui n'était plus aux yeux du peuple français ni le « Vieux » ni même le « Tigre », mais le « Père la Victoire », se fit donc représenter et la première-née d'Arthur Capel eut le rare privilège d'être l'unique filleule de Georges Clemenceau.

Lors de la mort de Boy, sa femme était enceinte. Et ce fut par la naissance en 1920 d'un enfant posthume, une deuxième petite fille, que s'acheva l'aventure terrestre de ce séducteur qui portait en lui une incessante contradiction entre ce qu'il était et le désir de ce qu'il pouvait être.

*

Lorsque, le 22 décembre 1919, se répandit à Paris la nouvelle de la mort de Boy, quelques amis du clan de Royallieu se trouvaient réunis. L'un d'eux se chargea d'avertir Gabrielle. Léon de Laborde alla en pleine nuit à Saint-Cucufa. Là, le maître d'hôtel avait sursauté en entendant sonner. Joseph Leclerc [1] hésitait à laisser entrer à pareille heure un visiteur qu'il connaissait peu. Mais il connaissait très bien le capitaine Capel. Un accident ? Il était mort !... Léon de Laborde se souvenait du mal qu'il avait eu à convaincre Joseph d'aller réveiller Gabrielle. Mieux que quiconque le maître d'hôtel mesurait l'abîme que cela signifiait.

1. Joseph Leclerc entra au service de Gabrielle Chanel, en 1917, sur la recommandation de Misia Edwards qui l'employait depuis 1912. Elle avait changé de mari. En devenant Misia Sert, elle jugea bon de changer aussi de personnel. C'est ainsi que l'inégalable Joseph, serviteur de caractère tchékhovien, passa de chez Misia chez Gabrielle où il demeura jusqu'en 1934. Le témoignage de sa fille, Mme Suzanne Leclerc-Gaudin qui vécut chez Chanel de douze à vingt-deux ans a été, de loin, ce que l'auteur a recueilli de plus sensible et de mieux vu.

« Attendez demain », répétait-il. Mais Laborde insistait. Joseph n'eut qu'à obéir. Ensuite Gabrielle était descendue, en pyjama blanc, ses cheveux courts faisant comme un fouillis autour de sa tête. « Une silhouette d'adolescent, un jeune homme vêtu de satin », disait M. de Laborde. Alors, il l'avait vue, pour une fois, impuissante à masquer ce qu'elle éprouvait. Son visage était déchiré par une grimace muette; une expression qui trahissait toute la douleur du monde.

Mais pas une larme.

Il se souvenait aussi combien il avait peiné pour essayer de ne pas tout dire d'un coup, parlant seulement d'une blessure grave. Et que le maître d'hôtel avait dit : « Ce n'est pas la peine, monsieur, Mademoiselle a compris », et comme ce Joseph était vite allé lui faire une tasse de thé, à Gabrielle. Après quoi, il avait fallu attendre qu'elle sorte de son silence, pas longtemps, quelques minutes, pendant lesquelles elle n'avait cessé de poser sur cet interlocuteur nocturne le même regard d'effarement. « Le pire, disait Laborde, c'était cette femme qui pleurait, les yeux secs. » Puis elle s'était levée et sans un mot avait disparu pour réapparaître presque aussitôt, en costume de voyage, un sac à la main. Le jour se levait. Elle était prête. Elle voulait partir sur l'heure. Ils avaient roulé jusqu'au lendemain, tard dans la nuit.

De Cannes à Monte-Carlo, les grands hôtels se préparaient au réveillon. La côte, en hiver, était anglaise. Faute de sapins, on collait des étoiles en papier sur les portes tournantes pour que les hivernants se sentent *at home*.

Malgré l'insistance de Laborde, Gabrielle refusa de quitter sa voiture. Il voulait qu'elle se repose. Elle ne voulait pas. L'hôtel, tous les hôtels lui faisaient horreur. Il la laissa, toujours avec la même contraction sur le visage, toujours assise de la même façon — et là, le marquis de Laborde s'embrouillait, car tout cela ne datait pas d'hier, et il ne savait plus si Gabrielle s'était brusquement mise à ressembler à un spectre ou si c'était « comme si elle avait vu un spectre ».

A l'époque où il cherchait à rassembler ses souvenirs, le beau Léon, l'insolent cavalier du clan de Royallieu, jadis soucieux d'afficher un dandysme propre à sa génération, et ne craignant pas de provoquer ses contemporains, et de les choquer en n'ôtant point sa casquette pour prendre le thé avec Gabrielle au Polo de Deauville, ce Léon-là était devenu un très vieux monsieur. Mais qui l'imaginerait ayant renoncé, du fait de l'âge, à cette nature seconde qu'est le dandysme, se tromperait. L'anglomanie vestimentaire du comte de Laborde n'avait cédé devant aucune des modes du jour. Aussi, lorsque à quatre-vingts ans passés, paraissait, chaque matin, à dix heures précises, sur le porche de son hôtel de la rue de Lille, vêtu hiver comme été d'un complet à fines rayures en flanelle foncée, coiffé d'un Edenhat noir à bords roulés, un œillet grenat à la boutonnière, une canne en jonc clair à la main, le comte de Laborde, il était impossible de le regarder autrement que comme la parfaite image d'un certain temps de Paris. Gabrielle Chanel était l'une des pensées secrètes du vieil homme qui se dirigeait, à pas lents, vers son bureau de la Galerie Charpentier. Elle occupait ses rêves, ses souvenirs. Or, il n'était plus que cela, Léon de Laborde, plus que rêves à demi effacés, plus que souvenirs aux parfums parfois éventés. Mais jamais il n'avait perdu mémoire de cette nuit dramatique de leur commune histoire.

Tantôt, c'était un appel entrecoupé par les « Allô ! Allô ! » furieux d'un homme qui n'aimait guère utiliser le téléphone et s'emportait contre l'appareil : « Vous m'entendez ? Sacristi... », tantôt c'étaient des «petits bleus » pour préciser qu'il se souvenait de ceci ou cela. Car il fallait qu'il livre le souvenir perdu aussitôt retrouvé, de crainte de le perdre à nouveau.

Ainsi s'était-il fort soudainement rappelé qu'en 1919, en arrivant à Cannes avec Gabrielle, il avait rangé sa voiture à quelques mètres du lieu précis où, dix ans auparavant, un photographe « qui faisait la Croisette » les avait tous saisis dans son appareil — un crack ce photographe : Gabrielle admirable, le regard grave sous son grand chapeau noir, et, derrière elle, en rang, son collège d'admirateurs (Boy seul manquait, parce que « c'était avant son temps », comme on dit, mais aussitôt la photo tirée, on la lui avait envoyée en carte postale, chacun sachant trop bien que, déjà, Boy n'aimait qu'elle). Alors, cette nuit-là, à Cannes, Léon de Laborde avait amorcé une savante marche arrière pour changer de place avant que... Mais la main de Gabrielle s'était posée sur son bras : « Ce n'est pas la peine, va ! » et il l'avait laissée, pelotonnée dans un coin de voiture attendant qu'il revienne. Il était allé aux nouvelles bien qu'il fût trois heures du matin.

En d'autres circonstances, le comte de Laborde aurait téléphoné au Casino de Monte-Carlo, sûr de trouver Sutherland, Rosslyn, enfin tous ses amis anglais et Lady M. surtout, car c'était elle qu'il cherchait, Bertha. Enfin de portier en portier, d'hôtel en hôtel, il avait fini par la trouver. Bertha était au désespoir. Elle leur demandait à tous deux de venir très vite. Qu'ils viennent, oui, elle avait une suite et pouvait les loger. Folle, mais brave fille. Et puis là, à l'instant de raccrocher encore une terrible nouvelle : ils arrivaient trop tard. La mise en bière ? C'était déjà fini. Alors il y avait encore cela à lui assener à Gabrielle, après dix-huit heures de voiture, une telle fatigue, elle ne reverrait jamais Boy.

Gabrielle avait encaissé ce dernier coup comme le reste.

Lady M. pleurait en les accueillant. Gabrielle lui avait rendu ses baisers, le visage sec.

Elle avait attendu le jour sur une chaise longue sans se déshabiller, et cela, malgré les supplications de Bertha qui offrait un lit, des draps en crêpe de Chine mauve, un couvre-pieds en duvet de cygne, et Dieu sait quoi encore. Mais c'était non. Réaction que le comte de Laborde, quarante ans plus tard, ne s'expliquait toujours pas. C'est qu'à force de vivre en dandy, il avait perdu toute idée de ce qu'est le monde paysan. A Cannes, dans l'élégante suite de Lady M., les choses se passaient comme si quelque part, pas très loin et très présent, bien qu'invisible, il y avait eu un mort étendu entre deux bougies, avec une branche de buis posée à ses pieds, le pot d'eau bénite, le crucifix sur sa poitrine, et son drap tiré jusqu'au menton. Si évoluée qu'elle fût, belle, séduisante, sous ces trompeuses apparences c'était la Cévenole qui resurgissait en Gabrielle. Elle était cette paysanne maigre que le chagrin pétrifiant clouait toute droite sur sa chaise, lui ôtant jusqu'à la liberté de se dessaisir de son sac. Imagine-t-on, dans le drame, une paysanne de Ponteils, d'Alès ou d'ailleurs, se *déshabillant* ?

Et le lendemain, encore... Elle fit savoir à Bertha qu'elle n'irait pas à Fréjus. Pourquoi ? Inutile d'insister. Elle n'irait pas. Mais les funérailles ? C'était non. Que voulait-elle ? Se rendre sur les lieux de l'accident. Bertha mit une voiture à sa disposition. Gabrielle refusa toute compagnie. Même pas Laborde ? Même pas lui. Bertha s'inclina.

Elle put juger de ce qui s'était passé par le récit que lui fit son chauffeur. Il avait accompagné la jeune dame à l'endroit où Milady s'était rendue la veille. Elle était toujours là, la voiture du capitaine, tirée sur un bas-côté, à demi brûlée, irrécupérable. La jeune dame en avait fait le tour en y posant les mains comme une aveugle. Puis elle s'était assise sur une borne et là, tournant le dos à la route, tête basse et sans bouger, elle avait atrocement pleuré. Atrocement.

Pendant plusieurs heures, précisait le chauffeur. Par discrétion, il s'était écarté.

La distinction était clairement faite : Gabrielle pouvait, Gabrielle savait pleurer. Mais seulement face à la terre.

Cette nuit-là, dans un Cannes féerique, tout en pins et eucalyptus, où quelques grandes villas émergeaient, il y eut plus de bruit que d'habitude. C'était Noël. Alors dans l'appartement à côté de celui de Bertha, il y eut une fête avec un orchestre et des Nègres qui jouaient des blues.

Français, Anglais, Américains se ruaient sur les plaisirs. Le jazz, les gens ne pensaient qu'à ça.

LES ANNÉES SLAVES
1920-1925

« Toute mode nouvelle est refus d'hériter, subversion contre l'oppression de la mode ancienne; la mode se vit elle-même comme un droit, le droit naturel du présent sur le passé... »

ROLAND BARTHES,
Système de la mode.

I

DES VOLETS NOIRS

C'EST probablement que cela avait été décidé entre eux : trois mois avant la mort de Boy, Gabrielle quitta le 21, rue Cambon, où elle payait patente en qualité de modiste depuis 1910, et s'installa en qualité de couturière au 31 qu'elle n'allait quitter de sa vie; trois mois après la mort de Boy, elle signa l'acte d'achat d'une villa qui avait été peinte selon ses goûts et était déjà prête à la recevoir. Elle s'y installa, cédant à l'attrait de l'éloignement qui paraît avoir été l'une de ses préoccupations majeures en ces années-là. Elle alla donc des bois de Saint-Cucufa à la colline de Garches, d'une villa à une autre plus vaste et mieux placée, de *La Milanaise* à *Bel Respiro*, deux noms, deux titres pour une nouvelle de Colette, deux jardins aussi, comme elle aurait su les décrire, le dernier surtout, celui de *Bel Respiro*, chargé de parfums, de chants, et abondamment enveloppé d'arbres. Tout cela relevant d'un choix très net : ne pas habiter Paris, vivre cachée.

Aux premiers mois de l'année 20, il y avait eu, à *La Milanaise*, des jours difficiles pour l'entourage de la jeune femme, dont le chagrin prenait des formes inquiétantes. Son travail terminé, elle arrivait le samedi pour pleurer en secret.

Selon son maître d'hôtel, elle fit tendre sa chambre en noir, mur, plafond, moquette, jusqu'aux draps de lit qui étaient noirs, tout cela d'un goût douteux, évoquant autant les facéties funèbres de Charles Quint à Yuste que celle de Sarah Bernhardt s'exhibant dans son cercueil capitonné. Mais cette chambre, Gabrielle ne l'occupa qu'une nuit. A peine couchée, elle sonna : « Vite, Joseph, tirez-moi de ce tombeau et dites à Marie de me préparer un lit ailleurs. Je deviens folle. » Et Marie, femme de Joseph, fit ce qu'on lui demandait et demeura à son chevet le reste de la nuit. Le lendemain, les tentures noires furent ôtées; un tapissier reçut l'ordre de « mettre la chambre en rose ».

Cette anecdote méritait d'être rapportée pour ce qu'elle suppose de passion, et de passion d'un genre qui n'était plus de mode en cet immédiat après-guerre, mal où tout bascule et qui peut aller jusqu'à la frénésie, la déraison : le genre de Mathilde de La Môle.

On pourrait aussi noter le goût grandissant de Chanel pour le noir et remarquer combien ce goût l'apparente encore au monde paysan. On sait à quel point la campagne a souci du deuil. Enfin il n'est pas interdit, non plus, de voir s'esquisser une façon de s'exprimer obéissant pour la première fois à une certaine tyrannie professionnelle.

En ordonnant d'abord « qu'on habille sa chambre en noir » puis « qu'on la mette en rose », Gabrielle adoptait un jargon de métier. Sans doute espérait-elle que son cœur se soumettrait aussi aisément que les inconnues dont était faite sa clientèle, qu'il tomberait sous la loi du rose, ce cœur, et qu'ayant fait son palais de ce qui était frais, clair et lumineux, le chagrin céderait.

En somme elle imposait un vêtement à sa douleur. O costume!

Qui ne voudrait voir là que futilité est libre d'en juger ainsi. Mais d'autres... Roland Barthes a écrit certain livre où l'on trouve de quoi donner un sens à la parure de ce lieu secret, virant brusquement du noir au rose. Que cherchait Gabrielle ? Se soustraire à l'envoûtement des souvenirs. Ce n'était pas chose simple. Elle commença par céder à la nuit, elle s'y complut, se laissa dévorer. Son imagination se dérégla au point qu'elle tomba dans la bizarrerie. Un oukase imposa aux murs un revêtement non point gris ou mauve, mais ce qu'elle pouvait imaginer de plus pesant et de plus proche des vêtements qu'elle eût portés si elle avait été épouse et veuve légitime : le noir. Or, dit Barthes, « *comme substitut du corps, le vêtement, par son poids, participe aux rêves fondamentaux de l'homme, au ciel et à la caverne, à la vie sublime et à l'ensevelissement, à l'envol et au sommeil : c'est par son poids que le vêtement se fait aile ou linceul, séduction ou autorité*[1]... »

Toujours est-il que la douleur de Gabrielle n'était que ténèbres. Après quoi elle fit effort sur elle-même et mit l'interdit sur le noir. Alors, s'attaquant une fois de plus à sa chambre, elle lui imposa le rose, croyant l'exorciser. Elle plaçait sa foi dans l'efficacité d'une recette toute simple, toute bête et qui paraissait sortie en droite ligne de ces almanachs comme en colportaient ses ancêtres, une sorte de proverbe : « A chambre rose, cœur gai », semblait-elle dire. Elle ne connaissait pas d'autre système. Ici, encore une remarque empruntée à Barthes : « *La mode peut se dire en proverbes et se placer non plus sous la loi des hommes mais sous la loi des choses, telle qu'elle apparaît au plus vieil homme de l'histoire humaine, au paysan à qui la nature parle par ses répétitions : à manteaux fringants robes blanches, à tissus précieux accessoires légers*[1]. » Quant au procès que certains ne manqueront de faire, celui de la futilité, il exige que l'on cite une dernière fois le même auteur, le même

1. Roland Barthes, *Système de la mode*.

ouvrage, et notamment ceci : « ... *La juxtaposition de l'excessivement sérieux et de l'excessivement futile qui fonde la rhétorique de mode ne fait que reproduire au niveau du vêtement la situation mythique de la femme dans la civilisation occidentale : à la fois sublime et enfantine.* » Outre qu'elle donne à cette semblance de futilité son véritable caractère, il y a dans cette remarque comme le bruit d'une porte claquée. Ce qu'il fallait, en somme, pour imposer silence aux faiseurs de procès.

*

En mars, Gabrielle, plus désemparée qu'une fillette à son premier chagrin, mais portant en elle, comme un double, une Gabrielle *sublime* et prête à tout, quitta enfin cette *Milanaise* et le rideau tomba sur la chambre noire-rose. Elle emmenait Joseph et Marie. La suivait aussi toute une ménagerie : deux redoutables chiens-loups, Soleil et Lune, leurs cinq chiots — « sa grande ourse », ainsi qu'elle les appelait — et deux ratiers, objets de tous ses soins, Pita et Poppée, le dernier cadeau de Boy.

A Garches, elle fit figure d'extravagante avant même d'être installée. Elle avait fait enduire sa villa d'un crépi beige et passer une laque noire sur les volets — teintes que le quartier tout entier réprouva. Cette confiance dans le noir une fois de plus affirmée... On jugea que ce n'était pas dans la note. Et pourtant, c'était joli, ce coup de noir repris par les quatre fenêtres de façade et s'accordant si bien à l'harmonie plus claire, encore que grise, d'un toit d'ardoise, curieusement incurvé. Mais Garches était voué au style normand. *Bel Respiro* ouvrait une parenthèse douteuse dans la zone des résidences bourgeoises, des cottages cossus, des riches bungalows, petits temples de la légitimité conjugale portant leurs colombages comme autant de marques d'un prestige social. Tandis que les volets noirs... Les rares passants s'arrêtaient pour observer, entre les branches, une villa qui ne ressemblait à rien. Que pouvaient-ils comprendre ? Elle était comme une toile peinte cette maison, une façon de trompe-l'œil aux couleurs des années 20, un décor ouvert sur l'avenir, bien que planté au carrefour des rues Alphonse-de-Neuville et Edouard-Detaille. Et il n'est pas indifférent que la masse sombre de ce jardin ait eu pareille adresse. Comment ne pas la relever, ne fût-ce que pour en marquer la malice? Car il est singulier de penser qu'une banlieue de luxe, vouée au souvenir des pires badigeonneurs du XIXe siècle, allait, à l'instant où Gabrielle s'y installa, devenir le lieu de rencontre d'artistes en qui les valeurs officielles du XXe siècle, les Detaille de l'époque et autres Neuville, virent matière à scandale. Stravinski d'abord, puis Cocteau. Ensuite Reverdy, puis Juan Gris, puis Laurens. On est pris de vertige devant de tels changements... Les volets noirs s'ouvrant, l'œil noir de Gabrielle fixé sur ces voies silencieuses, sur ces jardins qui sentaient encore la forêt comme s'ils gardaient la nostalgie des grands bois qui avaient couvert la colline au début du siècle. On aime à imaginer Gabrielle hésitante aux premiers temps de son séjour, indiquant à son mécanicien un jour la sortie côté Neuville, un autre le détour par... « Vous savez bien, là, à gauche... — La rue Detaille, Mademoiselle », disait Raoul, car c'est ainsi que s'appelait le chauffeur de sa première automobile. Raoul... Un prénom qui faisait époque autant que sa livrée.

Ensemble, par les rues de Garches si artistiquement nommées, Raoul au volant, Gabrielle un peu perdue, descendaient vers Paris, ne voyant point qu'il y eût matière à rire ni que c'était faire trop d'honneur à ces fabricants de sublime au mètre, que de citer leurs noms chaque matin. Qu'une femme, dont la réputation grandissait, grandissait sans cesse, passât deux fois par jour, dans une Rolls comme pour une reine, devant les plaques perpétuant la gloire des auteurs du *Rêve* et des *Dernières Cartouches* ? Quoi qu'en eût pensé, autour de 1870-1880 l'éminent M. Lafenestre, qui, dans *La Revue des Deux Mondes*, s'émerveillait que l'on sût si bien exalter « l'énergie corporelle... et la vaillance intime de nos petits soldats », c'était accéder au monde des Arts par de médiocres voies. Et si, pour remédier à son ignorance, elle qui ne faisait rien à demi, si Gabrielle avait été à son tour victime d'une semblable méprise ? Imaginer qu'elle ait choisi *ses* peintres parmi les salonniers, les médaillés de son temps. N'était-elle pas assez riche pour cela ? Offrir son visage au talent de la vieille demoiselle Breslau, dont le comte Robert de Montesquiou faisait si vibrant éloge, ou bien, comme son amie Bertha, aller, en robe de soirée, poser chez Jacques-Emile Blanche ? La presse n'avait pas manqué d'en parler : « Le beau visage de Lady M. évoqué de façon si intense... Frappante sincérité... Sentiment intime. » C'était flatteur après tout, et le retentissement publicitaire d'une telle initiative aurait pu tenter une couturière. Mais rien de tel dans la vie de Gabrielle. Pas plus du reste qu'elle ne fit ses dimanches du théâtre d'Henry Bernstein, dont la propriété était mitoyenne de la sienne et qui (si l'on en croit la veuve du jardinier [1]) n'était pas insensible aux charmes de sa voisine, ce qui n'étonnera personne.

Mais tout comme Gabrielle était allée, d'un trait, du néant où l'avait confinée sa condition, à ce que son siècle offrait de plus magistral dans le domaine de la peinture et de la musique, elle se détourna du théâtre de boulevard, à peine l'avait-elle abordé, et, à la suite de Cocteau et de Dullin, découvrit le théâtre de Sophocle.

1. Mme Denis, veuve du jardinier qu'employa Chanel pendant son séjour à Garches, habitait encore en 1973, un bungalow de la rue Alphonse-de-Neuville.

On ne saurait pousser plus avant dans la nouvelle vie de Gabrielle sans prononcer un nom déterminant, celui de Misia Sert. Mais ce serait aussi la simplifier, cette vie, de façon arbitraire que de la limiter à cette seule influence.

Bien sûr Misia, la première, fut l'initiatrice. Soit. Mais est-il certain que, sans elle, Gabrielle n'eût pas trouvé remède à son malheur, dans cette passion singulière : l'artiste, le créateur pour le seul plaisir de le connaître, de le comprendre, hors de tout esprit de collection ? Car, ayant de la vie curiosité trop vive, Gabrielle n'eut garde de rien convoiter.

Des toiles ? Des dessins ?

On reste abasourdi du peu qu'il y avait chez elle.

Des objets, oui. Une vraie folie. Des objets mystérieux et que l'on n'eût jamais trouvés ailleurs. Des objets pour retenir un souffle d'inconnu, l'écho d'un monde lointain. Beaucoup de livres aussi, dont certains fort rares. Mais, exception faite d'une paire de chenets par Lipchitz et d'une minuscule toile de Dali, pas d'objets signés, pas un portrait, la représentant, et pas un tableau de maître.

Elle avait donc aimé les artistes *au-delà* de leur œuvre. Elle les avait aimés sans autre désir que de se laisser éblouir, sans autre fierté que de les avoir connus intimement et mieux *découverts* qu'un collectionneur avide de tout emporter. La différence entre certaine race d'amateurs, disons, comme on prend un exemple, les collectionneurs du type Gertrude Stein, et Gabrielle Chanel, réside dans l'idée qu'ils se font de la création. Gabrielle était plus qu'une autre sensible aux mystères du style. Elle en subissait l'envoûtement. Comportement dont l'explication réside dans l'immense respect que lui inspirait *ce qui était fait main*. Là encore, il faudrait démonter le mécanisme de sa pensée et en chercher les ressorts. Sans doute trouverait-on, en guise d'explication, certains moments d'elle-même oubliés sur les bords d'un bief à Issoire, d'autres à Varennes chez tante Julia, d'autres dans le jardin où le bon oncle Augustin ratissait, brouettait, défrichait, d'autres enfin, combien d'autres dont elle ne pouvait avoir conscience, qui, venus du pauvre logis de ses ancêtres, étaient son héritage familial.

Toujours est-il qu'elle demeurait aussi étonnée qu'une enfant par ce qu'il y a d'enchanteur dans le geste d'une main qui crée. L'événement en soi lui suffisait, le moment bouleversant où... Eternelle orpheline devant le miracle. Avec, en sous-entendu, cette réserve que lui imposait son éducation, à savoir qu'un miracle vous éclaire, qu'on ne saurait le considérer comme un objet de fabrication banale, telle une robe, qu'il relève pour une part de Dieu, et que, jusqu'à nouvel ordre, une enfant ayant grandi chez les sœurs reste dans l'idée que Dieu ne s'achète pas. L'intrusion dans tout ceci de l'orphelinat d'Obazine et du couvent de Moulins est évidente.

Ajoutons que le mépris de Gabrielle envers les gens qui s'obstinaient à vouloir posséder tout ce qu'ils admiraient avait de quoi surprendre. Et ce n'était pas faute d'argent qu'elle en était arrivée là. C'était une conception de l'Art, quelque chose qu'elle s'était prouvé à elle-même, et voilà tout. Pour qui a connu Misia Sert — elle aussi comblée de biens à l'époque, et dépensière — il semble qu'il y ait eu, avant même que fût née entre elles une amitié (et quand je dis amitié...) bref, que telle ait été au départ leur vraie ressemblance : elles éprouvaient un égal mépris à l'égard de ceux pour qui un tableau était seulement un tableau. D'être deux les confirmait dans l'idée qu'elles ne se trompaient pas. D'être deux, enfin ! Car voici Gabrielle pour trente ans associée aux jugements et aux goûts d'une femme liée à tous les aspects de la vie artistique de son temps.

On ne dira jamais assez ce que cette rencontre a eu de fascinant.

Voici que vont se voir chaque jour la petite-fille des forains de Ponteils et cette Misia qui, comme Gabrielle, ne laissera rien d'elle — ni journal, ni correspondance, pas une note — rien, bien que l'une et l'autre aient imprimé leur marque sur les vingt premières années du siècle. Une marque insolente et légère, celle que laissent les Muses, les inspiratrices et les amies.

Voici que commence pour Gabrielle le temps de Misia.

II

IMAGES DE LA JEUNE POLONAISE

On a le sentiment, avec elle, que rien ne sert de mettre sa vie en mots, l'image ayant précédé et dominé les textes qui par la suite lui furent consacrés. Légendaire Misia... Cette façon qu'elle a de se refuser à l'*écrit* !

Ayant essayé de se raconter, elle ne s'était pas trouvée. Faute de quoi on n'a même pas ses *Mémoires* en guise de clef. Car dans *Misia par Misia* [1], Misia n'est pas. Une page de Paul Morand, qui entretenait avec elle des rapports d'amitié dès 1914, en dit plus que cet ouvrage dans lequel lui aussi l'a en vain cherchée : « Misia, écrit-il, non pas telle que ses faibles *Mémoires* la recomposent, mais telle qu'elle exista [2]... » Suit un portrait éclair. Aucun texte, que je sache, ne la cerne de plus près. En vérité c'est un rapt. Morand

1. *Misia par Misia* (Gallimard).
2. Paul Morand, *Venises* (Gallimard).

enlève son modèle au galop parce qu' « avec elle, dit-il, il fallait faire vite ». Misia est là, elle est là tout entière : une Misia de vingt ans, « belle panthère, impérieuse, sanguinaire et futile », appréciée de quelques peintres et de quelques poètes, c'est la « Misia du Paris symboliste et du Paris fauve »; une Misia perfide, celle dont Philippe Berthelot disait qu'il ne fallait pas lui confier ce qu'on aime : « Voici le chat, cachez vos oiseaux », une Misia arrivée, mangeuse de millions, la « Misia du Paris de la Grande Guerre », enfin cette « Misia du Paris de la Paix de Versailles » qui, déjà, est l'inséparable amie de Gabrielle, celle des années dix-neuf et vingt, des années sombres, cette Misia qui sauva Gabrielle de la chambre noire-rose en lui donnant à voir l'Italie. Gabrielle pour la première fois quitta la France avec elle et découvrit Venise.

N'allons pas plus avant. Reconnaissons que parler de ce texte c'est employer des mots tels qu'*ébauche*, *esquisse*, qu'il s'agit non pas d'*un* mais d'*une* bonne *douzaine* de croquis.

Au bout du compte pourquoi ne pas la raconter en images, cette Misia? Découpage, collage, montage ? Puiser dans les portraits pour lesquels elle a posé, choisir parmi les lettres qu'elle a reçues, parmi les poèmes qu'elle a inspirés, inclure quelques éléments photographiques et de tout cela faire un assemblage qui laisserait le lecteur sous l'impression d'une belle et rare énigme ? Vivante, elle se serait prêtée au jeu, heureuse d'apparaître aux yeux de la postérité sous la forme d'un rébus de chair, d'huile, de toile et de papier. Autant dire que Misia ne s'arrange que de ce langage-là.

Le cœur de Misia. Images de Vuillard. Années 1895 à 1900

Et d'abord ses photos.

Celles que fit d'elle Vuillard. Vuillard qui s'habillait en *tout fait* à la Belle Jardinière et qui était si fier de son Kodak à soufflets. Klap ! Son appareil faisait Klap ! et fixait, dans un salon de la rue Saint-Florentin, les formes opulentes d'une jeune mariée, ses joues rebondies et fraîches, ses cheveux à la mode du jour, relevés « en bouffants ». Un fruit à peine cueilli, c'était Misia, fille d'un sculpteur, un touche-à-tout, assez mondain et très polonais : Cyprien Godebski. Thadée Natanson était tombé fou de la jeune cousine qui vivait seule dans un logement modeste du XVIIe arrondissement, rue du Printemps. Elle allait l'épouser bien qu'elle rêvât d'être pianiste et donnât, pour vivre, des leçons de musique aux élèves dont son professeur ne voulait pas. Un homme de grand talent, ce professeur. Il prédisait à la jeune fille une carrière éclatante. Musicalité, sensibilité, vélocité, il lui trouvait toutes les qualités. Lorsqu'elle lui annonça : « Vous savez, ce Natanson qui me fait la cour, eh bien, je l'épouse ! » le maître fondit en larmes. Son élève chérie lui faisait ça... Photo. C'était Fauré, le premier cœur célèbre que brisait la cruelle.

A quelques années de là, elle fit pleurer Vuillard, puis Thadée, l'époux barbu que l'on voit à ses côtés sur la photo de la rue Saint-Florentin, dans le salon aux indiennes, tissu à fins ramages qui tapissait les fauteuils, tendait les murs, gainait les cadres, drapait le phénix, ce salon qui, sans qu'on le sût, était déjà un Vuillard. Et Misia aussi était un Vuillard, et ce barbu de Thadée, donc...

Ici, autre document, toujours dû au Kodak de Vuillard : Misia un jour d'été, vêtue d'une ample tunique, glissant jusqu'à terre, un *tea-gown*, mais sans rapport avec les dévergondages de Maud Mazuel dans le jardin de Souvigny, bien au contraire, d'une extrême chasteté ce *tea-gown*, une sorte de péplum retenu entre les seins par un nœud que l'on imagine rouge, provocant. Son regard ? Celui d'une chatte bien nourrie, braqué, avec une fixité inquiétante, sur le visage d'une chétive belle-sœur comme pour dire : « Dieu ! qu'elle est maigrelette ! Ah ! que jamais, jamais je ne lui ressemble. » Pour le contraste, opposer à la physionomie de cette Dame Chatte un visage, celui des dernières années, Misia, telle que je me souviens de l'avoir connue, lorsque l'opium avait fait d'elle une vieille dame décharnée, encore d'une magistrale insolence certes, mais pathétique néanmoins, et comme vaincue. Il était inutile de chercher trace de celle qu'avait aimée Thadée. Où donc était sa cruelle, sa jeune Polonaise ?

Alors, au cas où notre collage égarerait certains, comme au centre d'un labyrinthe on pique une flèche pour indiquer la sortie, grouper, monter, dresser en forme de monument toutes les toiles que fit d'elle Vuillard : *Misia aux champs*, 1896, *Misia au corsage à pois*, 1897, *Misia à la tenture fleurie*, 1898, *Misia à la partie de dames*, 1899, et puis, une dernière fois, revoir le bon Vuillard, laisser paraître un pan de sa lavallière, découper un morceau de son éternel melon, un fragment de ses bottines, utiliser son front dégarni (l'étude que fit de lui Bonnard en 1908), inclure un fragment de son écriture prélevé dans l'une de ses lettres à Misia, la jeter dans un coin, que dis-je, assembler toutes les lettres qu'il lui adressa, les montrer telles, froissées, tachées, d'abord celle par laquelle il la remerciait d'un enregistrement qu'elle venait de faire (ici le profil de Ludwig van...) et mettre en évidence ces mots : « Je devrai encore, par vous, cette joie au vieux Beethoven, mélancolique comme tout ce qui me vient de lui. Mais il évoque aussi tellement l'idée de raison et de santé, comme vous, Misia, qui en avez si belle part », et ceci encore : « ... j'ai toujours été bien timide avec vous », et enfin, sur un fragment déchiré, ces mots à peine lisibles mais qui éclairent tout : « ... le bonheur était que vous soyez là. »

L'esprit de Misia. Textes de Verlaine, Mallarmé, Diaghilev. Années 96-98 et 1914.

Comme le vent sur elle, l'incessant bruissement du talent. Que d'artistes ! Une cour de tout poil. Le collier broussailleux de Lautrec, la mouche de Fénéon, la barbe fleuve de Roussel, la barbiche blanche de Renoir, le bouc de Valloton, l'assyrienne drue et noire des jeunes beaux-frères, du jeune mari, de tous les fils Natanson, les larges favoris du demi-frère de Misia, Cipa Godebski, l'ami des musiciens, celui à qui Ravel avait dédié *Les Contes de ma mère l'Oye* sur lesquels l'extravagante Caryathis, quelques années auparavant, avait eu le front d'improviser. Et que l'on ne voie point, en ce cercle de familiers, songerie nous écartant du sujet. Il n'est d'autre moyen de mesurer ce qui séparait Gabrielle de Misia que d'observer la jeune épouse de Thadée, chez elle, dans sa maison de campagne, entourée de ses amis. Ainsi s'établit le saisissant contraste entre ce que fut leur passé à toutes deux lorsqu'elles avaient pour demeure, l'une, à Villeneuve-sur-Yonne, une maison sans prétentions, basse et blanche, au fronton en accent circonflexe, un ancien relais de poste, et l'autre, à Royallieu, les hautes pierres de l'abbaye dont Etienne Balsan avait fait son château.

Ici des chevaux, du sport, et des demoiselles ne rêvant qu'amants, succès, argent.

Là, des peintres, des poètes et d'abord Verlaine.

Le montrer tel que l'a gravé dans le bois Valloton, ses yeux bridés d'un gris indéchiffrable, son front sphérique et Misia sur une photo d'époque, sans falbalas, vêtue de simple coutil, semble-t-il. Mais le poème qu'il lui avait dédié, ces quelques vers où Verlaine la comparait à une rose, ayant été égarés — Misia perdait tout — leur substituer un manuscrit, un titre, *Invectives*, ou toute autre œuvre du poète, publiée dans cette revue qui appartient désormais à un passé de légende : *La Revue blanche* [1]. Misia en fut le cœur, l'esprit, le corps. Et qui d'autre qu'elle en fut l'affiche ? Est-il un document donnant plus juste idée de son rayonnement ? Car dans les kiosques, dans les vitrines, chez les libraires, c'était elle qui, mille fois reconnaissable sous le masque épais de sa voilette, fut chargée de la personnifier. Inclure donc ici la plus belle affiche de *La Revue blanche*, celle que signa Lautrec.

Autre document d'époque, voici, un dimanche de septembre, Misia, ses amis, et, parmi eux, Renoir. Ce jour-là peintres et poètes avaient suivi jusqu'au cimetière de Samoreau le convoi funèbre de Mallarmé. L'ami qui venait en voisin, le visiteur du samedi soir les avait quittés. Ici, violemment contrastés, empiétant carrément sur le reste : une paire de sabots, ceux que chaussait Mallarmé pour se rendre chez les Thadée. De même, l'étiquette d'un grand cru : celle d'un bordeaux qu'il apportait à chacune de ses visites. Enfin une épaisse houppelande : celle qu'il jetait sur ses épaules pour rentrer chez lui, tard dans la nuit. Et puis, quelque part, en très grand, ces mots : « Ha ! Ha ! qu'elle est gentille », parce que c'était ce que disait Mallarmé lorsque Misia se mettait au piano et que le célèbre quatrain qu'il lui offrit, calligraphié sur un éventail, a trop souvent été reproduit.

En 1933, Cocteau affirmait que Misia l'avait encore. Il l'avait vu entre ses mains : « Son éventail portait le quatrain célèbre de Mallarmé et je crois bien que, de tous ses contrats de mariage, de tous ses permis de

1. Fondée par Thadée Natanson, *La Revue blanche* a paru de 1891 à 1903. Fut aux impressionnistes ce qu'allait être quinze ans plus tard *Nord-Sud* aux cubistes.

séjour, c'était sans doute, le seul papier d'identité sauvé par cette Polonaise d'un désordre admirable[1]... » Dix ans plus tard elle avouait ne plus savoir où elle l'avait mis... Qu'en était-il advenu ? Ne se résigner à reproduire l'éventail de Misia qu'au cas où, ne le voyant pas, les amateurs éclairés se considéreraient volés :

Aile que du papier reploie
Bats toute si t'initia
Naguère à l'orage et la joie
De son piano Misia

Retenir ce quatrain toujours prêt à s'envoler, y poser un sabot et laisser flotter sur les derniers mots un pan de la houppelande.

En cas de vide, *pour faire tenir*, comme disent les peintres, penser au mot *Magicienne*, appliqué à Misia. C'était ainsi que l'appelait Erik Satie. « N'êtes-vous pas un peu magicienne ? » lui écrivait-il. Le solitaire d'Arcueil n'était pourtant pas homme à flagorner. Plutôt bougon. Mais pas avec elle. Dans la même lettre il lui annonçait que son *truc* était prêt. Le truc, c'était *Parade*[2]. Jamais il n'appela son ballet autrement.

Enfin ajoutons ceci, présenté *a mezza voce*, comme on utilise une confidence : « Rappelle-toi, s'il te plaît, qu'il y a bien longtemps, nous sommes très sérieusement tombés d'accord sur le fait que tu étais *la seule femme* que je puisse aimer. » Par l'adjonction d'un monocle à ruban, d'un chapeau claque, d'une mèche blanche ou toute autre idée relevant du même principe, lorgnettes de théâtre, que sais-je, partition origi-

1. Article de Cocteau dans *Paris-Midi*, 1933.

2. Ballet monté par Diaghilev en 1917. Livret de Cocteau. Décor de Picasso. Chorégraphie de Massine. Musique d'Erik Satie. Première représentation donnée le 18 mai 1917, au théâtre du Châtelet.

nale, maquette, page d'un traité de chorégraphie, s'arranger pour que cette déclaration d'amour évoque aussi précisément que possible son auteur : Serge de Diaghilev.

*

Le corps de Misia. Images de Renoir et de Bonnard. Années 1898, 1906, 1917.

Misia appuyée au dossier incurvé d'un banc, ses bras admirables relevés au-desus de la tête, photo de 1898. Cette vision d'elle, dans une pose à damner un saint, avec Bonnard debout devant elle et Renoir assis à ses côtés, n'a d'autre sens que de faire pressentir les documents qu'elle appelle, des portraits, beaucoup de portraits. Pour Renoir, combien ? Sept ? Huit ? Elle ne se souvenait pas. Alors, en manière de pièce à conviction, faire figurer, ici, une lettre de Renoir : « Venez. Je vous promets que dans le quatrième portrait je vous rendrai encore plus belle... » Essentielle, une phrase de ce message : *On mangera le mieux possible.* A reproduire en très grand. N'est-ce pas là un goût commun à tant de peintres français ? Braque, Derain.... Festoyer, donner à dîner à son modèle, le régaler en reconnaissance de cette autre offrande : sa présence ? Retenir la date de cette lettre, essentielle elle aussi : 1906. Misia était divorcée à l'époque et remariée.

Pour plus de clarté, placer ici, proprement plié, un exemplaire du *Matin*, quotidien à fort tirage. Ainsi chacun comprendra qu'Alfred Edwards [1], qui en était le directeur, avait pris place dans la vie de Misia avec ses millions, ses appuis politiques, son gros ventre et

1. Alfred Edwards, né à Constantinople, le 10 juin 1856. Fils de Charles Edwards et d'Emilie Caporal. Il épousa Misia Godebski le 24 février 1905. Leur divorce fut prononcé en 1909.

ses maîtresses. Misia avait hésité. Entre les habitués des dimanches à Villeneuve-sur-Yonne, entre Renoir fils de sabotier, Vuillard fils de corsetière, Bonnard et sa femme qui avant de se faire appeler Marthe de Meligny avait été Maria Boursin, une midinette qui enfilait des perles dans le magasin de couronnes mortuaires à l'angle de la rue Pasquier, entre ces gens-là et une gloire du Tout-Paris telle qu'Edwards, quoi de commun ? Mieux valait fuir. Misia avait sauté dans l'Orient-Express. Edwards avait retenu le compartiment à côté du sien. Croyant encore lui échapper, elle était descendue à Vienne et s'était cachée dans un petit hôtel. Il en avait loué toutes les chambres. Alors, elle avait appelé au secours, Vuillard d'abord, puis Thadée. Tous deux étaient accourus. Le premier à s'en aller avait été Thadée, passablement écœuré par ce qu'il avait vu, plus écœuré encore par ce qu'il avait fait : Edwards lui avait offert un emploi de directeur d'une entreprise minière quelque part en Pologne et il avait accepté. Vuillard, lui, était resté, jouant de son mieux les gardes du corps, avec ses yeux tristes, sa lavallière et son costume propret. Sans grande conviction. En vérité, entre un Thadée ruiné et le puissant propriétaire du *Matin*, le choix de Misia était fait. L'ogre Edwards se l'était appropriée. Ici, une photo, celle d'une *irrégulière* qui défrayait la chronique. Lanthelme. Belle à ne pas croire... En cent fois plus séduisant, une Emilienne d'Alençon : l'Emilienne d'Edwards. Car il est à peu près certain qu'elle continua à être sa maîtresse à l'époque où déjà il courtisait Misia. Hasard ? Lanthelme tomba dans le Rhin et se noya. L'avait-il poussée ?... Le 24 février 1905, Edwards épousa Misia à la mairie des Batignolles[1].

1. Il y aurait lieu de s'interroger sur la pièce à laquelle Thadée Natanson collabora l'année suivante, et qu'il signa avec son ami Octave Mirbeau. Quelle fut la part réelle qu'il prit à l'élaboration de cette œuvre « tout à la fois comédie d'intrigue, comédie de

Tout cela pour montrer l'amie des peintres et des poètes partant à la découverte de l'argent, des femmes légères, et s'engageant dans une voie qu'avait parcourue en sens inverse, dix ans auparavant, Gabrielle Chanel lorsqu'elle s'arracha aux Emiliennes de Royallieu.

Il n'y avait donc pas que dissemblances entre les deux amies. Elles se rejoignaient à travers leurs secrets. L'attitude de Misia à l'égard d'Edwards, sa façon de l'effacer par ses silences était, on ne peut s'empêcher d'y penser, celle de Gabrielle prétendant tout ignorer de Moulins. Elle répétait : « Moulins ?... Moulins ?... », l'œil vague, comme si on lui avait demandé la lune.

Devenue riche, Misia, plus que jamais, posa pour *ses* peintres. Mais comment Bonnard, alors qu'il la contemplait en connaisseur, assise sur un banc de Villeneuve-sur-Yonne, dans une pose à damner le saint qu'il n'était pas, comment aurait-il supposé qu'un jour le banc deviendrait canapé et le jardin boudoir, comment, dis-je, comment Bonnard aurait-il pu imaginer Misia, établie dans un décor où se confondaient la brillance des miroirs et le satin des murs ? Portrait, s'il vous plaît : *Misia* par Bonnard, 1908, *Misia au boudoir*.

Imaginer Bonnard, devant son chevalet, un peu abasourdi, revoyant, dans les rires et la joie, l'autre

mœurs et comédie de caractère », écrivait Léon Blum dans la critique que publiait *Comœdia*? Etait-ce la tardive vengeance de Thadée? *Le Foyer* fut créé à la Comédie-Française, en décembre 1908, trois ans après le divorce des Natanson. On ne peut s'empêcher de penser que l'éternel trio, la femme, le mari, l'amant, recrée le climat dramatique de sa rupture avec Misia. L'amant, « homme d'argent, brutal, cynique » et « grand financier » que Blum qualifie aussi de « coquin », n'est pas sans rappeler Edwards. Quant à l'héroïne, cette Thérèse dont Madame Bartet créa le rôle, c'était une Misia poussée au noir. « Les recettes furent énormes, Paris avait frémi », raconte Pierre Brisson dans *Le Théâtre des Années folles* (Ed. du Milieu du Monde).

Misia celle de 1898, et, non loin d'elle, Lautrec, après Dieu sait quelle folle nuit chez une quelconque de ses *Madame*, Lautrec ronflant, la bouche entrouverte, à son pantalon un bouton défait, mais n'ayant ôté ni son chapeau de toile ni son pince-nez, et une grosse poire du verger posée à portée de la main. Entamée la poire, avec encore la marque des dents... Et klap ! Un instantané. L'appareil d'Alfred Natanson [1] avait fait klap, fixant pour toujours cette image de Lautrec endormi. Une autre fois, myope sous son chapeau « frivole [2] » (c'était un dimanche au Relais, alors que tous se promenaient), Bonnard avait surpris Misia et Thadée, dans l'herbe, klap ! Avec son appareil à la dernière mode, Alfred passait par là, lui aussi. Ces cris ! Cette photo ! Tous la voulaient. « C'est un Renoir ! » criait-on. Mais lui, Bonnard, modestement et sans rien en dire pensait : « C'est un Bonnard. » Ils étaient couchés, Thadée et elle, Misia se faisait légère contre ses jambes, la tête posée sur... Ah ! non. Il ne fallait pas, tandis qu'il travaillait, penser à la façon dont ces deux-là avaient été couchés jadis, lui le canotier rejeté sur la nuque, elle avec ce regard éperdu de petite fille à laquelle on vient de révéler l'amour. Et la tête posée sur... Assez, nom de Dieu ! Ne plus penser à la Misia de Thadée et surtout pas au cours d'une séance de pose devant ce canapé qui, même sans cela, avec toute cette soie, appelait qui sait quelle attitude à la Miss O'Murphy, ce canapé où une jeune dame en robe de satin regardait Bonnard en souriant. Mme Edwards... Qui aurait jamais dit ça ? Bonnard venait de faire le portrait de la riche Mme Edwards.

Que la toile de Bonnard soit montrée sans qu'il y manque rien. Faire en sorte que, sur la console, les roses pâles aient bien le sens qu'elles avaient pour le

1. Le frère de Thadée Natanson.
2. Seul Dunoyer de Segonzac porte encore, en 1973, ce chapeau très particulier qui fut celui que portait Bonnard.

peintre, ce jour-là. Si ouvertes, ces roses... Moins un bouquet qu'un prétexte pour détourner son regard de Misia et de ses seins comme une invite, nacrés et presque trop épanouis, eux aussi.

Utiliser, en guise de point final, la Légion d'honneur. Celle que les amis de Misia ont tous, sans exception, refusée. Vuillard, Bonnard, Valloton... Qu'avaient à attendre des consécrations officielles ceux qui, à Villeneuve-sur-Yonne, vivaient des dimanches fraternels ? Quant à la poursuite des médailles... Donner à cette Légion d'honneur la place et le sens qu'ont les points d'exclamation dans une interview de Renoir : « Est-ce que nous avons besoin de protection ? Nous sommes des hommes. Nous sommes plus que des hommes; nous sommes des artistes ! Qu'on nous fiche la paix ! Qu'on nous la fiche complète, large et définitive ! C'est tout ce que nous demandons [1] ! »

III

GUÉRIR A VENISE

Misia ne fit qu'imposer à Gabrielle la cure qu'elle s'était maintes fois appliquée à elle-même lors de divers orages. Une vie, cela se fouette, pensait-elle, cela se traite comme une toupie, cela se brasse à pleins bras comme une pâte, faute de quoi elle *se* prend et *vous* prend.

Gabrielle se laissa faire. D'abord en automate. Il y eut aussi une courte période, les premiers mois de

1. Paru dans le *Grand Journal* de 1896. Repris en 1973 dans le catalogue présenté par le musée des Arts décoratifs à l'occasion de l'exposition « Equivoques ».

1920, où on la vit, suivant Misia partout, présente, encore que silencieuse, aux réunions qui se tenaient chez elle. Que ce fût en musique ou en paroles, Misia ensorcelait ses auditeurs. Le mot n'est pas trop fort : « Elle nous ensorcelait au sens propre du terme [1] », écrira Jean Cocteau. Son hospitalité « à maison ouverte » différait fort de ce que Gabrielle avait connu jusque-là. Et aussi un ton, fait de rêverie et d'exigence, d'une volonté d'être entendue que démentait un permanent « à Dieu vat », le ton de Misia, le ton même de Chopin. Misia, reine de Paris, était Polonaise dans l'âme.

Elle avait son univers propre qui ne ressemblait à nul autre. Alors que Pascin, Soutine, Modigliani vivaient à Montparnasse et que Montmartre était une valeur en baisse, c'était toujours là que logeaient peintres et poètes de Misia, toujours Montmartre la patrie parisienne de Bonnard, Juan Gris, Reverdy. Bien que le Dôme fût le lieu de rencontre de l'avant-garde, c'était au Bœuf sur le toit, antichambre nocturne des Ballets russes, que se retrouvaient Jean Cocteau et Radiguet, Auric et Poulenc, les écrivains, les musiciens de Misia. A cela une raison : plus que jamais elle avait partie liée avec la danse. Et une autre raison encore : son mariage avec l'ogre avait pris fin. Les millions d'Edwards n'avaient pas compensé le fait qu'amis de Misia et Misia elle-même s'étaient sentis mal à l'aise en sa compagnie. Elle avait divorcé. Mais si sa troisième expérience la mettait une fois de plus aux prises avec un nabab, au moins était-ce un nabab de la peinture.

Avoir pour clients à la fois le clergé espagnol et les Wendel n'était évidemment pas dans la ligne d'un Bonnard ou d'un Juan Gris, et l'on pouvait ironiser au sujet de José Maria Sert. Ridicule, le peintre qui

1. Article de Cocteau dans *Paris-Midi*, 1933.

peignait à la poudre d'or et usait du même style pour peindre à fresque les voûtes de la cathédrale de Vich[1], les murs de la Société des nations, les salons du Waldorf Astoria à New York et les boudoirs de la bourgeoisie parisienne ? On pouvait faire de l'esprit à ses dépens, comme Cocteau, qui ne s'en privait pas. Dans ses lettres à Misia, il l'appelait « Monsieur Jojo » ou bien disait « que les obus en tombant miaulaient comme de gros chats féroces, genre Monsieur Sert ». Evidemment... Mais il était un fait que personne ne cherchait à nier : un soir que Misia et lui dînaient tête à tête, un soir chez Prunier, tout au début de leur liaison, c'était Sert qui lui avait présenté Diaghilev, et à ce titre, la reconnaissance des artistes de l'entourage de Misia lui était acquise. Recevoir une commande de Diaghilev ? N'était-ce pas ce que chacun ambitionnait ? Et puis on ne pouvait nier que le troisième époux de leur muse à tous avait des dons qu'aucun des deux précédents n'avait eus. Comment ne pas lui accorder le génie des objets, un sens de la démesure et de l'alliance entre époques contradictoires, tout cela à un degré fort rare ? A travers lui, Misia avait trouvé son décor. Ce n'était pas à négliger. Bons princes, les amis-artistes furent les premiers à en convenir : « Monsieur Jojo était un décorateur de talent. » En somme, ils ne le détestaient pas. Ils le trouvaient « très Ballets russes ». Or, c'était plus que jamais Diaghilev, plus que jamais les spectacles qu'il préparait qui intéressaient les amis de Misia.

La grande affaire, cette année-là, avait été « le retour d'Igor ». Stravinski avait décidé d'opter pour la nationalité française. Son séjour en Suisse, où il s'était installé en 1914, prenait fin. Chacun prévoyait

1. Vich, petite ville de Catalogne. José Maria Sert y travailla pendant plus de vingt années.

qu'aussitôt à Paris, celui qui avait déjà donné aux Ballets russes *L'Oiseau de feu*, *Petrouchka* et *Le Sacre du printemps*, allait retrouver sa place auprès du génial animateur dont il avait été le compositeur préféré. Et de fait, Diaghilev lui confia aussitôt *Pulcinella*. Il s'agissait d'adapter à des thèmes de Pergolèse un argument de comédie italienne découvert par Diaghilev lui-même dans une bibliothèque de Naples. Le décorateur allait être Picasso, le chorégraphe Massine.

Gabrielle Chanel assista dans l'ombre de Misia à l'élaboration de ce ballet. Personne ne la connaissait. On la présentait à peine. On ne l'entendait pas. Elle regardait, elle écoutait. Jamais elle n'avait été à pareille fête. Pour une fois on ne lui demandait rien. On ne se souciait même pas de savoir ce qu'elle faisait là. Plus de passé. Une grande liberté descendait sur Gabrielle. Elle entrait sans le savoir dans ce que l'on pourrait appeler son époque slave.

A quelque temps de là, prêtant plus d'attention à ce que ne cessait de lui répéter Misia, Gabrielle se laissa convaincre. Renseignée par Joseph, le questionnant chaque fois qu'elle allait à Garches, Misia ne parlait que d'arracher Gabrielle à *Bel Respiro*, à son travail, à son cadre de vie, lui répétant que c'était cela son enfer, cela ses attaches avec le chagrin. S'évader ? Gabrielle accepta.

Elle accompagna le ménage Sert à Venise.

Un des rares voyages, parmi tous ceux qu'elle fit, dont elle acceptât de parler. Elle convenait que « les Sert l'avaient sauvée ». Elle ne disait pas de quoi, mais cette soudaine confidence, pour brève qu'elle fût, donnait la mesure de sa reconnaissance.

Qui racontera jamais ce que fut sa découverte de Venise ? Un Sert, barbu luxuriant, avait été son guide. Ce fut lui qui lui apprit Venise, comme il était seul à savoir le faire, lui qui la lui fit aimer. A sa façon. Car à l'entendre, il ne fallait pas chercher la vérité de la ville seulement dans ses palais, ses églises, ses édifices publics, dans la gloire de ses statues et l'apothéose de ses plafonds. Gabrielle fit sienne cette leçon. Entre le musée et la vie, son choix fut vite fait : elle choisit la vie, indifférente au passé que révélaient les musées vénitiens, merveilleusement ignorante de tout ce que cela sous-entendait. La Sérénissime ? La quoi ? A peine si elle connaissait. Mais la Venise des *roaring twenties* où l'on venait d'ouvrir le Harry's Bar, mais la ville posée sur l'eau, où les gondoliers étaient maîtres des canaux, mais « la ville la plus brillante d'Europe [1] », celle où tout se passait, ça oui, elle connaissait. Toujours elle préféra aux œuvres d'art en présentation celles qui se trouvaient encore *en situation* sur les lieux mêmes pour lesquels elles avaient été conçues. Toujours aussi elle garda un faible, non pour l'Italie qu'elle n'aimait guère, mais pour Venise.

Il était rare qu'en dehors de ce nom-là et de celui de Londres on l'entendît faire référence aux charmes d'une ville étrangère. Berlin ? Elle disait n'y être jamais allée. C'était faux mais la suite de son histoire explique pourquoi elle n'en parlait jamais. New York était l'objet de ses lazzi. Elle parlait de Madrid comme d'une lointaine province. Venise, dans son esprit, était seule promue au rang de capitale étrangère. Etait-ce une façon d'admettre la suprématie d'un décor dont l'irréalité avait suffi à la tirer hors d'elle-même ? En disant « Venise » elle revoyait le temps où, sortant de son anonymat, elle fut reconnue et devint en quelques mois l'égale de Misia. Car ce fut ça l'événement : Diaghilev, plus encore que Venise, la rencontre avec le « tsar Serguei » bien plus que le reste.

Serge de Diaghilev était en vacances. Ce jour-là, il déjeunait avec la grande-duchesse Maria Pavlovna

1. Paul Morand, *Venises* (Gallimard).

lorsque vint à passer le trio Sert-Chanel, arrivé de la veille. Surprise. Effusions. Misia était liée avec Maria Pavlovna autant que Serge. Trois chaises furent ajoutées et l'on déjeuna ensemble. Quelle sorte de conversation les nouveaux arrivants interrompaient-ils ? Quels souvenirs échangeaient les exilés, dans la splendeur étrangère de Venise ? Du vivant de son mari, la grande-duchesse avait patronné les débuts de Diaghilev au Théâtre impérial. Il avait été de ces favorisés pour « qui la barrière infranchissable qui s'élevait entre la troisième dame de l'Empire et le reste du monde[1] » n'avait jamais existé. Elle l'avait reçu dans son salon de Saint-Pétersbourg, « où les fauteuils avaient des volants, les abat-jour des volants et les balayeuses des dames d'honneur aussi[2] ». A la chute de ce monde, Maria Pavlovna avait survécu par miracle. Sa fille, ses trois fils, tous vivants... Et cela lui importait sans doute plus que le reste. Maria Pavlovna était de ces femmes généreuses qui, bien que ne possédant plus rien, pouvaient encore assister aux succès d'autrui sans ressentiment.

Aussitôt ce tête-à-tête interrompu, il ne fut plus question que des difficultés financières dans lesquelles, une fois de plus, se débattait Diaghilev. Massine réglait une nouvelle version du *Sacre* que Serge souhaitait inclure dans son spectacle de rentrée à Paris. Il ne doutait pas du succès d'une œuvre pourtant en tous points fidèle à l'esprit dans lequel l'avait conçue Nijinski, car le *Sacre*, à l'en croire, était devenu un ballet « de tout repos ». Mais il lui fallait de l'argent. Les frais qu'exigeait cette reprise étaient exorbitants. Diaghilev ne prêta aucune attention à la femme brune qui accompagnait Misia. Bien qu'il la vît par la suite presque chaque jour, et cela aussi longtemps que se

1. Charles de Chambrun, *Lettres à Marie.*
2. *Ibid.*

prolongea le séjour des Sert, Diaghilev ne chercha même pas à retenir son nom. Mais on imagine sans mal quelle sorte de fantômes vinrent hanter Gabrielle lors de cette mémorable entrevue. Telle était donc la mère de ce grand-duc dont les jeunes gens de Royallieu ne prononçaient le nom qu'à voix basse, pour épargner à la pauvre Jeanne Léry d'amers souvenirs ! Telle était donc la mère du Boris qui avait engrossé la petite amie des dimanches à Royallieu, la jeune figurante qui avait débuté au Vaudeville, le meilleur cœur de cette bande d'écervelés, Jeanne Léry, qui était allée intercéder auprès de Dorziat afin d'obtenir pour Gabrielle la commande de ses premiers chapeaux. Et Diaghilev... Elle voyait enfin l'homme que Misia admirait tant, l'enchanteur... Et il fallait que le ballet, dont ses nouveaux amis envisageaient ensemble la reprise, fût aussi le seul auquel elle ait assisté. Le vacarme de 1913... Les dames enturbannées rouges de colère, la vieille comtesse de Pourtalès s'époumonant avec son diadème de guingois, les cris, et cette folle de Carya, les cheveux coupés de si étrange façon qu'elle faisait retourner les gens, c'était tout cela qui grandissait dans le souvenir de Gabrielle. Pourquoi fallait-il que ce fût précisément ce ballet-là dont il fût question à Venise ?

Le voyage en Italie eut plus d'une conséquence. Et tout d'abord que les amies de Gabrielle, et Misia la première, la considérèrent consolée. Boy était oublié. De cela, un indice irréfutable : Gabrielle ne se limitait plus au rôle de spectatrice, elle participait. Elle avait invité Igor Stravinski à demeure. Voilà qu'il allait habiter *Bel Respiro* avec sa femme et ses quatre enfants. N'était-ce pas un *signe* ? Et puis Gabrielle ne pleurait plus. C'est à regarder des femmes *qui ne pleurent pas* qu'on les dit volontiers guéries, négligeant ce qu'elles taisent ce qu'elles cachent, ces plaies secrètes prêtes à saigner au premier choc... Bref, c'est parce que Gabrielle avait retrouvé la force de ne plus rien dévoiler d'elle-même qu'on jugea qu'elle avait atteint ce niveau d'indifférence qui se confond dans l'esprit des gens avec la notion de santé. Elle avait l'air gai. On la prit au mot.

A quelque temps de là, Diaghilev, rentré à Paris et n'ayant toujours pas trouvé de quoi remonter le *Sacre*, perdait espoir. C'est alors que le portier de son hôtel annonça la visite d'une femme dont le nom lui était inconnu. Il hésita. Elle le dérangeait. Puis il se résigna et alla à sa rencontre. Au premier regard, Serge de Diaghilev sut que sa visiteuse avait quelque chose de merveilleusement connu. C'était l'amie de Misia, c'était elle, Gabrielle Chanel, qui lui apportait de quoi monter le *Sacre*. « *Elle tendit à Diaghilev un chèque qui dépassait toutes ses espérances*[1] », ne mettant à ce don qu'une condition : qu'il n'en parlât jamais. C'était entendu, n'est-ce pas ? Jamais à qui que ce fût.

Diaghilev en parla. Il en parla à celui qui en 1921 devint son secrétaire : Boris Kochno.

Le geste de Gabrielle mit un demi-siècle à être connu. Kochno[2], dans l'ouvrage qu'il a consacré à Diaghilev, a fait le récit de ce moment de la vie de Gabrielle qui, sans lui, n'aurait peut-être jamais été révélé.

1. Boris Kochno, *Diaghilev et les Ballets russes* (Fayard).
2. Un jeune poète ukrainien, dont Serge de Diaghilev avait fait son secrétaire. Il signa de nombreux livrets de ballets; puis, à partir de 1925, joua un rôle prépondérant dans la direction artistique de la compagnie. Ses ouvrages sur le ballet font autorité.

IV

« CETTE VERTU DU LUXE... »

La chose est claire pour Stravinski et les siens. C'est à l'automne de 1920 qu'ils firent à *Bel Respiro* un séjour qui se prolongea environ deux ans. La fille du maître d'hôtel, Suzanne Gaudin, âgée d'une dizaine d'années à l'époque, n'allait jamais oublier ce que fut l'atmosphère de la villa de Garches aussi longtemps que dura le séjour du compositeur. Elle jouait avec la petite Mylène, qui avait le même âge qu'elle, et avec Mirka, l'aînée des Stravinski, qui étudiait l'aquarelle et lui fit don de deux de ses œuvres, le portrait d'un gros général russe ainsi que celui du chien Pita, peints dos à dos sur un vieux calendrier. Aux heures où Stravinski travaillait, les enfants étaient envoyés dans une vaste pièce qui faisait office de *nursery*. Là, ils avaient ordre de se taire et de respecter le travail du maître. Alors « la villa résonnait des échos du piano... Mais Mylène et moi allions tout près de la porte, et, par moments, cette musique était si puissante qu'elle nous effrayait ».

Oui, pour ce qui est de l'amitié de Gabrielle avec Stravinski, il n'est pas d'erreur possible. Mais pour le grand-duc Dimitri ? Quelles furent les circonstances de leur rencontre ? Il est difficile de se représenter comment les choses se passèrent.

Selon les uns, ce fut encore une conséquence du voyage à Venise, puisqu'à les en croire, la grande-duchesse Maria Pavlovna, ayant son neveu auprès d'elle, le présenta à Gabrielle un jour de l'été 20. L'événement aurait eu pour cadre Biarritz, dont « la fringale de luxe et d'élégance battait tous les records », où « les grands-ducs étaient entretenus et buvaient pour oublier la révolution[1]... », où les nations à change élevé — Espagne, Angleterre, Egypte, Indes anglaises et les deux Amériques — déversaient leurs nationaux, où les terrains montaient, les villas se bâtissaient et les gens spéculaient. L'empire Chanel, dont les bases avaient été jetées par Capel, tenait bon. La succursale de Biarritz faisait un chiffre d'affaires inouï. Rien d'étonnant par conséquent à ce que Gabrielle fût là. Rien d'étonnant non plus à ce que quelques-uns des Romanov se soient retrouvés sur la côte basque où ils avaient souvent passé leurs vacances du temps de leur splendeur. Certains d'entre eux possédant encore des villas dans la région.

Selon Dorziat, si le cadre de la rencontre Dimitri-Gabrielle fut bien Biarritz, les circonstances en furent toutes différentes. A l'heure des présentations point de grande-duchesse, mais Marthe Davelli. Depuis l'époque des joyeux week-ends à Royallieu et de ses débuts sur scène, la belle cantatrice s'était classée au premier rang des artistes de l'Opéra-Comique. Elle s'y était fait applaudir dans *Butterfly*, dans *Carmen* et s'apprêtait, cette année-là, à aborder le rôle périlleux de Papagéna dans *La Flûte enchantée*. Plus que jamais, Marthe Davelli soignait sa ressemblance avec Gabrielle, au point qu'il était arrivé qu'on les prît l'une pour l'autre. Et jamais on ne l'avait vue autrement qu'« en Chanel ».

Dorziat l'affirme, ce fut au cours d'une soirée où trois habituées de Royallieu s'étaient par hasard retrouvées — Gabrielle Dorziat, Gabrielle Chanel et Marthe Davelli — que cette dernière présenta le grand-duc Dimitri à ses amies, leur laissant clairement entendre qu'ils étaient amants. Sa notoriété n'avait pas rendu Davelli moins avide d'amusements.

1. Elisabeth de Gramont, Mémoires, t. IV, *La Treizième Heure*.

Fêtarde incorrigible... Quelle que fût l'heure de la nuit, elle avait toujours dans une certaine boîte un certain pianiste, un saxo parfois, à aller entendre, enfin un prétexte ou un autre pour ne pas se coucher. Cet été-là, au terme d'une virée de cette sorte, s'apercevant que son compagnon témoignait à Gabrielle un peu plus que de l'intérêt, elle aurait profité d'un aparté pour dire à Chanel : « S'il t'intéresse, je te le cède, il est vraiment un peu cher pour moi. » Les grands-ducs, aussi bons danseurs qu'ils fussent, n'étaient plus, pour les noceuses de sa sorte, des compagnons rêvés, les malheureux. Plus le sou... On le savait bien. Alors sortir avec eux... Au prix où étaient le champagne, les attractions... Mais là justement était la différence entre Davelli et Gabrielle. Si elle avait passionnément le goût de plaire, jamais Gabrielle n'eut le goût de la noce, moins encore celui des traînailleries nocturnes. Or le grand-duc Dimitri, fort différent en cela de ceux de ses oncles, cousins ou familiers qui, comme lui, en avaient réchappé, ne se rangeait pas non plus dans la catégorie des noceurs. Pas d'« années folles » dans sa vie de jeune homme. Les excentricités dont son cousin Youssoupov [1] s'était fait une spécialité, les facéties qui lui avaient valu comme une aura de célébrité parce que lui seul parvenait à dérider la tsarine, n'avaient jamais été le fait de Dimitri. Marqué par une enfance douloureuse et une éducation austère, c'est à peine si Dimitri avait, avec les Romanov en exil, un air de famille. Les longues jambes, ça oui. Pouvait-on être Romanov et ne pas avoir ces jambes d'échassier ? La haute taille aussi, la tête petite et très bel homme certes, mais à cela se limitait la ressemblance. Pour le reste, pas un goût en commun. S'il ignorait comment le sort allait disposer de

1. Le prince Félix Youssoupov, qui avait épousé une fille du grand-duc Alexandre Michaïlovitch, avait été l'instigateur de l'assassinat de Raspoutine, et le grand-duc Dimitri son complice.

lui, Dimitri savait fort bien de quoi il avait souffert tout au long de son adolescence. Un mal aimé, lui ? C'était pourtant cela, la vérité. Il avait vingt-neuf ans et point d'autre certitude.

L'été était à peine fini que Dimitri Pavlovitch alla en séjour à *Bel Respiro*. Son valet l'accompagna. Depuis la sombre nuit de janvier 1917 où le prince avait été mis aux arrêts dans son palais de Saint-Pétersbourg, jamais Piotr ne l'avait quitté. Il était parti avec lui lorsque le général Maximovitch lui avait signifié l'ordre du tsar. Départ immédiat, c'était ce qu'il en coûtait d'avoir participé à l'assassinat de Raspoutine : on l'exilait. A la gare Nicolas, Piotr avait vu Dimitri entouré de gendarmes « qui tous approuvaient le crime — ô Russie ! ». Il l'avait vu s'arrachant aux embrassements de la grande-duchesse Marie « sa sœur frémissante et désespérée[1] » et le froid glacial, et la neige tourbillonnante et chacun croyant que les deux voyageurs étaient voués à une mort certaine, alors que l'arrêt impérial les sauvait. C'était simple, avec ses deux mètres de taille, ses larges épaules et ses longs cheveux, Piotr, le bon géant, avait toujours été là. En 1905, à Tsarskoïe Selo, oui, déjà. A cette époque-là, quelques mois à peine après l'assassinat du grand-duc Serge, Piotr, déjà, veillait sur le jeune Dimitri. Piotr qui comprenait à demi-mots, devinait l'anxiété de l'adolescent, l'aidait à revêtir son uniforme de parade. Quelle année pourtant ! Et pourquoi des parades ? Avec ce qui se passait... Mais, sur ordre du tsar, Dimitri Pavlovitch devait présenter au souverain son nouveau régiment. On se demandait pourquoi. Il était déjà chef du 11e régiment des grenadiers de Fanagorie et voilà qu'on le nommait chef du 4e régiment de tirailleurs de la Famille impériale. A quatorze ans ! Etait-ce parce que la santé du grand-duc

1. Charles de Chambrun, *Lettres à Marie*.

héritier était si menacée que le tsar traitait Dimitri comme s'il eût été son fils ? On le disait beaucoup. Alors Piotr avait habillé Dimitri, l'avait aidé à boucler son baudrier, son épée, puis à serrer la jugulaire d'un gigantesque casque que sommait un aigle impitoyable, arc-bouté sur ses serres, les ailes presque déployées. Un garçon de quatorze ans, coiffé de la sorte, je vous demande un peu... M. Bergamasco, photographe de la cour, avait tenu à le prendre en photo. Après quoi, Piotr avait suivi Dimitri du regard alors qu'un peu écrasé par ses immenses oncles, il avait passé son régiment en revue et lorsque encore plus écrasé par ses énormes tirailleurs, il avait défilé devant l'empereur. L'année suivante... Combien il en avait vu ce Piotr ! L'année suivante, lors de la cérémonie annuelle de la bénédiction des eaux, Dimitri, une fois de plus en grand uniforme, était de service aux côtés du tsar tandis que Piotr se tenait au premier rang du bataillon anonyme des valets de pied, des valets d'écurie, des plongeurs, des lampistes, des lads, des jardiniers. Cérémonie dérisoire. Au lieu de se dérouler comme à l'accoutumée, à Saint-Pétersbourg face au Palais d'Hiver et en présence d'une foule considérable, au lieu de bénir les eaux de la Neva, le tsar, qui vivait enfermé à Tsarskoïe Selo, avait béni l'eau d'un bassin. Il n'y avait là que quelques grands-ducs, les gardes du palais, ses domestiques et ses popes en vêtements d'or. Et le flamboiement des encensoirs et le langage des évangiles s'étaient élevés au-dessus des eaux mortes que sillonnait le banc pacifique des poissons rouges.

Que de tragédies, grands dieux... Souvent Piotr se demandait comment ils s'en étaient tirés tous les deux. Et lui, surtout, Dimitri. Parce qu'on n'avait guère cherché à l'épargner, ce garçon. A peine la guerre commencée, il avait été expédié sur le front de Prusse avec le régiment des gardes à cheval, et là,

Piotr et lui s'étaient frottés aux Allemands. Sale affaire... Sur les vingt-quatre officiers de leur escadron, seize étaient restés sur le champ de bataille. Tués... Ensuite... Eh bien, ensuite, ce n'était pas sans mal qu'ils avaient survécu aux malheurs de la Russie. Ils avaient fui. Ils étaient arrivés en Occident à tâtons, comme des aveugles. L'exil en Perse les avait sauvés. Sûr et certain que si Dimitri ne s'était pas attiré la haine d'Alexandra Feodorovna, il aurait été massacré, comme les autres.

Et voilà qu'aujourd'hui il ne leur restait à tous deux que cette maison de campagne où les accueillait une couturière parisienne, et un maître d'hôtel des plus stylés qui faisait mine de ne voir ni leurs complets élimés ni les semelles en papier journal qui masquaient les trous de leurs souliers.

Une maison comme Piotr n'en avait jamais vu. Pour lui, une maison de campagne, c'était quelque chose de vaste, avec des balustres, une profonde véranda, une horloge plantée en pleine façade comme on en voit dans les gares, enfin une bâtisse qui avec ses hôtes royaux, ses légions de domestiques, ses vergers, ses potagers et ses vaches importées de Suisse, ne ressemblait en rien à cette villa aux volets noirs. Mais qu'importe... Ce que Piotr appréciait plus que tout à Garches, c'était le jardin et le grand cèdre sous lequel il allait s'asseoir en attendant son maître. C'était si beau cet arbre dressé au-dessus de l'horizon immense au centre duquel Paris et sa tour Eiffel s'inscrivaient si nettement. Chaque soir Piotr s'asseyait là et attendait. Les enfants Stravinski jouaient au jardin. Il les écoutait. Il les comprenait. Il aurait voulu que jamais ne cessent ces querelles et ces jeux. Une maison où les enfants parlaient russe, cette bénédiction... A peine si Piotr se sentait dépaysé.

*

Elle avait onze ans de plus que lui; ils ne se quittèrent pas d'une année; il fut plus bouleversé qu'elle par ce qui les lia; après quoi jamais leur amitié ne se démentit. On n'en saura pas davantage sur l'épisode Gabrielle-Dimitri. D'où l'intérêt qu'offre le témoignage du fils [1] de ce dernier lorsqu'il assure que le souvenir de Chanel était demeuré toujours vivant dans l'esprit de son père, qu'aucune femme ne lui donna à rêver autant qu'elle, et qu'en fait elle avait été la grande aventure de sa vie. Il n'y a pas hasard non plus à ce que mil neuf cent vingt et un ait été une année faste pour Gabrielle. Le bonheur peut s'entendre de bien des façons. S'il ne fut pas question de bonheur fou, du moins retrouva-t-elle, sous la lumière heureuse de ses amours avec Dimitri, une forme de sécurité qui l'aida à mener à bien certaine entreprise comptant parmi les plus importantes de sa vie : l'invention d'un parfum grâce auquel sa liberté n'allait plus être mise en question. En 1920 naissait le Chanel *Numéro 5*, autour duquel, au fil des ans, allait s'échafauder sa prodigieuse fortune. Quelque quinze millions de dollars [2] si les chiffres publiés lors de sa mort sont exacts.

Une chose est certaine : Gabrielle, cette année-là, fut plus entreprenante qu'elle ne l'avait jamais été. Tout d'abord il faut reconnaître que la mise au point d'une senteur mêlant pour la première fois aux essences d'origine animale ou végétale l'appoint d'essences synthétiques, exigeait un bel effort de créativité. La femme brisée que Misia Sert, moins d'un an aupara-

1. Sous le nom de Paul Romanov Ilyinsky, le fils du grand-duc Dimitri habite l'Ohio aux U.S.A.

2. Chiffre avancé par *Times*, 25 janvier 1971. Environ 75 millions de francs.

vant, traînait à sa suite, cette Gabrielle toujours sur le point de *craquer* en eût été bien incapable. Cela implique un changement radical dans toute sa personne, dont elle était forcément redevable à quelque chose ou à quelqu'un. Sans nul doute au soutien que lui apportait Dimitri Pavlovitch. Sinon que comprendre ? Encore une fois, si rien ne permet d'affirmer qu'elle vivait un bonheur sans ombre, tout permet de dire qu'elle reprenait confiance.

D'autres couturiers avant Gabrielle, et notamment Paul Poiret, pressentant que mode et parfumerie offraient trop de points communs pour ne pas se compléter avantageusement, avaient cherché à étendre leur activité à l'industrie des parfums. Mais personne avant Chanel n'avait osé s'écarter des senteurs florales. Jusqu'en 1920 ne fut proposé aux femmes que de s'approprier l'odeur d'une fleur ou de quelques fleurs mélangées, facilement reconnaissables. Le luxe consistait à sentir lourdement l'héliotrope, le gardénia, le jasmin ou la rose car, encore que très corsé, le mélange s'altérait rapidement. D'où la nécessité d'être trop parfumée en début de soirée si l'on voulait l'être encore quelques heures plus tard. Ainsi s'explique l'existence de ces personnages, hommes ou femmes, outrageusement parfumés, qui peuplent mémoires et chroniques des premières années du vingtième siècle. « Gros homme silencieux au visage sensuel, Thibaud de Broc se parfumait outrageusement... », lit-on dans les Mémoires d'Élisabeth de Gramont. Ou encore : « Le duc de Mouchy était notre voisin immédiat. Je sais quand il avait passé sur le trottoir parce qu'il le laissait embaumé... »

Tout cela, Gabrielle Chanel allait magistralement le modifier. En créant un parfum stable, elle allait permettre d'en doser l'emploi. De plus, elle substitua à l'emploi des parfums aux senteurs reconnaissables celui d'un parfum à la senteur indéfinissable. Il entre quelque quatre-vingts ingrédients dans la composition du *Numéro 5*, et s'il a la fraîcheur d'un jardin, rien ne peut faire que ce jardin n'ait une senteur inconnue. C'est en cela qu'elle faisait date dans l'histoire de la parfumerie : le *Numéro 5* avait le caractère surprenant d'une création abstraite.

Voir en Dimitri la seule source d'inspiration de Gabrielle, cette année-là, serait trop. Mais qu'il y ait eu rapport étroit entre ce qu'elle créa et ce qu'il lui apportait paraît impossible à nier. Et tout d'abord cette folie des parfums. Peut-on oublier qu'il n'y avait pas de cour en Europe où le parfum ait été plus en faveur qu'à la cour de Russie et cela, depuis plusieurs siècles ? On pourrait multiplier les preuves. D'où Armand Emmanuel, duc de Richelieu, avait-il rapporté cette manie de s'inonder d'eau de senteur ? Les malheurs de l'émigration avaient fait de lui un serviteur du tsar. N'avait-il pas vécu onze ans sur les bords de la mer Noire et exercé là-bas, au nom d'Alexandre Ier, une sorte de vice-royauté ? L'essence de rose... « C'était le seul luxe qu'Emmanuel de Richelieu se permît... » A quel point les gens s'étonnaient en le voyant faire ! Ainsi le maréchal Marmont... « Il le regardait avec amusement qui prenait de temps à autre un fort flacon et répandait sur ses mains, ses cheveux, parfois ouvrant sa chemise et s'en frottant le corps, en humectant ses aisselles, une eau de senteur dont il avait chargé ses arçons, au départ, comme d'autres eussent fait de rhum [1]. » Et encore un siècle plus tard, à l'époque des fêtes du couronnement de Nicolas II, la presse française s'était félicitée, avec une nuance d'étonnement, de l'énormité des commandes de parfumerie faites en cette occasion à M. Legrand, fournisseur attitré de l'empereur de Russie.

Quelles phrases de Dimitri, quelles anecdotes suffi-

1. Aragon, *La Semaine sainte.*

rent à Gabrielle pour lui donner conscience que le parfum n'était pas seulement un objet de tricherie contre lequel elle avait toujours nourri des préventions, suspectant volontiers les femmes trop parfumées d'avoir de « mauvaises odeurs à cacher » — on se souvient qu'à l'époque de Royallieu elle n'accordait à Emilienne d'Alençon qu'un seul mérite, celui de « sentir le propre » — mais bien un objet au pouvoir surnaturel, un mélange à expérimenter longuement, à modifier jusqu'à ce qu'il acquière « cette vertu pas encore comprise des hommes, *cette vertu du luxe*, dont il faudra encore de grands bouleversements du monde pour que nous la comprenions[1]... » ? On fera aussi observer qu'il est difficile d'invoquer le hasard comme seule cause de la rencontre, à Grasse, entre Gabrielle et Ernest Beaux, dans les laboratoires duquel le *Numéro 5* fut mis au point. Et hasard aussi que cet éminent chimiste en parfums ait été fils d'un employé à la cour des tsars, et hasard, bien sûr, qu'il ait passé la plus grande partie de sa jeunesse à Saint-Pétersbourg ? Le hasard aurait bon dos... A moins que l'on fasse effort pour donner à ce hasard un nom : Dimitri.

Apparemment l'invention du *Numéro 5* fut une entreprise toute claire, une recherche menée de front par Ernest Beaux et Gabrielle, l'un mettant au service de l'autre ses prodigieuses connaissances. Le principal rôle fut, bien entendu, assigné à Gabrielle par ceux dont c'était et c'est encore l'intérêt d'accréditer une légende... Rien ne favorise autant la vente d'un parfum. Il suffit d'un conte de fées, où président à la naissance du mystérieux liquide une belle magicienne et un alchimiste penché sur ses alambics, pour que tout soit possible. La magicienne en sait forcément aussi long que l'alchimiste; elle tranche, commande,

1. Aragon, *Henri Matisse, roman*, t. I. « Apologie du Luxe ».

et, au besoin, ajoute de sa main souveraine un peu plus de ceci ou bien ordonne que l'on ôte de cela. La légende est aussitôt utilisée à des fins publicitaires et voilà de quoi est fait un bon lancement.

En fait, loin d'être claire, la mise au point du *Numéro 5* dont Ernest Beaux fut seul responsable — la décision finale revenant à Gabrielle à laquelle il ne laissa le choix qu'entre quatre ou cinq mélanges — se déroula dans une atmosphère assez trouble, rappelant ces machinations secrètes qui précèdent et préparent les révolutions de palais, le côté parfum ajoutant au « suspense » son caractère de conte des Mille et Une Nuits. Tout cela plein d'intrigues, de coups de théâtre et de complicités inavouables. Rien ne manqua au scénario. Pas même la disparition spectaculaire d'un des meilleurs chimistes de la maison Coty. Le transfuge emportait dans sa fuite le fruit de longues années de recherches : la formule d'un parfum que la maison Coty hésitait à commercialiser tant il était de fabrication coûteuse. C'était là une des raisons qu'avait ce chimiste de passer à l'ennemi : il craignait que son invention ne fût jamais exploitée. Il est plus que probable qu'il livra aussitôt sa formule à Gabrielle. Qui était ce chimiste ? Etait-il parti de sa propre initiative ou l'avait-on acheté ? Se nommait-il Ernest Beaux ? L'enquête butant sur le silence impénétrable des détenteurs de la vérité, il faut renoncer à élucider ce dernier point. Mais il est un fait certain : environ sept ans plus tard la maison Coty fabriqua un parfum qui ressemblait au mélange Chanel autant qu'un frère jumeau. Malgré une vente très favorable, *Aimant* ne fit guère de tort à Gabrille, *Numéro 5* étant lancé.

Le flacon Chanel était pourtant en contradiction formelle avec l'ornementation compliquée en faveur chez ses concurrents : présentations en forme d'amours, urnes gravées de dentelures ou de fleurettes, tous les parfumeurs croyaient encore que ces préciosités étaient un argument de vente efficace. Ce qu'il y avait de remarquable dans le bloc à angles vifs que mettait en circulation Gabrielle, c'est qu'il soumettait l'imaginaire à un nouveau système de signes. Ce n'était plus le contenant qui suscitait l'envie, mais le contenu. Ce n'était plus l'objet qui faisait vendre, mais le sens seul qui était concerné : l'odorat, confronté avec ce liquide d'or, prisonnier d'un cube de cristal nu et rendu visible à seule fin de désir.

Il y aurait beaucoup à dire aussi sur la netteté graphique de l'étiquette, qui démodait les courbes et les paraphes dont s'étaient ornés les parfums du passé, sur l'harmonie sévère de cette présentation qui ne faisait appel qu'au contraste du noir au blanc — le noir, toujours le noir — sur le titre enfin, fait d'un seul mot, *Chanel*, associé à un chiffre sec, lancé à toute volée dans les vitrines comme un ordre impérieux : « Jouez le cinq. »

Que signifiait ce langage chiffré ? Il laissait les passantes comme sous l'effet d'un sortilège. Et dans le cachet qui scellait le goulot, que faisait ce sigle isolé au centre d'un cercle noir ? Un C ? Julia et Antoinette... Qui donc, elles disparues, savait ce que cachaient ces signes ? Qui, en dehors d'elles, avait connaissance du passé de Gabrielle et aurait invoqué la monogrammanie de ses ancêtres cévenols ou le mystérieux pavement d'Obazine ? Personne ne s'y risqua. Et puis les dés étaient jetés. Quand bien même les rivaux de Chanel eussent-ils lancé d'autres *Nuits de Chine* et d'autres *Lucrèce Borgia*[1] qu'est-ce que cela aurait changé ? Le *Numéro 5* infligeait aux plus capiteuses trouvailles de ses concurrents « la marque déshonorante du démodé[2] ».

1. Parfums commercialisés par Paul Poiret.
2. Roland Barthes, *Système de la mode*.

*

L'été suivant ce ne fut ni à Monte-Carlo ni à Biarritz qu'alla Gabrielle, mais dans une villa, louée pour la circonstance, au Moulleau, près d'Arcachon. *Ama Tikia* était le nom de cette maison blanche. La mer venait battre contre le mur du jardin.

Peu de visites au cours des deux mois que dura son séjour. On ne dérangea guère Dimitri et Gabrielle dans leur solitude. La pinasse d'un pêcheur les conduisait au bain chaque matin. Ils revenaient fort tard, l'heure du déjeuner de longtemps passée. Le fidèle Joseph et sa femme Marie vaquaient aux travaux domestiques. Piotr, bien sûr, était du voyage. Et Gabrielle avait amené la meute de ses chiens au grand complet.

La mer, le soleil, des promenades aux environs, et quoi encore ? Le bref passage de quelques intimes de Dimitri, le comte Koutousov, sa femme et ses deux filles qui, l'hiver précédent, avaient logé, eux aussi, à *Bel Respiro* ! Gabrielle avait procuré un emploi à Koutousov. Il allait compter parmi les principaux employés de sa maison de commerce pendant plus de quinze ans. Mais, visite exceptée, en dehors de la mer et du bain, rien ou presque rien.

Ces vacances ressemblent si peu à Gabrielle qu'il faut en marquer le caractère d'exception. Ce furent les plus longues de sa vie et les seules qu'elle passa ainsi. Par la suite on ne la vit que dans les villégiatures les plus fréquentées, et les maisons qu'elle occupa, où qu'elles fussent, ne désemplirent pas.

Il apparaît d'évidence que cet été-là, sous le soleil du Moulleau, Gabrielle et Dimitri se suffirent à eux-mêmes. Imagine-t-on tête-à-tête plus étrange ? Elle, la fille du bonimenteur forain qui, quelque part en France, continuait à haranguer les commères en débitant du haut de sa branlante carriole, bretelles, mouchoirs à deux francs la douzaine, cordons à tablier, toile de métisse, et lui, petit-fils d'Alexandre II, neveu d'Alexandre III, cousin du tsar Nicolas II, lui dont les faiblesses ou les beautés physiques se retrouvaient sur les timbres, les billets de banque ou les monnaies de tous les pays où régnaient encore ses parents. Dimitri n'avait de ressemblances que royales.

Ont-ils seulement cherché à *tout se dire* ? Lui avoua-t-elle son enfance misérable, la mort de sa mère, son père l'abandonnant ? Et lui, dont la mère était morte à sa naissance, qu'aurait-il trouvé à répondre, sinon qu'il la comprenait, ayant éprouvé au même âge malheur semblable ? Car il avait connu, enfant, une singulière détresse.

Nourrisson en robe de dentelle, il avait posé pour sa première photo sur les genoux d'une grande-duchesse presque centenaire, son arrière-grand-mère. L'artiste, chargé d'exécuter un portrait qui allait trôner en bonne place au domicile de tous les Boris, tous les Cyrille, tous les Paul et tous les Constantin de la cour impériale, avait contraint le bébé à appuyer sa tête à l'épaule d'une reine, sa grand-mère, Olga de Grèce, et comme il fallait que, bien que morte, la mère du nourrisson figurât dans ce tableau de famille, on avait réussi à glisser dans la petite main de Dimitri un médaillon représentant la défunte. Personne n'allait se douter que, dans l'anneau du médaillon, passait un long fil qu'une nurse invisible tenait de loin.

Ainsi, tous les Boris et tous les Cyrille de Russie, à regarder ce document où figurait un orphelin dont le regard mélancolique et les yeux graves allaient par la suite si profondément troubler les femmes, tous les Paul et tous les Constantin, de Grèce ou d'ailleurs, étaient en droit de se dire que trois princesses, vêtues de façon identique en dépit de leur différence d'âge, et toutes trois indifférentes aux fluctuations de la mode, puisqu'il n'est plus de mode là où en tiennent lieu les contraintes de cour, veilleraient sur le petit Dimitri et lui serviraient de mère.

Il n'en fut rien.

Dimitri n'eut que des nurses.

De jeunes Anglaises, assistées d'aides silencieuses, et Anglaises elles aussi, l'avaient élevé. Pas méchantes. Un peu trop strictes seulement. Elles disaient que Saint-Pétersbourg n'était pas une ville pour enfants. Trop d'obligations familiales, de réceptions princières, trop de goûters, dans un grand désordre de cousins indisciplinés, trop de lendemains barbouillés, et puis toutes ces randonnées jusqu'au palais d'Hiver en carrosse doré suivi d'une escorte de hussards, détestable tout ça. « *Don't get over excited, Dimitri...* » Jusqu'à l'âge de cinq ans Dimitri n'avait presque jamais entendu parler russe. Et ces cérémonies orthodoxes qui n'en finissaient plus... Avec des volées de cloches assourdissantes, des chœurs comme des orages, et les robes d'or, les voix profondes des officiants qui impressionnaient si fort le petit Dimitri. « *Come on, child, behave, please...* » Pas bon ça, pas bon pour les enfants. Mais Nanny Fry autant que Lizzie Grove, son assistante, répétaient qu'elles aimaient quand même bien la Russie et elles avaient l'air sincères. Elles l'aimaient parce qu'on y avait fichu une humiliation mémorable à cet aventurier de Napoléon et aussi parce que la Russie était la patrie du samovar, secret du bon thé.

Le palais de Saint-Pétersbourg, où Dimitri avait grandi, était triste et d'un style indéfini. Le deuxième étage — l'étage des domestiques et de la nursery — ouvrait sur la Neva. Nanny veillait à ce que les chants joyeux des chambrières, l'écho de leurs amours et de leurs peines ne viennent pas troubler les oreilles enfantines. Cela filtrait bien un peu quand même... Dimitri tendait l'oreille. Il sentait battre son cœur à peine une voix de femme se faisait entendre. Si gaies ces voix, si chantantes... Mais Nanny disait qu'il ne fallait pas écouter. La nursery devait demeurer un lieu hermétique, isolé du reste du monde.

Les visites étaient rares. Dimitri avait grandi privé de livres et de petits amis, Nanny ne les considérant pas indispensables à une saine éducation. Parfois de proches cousines passaient le nez, venant de palais voisins, avec cet air de timidité hautaine qu'elles avaient de naissance et qui se dressait entre elles et le reste du monde comme une barrière. Quant au père de Dimitri, il apparaissait à l'improviste, vêtu d'uniformes éclatants. Le grand-duc Paul commandait la garde impériale. A peine si Nanny avait le temps d'esquisser sa révérence et le grand-duc avait à nouveau disparu. Nanny disait que ces apparitions en coup de vent ne faisaient qu'agiter Dimitri et que ces sortes de surprises, vraiment...

Un jour que Dimitri était assis devant son verre de lait et sa tartine beurrée avec sa sœur Marie, l'un et l'autre surveillés par Nanny et par son assistante, toutes deux assises très droites, parce que c'était l'heure du thé et que l'on ne doit ni s'appuyer des coudes à la table ni plier le dos, ce jour-là, le grand-duc Paul était entré en compagnie d'un géant barbu devant lequel tous les domestiques s'étaient bizarrement accroupis. On avait dit aux enfants que c'était l'oncle Sacha et qu'ils pouvaient l'embrasser. Mais les domestiques disaient que c'était le tsar et qu'on ne pouvait lui parler qu'à genoux. De toute façon, les enfants qui parlaient mal le russe n'y avaient rien compris.

Et les surprises avaient continué.

A quelque temps de là, Nanny Fry consentait à faire revêtir à Dimitri une pelisse de cuir fauve qu'elle jugeait beaucoup trop voyante, bien que le petit garçon l'aimât particulièrement, lorsqu'une femme de chambre était entrée dans un grand état d'agitation. Nanny l'avait chassée. Elle interdisait que l'on vienne crier dans la nursery. C'était détestable pour... Mais sur les pas de la caméриste entra un officier le visage à l'envers : déshabiller les enfants, les mettre en blanc. Le tsar était mort. Ordres et contrordres n'allaient rien donner de bon sur le plan éducatif, affirma Nanny. Ce qui n'avait pas empêché que Dimitri eût à subir des essayages interminables afin de mettre au point ses vêtements de cérémonie. Le couronnement du cousin Nicky, barbu lui aussi, mais tout de même moins grand que l'oncle Sacha, allait se dérouler dans la plus grande pompe. Nanny avait dit que vraiment... Mais personne ne l'avait écoutée et elle avait conduit par la main l'enfant Dimitri, vêtu de satin, jusqu'à la tribune d'où ils avaient vu passer le cortège impérial.

Donc Dimitri n'avait pas eu de mère.

A onze ans il n'eut plus de père.

Pour s'être fiancé sans le consentement du tsar, le grand-duc Paul avait été banni.

On aurait pu croire que veuf, âgé de quarante-deux ans et ayant déjà donné à la couronne une princesse et un prince vigoureux, le grand-duc Paul était libre de disposer de sa vie comme il lui plaisait. Il n'en était rien. Olga Valerionovna, qu'il souhaitait épouser, était née Karanovitch. En fait de quartier de noblesse c'était court... De plus elle était divorcée et c'était cela plus que tout qui choquait la tsarine, cela qu'elle ne tolérait pas. Le grand-duc Paul fut séparé de ses enfants. Il pouvait se marier à sa guise et partir pour Paris si bon lui semblait. Dimitri et sa sœur allaient rester en Russie, ordre du tsar. Mais que faire d'eux ? On les confia à la tante Ella et à l'oncle Serge.

Le grand-duc Serge était gouverneur de Moscou. Personnage longiligne au regard triste et passablement obtus. Sa femme, sœur de la tsarine, était d'une extrême dévotion. Ils n'avaient pas d'enfants. Une atmosphère sinistre. Après les troubles de 1905, le couple alla habiter un appartement du Kremlin. Dimitri crut y mourir de tristesse. Plus de nurses, mais un précepteur imbu de son autorité et ayant grade de général. Ce fut pendant qu'il surveillait les devoirs de Dimitri que retentit une formidable explosion. On avait jeté une bombe dans la voiture de l'oncle Serge. Tante Ella se précipita au-dehors pour aller ramasser les morceaux du corps déchiqueté de son mari. A la suite de quoi on ne la vit plus qu'en nonne. Elle devint abbesse du couvent Marthe-Marie des Sœurs de la Miséricorde.

Le grand-duc Paul prit prétexte de cette situation pour chercher à récupérer son fils et sa fille. Demande repoussée. Il fallait que Dimitri et Marie restent à Moscou sous la menace des révolutionnaires.

Plus une femme dans l'entourage de Dimitri, à l'exception de sa sœur, qui lui vouait un amour impérieux. On les vit errer ensemble à travers les salles du Kremlin, entre les palais, les monastères, les chapelles, les bastions et les arsenaux qui donnent à cet étrange assemblage un aspect « de forteresse, de sanctuaire, de sérail, de harem, de nécropole et de prison [1] ». Jamais ils ne se quittaient. Alors on s'empressa de mettre un terme à des sentiments aussi excessifs en mariant la jeune fille au prince héritier de Suède, bien que ses affinités sexuelles ne l'eussent guère porté jusque-là à s'intéresser aux dames. Quelques heures avant l'arrivée du roi Gustave, son futur beau-père, et à quelques jours de son mariage, Marie alla se recueillir avec Dimitri dans une des chapelles du Kremlin. Ils y restèrent si longtemps qu'on dut à plusieurs reprises les rappeler à l'ordre. Mais ils n'entendaient rien. Que leur voulait-on ? Ils étaient là, main dans la main, conscients, à chaque

1. Maurice Paléologue, *La Russie des tsars pendant la guerre* (Plon).

seconde qui passait, de vivre leur enfance à ses heures dernières.

*

A peine les vacances finies, il y eut de grands changements au 31, rue Cambon. Des femmes de goût, de très jolies femmes, furent engagées comme vendeuses, d'autres comme mannequins. Nombreuses étaient celles qui, avec un accent surprenant, s'adressant à Dimitri, disaient : « Mon cousin... » Elles avaient des noms difficiles à prononcer, elles étaient princesses, comtesses et d'une courtoisie parfaite, elles étaient Russes et ruinées. La fine fleur des salons de Saint-Pétersbourg... Aussitôt après qu'elles eurent été engagées, affluèrent celles de leurs amies qui, ayant connu un sort plus clément, avaient pour quelque temps encore les moyens de dépenser... Ce dont elles ne se privèrent point. Et comme il semblait que ces dames fussent incapables de se déplacer autrement qu'en tirant hors des châteaux de Styrie ou d'Ecosse, des forêts allemandes ou des palais de Venise, tout ce qu'ils pouvaient contenir de parenté, l'endroit où elles se trouvaient prenait aussitôt l'aspect d'une de ces pièces de réception qu'elles avaient pour toujours quittées, de ces salons tout en cretonne, passementerie et plantes vertes qui avaient si bien favorisé leur inconscience.

Accoudée à la rampe d'un étage en entresol d'où elle dominait sans être vue, Gabrielle savourait le succès de sa stupéfiante entreprise. N'étant pas en mesure de ressentir la mélancolie de cette fête entre ci-devant, elle n'en voyait que le prestige. Il dépassait de loin tout ce que pouvaient offrir ses concurrents.

Changements aussi à l'échelon des ouvrières.

Gabrielle recrutait des brodeuses.

Nouvelle qui ne manqua pas de surprendre grandement. Des robes brodées ? Chez Chanel ? Quelle mouche l'avait piquée ? Allait-elle s'écarter de ces robes si strictes, si semblables les unes aux autres qu'elles avaient inspiré à Poiret sa plus célèbre boutade : « Ce qu'a inventé Chanel ? Le misérabilisme de luxe. »

Et en effet, Gabrielle avait décidé d'enrichir sa collection de quelques vêtements brodés. Une idée comme ça... Une envie d'interpréter la *roubachka*, la blouse ceinturée des moujiks, de la traduire dans son langage à elle, pourquoi pas ? Une roubachka bien au corps, exécutée en fin lainage, portée sur une jupe droite, avec un col, et aux poignets des bandes discrètement brodées, un vêtement, en somme, tirant tout son caractère de la terre russe mais apparaissant sous sa forme la plus parisienne, Gabrielle ne pouvait s'empêcher de penser qu'elle donnerait ainsi aux femmes de nouveaux moyens de séduction. Elle ne se trompait pas. Le passé de ses amants avait toujours été pour elle une source d'enrichissement, et les blazers qu'avait portés jadis Capel, une fois interprétés à sa façon et présentés dans sa vitrine deauvilloise de la rue Gontaut-Biron, avaient déterminé ses premiers succès. Empruntée au vestiaire de Dimitri, l'idée de la roubachka fut des mieux accueillies, si bien qu'il fallut créer un atelier de broderie. La direction en fut confiée à la grande-duchesse Marie. Celle-ci, divorcée de son Suédois, était revenue vivre en Russie. Chassée par la Révolution, elle avait trouvé refuge en France auprès du seul homme qu'elle eût jamais aimé : son frère Dimitri.

C'est ainsi qu'en 1921, *Bel Respiro* devint le rendez-vous des étrangers. Jamais ceux qui s'y rencontrèrent n'auraient eu, dans leur pays natal, l'occasion de loger sous le même toit. On s'émerveille du hasard qui fit cohabiter en étroite amitié la descendante d'un cabaretier des Cévennes, le fils d'un baryton du Théâtre impérial de Saint-Pétersbourg venu en Occident rénover la musique de son temps, et ce Russe d'Ancien Régime, ce fils de roi, devenu un errant, un apatride comme tant d'autres. Que valait-il par lui-même ? On se perd à imaginer ce qu'aurait pu donner, en d'autres circonstances, le colonel-enfant, puis le jeune conjuré qui crut, à travers le meurtre de Raspoutine, délivrer du démon la famille impériale. Par la suite, son destin fut si pâle qu'une fois qu'on a dit qu'il fut beau jusqu'à sa mort en 1942, et que jusqu'à sa mort il témoigna de l'amitié à Gabrielle, tout est dit. Si bien que ce moment de bonheur dans une villa de Garches, ayant eu pour conséquence son influence passagère sur le caractère des modes parisiennes, devient l'essentiel de sa biographie. Que la Russie des steppes, par l'effet d'une ample pelisse, la Russie des boyards, dans le sombre chatoiement d'une robe brodée, ait, à l'étonnement général, traversé les salons de Gabrielle cette année-là, peut paraître un mince titre de gloire. Mais on s'attache différemment à ce détail si l'on y voit l'adieu de Dimitri aux choses de son passé. Ces robes brodées que d'autres applaudissaient, ces jupes à terre, mouvantes et comme gonflées de vent, l'aidaient à retrouver, en secret, cette Russie qu'il avait perdue à jamais.

V

LA VIE AVEC QUELQUES GÉNIES

A LA séparation de Gabrielle d'avec Dimitri correspond l'abandon de *Bel Respiro*. Point de drame. C'était monnaie courante, à l'époque, qu'un prince, lorsqu'il ne lui restait plus rien, offrît son nom et son titre à quelque jeune femme possédant tout sauf la noblesse. Dimitri ne fit pas exception. Il contracta une riche alliance aux Etats-Unis [1].

Les raisons qu'avait Gabrielle de quitter Garches n'étaient pas d'ordre sentimental. La mort de Marie, épouse du fidèle Joseph, pesait bien davantage sur sa décision. Les suites d'une grippe espagnole privaient la maison de Garches de celle qui en avait été la gouvernante attentive et respectée. Gabrielle décida de se rapprocher de son lieu de travail. En outre, la maison de Garches devenait impropre à l'usage qu'elle souhaitait en faire. Trop petite, trop éloignée.

Gabrielle s'installa à Paris. L'essor spectaculaire de l'entreprise Chanel lui en donnait largement les moyens.

Après le calme d'une allée de banlieue et les gentillesses dimanchardes de *Bel Respiro*, un univers rigide, le faubourg Saint-Honoré, la régularité de ses façades, la quiétude de ses jardins, son passé d'intrigues, et un hôtel particulier : la demeure des comtes Pillet-Will [2]. Gabrielle en occupa le plus bel appartement, un rez-de-chaussée auquel très vite vint s'ajouter le premier étage. De hauts plafonds, une enfilade de pièces immenses ouvertes sur des frondaisons qui s'étendaient jusqu'à l'avenue Gabriel, Joseph, toujours lui, devenant une sorte de « fondé de pouvoir », recrutant cuisinier, valet, fille de cuisine, c'était là, au numéro 29 du faubourg Saint-Honoré, une nouvelle vie qui commençait.

L'ordonnance intérieure des salons, le classicisme de cette nouvelle demeure fut aussitôt bouleversé. Gabrielle chercha à se libérer de la tutelle des boise-

1. Le grand-duc Dimitri épousa, à Biarritz, une Américaine, Audrey Emery.

2. Construit en 1719, par Lassurance pour la duchesse de Rohan-Montbazon, cet hôtel, à l'époque de sa construction, se trouvait entre l'hôtel élevé par Gabriel pour Drouin, valet de chambre de Louis XIV, et l'hôtel du marquis et de la marquise de Feuquières. Cette dernière avait été la maîtresse de Drouin, lorsqu'elle n'était que Mlle Mignard, fille du peintre.

ries dont elle détesta, à peine en avait-elle pris possession, les tons verdâtres et les dorures. Mais il lui était interdit d'en modifier quoi que ce soit. Il fallut camoufler. Sert et Misia furent mis à contribution. Comment en aurait-il été autrement ?

De la société qu'elle allait côtoyer, de ce milieu où triomphait un esthétisme poussé à l'extrême, que savait Gabrielle ? Rien. Et rien non plus d'une bourgeoisie versatile, cherchant à rompre avec ce qu'elle s'était évertuée à imposer moins de quinze ans auparavant : le modern' style. Eût-on dit à Gabrielle qu'elle prenait son essor à une époque charnière, qu'aurait-elle pu comprendre ? Le passé croulait par pans entiers. Mais comment s'en serait-elle doutée, elle qui n'avait pas de passé ?

Lorsqu'elle prit place dans la grande fête parisienne la rupture était déjà consommée. Architecture, ameublement, textiles, coloris, mode, tout était sur le point de se transformer. Mais l'explosion des Arts Déco en 1925, qui officialisera aux yeux des moins avertis les recherches d'architectes et de dessinateurs auxquels l'Europe allait être redevable d'un nouveau style de vie, n'avait pas encore eu lieu. Mis à part quelques privilégiés et quelques connaisseurs, rares étaient les Parisiens qui mesuraient l'importance d'un Le Corbusier, d'un Mackintosh [1], d'un Klimt [2] ou d'un Van de Velde [3], plus rares encore ceux qui acquéraient leurs œuvres. Il régnait donc en France une assez grande confusion et de lignes et de formes lorsque d'instinct Gabrielle alla vers ce que son entourage offrait de plus affirmé : le baroquisme des Sert. C'est par eux qu'elle se laissa initier, et qu'elle découvrit — à

1. Charles Rennie Mackintosh (1868-1928), architecte écossais, ensemblier, peintre, dessinateur d'affiches.

2. Gustave Klimt (1862-1918), peintre viennois qui influença considérablement la décoration européenne.

3. Henry Van de Velde (1862-1957), architecte, et polémiste belge.

trente-sept ans — les composantes d'un décor qu'elle fit sien, en l'enrichissant, peu à peu, d'objets familiers.

Autant d'or que chez Misia, autant de cristaux, mais des accents noirs plus fréquents, et pas de marbre et point d'écaille et point du tout de cette matière dont les tsars faisaient si grand usage, offrant à chaque chef d'Etat qui passait l'inévitable pendule en malachite, manie russe à laquelle Misia, chez qui on voyait une vaste table de salle à manger de ce vert agressif, sacrifiait.

Le premier meuble de prix à figurer chez Gabrielle fut un piano. Aussitôt placé, aussitôt utilisé. C'était Stravinski, c'était Diaghilev, c'était Misia, c'était le pianiste des Ballets russes, c'était... Il y eut des plaintes. Le comte Pillet-Will, qui logeait au second, jugea le tapage intolérable. Il y eut pire : un soir, fort tard, des chanteurs espagnols et des guitares. L'indignation ne connut plus de bornes. Une musique de bastringue... Et l'on avait vu entrer chez elle des artistes aux mines patibulaires. Ils étaient accompagnés d'une naine vêtue de façon extravagante et d'un cul-de-jatte qui, dans sa caisse à savons, avait parodié une corrida en plein milieu de la cour d'honneur.

Une fois de plus, le rez-de-chaussée ne tint aucun compte des récriminations de l'étage noble. Stravinski et Diaghilev traitaient en artistes à part entière ces danseurs qu'ils étaient allés recruter ensemble en Espagne pour *Cuadro Flamenco*[1]. Picasso, qui exécutait le décor de ce bref concert de danses, les avait ame-

1. *Cuadro Flamenco*. Suite de danses andalouses interprétées par des danseurs exclusivement populaires et présentées dans le cadre des Ballets russes, le 17 mai 1921, au théâtre de la Gaîté-Lyrique à Paris. Stravinski avait accompagné Diaghilev à Séville et sélectionné les musiciens tandis que Diaghilev recrutait lui-même les danseurs. Entre autres, Gabrielita del Garrotin, une naine, danseuse remarquable, et un mendiant cul-de-jatte, qui firent le voyage à Paris.

nés au Faubourg. Excité, amusé par leur présence à Paris, et optant pour la solution du théâtre dans le théâtre, au lieu de faire évoluer ses compatriotes dans un cadre rappelant celui des cabarets populaires où ils avaient l'habitude de danser, il avait imaginé, en guise de décor, les perspectives vieillottes d'un théâtre du XIXe siècle, avec son fond noir surchargé d'or, et un double rang de loges tendues de rouge. Et dans chacune de ces loges il avait assis des personnages parodiques, peints en trompe-l'œil, dignes spectateurs coiffés de hauts-de-forme, accompagnés de belles et grasses dames. Epoque heureuse pour Picasso, dont la bonne humeur éclatait à travers cette évocation ironique de son pays natal. Curieuse et brève époque de sa vie où, rompant avec la bohème de Montmartre, il fréquenta les beaux quartiers et joua avec un sérieux imperturbable — le sérieux espagnol — un personnage d'artiste arrivé. Il acceptait dîners et déjeuners en ville, donnés en son honneur par le vicomte Charles de Noailles ou le comte Etienne de Beaumont. Il revêtait pour la circonstance des tenues qu'on ne lui avait jamais vu porter : costume à la dernière mode, nœud papillon et, en dépit des haussements d'épaules de ses anciens amis, une chaîne de montre à son gilet. Il était installé dans cette nouvelle phase de sa vie aussi passagèrement que dans ses précédents domiciles. Mais il aimait à faire croire que sa réconciliation avec le monde était définitive et parfois réussissait à s'en convaincre. Irait-il jusqu'à accepter les honneurs officiels ? On commençait à le dire. Juan Gris écœuré écrivait à son ami Kahnweiler : « Picasso fait toujours de belles choses quand il a le temps... Entre un ballet russe et un portrait mondain. »

C'est à l'occasion de son travail pour *Cuadro Flamenco* que Picasso s'était lié avec Gabrielle. Au point qu'il lui arriva de loger chez elle. Brièvement et seulement lorsque le grand désordre des Ballets russes, où improvisation et changements de dernière minute étaient de règle, le retenait à Paris. L'horreur de la solitude — trait dominant chez lui — faisait qu'il redoutait plus que tout de passer la nuit dans son appartement du 23, rue La Boétie, et de trouver vide la chambre aux deux lits de cuivre, vide le salon au lourd canapé Louis-Philippe, muet le piano droit portant son inévitable parure de chandeliers, le décor conventionnel de sa vie d'homme rangé et d'époux, très orthodoxement uni à Olga Khoklova, ballerine chez Diaghilev et fille d'officier[1]. Or, cet été-là, il avait installé Olga à Fontainebleau où elle se remettait de la naissance de leur premier fils, et où Picasso ne se lassait pas de fixer leurs attitudes à tous deux, datant chacune de ses esquisses, allant jusqu'à noter l'heure où elles avaient été faites : « 19-11-1921, à midi », lit-on sur un dessin de cette époque représentant Paulo âgé de deux semaines. Et c'était ce père émerveillé qui logeait chez Gabrielle quand il le voulait.

Misia, elle aussi, avait sa chambre au Faubourg, mais pour des raisons moins évidentes.

Il arriva plus d'une fois que Joseph, éveillé en sursaut, trouvât, réunis à l'office, tous les hôtes de la maison. Cette troupe de discuteurs, d'affamés ? Les Ballets russes en pleine mutation, Serge de Diaghilev renonçant aux sources d'inspiration de la Russie traditionnelle, faisant appel à des artistes, étrangers pour la plupart, mais qui devinrent l'orgueil de la peinture et de la musique françaises.

En somme, avant que des meubles, au choix des-

1. Le mariage civil de Pablo Picasso avec Olga Khoklova fut enregistré le 12 juillet 1918 à la mairie du VIIe arrondissement. Mais il y eut aussi un mariage religieux célébré avec toute la pompe voulue en la cathédrale russe de la rue Daru. Max Jacob, Jean Cocteau, Diaghilev et Guillaume Apollinaire étaient les témoins du couple tenant les couronnes traditionnelles au-dessus de la tête des nouveaux époux.

quels présida Sert, aient pris place dans une demeure dont le style fit date de bien des façons, un piano, entreposé dans une pièce vide, avait été le seul lien qu'eût Gabrielle avec les peintres et les musiciens qui gravitaient autour de Diaghilev. Suivirent des objets qui révélèrent le véritable caractère d'une maison où l'on s'était attaché à ménager de la place au rêve.

Avant tout les paravents en laque de Coromandel. Disposés autour du piano, formant une sorte d'alcôve assez théâtrale, masquant les issues par lesquelles on pouvait entrer, sortir et accéder aux pièces voisines sans être vu, c'est ainsi qu'ils firent leur entrée dans la vie de Gabrielle. Joseph jouait les passe-murailles, dressait la table dans la bibliothèque, veillant à ne pas gêner des artistes qu'il n'appréciait guère, jugeant qu'ils étaient tous des pique-assiettes, des profiteurs et des « originaux ».

Ainsi, par l'effet de paravents, se présentant tantôt comme de hauts murs craquelés, tantôt troués de fines découpes et laissant filtrer la lumière à la manière des moucharabiehs, les lignes de force du décor chanelien étaient en place dès 1921. Souvent interrogée sur ce qui avait présidé à ce choix — pas un journaliste qui, confronté avec les mystères de ce décor, n'en ait inlassablement cherché la clef — jamais Gabrielle ne fit éclat des influences subies. Et comment lui aurait-on arraché la vérité ? Que le décor de sa vie quotidienne était fait de recettes empruntées aux Sert ? La violence qu'elle apportait à le nier la dénonçait : « Qu'est-ce que vous allez chercher là ? » criait-elle. A quatre-vingts ans passés, l'âge où sa rage d'imposture s'était développée jusqu'au délire, elle affirma, de sang-froid, à l'une de ses plus fidèles suivantes : « J'aime les paravents chinois depuis que j'ai dix-huit ans... », s'attendant à ce que cette affirmation soit prise pour argent comptant.

*

C'est au 29, rue du faubourg Saint-Honoré, que se noua ce qui fut pour Gabrielle la dernière chance de son bel âge, là, dans cet hôtel comme on n'en voit qu'à Paris, au milieu d'ombrages immenses et que rien ne semble avoir jamais troublés, qu'elle fut aimée d'un poète, Pierre Reverdy.

Il est certain que la pensée du mariage fit plus qu'effleurer l'esprit de Gabrielle. Certain aussi que Reverdy l'aima profondément. Offrir au poète l'aisance ? Faire de cet *intranquille* un heureux ? Aucune chance. Gabrielle pouvait-elle soupçonner l'existence d'un homme encore inconnu de tous et de lui-même, un Reverdy ivre d'absolu et qui aspirait à la solitude comme un martyr au bûcher ? Elle n'en sut rien, non plus que de la sombre joie qui le poussait à fuir : « Fuir nulle part, au fond voilà ce dont nous avons besoin... Il y a une inexprimable volupté dans la fuite [1]. » D'où l'on peut comprendre que Gabrielle joua avec audace une partie perdue d'avance.

Un provincial, un transplanté... « A la fois ténébreux et solaire [2]. » Le cheveu noir, de ce noir corbeau qui est celui des gitans, le teint basané, la voix sonore, Reverdy apportait à la conversation la même folie qu'elle. Parler dut être de ces plaisirs dont ils se privèrent le moins elle et lui. Ni grand, ni élancé, il n'était pas séduisant au sens que l'on donne d'habitude à ce mot. Il l'était autrement. Ce qui frappait, c'était l'étrange pouvoir qu'il avait de tout métamorphoser. Et puis la profondeur du regard. C'était cela surtout qui attirait, la lumière noire des yeux de Reverdy.

1. Pierre Reverdy, *Le Livre de mon bord*.
2. André Masson, *Remémoration*, Mercure de France, n° 1181. Dans cet article, cette autre précision : « J'ai connu, je connais d'autres Méridionaux de cette famille-là : Artaud, Char, Montale. »

Il était petit-fils d'artisan et fils de vigneron, plus qu'il n'en fallait pour que Gabrielle fût tentée d'établir un lien entre le passé et le présent. Reverdy c'était un peu le parler, le teint, les cheveux et, l'on ne savait trop comment, l'enfance des Chanel. Ses frères, Alphonse l'aventureux qui souvent passait par Paris, et Lucien, le gentil Lucien qu'elle venait de gratifier d'une pension aussi généreuse que celle déjà versée à Alphonse, avaient eux aussi cette faconde qui se retrouve au fond du langage des paysans, de quelque Midi qu'ils soient. Et, comme eux, jamais Reverdy n'éprouvait joie plus intense que celle de travailler de ses mains. Si l'on ajoute qu'il portait en lui le souvenir tyrannique d'un vignoble au pied de la montagne Noire, une terre rose, striée de gris en hiver, de vert l'été, et comme détachée du monde, si l'on tient compte de la tristesse qu'il éprouva à l'époque où — c'était autour des années 1907 — M. Reverdy père fut contraint par la crise vinicole de se dépouiller d'une propriété qui représentait toute sa fortune, alors on est ramené brutalement au souvenir du père Chanel qui toujours rêva d'une vigne qu'il n'eut jamais.

Gabrielle vivait enfin avec un homme marqué autant que les siens par un drame de la terre. La mévente du vin, en arrachant les Reverdy à leur cadre familial, avait fait de Pierre un garçon des villes ne parvenant pas à se libérer du souvenir de ce qu'il avait perdu, puis un jeune interne du collège de Narbonne, un reclus, vivant des jours désespérés. L'horreur qu'il avait eue de l'internat l'avait laissé marqué comme au fer rouge. Pour peu que Gabrielle lui ait avoué Obazine ou Moulins, comme la conversation dut être facile entre eux...

Reverdy parlait avec fierté des maîtres artisans dont il était issu, de son grand-père, sculpteur sur bois, de ses oncles, sculpteurs d'églises — or Gabrielle se disait avant tout artisan. Et comme il parlait de son père... Libre penseur et socialiste, M. Reverdy avait élevé ses enfants hors de toute religion : « Un homme dont je ne suis que l'ombre, disait son fils. Jamais je n'ai rencontré un esprit aussi souple, aussi large, uni à un caractère aussi violent, aussi généreux, faisant toujours *craquer le cadre*... Il a été mon modèle » — quelque chose encore auquel Gabrielle était plus qu'une autre sensible. *Faire craquer le cadre*, de Vichy à Paris, qu'avait-elle fait d'autre ? La vie n'allait jamais lui offrir homme plus apte à la comprendre.

Plus tard, bien plus tard, lorsque vint le temps de la solitude, de la hargne, du mensonge jeté à la face de ses interlocuteurs comme une furieuse révolte contre les choses telles qu'elles avaient été, alors seul le nom de Reverdy lui paraissait avouable et digne de rester associé au sien. Après Boy, lui... En dehors d'eux rien, personne.

Jusqu'aux dernières années de sa vie, Chanel n'aima rien tant que de comparer Reverdy, misérable et méconnu, à ceux des poètes de sa génération dont la gloire ou la fortune lui faisaient l'effet d'une atroce imposture. Qu'étaient-ils, tous ? Qu'était Cocteau ? « Un faiseur, disait-elle d'une voix qu'étouffait la colère, un phraseur, un rien du tout. Reverdy, lui, était poète, c'est-à-dire voyant. » Malheur à qui cherchait à la confondre. Certains noms la mettaient hors d'elle. Le nom de Valéry... Elle le traitait de tout : « Un type qui se laisse couvrir d'honneurs, quelle honte ! On lui en colle partout. Comme sur un sapin le jour de Noël. Voilà qu'il est sur le fronton du Trocadéro. L'Etat se moque de nous. Sur le Trocadéro, je vous demande un peu !... Des phrases creuses, lamentables. Quelle foutaise ! » Qu'à une pensée de Paul Valéry soit allé l'honneur d'être gravée sur un édifice public, et qui plus est sur *son* Trocadéro, lui paraissait un abus intolérable. « Foutez-moi la paix ! Je vous dis que c'est un scandale. » Elle se fâchait à se casser la voix, tirait sur ses colliers à les rompre. Elle criait qu'il était temps de rétablir la vérité. C'était en 1950. Jamais elle ne désarma. Vingt ans plus tard, elle s'en prenait au président de la République. Il fallait, disait-elle, le convaincre qu'il n'entendait rien à la poésie. L'anthologie[1] dont il s'était rendu coupable n'avait aucun sens puisque Reverdy n'y figurait pas. Elle répétait : « Aucun sens, vous m'entendez ? Aucun. Qu'est-ce qu'il espérait, Pompidou ? L'Académie ? De toute manière qui va lire ça ? Un travail d'écolier. » Comment l'arrêter ? On finissait par la laisser à sa colère.

Elle possédait les œuvres complètes de Pierre Reverdy en éditions originales et presque tous ses manuscrits. Entre autres trésors, un exemplaire de *Cravates de chanvre*[2] portant à chaque page une aquarelle originale exécutée d'un trait de pinceau à la fois si spontané et si précis qu'on éprouvait en le feuilletant l'immédiate certitude de se trouver en présence d'un chef-d'œuvre. Il devenait impossible de *voir* Reverdy autrement qu'à la lumière de la vision qu'en avait eue Picasso. Car c'était lui un soir, et par jeu, qui avait illustré cet exemplaire unique : « C'est pour Reverdy que j'ai fait l'illustration de ce livre et de tout cœur », disait la dédicace, signée Picasso. Objet sans prix que Chanel tenait parfois enfermé dans un coffre mais qui traînait le plus souvent à portée de sa main. Lorsqu'on lui disait : « Un jour on vous le volera », elle répondait : « C'est l'évidence même. Les belles choses sont faites pour circuler. » Et quand elle autorisait quelque amateur à passer une journée parmi ses livres, il demeurait confondu... Dans chaque

1. Georges Pompidou, *Anthologie de la poésie française* (Hachette).
2. Pierre Reverdy, *Cravates de chanvre* (Ed. Nord-Sud, 1922). Chanel possédait l'exemplaire numéro 9, relié par G. Schroeder.

ouvrage de Reverdy, dans chaque manuscrit, des mots d'amour, de tendresse, présents d'année en année, de 1921 à 1960, l'année de sa mort. Sur *Les Epaves du ciel* : « A ma très grande et chère Coco avec tout mon cœur jusqu'à son dernier battement », 1924. Sur le manuscrit de *La Peau de l'homme* : « Vous ne savez pas, chère Coco, que l'ombre est le plus bel écrin de la lumière. Et c'est là que je n'ai jamais cessé de nourrir pour vous la plus tendre amitié », 1926. Sur une réédition des *Ardoises du toit* :

> « *Coco chérie,*
> *j'ajoute un mot à ces mots si durs à relire,*
> *car ce qui est écrit n'est rien,*
> *sauf ce qu'on n'a pas su dire.*
> *D'un cœur qui vous aime si bien.* » (1941.)

Sur *Sources du vent* : « Chère et admirable Coco, puisque vous me donnez la joie d'aimer quelque chose de ces poèmes, je vous laisse ce livre et je voudrais qu'il soit pour vous une douce et discrète lampe de chevet », 1947.

Sur les rayons de la bibliothèque de Chanel, superbement reliées, les œuvres complètes de Reverdy se lisaient comme une confession, entrecoupée d'orages et de silences, s'égrenant au fil des ans. Soudain, là, à travers ces dédicaces, leur histoire à tous deux rendue claire aux yeux de quiconque sachant lire. Pour une fois Gabrielle ne cachait rien. Elle coopérait, elle allait au-devant des questions. Sinon pourquoi aurait-on trouvé, rangé avec les ouvrages de Reverdy, un exemplaire de *Tendres Stocks* [1], que Paul Morand leur avait adressé en 1921, associant leurs deux noms dans la même dédicace, ce qui permettait de dater leur liaison sans risque d'erreur.

1. *Tendres Stocks*, nouvelle de Paul Morand. Préface de Marcel Proust. (N.R.F., 1921.)

De son roman à elle Gabrielle parlait peu. Elle n'aimait pas que l'on insistât sur ce qu'avait été son sentiment pour lui. Mais de son roman à lui... Elle n'abordait jamais sans une émotion surprenante l'époque où, adolescent, Reverdy s'était trouvé mêlé à un soulèvement. Les journées de Narbonne... La révolte des vignerons. Elle racontait le Midi plongé dans la misère. D'où lui venait cette fougue ? Elle racontait les paysans affluant par centaines, certains ayant fait jusqu'à deux cents kilomètres à pied pour participer aux cortèges de la colère. Elle répétait : « Deux cents kilomètres, vous entendez, deux cents... » Elle racontait le drapeau rouge du Languedoc flottant seul sur la mairie de Narbonne, de tricolore point, les places couvertes de monde, les cordes tendues au travers des rues pour en interdire l'accès aux escadrons de cavalerie et soudain là, à seize ans, Reverdy assistant aux sanglantes représailles. Alors avec de grands gestes de bras Gabrielle faisait sonner les cloches. Le tocsin annonçait aux marcheurs de la faim l'arrivée de la troupe; hussards de Tarascon, cuirassiers de Lyon, gendarmes et fantassins en tenue de combat débarquaient sous les huées. Cette Chanel... Lorsque enfin quelque chose la tirait d'elle-même, ce qu'elle pouvait être différente. Sans compter qu'il faudrait se demander pourquoi elle s'échauffait tant au récit d'une révolte dont le principe était à l'opposé de ses convictions. Mais elle s'acharnait. Un changement inexplicable. Brusquement elle refusait l'ordre des puissants. Dans son récit, les vignerons crachaient au visage des militaires, que les cafés refusaient de servir et les hôtels de loger. Faits d'une authenticité indiscutable, mais qu'elle relatait avec une telle passion qu'elle paraissait assouvir une vengeance personnelle. A qui s'en prenait-elle au-dedans d'elle-même ? Aux beaux messieurs en culottes rouges, aux officiers de la Rotonde, à ceux de Souvigny ? Lorsqu'on en arrivait au dénouement et que, sous les yeux du lycéen Reverdy, les soldats tiraient, faisant des dizaines de blessés, tuant une jeune fille, alors plus de doute possible : la sympathie de Gabrielle allait aux vignerons et tout se passait comme si elle eût pris le parti des émeutiers. A l'instant où une rafale, tirée à travers des volets clos, tuait un *cabaretier*, la fureur de Chanel ne connaissait plus de bornes. « Un cabaretier, répétait-elle. Quelle absurdité... » Quelque chose la brûlait. Des histoires lointaines qui reprenaient corps. On l'entendait qui marmonnait : « Ces saletés-là... » Suivaient des propos désordonnés et toute une histoire sur le droit qu'ont les gens de fermer leur négoce quand ça leur chante. Assurément, elle faisait allusion à d'autres événements. Mais c'était toujours à propos de cet innocent interdisant aux soldats l'accès de son débit, de ce sang versé derrière un rideau baissé, toujours ce mot de *cabaretier* qui la rendait différente. Il était là, dominant le reste, l'obligeant, pour une fois, à ne point nier l'implacable misère des hommes. Et l'on ne parvenait plus à l'arracher au drame que lui avait raconté Reverdy ni à l'univers désespéré de ceux qui, une dernière fois, se recueillaient là où étaient tombés les leurs.

Il faisait nuit.

Les militaires postés aux coins des rues n'étaient pas de mauvais bougres mais ils ne comprenaient rien au comportement de ces femmes qui, habillées de noir, entouraient de petits cailloux ou de fleurs des champs les pavés ensanglantés. Des paysannes, des paysans... Il fallait les surveiller de près, faute de quoi on les trouvait cachés dans les coins d'ombre, un morceau de craie à la main, traçant sur la chaussée : « Mort à Clemenceau ! » Car c'était lui, à l'époque, le ministre de l'Intérieur, lui, l'ami de Boy, que les vignerons de Narbonne tenaient pour responsable de la tuerie.

*

Reverdy avait rencontré Gabrielle quelque temps après la mort de Boy. C'était chez Misia Sert où il allait parfois, bien qu'il ne fût ni mélomane ni amateur de ballets. Il n'y avait que les peintres qui l'intéressaient, que la compagnie des poètes et des écrivains, à condition toutefois qu'ils ne fussent pas mondains. Parce que ceux-là, il ne leur cachait pas son mépris. Alors il sortait peu. Il n'avait pas de temps à perdre dans les salons. A une exception près néanmoins : le salon de Misia à laquelle le liait un sentiment de reconnaissance.

Il l'avait connue en mars 1917, l'année où il fonda *Nord-Sud* [1], revue placée sous l'égide d'Apollinaire, et qui, avec des manifestes de Reverdy, des illustrations de Juan Gris, de Léger, de Braque et de Derain, devint aux yeux des jeunes gens de ce temps-là l'organe de choc de la poésie nouvelle.

Reverdy, bien qu'exempté et d'un antimilitarisme tenace, s'était engagé à peine la guerre déclarée. En 1916 il avait été réformé. *Nord-Sud*, dans son esprit, devait unir ceux dont les tendances étaient résolument modernes, qu'ils fussent Français ou étrangers. Servir de lien entre peintres ou poètes encore prisonniers des tranchées ? Une revue à lire dans la boue [2]... *Nord-Sud* était sa guerre à lui, la seule qui

1. A travers *Nord-Sud*, Reverdy exerça une influence que Michel Leiris définit comme « aussi révolutionnaire que celle de ses amis les peintres cubistes sur la sensibilité poétique de notre siècle ». (*Mercure de France*, n° 1181.)

2. André Masson — entre autres — fit la connaissance de Reverdy à travers *Nord-Sud* en lisant, dans quelque cantonnement, un de ses poèmes qu'il trouva « beau, beau comme un silex ». (*Remémoration*, Mercure de France, n° 1181.) Quant à Juan Miro il baptisa *Nord-Sud* une nature morte de 1917 bien qu'il ne connût ni Paris ni Reverdy. La revue était en vente à la galerie Dalmau à Barcelone. (La toile fait partie de la collection d'Aimé Maeght.)

l'intéressât, une guerre pour fixer les perspectives d'une poésie en rupture avec le passé. C'était aussi l'aide inattendue d'Halvorsen, un ami suédois, offrant enfin à Reverdy la possibilité de s'exprimer. *Nord-Sud* était son espoir et peut-être sa victoire.

Entreprise hallucinante si l'on songe à la misère dans laquelle il se débattait.

Avec la vie civile, Reverdy avait retrouvé le logement précaire qu'il occupait tout en haut de Montmartre, dans la grisaille d'un étrange jardin. Au 12 de la rue Cortot, une construction délabrée aussi célèbre que le Bateau-Lavoir. Les autres occupants ? Suzanne Valadon et Utrillo, Almereyda et quelques anarchistes qui, bien qu'ayant toute leur vie proclamé leur refus de porter les armes, s'étaient laissé mobiliser. La chose se faisait singulière lorsque le plus convaincu d'entre eux, le graveur Maurice Delcourt, se conduisait en héros et mourait chevalier de la Légion d'honneur au désespoir de la grosse Nénette, sa compagne, qui ne comprenait rien à ce tragique revirement. De chez lui, Reverdy l'entendait qui criait : « Mais qu'avait-il à faire là-dedans, mon homme ? »... Mort à la guerre, lui, pour qui tous les soldats avaient toujours été les assassins de la liberté ? On s'évertuait à la consoler.

Beaucoup de vides dans la maison, mais le concierge était toujours là.

Reverdy avait retrouvé sans plaisir ce gardien redoutable dont les fils, « de véritables apaches[1] », semaient la terreur dans le quartier. Il avait retrouvé le froid, les brumes, le terrible dénuement des ateliers de la Butte, les rues silencieuses, ce qu'il aimait à Montmartre autant que ce qu'il détestait. Le style rapin, la bohème revendicatrice et chevelue, la java, l'accordéon, tout cela lui répugnait au point qu'il avait

1. André Warnod, *Ceux de la Butte* (Julliard).

adopté un style exactement inverse. Comme Derain qui se donnait « le chic anglais », comme Braque qui se coiffait d'un melon et cherchait à ressembler à un bookmaker, Reverdy, dont les fantaisies vestimentaires se limitèrent à se coiffer d'une petite casquette anglaise comme en portent les garçons d'écurie, marquait son mépris du genre artiste par des cheveux coupés court, une cravate bien nouée et un veston croisé qu'on ne l'avait jamais vu quitter. C'est du reste ainsi qu'il apparaît sur les dessins que firent de lui, en 1918 et en 1921, Juan Gris et Picasso.

Marcheur de l'aube, il avait retrouvé la Butte, ses pentes raides, ses escaliers comme accrochés au ciel. Il les gravissait lentement au petit jour, à l'heure où se croisaient les fiacres emportant les derniers fêtards et les charrettes qui, chargées de légumes, remontaient des Halles. Son emploi d'avant-guerre, son seul gagne-pain, il avait bien fallu s'y remettre. Il avait été correcteur d'imprimerie, travaillant pour ces journaux qui paraissent le matin et se fabriquent la nuit, trouvant à s'employer tantôt ici et tantôt là, dans de petits ateliers nichés au fond de cours obscures, et cela jusqu'en 1921 lorsque, poussé par la nécessité, il accepta un emploi fixe au marbre de *L'Intran*, rue du Croissant. Enfin sa femme. Elle aussi il l'avait retrouvée. Elle l'attendait, patiente et dévouée dans leur logement glacé. Parce qu'il y avait ça : ils étaient deux à vivre sur ce qu'il gagnait, deux à se chauffer, deux à se vêtir. Il en était réduit à fabriquer ses livres lui-même depuis le texte qu'il imprimait, apportant à cette tâche la minutie maniaque d'un petit-fils d'artisan, jusqu'au brochage qu'assurait sa femme en couturière experte, et c'était miracle quand l'une de ces plaquettes tirées à cent exemplaires trouvait plus de trente lecteurs.

Celle qui partageait sa vie était liée au souvenir de ses débuts à Montmartre, lorsque Reverdy venait à peine de débarquer et que Paris lui était apparu comme un châtiment. Quel était le Méridional que Paris n'avait déçu ? Picasso déjà... « Je n'ai jamais connu un étranger moins fait pour la vie de Paris [1] », disait Fernande Olivier. Mais qu'ils fussent Catalans ou Italiens, ils n'étaient jamais repartis. Et c'est avec un Italien précisément que Reverdy s'était tout d'abord lié. Un peintre au regard brillant presque inquiétant, un garçon très entier dans ses jugements, ce qui n'était pas pour déplaire au poète. L'Italien habitait Montparnasse mais on le voyait souvent à Montmartre. Il passait chez Reverdy, soit qu'il allât chercher Utrillo qu'il ramenait dans un état d'ébriété si bruyante que tout le quartier était alerté, soit qu'il fût à la recherche de sa maîtresse, Beatrice Hardings, qu'il retrouvait le plus souvent chez Max Jacob, terrifiée de devoir affronter à nouveau les crises de violence de son amant. On l'appelait *Modi*. C'était Modigliani, fils d'un socialiste, comme Reverdy. Des Italiens dont l'atelier était à quelques mètres du Bateau-Lavoir les accueillirent souvent. Les frères Cominetti [2]... C'est chez eux que Reverdy rencontra Gino Severini et Marinetti, chez eux qu'il assista, entre vieux apôtres et jeunes adeptes du futurisme, à de mémorables empoignades et cela en présence d'une jeune femme aux grands yeux doux. Les Italiens l'avaient adoptée. Elle s'appelait Henriette. Ils l'avaient surnommée *Riotto*.

La jeune femme travaillait dans une maison de couture, *petite main qualifiée*, quelque part du côté de la place Vendôme. On ignorait qu'elle eût un sentiment pour Reverdy. Mais un jour, elle abandonna son emploi et ils ne se quittèrent plus. Lorsque leur vie devint par trop pénible, la compagne de Reverdy accepta du travail à domicile. Elle n'était pas seule dans

1. Fernande Olivier, *Picasso et ses amis*.
2. Gino Severini, *Souvenirs sur Reverdy* (Mercure de France, n° 1181).

ce cas. La femme d'Agero[1], jeune personne toujours en sarrau et que l'on prenait pour une écolière, elle aussi couturière, en faisait autant. Fernande Olivier qui les connaissait toutes deux se souvenait « qu'elles passaient des nuits entières à coudre pour soutenir leurs grands hommes[2] ». Il y eut mariage, mais quand ? Reverdy ne s'en ouvrit à personne. Il avait une telle pudeur, une telle crainte d'importuner... Il laissa ses meilleurs amis dans l'ignorance. Ni Braque, ni Juan Gris, ni Max Jacob ne surent quand exactement il s'était marié.

Et voilà que vint le temps où Reverdy fut réformé et que naquit en lui l'espoir fou. *Nord-Sud*... Une revue où le nom du directeur n'allait figurer nulle part. Seize pages seulement dont la première tiendrait lieu de couverture. C'était peu mais suffisant pour commencer. Il allait enfin pouvoir accueillir dans *sa* revue des jeunes inconnus tels qu'Aragon, publier Breton, Tzara, les révéler, les rallier à sa cause et peut-être les éditeurs le prendraient-ils enfin en considération.

Or deux femmes s'intéressèrent à son initiative : Adrienne Monnier qui, en accueillant dans sa petite librairie une revue qu'elle jugea trop chère — cinquante centimes — mais qui, disait-elle, témoignait « d'un esprit grave et cohérent », fit plus qu'encourager Reverdy : elle le lança. Et puis Misia. Elle l'aida de toutes les façons. Elle trouva des lecteurs à *Nord-Sud*, fit souscrire des abonnements et, pour aider Reverdy sans trop qu'il y paraisse, acheta, aussi cher qu'elle put le convaincre de les vendre, ces plaquettes tirées à cent exemplaires et fabriquées de ses mains. « Des pièces rares, des objets précieux... » Or tout ce

1. Qui était cet Agero qu'on ne trouve cité que par la belle Fernande ? Sans doute le plus obscur des peintres espagnols qui erraient par les rues de Montmartre à la suite de Picasso.
2. Fernande Olivier, *Picasso et ses amis*.

que décrétait Misia devenait loi. Elle les fit circuler, les montra, exigea une dédicace.

« Ce livre en exemplaire unique a été achevé d'écrire pour Misia », écrivit-il sur le manuscrit d'*Entre les pages*. Et il signa, « Pierre Reverdy, à Paris, 12, rue Cortot, Montmartre », cérémonieusement.

Cela aussi était plus qu'un encouragement et Misia ne pouvait, certes, faire davantage. Le malheur était que cela ne suffît encore pas. Malgré sa présentation modeste, *Nord-Sud* n'eut qu'une existence éphémère. Au seizième numéro, le manque d'argent, de lecteurs... Et nul n'a entendu dire qu'un quelconque financier se fût offert à renflouer ce qui, lentement, sombrait.

Il faudrait replacer la tentative de Reverdy dans l'étrange lumière de ces années-là, l'époque du grand virage entre la guerre et la paix. Tout avait changé, la fortune de mains, les mots de bouche. La parole était aux accapareurs comme si l'habitude de montrer les dents était prise et que ce fût là le seul langage qui s'imposât. 1918... On ne mourait plus au feu, mais des éclats meurtriers de l'argent. Ainsi Reverdy... Peu d'écrivains auront été l'objet d'une pareille persécution. Montrer les dents, lui ? Crier, peut-être... Et dénoncer, et prendre les hommes à témoin. Mais montrer les dents ? Ce n'était pas dans ses idées, non plus que de gémir ou de faire le joli cœur chez les riches dans le but de soutirer des subsides. Faire servir la poésie à ça, la compromettre ? Reverdy ne s'y résigna jamais. « La vie en société est une vaste entreprise de banditisme dont on ne vient pas à bout sans de multiples complicités[1] », écrira-t-il plus tard. L'auteur n'était pas doué pour les jeux de société. Et puis le mécénat était mort... On ne sustentait que ce qui *rapportait*.

1. Pierre Reverdy, *Le Livre de mon bord*.

Avec la paix, Reverdy perdit l'espoir de poursuivre son rêve. Sans doute l'expérience *Nord-Sud* avait-elle porté quelques fruits, on ne pouvait le nier. C'est à lui que Breton avait dédié un des poèmes de *Clair de terre*, et Aragon le plus beau poème de *Feu de joie*. Il était plus connu, plus respecté et, eût-il accepté de transiger sur certains points, les surréalistes auraient assez volontiers accueilli Reverdy parmi eux. En somme il avait acquis du prestige. Il avait aussi trouvé un éditeur. C'était cela le plus clair de son gain : ses poèmes édités à trois cents exemplaires. Mais vit-on de *considération* ? N'ayant ni le goût de se plaindre ni, à plus forte raison, celui de faire scandale, Reverdy choisit la solution pudique : se taire. Il mesura simplement l'ampleur de son échec.

En 1918, *Nord-Sud* cessa donc de paraître. Reverdy n'entendait pas qu'on cherchât à lui expliquer que d'une certaine façon il avait progressé. A quoi bon épiloguer ? Il avait perdu, oui, perdu. L'éditeur, le prestige, la considération... Il s'agissait bien de cela ! Et même de nouvelles rencontres. Qu'avait-il à en attendre ? Il aimait vivre, pourtant. Il trouvait sa jouissance non pas dans le plaisir mais dans l'excès. Trop boire, trop manger, trop fumer et tout le reste jusqu'à satiété, jusqu'au dégoût, et même jusqu'au remords. Pour n'être pas convaincu que le bonheur existât, il n'en avait pas moins le goût de séduire et de se laisser séduire, Dieu sait... « Les femmes, enfin, les femmes à qui il suffit d'un seul trait, d'une seule ligne, d'un mouvement dans la silhouette ou d'un grain de hasard dans l'œil pour devenir quelque chose de fascinant [1]. » En fait, il en allait des femmes comme du reste. Bien qu'il ne fût pas coureur, elles n'en régnaient pas moins sur sa vie. Mais par moments seulement, et pas cette année-là. D'où le peu

1. Pierre Reverdy, *Le Livre de mon bord.*

d'attention qu'il accorda à Gabrielle la première fois qu'il la vit. Encore sous le coup du chagrin, elle ne lui en accorda guère davantage. Ce qui n'impliquait pas l'indifférence. Ils s'entendirent bien. Ainsi, avant d'en venir aux jours où ils s'aimèrent avaient-ils déjà, en 1919, trouvé plaisir dans l'amitié. Curieuse liaison qui revêtait en son commencement les sentiments qui d'ordinaire en annoncent la fin.

VI

UNE CAUSE DÉSESPÉRÉE

QU'ELLE se soit difficilement arrangée des ambiguïtés de Reverdy, on le conçoit. Gabrielle ne pouvait s'empêcher de trouver contradictoires ses longs séjours au Faubourg, ses fuites soudaines à Montmartre, l'intérêt passionné qu'il lui témoignait et la sombre joie qu'il mettait à la fuir. Cette façon qu'il avait de proclamer son horreur des liens. Et la fascination qu'exerçaient sur cet éblouissant causeur le silence, l'ascétisme, lui si sensible au luxe qu'il le qualifiait « d'ambitieuse exigence de l'esprit[1] ». Que comprendre à tout cela, que retenir ? Une forme d'insouciance ou d'indifférence à l'égard des gens, était-ce cela sa vraie nature ? Aimé Maeght avait vu Reverdy, un jour de réception chez Gabrielle, descendre les marches du perron et sans se soucier de la surprise qu'il suscitait, se diriger vers la pelouse, un panier au bras : il allait aux escargots. Mais, à tout instant, on sentait sourdre en lui une révolte qu'il ne cherchait même pas à dissimuler et, dans ses yeux, cet incendie qui avait tant frappé

1. Pierre Reverdy, *Le Livre de mon bord.*

Aragon, « ce feu de colère comme je n'ai jamais vu[1] ». C'était à s'y perdre... Jamais on ne savait ce qui l'emportait chez lui de son mépris de l'argent ou de son goût du bien-vivre, de sa conviction que le bonheur n'était qu'un leurre, « un mot qui ne signifiait rien et qui s'était incrusté dans l'esprit des hommes comme un inextricable cancer[2] » ou de ce que l'on découvrait soudain, au hasard d'une phrase, de confiance dans le cœur humain. On en était forcément amené à se demander s'il allait falloir l'aimer hors de toute joie. Par exemple quand Reverdy, pour en finir avec le mythe du bonheur, demandait : « Que deviendrait la rêverie si l'on était heureux dans la réalité ? » Un jour viendrait où il se servirait de cette pensée, il la développerait. Un jour, plus tard, il prouverait que « le plus durable et le plus solide trait d'union entre les êtres, c'est la barrière[3]... » Alors elle l'accusait d'être malheureux *par principe* et de cultiver son désenchantement. S'il n'était pas heureux, c'est qu'il le voulait bien. Allons donc... Le bonheur existait. Bien que toute son histoire prouvât le contraire, tout ce qu'elle avait vu enfant, et la mésentente entre ses parents et l'échec conjugal de Boy, bien qu'elle doutât du bonheur autant que lui, Gabrielle mettait toutes ses forces à le nier. Ils se déchiraient atrocement. Bouleversée, elle l'écoutait répéter que « l'homme comprend mieux la force et la valeur du signal poétique quand il ne tient plus à rien que par quelques faibles racines[4]. Elle ouvrait de grands yeux... Qu'était-elle dans sa vie, barrière ou racine ? Les deux peut-être. Ah ! comprendre... Comprendre ce qu'elle

1. *Les Lettres françaises*, 29 juin 1960.
2. Pierre Reverdy, *En vrac*.
3. Reverdy, *Le Livre de mon bord*. Cette citation comme la plupart de celles qui figurent ici étaient cochées en marge ou soulignées de la main de Gabrielle Chanel dans les ouvrages de Reverdy qu'elle possédait et relisait souvent.
4. Reverdy, *Le Livre de mon bord*.

était au bout du compte, c'était cela son inquiétude majeure.

Mais l'étrange est qu'elle se soit à ce point méprise sur la nature du conflit qui le torturait. Ce n'était pas seulement sa répugnance à être infidèle. Certes cela pesait, et lourd. Mais, plus lourd encore et plus fort était ce qui l'appelait ailleurs. L'héroïsme de la pureté, cette tentation terrible, une sorte de folie cathare, héritage de sa province natale. Qui en porta la nouvelle à Gabrielle ? Reverdy lui-même ? On ne saura jamais. Le plus certain est que personne, dans le milieu des peintres, ne l'ignorait : Reverdy, selon ses propres termes, *foudroyé*. Soudain, chez ce fils de libre penseur, Dieu comme un vertige... Eh bien, ce n'était pas avec cela qu'on allait effrayer Gabrielle. Telles étaient encore ses illusions, telle sa conviction qu'aimer et vivre était une affaire à mener comme une autre, qu'elle s'insurgea. Un règlement de compte avec le Ciel ? Arracher Reverdy à son entreprise ? Elle n'allait pas hésiter. Puisqu'il l'aimait, il renoncerait, n'est-ce pas ? Confrontée avec l'entière vérité, avertie de la conversion de Reverdy et de son baptême, le 2 mai 1921, pas un instant Gabrielle ne douta qu'elle fût de force à remporter la victoire.

C'est une fois de plus aux ouvrages de sa bibliothèque que l'on doit de pouvoir situer avec précision l'époque où s'engagea l'étrange affrontement. Sur un exemplaire de *Fermé la nuit* [1] cette dédicace de Paul Morand : « A Coco Chanel, amie des causes désespérées » et une date : 1923. Celle précisément où sa mésentente avec Reverdy allait croissant. Elle l'aimait pourtant et il l'aimait aussi, mais elle ne cessait de se heurter à un mécontentement fondamental chez lui, comme un dégoût devant la vie et tout ce qu'elle implique de lâchetés. Hantises qui lui paraissaient d'au-

1. Paul Morand, *N.R.F.*, 1923.

tant moins explicables qu'elles étaient l'aboutissement d'une crise littéraire dont elle ignorait tout.

On croit qu'à l'origine du douloureux repli de Reverdy il n'y avait eu que sa recherche de Dieu. C'est ignorer que Reverdy était seul bien avant que ne le tentât l'aventure spirituelle. Ses exigences littéraires avaient été prétexte à isolement au moins autant que ses aspirations religieuses. A peine si dans son esprit elles se distinguaient les unes des autres, tant elles avaient entraîné les mêmes brisures. A l'époque où Gabrielle s'acharnait à le retenir, il était seul déjà, seul entre elle et Henriette, seul avec les quelques amis qui lui restaient. Mais il réussissait à décourager les plus fidèles par ses indignations, une sorte de rudesse terrienne proche de celle de Chanel et, pis encore, une intransigeance paysanne qui n'était pas toujours facile à supporter. Ainsi avec les surréalistes... Depuis l'époque de ses vingt ans et de ses bouillants enthousiasmes — « plus jamais l'air n'a été chargé de parfums aussi grisants. Jamais autant d'insouciance et de confiance ne nous a escortés vers l'inconnu [1] » —, depuis l'avènement des cubistes, rien n'avait séduit Reverdy autant que l'aventure des poètes groupés autour de Breton. Et il avait été porté à croire que rien de sérieux ne les opposait à lui. Leurs manifestes en faisaient foi avec évidence. Mais soudain quelque chose avait rompu l'enchantement. Il ne croyait plus à leurs méthodes. Délire, élans oniriques, visions fantastiques... Grimaces que tout ça ! Il entreprenait Breton sur la nécessité de considérer la création poétique comme une recherche *à froid* de la réalité quotidienne. Il fallait rester lucide, résister à l'excès et bannir tout ce qui était dérèglement des sens. Et puis Breton en faisait trop... Reverdy répétait qu'il ne voulait ni jouer le jeu du monde ni se prê-

1. Lettre de Reverdy à Jean Rousselot, mai 1951. *Entretiens* (Subervie, édit., n° 20).

ter à une quelconque stratégie littéraire. Encore heureux lorsqu'il n'assenait pas Dieu comme une claque. Les surréalistes — sans toutefois le désavouer — le laissèrent à cette place qui était sienne « à égale distance de la malédiction et de la gloire [1] », et ce qui les unissait s'altéra rapidement. Un désaccord, une fêlure qui s'ajoutaient à d'autres. Sa solitude s'accentuait.

Restaient Picasso, Laurens, Braque et Juan Gris. Mais pour combien de temps ? Gabrielle continuait à voir Gris tandis que Reverdy l'évitait. Là, encore, une brouille qui s'était aggravée progressivement et que l'on s'expliquait mal. Eux qui toujours, et cela depuis les premiers temps du cubisme, avaient accordé la même importance aux mêmes choses et toujours s'étaient retrouvés face aux truqueurs, aux aguicheurs... Juan Gris, le peintre dont Reverdy s'était senti le plus proche, l'ami inconditionnel, il lui en voulait... De quoi ? On se le demandait. D'avoir « versé » dans l'opéra, le théâtre et quoi encore ? Etait-ce cela le motif de leur brouille ? Juan Gris, le pur, se laissant séduire par Diaghilev et compromettre dans des entreprises semi-mondaines. Gabrielle avait plaidé sa cause. Juan Gris avait conçu la décoration d'un spectacle organisé pour commémorer le tricentenaire de Versailles. Où était le mal ? Dans le souper aux chandelles qui avait suivi, les illuminations, le feu d'artifice ? Gris était à ce propos au moins aussi sévère que Reverdy lui-même. Il y avait bien eu, entre 1921 et 1924, ses voyages à Monte-Carlo pour des portraits, des costumes. Quelle loi avait-il transgressée ? Juan Gris était fou de danse. Etait-ce un crime ? Comme le notait Cocteau : « Une dictature pesait sur Montmartre et Montparnasse... Le code cubiste interdisait tout autre voyage que celui du Nord-Sud entre la place des Abbesses et le boulevard

1. Michel Leiris, *Reverdy poète quotidien* (Mercure de France, n° 1181).

Raspail. » Mais Juan Gris avait eu Monte-Carlo en horreur. N'était-ce pas une circonstance atténuante ? « Je déteste ce pays, genre exposition universelle où l'on ne voit que de la mauvaise architecture, des types de poires à l'air imbécile et des combinards [1]. » Le monde des ballets lui était apparu sous un jour des plus défavorables : « Je suis, c'est vrai, très souvent avec Diaghilev, Larionov et les danseurs, mais ils sont tous Russes c'est-à-dire loufoques [2]. » Et chacune de ses lettres répétait la même chose : « J'ai hâte de fuir ce milieu de loufoquerie et d'énervement », « Monte-Carlo est ennuyeux comme un sanatorium », « Cette atmosphère de joueurs me dégoûte énormément... », « Je déteste de plus en plus ce pays... », « J'ai hâte de quitter ce milieu qui m'exaspère. Quelle existence infernale, le théâtre [3] ». Reverdy ne se serait pas exprimé autrement. Alors pourquoi lui en vouloir ? Mais le fait était là : Reverdy avait pratiquement rompu avec Juan Gris.

Ainsi des hommes du début, de ceux dont, aux premiers temps de son séjour à Montmartre, il ne pouvait se passer, la plupart lui étaient devenus étrangers. Sauf un poète, un peu astrologue, tantôt vêtu en garçon boucher, tantôt en habit et monocle : Max Jacob. Et c'est à ce dernier qu'il dut d'être converti.

Alors que l'habitait encore un fort appétit de vivre, Reverdy avait écouté sans beaucoup d'intérêt ce qui lui était apparu comme les facéties d'un incorrigible bavard : le récit des successives visions de Max, celles de 1909 puis celles de 1914. Sur les murs du Bateau-Lavoir, les apparitions d'un homme « d'une élégance dont rien sur terre ne peut donner une idée... Le Christ en robe de soie jaune clair, ornée de pare-

1. Kahnweiler, *Juan Gris, sa vie, son œuvre, ses écrits* (Gallimard).
2. *Ibid.*
3. *Ibid.*

ments bleus[1]... », le Christ entre la toilette en fer émaillé et le sommier posé sur quatre briques, le Christ dans la chambre où le bon Max — il ne s'attendait à rien, ce jour-là, avait terriblement froid aux pieds et cherchait éperdument ses pantoufles — soudain, en se relevant s'était trouvé face à face avec... La fois d'après, c'était au cinématographe en pleine séance, un personnage en robe jaune envahissant l'écran, le Christ, encore lui, mais cette fois abritant sous son large manteau et au grand étonnement de Max, les nombreux enfants de la concierge ! Enfin, un jour au Sacré-Cœur, pendant la messe, la Vierge lui disant : « Ce que t'es moche, mon pauvre Max ! » Et Max furieux, lui répondant : « Pas si moche que ça, bonne Sainte Vierge ! » puis quittant l'église au comble du désarroi en bousculant les fidèles et se faisant rabrouer par le bedeau.

Reverdy avait aussi eu droit au récit circonstancié du baptême de Max, puis à celui de sa première communion, avec Picasso dans le rôle du parrain, un Pablo Picasso des plus recueillis mais facétieux néanmoins puisqu'il avait voulu à toute force que son filleul se fît prénommer Fiacre. Ce fut finalement sous le nom de Cyprien — Cipriano della Santissima Trinidad figurait parmi les sept prénoms donnés à Picasso au jour de son baptême — que Max Jacob avait été baptisé à son tour, le 18 février 1915. Et comme Reverdy, que ce récit intriguait, avait un grand désir d'approfondir et de comprendre, comme il pressait Max de questions, celui-ci, qui ne reculait devant aucune jonglerie lorsqu'il s'agissait de convertir ses amis, avait fait un récit mimé de la passion du Christ. Monologue dans la langue de chaque jour, mais où il entrait tant de rêve et de talent que Reverdy, qui était d'une émotivité extrême, avait fondu en larmes.

1. *Récit de ma conversion*. Cité en annexe dans *Max Jacob* par Pierre Andreu (Wesmael-Charlier. Collection « Conversions célèbres »).

C'est ainsi que tout avait commencé.

Quand Reverdy se fit baptiser à son tour, il voulut que Max Jacob fût son parrain.

Or la mésentente vint, très vite, se mettre entre eux. Aux divergences d'ordre littéraire qui l'avaient éloigné des surréalistes, succédèrent les désaccords spirituels qui l'éloignèrent des chrétiens. Comment tout cela allait-il finir ? Gabrielle faisait de son mieux pour vaincre l'isolement dans lequel Reverdy s'enfermait. Elle connaissait très bien Max Jacob qui l'amusait prodigieusement. Il la consultait sur le choix de ses chemises, lui tirait son horoscope, lisait dans sa main, l'entretenait de l'admirable coiffure qui était celle du Christ lorsqu'il lui était apparu et conseillait à Coco de « lancer » une coiffure semblable. Enfin, il l'avait fait rire aux larmes en lui racontant comment il avait été promu, à la fois, guide en superstitions chez Poiret pour ce qui était des couleurs qui portent bonheur, et directeur de conscience auprès de la princesse Ghika chez qui il passait ses vacances. Cette dame tout en dévotion n'était autre que la belle des belles, Liane de Pougy, devenue princesse par mariage.

C'était, comme de juste, chez Misia quelques années auparavant, que Gabrielle avait connu Max Jacob. Pas n'importe quel jour... Le jour où ce dernier venait présenter sa plus récente découverte, un enfant prodige de quatorze ans : Raymond Radiguet. Or à cette époque, malgré ses visions, ses crises de dévotion, ses courses pour aller, en noctambule plein de contrition, faire pénitence à la première messe du Sacré-Cœur, Max Jacob n'en était pas moins un poète d'une sociabilité extrême, vivant son temps de salons. Le jour où en tenue de gala — habit, chapeau claque, monocle, écharpe blanche et canne à pommeau — alors qu'il se rendait à l'Opéra pour applaudir les décors de son ami Picasso, une voiture l'avait renversé, place Pigalle, c'étaient Gabrielle et Marie Laurencin qui étaient accourues et s'étaient relayées à son chevet.

Tant de souvenirs partagés expliquent le désir qu'eut Gabrielle, lors de sa liaison avec Reverdy, d'inviter au Faubourg leur ami commun.

Mais jamais on ne l'y vit. Max Jacob redoutait Reverdy qu'exaspérait sa forme de piété : « Je ne puis supporter ce mépris de l'authentique, cette dispersion jacassante[1] », disait Reverdy. Max, pour sa part, fuyait le regard de son censeur et les « douches glacées de sa réprobation[2]. » Jusqu'à l'épouse fidèle qui, dans son refuge montmartrois, se trouvait exposée aux éclats de Max Jacob : « Ah ! ce qu'ils peuvent m'embêter sa femme et lui ! Comme il se prend au sérieux ! C'est le péché des péchés[3]... » « Scènes de comédie... » comme devait en convenir trente ans plus tard l'un de ceux qui y assistèrent. Mais les acteurs étaient deux hommes qui, entre 1900 et 1920, avaient changé les conditions de la vie poétique en France. Et d'ajouter : « Pour moi rien de plus émouvant que ce désaccord. Je savais bien que la sainteté des poètes ne serait jamais la même que la sainteté des saints[4]. »

Période de passion où l'athéisme céda à un vent de foi, passager pour les uns, définitif pour les autres.

Faut-il rappeler que l'année où Reverdy passait de l'incroyance à la certitude fut celle où une crise de même ordre ébranla la conscience de Cocteau. C'est en 1925 que tout se mêla dans sa vie, tout se croisa, l'expérience de la drogue et l'initiation à Dieu, les lettres de Maritain contenant reliques ou oraisons, et les invitations des fumeurs d'opium. Ce fut l'année aussi où tout se contredit dans son œuvre, *Prairie légère* comme une réponse à *Prière mutilée*, tantôt des ailes

1. Propos recueillis par Gabriel Bounoure dans *Pierre Reverdy et sa crise religieuse* de 1925 à 1927 (Mercure de France, nº 1181).
2. *Ibid.*
3. *Ibid.*
4. *Ibid.*

de fumées à ses poèmes, tantôt des ailes de lumière.

Et l'on ne saurait oublier que ce fut, très précisément, au cours de ces années-là que se noua la fructueuse collaboration de Gabrielle avec Jean Cocteau et que naquit leur amitié.

Années combien étranges engendrant toutes sortes d'explosions. Le feu d'artifice des Arts Déco; le choc de la première exposition surréaliste; les secousses de la Revue Nègre s'ajoutant à la surprenante nudité de Joséphine Baker; *La Ruée vers l'or* provoquant une complicité définitive entre les intellectuels français et Chaplin.

Mais personne ne semble avoir vu l'ampleur du rôle qu'a tenu Gabrielle, image fugitive et comme à peine esquissée, dans ce théâtre de l'inattendu.

*

Une longue année, un vain combat. Ainsi se résument les derniers mois de ce qui fut la seule aventure littéraire de Gabrielle. Cela se situait courant vingt-quatre. Il y eut bien encore quelques répits entre Reverdy et elle, mais si peu. Après cela, la tentation de la solitude fut décidément la plus forte et il n'y eut place dans la vie du poète que pour l'exil, et une sorte d'héroïsme dans l'absence, source unique de son inspiration. « La poésie est dans ce qui n'est pas. Dans ce qui nous manque. Dans ce que nous voudrions qui fût[1]. »

Tisser, interposer entre le monde et soi
le filet des mots silencieux
dans tous les coins de la chambre noire[2],

1. Reverdy, *En vrac*.
2. Manuscrit qui se trouvait dans la bibliothèque de Gabrielle Chanel.

C'est vers quoi tendait Pierre Reverdy.

Alors Gabrielle s'inclina.

L'attirance qu'exerçait sur lui cette chambre noire était de celles qu'elle pouvait le mieux comprendre. Elle allait perdre Reverdy, mais d'une certaine façon ils se rejoignaient dans ce qui les tourmentait autant l'un que l'autre : une authenticité inaltérable et, plus tenace encore, leur croyance dans la vertu d'ombre qui met en valeur l'essentiel. Double héritage d'un passé paysan que chacun allait exploiter à sa façon : Chanel en faisant du noir l'instrument de son succès — 1925 allait être l'année des femmes en noir et d'une mode qui cesse d'apparaître aux yeux de la postérité comme une parure passagère, mais bien comme l'expression d'une époque —, Reverdy en quittant Paris pour toujours.

Et le voilà rejeté dans une sorte de mort voulue.

Le 30 mai 1926, après avoir brûlé nombre de manuscrits en présence de quelques amis qui ignoraient les raisons de cet autodafé, il se retira à Solesmes, dans une petite maison toute proche de l'abbaye. Il allait y vivre trente ans, avec sa femme, mais seul néanmoins, « seul contre la peau des murs[1] ».

Il était dans la fatalité de Reverdy qu'il agisse ainsi et dans celle de Gabrielle, qu'elle trouvât la force d'accepter sa défaite tout en ne rompant pas les ponts entre son monde et le sien. Ainsi, la quittant, Reverdy ne perdrait-il ni sa confiance ni l'admiration qu'elle lui témoignait. Telle paraît être, en fin de compte, la nature du sentiment qui, toujours, le lia à elle : une reconnaissance éperdue. La traversait le souvenir d'une attirance que ni l'âge ni le temps ne vinrent éroder. Et il en fut ainsi jusqu'à la mort de Reverdy.

1. Reverdy, *Le Livre de mon bord.*

Avec quelle surprise ne constate-t-on pas une similitude entre cette femme et cet homme qui trouvèrent leur grandeur, elle toujours plus mêlée à ce que l'époque avait de plus futile, lui « sur le seuil de l'oubli, comme le voyageur nocturne[1] ». Un jour viendra où le souvenir de Gabrielle ne vaudra que pour le courage qu'elle eut d'affirmer que l'éternité d'une parure est toute dans sa rigueur, et de lutter, en coloriste exigeante, contre ce qui, pendant des siècles, « avait été l'inconcevable et tenace préjugé... de bannir l'emploi du noir, négation de la couleur[2] ». Si bien qu'elle se survivra par ce qu'elle avait de commun avec Reverdy : le noir comme la couleur même de leur œuvre à tous deux, une simplicité de ton, un « dépouillement chirurgical[3] » qui fit longtemps scandale. Et puis, qu'on le veuille ou non, subsistera que chaque fois qu'il sera question de ses poèmes, de son chant à lui « comme une veine de quartz souterraine et splendide[4] », on ne pourra éviter de citer son nom à elle, pour ce qu'elle lui apporta de confiance et d'aide matérielle. On n'imagine pas avec quel tact elle sut l'aider, achetant secrètement ses manuscrits, intervenant personnellement auprès de ses éditeurs, leur versant des pensions qu'ils lui reversaient. Ainsi pour qui viendra plus tard, le beau nom de Gabrielle restera pour toujours lié à celui du solitaire de Solesmes.

1. Reverdy, *Le Livre de mon bord.*
2. Aragon dans *Sic*, n° 29, mai 1916.
3. André Malraux, *Des origines de la poésie cubiste*, janvier 1920, reproduit dans le Mercure de France, n° 1181.
4. Pablo Neruda, *Je ne dirai jamais...* (Mercure de France, n° 1181).

VII

D'UN CERTAIN THÉÂTRE ET DE DEUX PROVOCATEURS

Chanel devient grecque... titre que l'on vit dans quelques revues parisiennes aux derniers jours de l'année 1922.

Mais il ne s'agissait pas d'une nouvelle tendance de mode.

C'était sur une scène et à la page des spectacles que Chanel faisait parler d'elle. Elle collaborait avec des artistes qui, dix ans plus tard, auraient fait événement, mais qui, à l'époque, identifiés avec l'avant-garde, se limitaient à inquiéter.

Antigone, dans une adaptation libre de Cocteau, avec des décors de Picasso, une musique de Honegger, des costumes de Chanel, c'était cela qu'annonçait en décembre l'affiche d'un édifice pittoresque, propre à évoquer le Paris provincial d'Utrillo : l'ancien théâtre de Montmartre. Une expérience, cette *Antigone*, qui, aux dires de certains, allait être plus provocante qu'intéressante, les artisans de ce spectacle manquant à la fois d'expérience et de maturité. Gabrielle Chanel avait trente-neuf ans et n'avait jamais exécuté de costumes de théâtre auparavant. Pablo Picasso avait quarante et un ans, Jean Cocteau trente-trois ans, Honegger trente ans.

En changeant de maître cette année-là, le théâtre de Montmartre avait changé de nom et de destin. Charles Dullin venait d'y fonder le *Théâtre de l'Atelier*. « La troupe mangeait rarement à sa faim... Un poêle de fonte dans l'angle de la salle réchauffait tous les soirs une bonne douzaine de spectateurs [1]. » Mais son pre-

1. Pierre Brisson, *Le Théâtre des années folles*.

mier spectacle, *La Volupté de l'honneur*, avait révélé aux Français le nom d'un inconnu : Pirandello. Aussitôt l'Atelier devint le centre d'un combat pour l'élargissement du répertoire, l'ouverture sur un théâtre européen, et la rénovation du jeu des comédiens. C'est dire qu'il eut aussi *son* public, un auditoire d'étudiants, d'intellectuels, d'artistes. La suprématie de Dullin s'exerça dès décembre 1922, et pendant vingt ans, dans le petit édifice qui, à égale distance des coupoles du Sacré-Cœur et des façades rougeoyantes des boîtes de Pigalle, avec son péristyle, sa pissotière, sa petite place où quelques arbres font une ombre assez maigre, accueillit l'*Antigone* de Sophocle, revue et corrigée par Cocteau. Ce que l'on pouvait considérer comme un public d'habitués lui fit un succès considérable [1]. Le spectacle était pourtant hors de toutes conventions. S'était-on jamais risqué de « rafraîchir, raser, peigner [2] » une tragédie antique ? A dire vrai, personne ne chercha à savoir ce qui, dans cette « contraction [3] », était de Cocteau et ce qui était de Sophocle et souvent on attribua à l'adaptateur ce qui était le texte original de l'auteur. Situation des plus curieuses dont Cocteau fut le premier à convenir : « Un chef-d'œuvre porte en soi une jeunesse que la patine recouvre, mais qui ne se fane jamais. Or c'est seulement cette patine qu'on respecte, qu'on imite. J'ai ôté la patine d'*Antigone*. On a cru me reconnaître dessous. C'est bien de l'honneur [4]. »

Quelques articles dans la presse étrangère, peu de retentissement dans la presse française. L'*Antigone* nouvelle manière dérouta la critique, malgré les

1. « Les applaudissements d'un public de jeunes artistes et de gens cultivés lors de la première étaient aussi forts que le désaccord des critiques à la répétition. » (Otto von Wätjchen, *Rheinische Blätter*, n° 5, mars 1923.)
2. Interview de Jean Cocteau, *Gazette des arts*, 10 février 1923.
3. *Ibid.*
4. *Ibid.*

éclaircissements que prodigua l'adaptateur. « Les personnages d'*Antigone* ne *s'expliquent* pas, disait Cocteau. Ils agissent. Ils sont un exemple du théâtre qu'il faudra bien substituer au théâtre de bavardages [1]. » Mais c'était le théâtre de bavardages qui plaisait. Et l'*Antigone* de Cocteau, avec son décor couleur d'outre-mer pour « exprimer le beau temps [2] », des grappes de masques antiques accrochés autour d'un haut-parleur en guise et place de chœur, avec un accompagnement musical au hautbois que Cocteau jugeait « dur et modeste [3] », mais que les auditeurs jugèrent nasillard, avec des comédiennes maquillées en blanc et des comédiens passés au rouge « parce que le théâtre de l'Atelier n'a pas de rampe et qu'il me fallait trouver les prestiges de la rampe sous une autre forme [4] », ne fit guère couler d'encre.

L'Académie s'abstint et, par la voix de René Doumic, préféra recommander une pièce patriotique de François de Curel [5].

Quant aux revues théâtrales, elles avaient trop à faire avec le succès de Lucien Guitry dans une comédie de son fils Sacha [6] pour s'intéresser à une œuvrette pour intellectuels.

Notons que ce fut Gabrielle, et de loin, à qui cette aventure profita le plus. Alors que les journalistes assimilèrent — de l'aveu même de Cocteau — le décor avec une crèche de Noël, les masques de Picasso, « avec une vitrine de Mardi gras », ainsi, du reste, que les boucliers des gardes, objets d'un noir superbe rehaussés de motifs inspirés des vases de Delphes —

1. Interview de Jean Cocteau, *Gazette des arts*, 10 février 1923.
2. *Ibid.*
3. *Ibid.*
4. *Ibid.*
5. Le numéro de janvier de *La Revue des Deux Mondes* publia une critique élogieuse de *Terre humaine* de François de Curel par René Doumic de l'Académie française.
6. *Un sujet de roman*, pièce de Sacha Guitry.

il faudra attendre plus de trente ans et l'apparition de certaines poteries de Vallauris pour voir quel en fut l'aboutissement —, les costumes de Gabrielle furent unanimement loués. Ils présentaient pourtant nombre de signes communs avec le décor, avec les accessoires et suivaient fidèlement la gamme de couleurs particulièrement réduite qu'avait imposée Picasso. Le brun y était ton majeur, associé à un beige très pâle et à une note passagère de rouge brique, se détachant sur les lointains ensoleillés puisque « la tragédie se déroulait par un jour de beau temps ».

Cocteau avait fait autant de battage autour de la participation de Gabrielle qu'il en avait fait autour de celle de Picasso et d'Honegger. « J'ai demandé les costumes à Mlle Chanel, déclara-t-il à la presse, parce qu'elle est la plus grande couturière de notre époque et que je n'imagine pas les filles d'Œdipe mal vêtues [1]. » Et il illustrait ainsi l'étroite relation entre l'action et le costume en ajoutant : « Antigone a décidé d'agir. Elle porte un manteau superbe. Ismène n'agira pas. Elle garde la robe de n'importe quel jour. » Ainsi, on le voit, Gabrielle Chanel faisait l'objet d'un témoignage d'admiration avant même que le rideau fût levé.

Ses costumes firent le reste.

Jamais elle n'en créa de plus robustes ni de plus convaincants.

Reçut-elle l'aide de Dullin ? On a tout lieu de le croire et aussi que l'exigeant directeur de l'Atelier fut, autant que Cocteau, celui qui lui offrit sa chance. Dullin, qui veillait particulièrement sur elle, était partout à la fois. Mais il ne signa pas la mise en scène, par souci de ne pas figurer deux fois et à deux titres différents sur l'affiche.

L'excellence de la distribution masqua certaines

1. Interview à la *Gazette des Arts*, 10 février 1923.

pauvretés du texte. Une actrice grecque, Genica Atanasiou, fut une Antigone à la chevelure rase, aux sourcils épilés, deux traits de crayon méphistophéliques lui barrant le front, les yeux faunesques fortement redessinés en noir et étirés jusqu'aux tempes. De sa grosse cape de laine sommairement tissée, émergeait, comme d'un billot, son cou nu. Le costume, à lui seul, faisait d'elle une victime désignée... « Ivre de rage et de pouvoir stupide[1] », l'ancien amant de Caryathis et, pour Gabrielle, le compagnon d'un soir de tumulte aux Ballets russes, Charles Dullin dans le rôle de Créon campait un personnage de tyran qui allait rester longtemps marqué de sa personnalité. Un Créon à la barbiche clairsemée, au long nez, le front ceint d'un bandeau d'orfèvrerie d'un caractère assez barbare — sans doute le premier bijou que signa Chanel — un vieillard serrant autour de ses maigres épaules une chlamyde de teinte terreuse, un roi sourd aux menaces de son devin. Dans le rôle de Tirésias, Antonin Artaud — l'amant de Genica Atanasiou dans la vie — remplaçait le mot par le cri et atteignait un paroxysme de fureur qui laissa le public abasourdi. A écouter les imprécations de celui qui se présentait « comme ces suppliciés que l'on brûle et qui font des signes sur leur bûcher[2] » — scène proche du *happening* de par la provocation qu'elle impliquait — on aurait pu imaginer ce qu'allait être, quelques années plus tard, l'œuvre du poète visionnaire et son long tourment.

Les plus grands photographes, les meilleurs dessinateurs hantèrent à l'occasion de ce spectacle les coulisses de l'Atelier. C'est ainsi que Man Ray fit un étonnant portrait de Genica Atanasiou et que Georges Lepape re-

1. Analyse de la pièce par Jean Cocteau dans le programme d'*Antigone*.
2. Antonin Artaud, *Le Théâtre et son double*.

çut commande de M. Crowninshield[1] d'une série de dessins. L'édition française de *Vogue*, publication qui jouissait alors d'un grand prestige dans le monde des arts, les publia en février 1923, avec un commentaire combien prudent. Mention était faite de Sophocle, de Cocteau et de Dullin. Le nom de Picasso n'était pas cité, pas plus du reste que celui de Honegger, moins encore celui d'Antonin Artaud. Par contre, les costumes de Gabrielle Chanel étaient décrits élogieusement : « ... ces robes de lainage aux tonalités neutres donnant l'impression de vêtements antiques retrouvés après des siècles ». Et toujours à propos des costumes : « ... c'est une belle reconstitution d'un archaïsme éclairé d'intelligence. » Hommage qui dépassait en ampleur tout ce que Gabrielle aurait pu espérer.

Il est à noter que c'est en 1922 que Gabrielle fit l'acquisition d'un marbre hellénistique d'une rare qualité. A partir de cette date, il figura en pièce maîtresse dans son salon. C'est à cette date aussi que l'on vit dans sa collection quelques drapés à l'antique. Ils ne furent qu'un fait passager. Assez singulier néanmoins pour retenir l'attention de Cocteau. Il en fit de forts beaux dessins.

Manifestant toujours cette ferme volonté de transposer dans le domaine de sa profession les trouvailles que suscitait son aventure personnelle, c'était la Grèce antique qui, à peine découverte, entrait d'un coup dans la vie de Gabrielle. Eût-elle été tout à fait la même si cette expérience n'avait été tentée?

*

Après *Antigone*, *Le Train bleu*. C'était passer de Dullin à Diaghilev, de Thèbes à la Côte d'Azur, c'était

1. Journaliste américain alors directeur de *Vanity Fair* à New York et de l'édition française de *Vogue*.

délaisser l'univers sanglant de la tragédie pour un monde de fantaisie, celui d'une opérette dont les héros, au lieu de se prénommer Eurydice, Ismène ou Hémon, s'appelaient Perlouse et Beau Gosse.

En quatorze ans — de 1923 à 1937 — si l'on retient après *Le Train bleu*, *Orphée*, *Œdipe roi*, puis *Les Chevaliers de la Table ronde*, le cycle des œuvres de Cocteau se poursuivait et tout se passait comme s'il n'envisageait ses personnages que costumés par Chanel. Mais Gabrielle ? A constater avec quelles réticences elle parlait de ses activités théâtrales d'après 26 — c'est à peine si, à force de ténacité, on réussissait à lui soutirer le nom des spectacles auxquels elle avait participé —, on ne peut s'empêcher de penser qu'elle s'était assez vite bornée à s'acquitter de sa tâche en artisan consciencieux non sans manifester quelques réserves. Le brio de Cocteau lui paraissait-il suspect ? Qu'éprouvait-elle à son endroit ? Déjà de l'agacement ? Lui reprochait-elle, dès cette époque, d'avoir trop de charme et de n'être pas Reverdy ?

« J'ai eu très vite assez de son bazar antique », devait-elle déclarer bien des années plus tard.

C'était renier un monde de métamorphoses qui l'avait éblouie au début, un climat de tentures pourpres, de personnages ailés, tout un luxe de statues, de plantes, de bêtes parlantes et d'anges en robe d'eau qui étaient entrés avec Cocteau dans la dramaturgie française. Si l'on songe à l'amitié fervente que celui-ci lui témoigna, si l'on mesure ce qu'elle lui dut dans l'ordre des rencontres et de l'expérience, c'était aussi faire preuve d'une noire ingratitude. Décevante Gabrielle... Cocteau avait meilleur cœur qu'elle, lui qui, tout en la jugeant, sut aussi bien que Colette et mieux peut-être, la décrire avec « ... ses colères, ses méchancetés, ses bijoux fabuleux, ses créations, ses lubies, ses outrances, ses gentillesses comme son humour et ses générosités, composant un personnage unique, attachant, attirant, repoussant excessif... humain enfin ».

Gabrielle avait-elle de quoi justifier une si choquante attitude ? Considérait-elle que d'avoir reçu Cocteau au Faubourg, de l'avoir souvent hébergé en compagnie de ses amis fumeurs, et, deux fois au moins, financièrement aidé à se faire désintoxiquer, jugeait-elle que tout cela les rendait quittes l'un envers l'autre ? La faculté d'aimer, dont Jean Cocteau eut toute sa vie si belle part, ses vraies armes, celles du cœur, comme sous l'effet d'une fatale ankylose, échappaient peu à peu des mains de Gabrielle.

Mais on en était encore au bleu fixe, entre elle et lui, lorsqu'il reçut commande d'un argument. L'ordre émanait de Diaghilev. Se mettre au travail sans tarder. A vrai dire il ne s'agissait pas d'un ballet, mais d'une « opérette dansée ». Effort de renouvellement caractéristique de ce « prodigieux agent provocateur [1] ». A quelle occasion Diaghilev avait-il été séduit par la musique la plus française, la plus populaire qui soit ? Airs de Christiné et de Maurice Yvain que sifflaient au coin des rues de petites gens n'allant au théâtre que pour se détendre et s'amuser, monde méprisé des critiques. Or c'était cela précisément, ces airs-là et le « charme puissant du trottoir [2] » que Diaghilev souhaitait transposer et réhabiliter. En arrachant la danse aux charmes un peu figés des légendes, en lui donnant une saveur d'actualité, Diaghilev et Cocteau anoblissaient une forme de théâtre où devaient se combiner la danse, l'acrobatie, la pantomime, la satire, expression plastique proche de la « comédie musicale », telle qu'elle triomphe aujourd'hui aux Etats-Unis.

1. Igor Markevitch, *Diaghilev et la musique française* (Guilde internationale du disque).

2. Jean Cocteau, préface de 1922 aux *Mariés de la tour Eiffel* (Gallimard).

Gabrielle se rendit-elle compte, cette fois, que ce n'était pas à *un* provocateur qu'elle allait avoir affaire mais à *deux*, Diaghilev et Cocteau collaborant à la même entreprise, la description que l'un faisait de lui-même s'appliquant à merveille à l'autre : « Je suis d'abord un grand charlatan, mais avec brio; en second lieu un grand charmeur; troisièmement j'ai tous les toupets[1]... » Mais de toupet elle n'était pas dépourvue non plus. Et elle demeura ferme face à ces tempêtes, ces drames de coulisse, intrigues, divergences, inimitiés qui sont pain quotidien dans le monde de la danse.

Une fois de plus, une éclatante distribution réunissait un groupe d'amis. Pour sa première apparition sur l'affiche des Ballets russes, Gabrielle se trouvait en compagnie plus prestigieuse encore qu'elle ne l'avait été au théâtre de l'Atelier. Mais ce qui frappe aussi est que s'il y eut des initiatives de Diaghilev plus importantes que celle-là, il y en eut peu donnant autant que *Le Train bleu* l'impression du défi. Pour une musique légère, un compositeur que ses origines provençales et juives portaient doublement vers un esprit de gravité : Darius Milhaud. Il s'était illustré par des cantates sur des thèmes bibliques et des mélodies sur des poèmes de Paul Claudel dont il avait été le secrétaire. Comme il l'avoua par la suite, la démarche de Diaghilev lui causa une vive surprise : « La mode était alors à la musique hédoniste et charmante, bien éloignée de celle que je composais alors... et qui n'était pas du goût de Diaghilev, je le savais. Je n'avais jamais pensé à écrire une opérette même sans paroles. J'acceptai le défi[2]. » La partition du *Train bleu* entreprise le 15 février 1924 fut terminée vingt jours plus tard.

1. Diaghilev, *Lettre à sa belle-mère*.
2. Darius Milhaud, *Notes sans musique* (Paris, 1949).

Pour le décor, deuxième défi. Diaghilev s'adressa à un sculpteur qui n'avait de sa vie conçu une maquette de théâtre : Henri Laurens[1]. Son « sérieux » égalait celui de Reverdy, dont il était l'ami et l'illustrateur. A ce Parisien de Paris, Diaghilev demandait de faire revivre une plage à la mode, à ce fils d'ouvrier de transposer l'univers frivole d'une foule d'oisifs. Henri Laurens à son tour releva le défi et se mit au travail. Son décor imprimait aux cabines et aux parasols de la Côte d'Azur une étrange géométrisation. Constructions anguleuses, tronquées. On aurait dit un décor fait de papiers collés.

Pour régler un ballet de Cocteau et donner une force chorégraphique à un scénario où s'affrontaient baigneurs, joueurs de tennis, champions de golf et jolies personnes en quête d'aventure, Diaghilev fit appel à Bronislava Nijinska[2]. Troisième défi. Longtemps empêchée de quitter la Russie, séparée des Ballets russes pendant toute la durée de la guerre, elle ne parlait pas un mot de français. Marquée par la Révolution, elle n'avait de goût ni pour la vie de luxe ni pour le rire et, de plus, ignorait ce qu'était ce *Train bleu*, d'où il venait, où il allait. « Cocteau suggérait à Nijinska comme source d'inspiration de sa chorégraphie, des personnages et des événements de l'actualité mondaine que Nijinska, qui menait une vie casanière, ne pouvait pas connaître[3]... » On mesure sans mal à

1. Découvrit le cubisme en 1911. Se lia avec Braque, Reverdy, Modigliani. Mourut à Paris en 1954. « Je ressens toujours la sculpture de Laurens comme une sphère claire qui me ravit », devait écrire à son propos Alberto Giacometti. (Labyrinthe. Genève, 1955).

2. Enfant de la balle comme son illustre frère. Admise en même temps que lui à l'Ecole impériale, elle demanda l'annulation de son contrat avec le théâtre Marie par solidarité avec lui lorsque Nijinski, lors du ridicule incident de 1911, fut exclu pour indécence de costume. Elle alla aussitôt le rejoindre aux Ballets russes de Diaghilev.

3. Boris Kochno, *Diaghilev et les Ballets russes* (Fayard, 1973).

quel point ces noms allaient être de peu de secours à Nijinska : « Il lui donnait pour modèles un couple de danseurs acrobatiques que cette année-là on voyait aux soupers du Ciro's [1], des photos instantanées de Suzanne Lenglen jouant au tennis et celles du prince de Galles sur un terrain de golf... » Malgré les interventions de Diaghilev qui servait d'interprète et de médiateur, les rapports de Cocteau avec Nijinska furent dès le début empreints d'hostilité. Kochno ajoute : « L'atmosphère des répétitions était dramatique. »

Travail sans concessions que celui de Gabrielle. Elle accepta de jouer le jeu de Cocteau et d'appliquer à la lettre les principes qu'il avait exprimés à diverses reprises : « Au lieu de chercher à me tenir en deçà du ridicule de la vie, de l'arranger... je l'accentue au contraire, je le pousse au-delà, je cherche à peindre *plus vrai que vrai* [2]. » Ainsi *Le Train bleu* ne fut-il pas dansé dans des costumes qui mêlaient l'imaginaire au réel, mais par de *vrais* sportifs aux jambes nues, les pieds pris, qui dans des sandales, qui dans des chaussures de tennis ou de golf.

Les tenues féminines étaient calquées sur celles des baigneuses de ces années-là : maillots-chandails, taillés dans un jersey qui moulait assez imparfaitement le corps, laissant apparaître un bout de caleçon, arrêté à mi-cuisse. Gabrielle n'avait pas cherché à faire pittoresque mais à parer ses danseurs des charmes du réel. Et ce n'était certes pas vêtus de la sorte que Nijinska pouvait imaginer jeunes gens ou jeunes femmes, fervents des plaisirs méditerranéens et de ce *Train bleu*, du luxe desquels on ne cessait de lui rebattre les oreilles. Qu'aurait-elle souhaité ? De gracieux peignoirs ? Une stylisation des modes jadis en vigueur sur les bords de la mer Noire ? Croyait-elle à

1. Boîte de nuit à la mode de 1925 à 1937 environ.
2. Jean Cocteau, préface de 1922 pour *Les Mariés de la tour Eiffel*.

une similitude possible, à des traits communs entre ce monde évanoui et les gaietés de la Côte d'Azur ? Exprimé ou non, le reproche qui lui était adressé était de toujours « faire russe ». Plus elle souffrait de ces réserves, plus elle mettait d'acharnement à faire triompher son point de vue.

Cocteau s'était évertué à préciser que parmi les passagers du *Train bleu* il s'était limité dans son choix à l'espèce la moins recommandable et que ce n'était pas impunément que garçons et filles se trouvaient groupés sous ces deux vocables : *poules* pour les filles, *gigolos* pour les garçons. « Poules ? Gigolos ? » répétaient après lui des ballerines suprêmement distinguées et pour qui ces mots ne voulaient rien dire. « J'ai prononcé un long discours pour expliquer à la troupe ce que signifiait le mot *opérette*... et quel, d'après moi, devait être le problème plastique de ce ballet [1] », écrivait Diaghilev, et il ajoutait : « On m'écouta avec une pieuse pénétration. »

Mais avec quel résultat ?

C'était, entre auteur et chorégraphe, une de ces guérillas de théâtre, une lutte sourde comme on ne peut en imaginer lorsqu'on n'y a pas été d'aventure mêlé. Cocteau continua d'exiger que la chorégraphie fût modifiée et cela en pleine répétition, intervenant au vu et au su de tous. Il réclamait avec autorité que certains passages dansés fussent remplacés par des scènes de pantomime : « Je ne demande pas que mon nom soit inscrit sur le programme en tant que metteur en scène... mais, en échange, j'exige qu'on m'écoute [2]. » Il n'en démordait pas : ce qu'il voulait, c'était retrouver sur scène une jeunesse au cœur dur qui, disait-il « nous bouscule avec un mépris impertinent..., ces filles superbes, qui passent en sueur une raquette sous

1. Lettre de Diaghilev à Boris Kochno, citée dans son ouvrage sur *Diaghilev et les Ballets russes* (Fayard).
2. Lettre de Cocteau à Diaghilev, *op. cit.*

le bras et nous jettent de l'ombre[1] ». Nijinska, pour sa part, défendait le principe d'une stylisation nécessaire, affirmant que cela n'affaiblirait en rien la satire, mais, bien au contraire, conférerait au ballet une vérité intemporelle que le réalisme lui ôtait. Elle se sentait d'autant plus forte qu'elle avait eu raison des craintes de Diaghilev, quelques mois auparavant, avec *Les Biches*[2]. On lui avait confié, après mainte et mainte hésitations, la chorégaphie de ces tableaux parodiques mettant en scène une société blasée, des femmes en mal d'émancipation, « garçonnes » aux longs fume-cigarette, silhouettes équivoques voire perverses, auxquelles le livret et la musique de Poulenc opposaient un type de partenaire masculin fort proche, déjà, des gigolos sportifs du *Train bleu*.

Or *Les Biches* avaient été unanimement applaudies. Nijinska était donc apte à passer des isbas de Larionov pour *Renard*[3] à la grâce narquoise des décors de Marie Laurencin, du rude folklore de Gontcharova pour *Les Noces*[4] au monde rose et bleu de cette fête galante en 1923 où « comme dans certains tableaux de Watteau, on pouvait ne rien voir ou imaginer le pire[5] ». Diaghilev le premier en était convenu : « Ici tout se passe beaucoup mieux que je ne m'y attendais. Poulenc est enthousiasmé par la chorégraphie de Bronya et leurs rapports sont des meilleurs. Quoi

1. Jean Cocteau, *Revue de Paris*, 15 juin 1924.
2. *Les Biches* : Ballet en un acte chant. Musique : Francis Poulenc. Rideau, décors et costumes : Marie Laurencin. Chorégraphie : Nijinska. Créé par les Ballets russes de Diaghilev, le 6 janvier 1924 à Monte-Carlo.
3. *Renard* : Ballet en un acte avec chant. Livret et musique : Stravinski. Décors et costumes : Larionov. Chorégraphie : Nijinski. Créé le 18 mai 1922 à l'Opéra de Paris.
4. *Les Noces* : scènes chorégraphiques avec chant. Musique et paroles : Stravinski. Décors et costumes : Gontcharova. Chorégraphie : Nijinska. Créé à Paris le 13 juin 1923 par les Ballets russes de Diaghilev.
5. Francis Poulenc. Propos cités dans la Guilde internationale du disque. *Diaghilev à Monte-Carlo.*

qu'on en pense, cette bonne femme extravagante et sourde, appartient à la famille des Nijinski et là il n'y a rien à faire[1]. »

Mais rien de tel pour *Le Train bleu*. Si les quatre principaux interprètes ne donnèrent que peu de souci, les répétitions ne s'en déroulèrent pas moins dans une atmosphère d'extrême mauvaise humeur. Tout était en retard, le décor, le programme, le rideau et les essayages dont seules les étoiles avaient bénéficié.

Beau Gosse arrivait de Londres. Le rôle avait été attribué à un jeune Anglais, formé à l'Ecole russe d'Astiafieva et pratiquement inconnu du public français. Anton Dolin, avec sa raie au milieu, ses cheveux noirs plaqués à la gomina, ses yeux de velours et son maillot de gymnaste, était la parfaite image d'un Don Juan des plages selon les canons de 1925. C'était *Chéri* dans ses beaux jours... un *Chéri* musclé.

Très convaincant aussi *Le Joueur de golf*. Elève de l'Ecole de danse de Varsovie, Diaghilev l'avait ramené de Pologne en 1915. Brillant, doué d'une grâce virile, Woïzikovsky était déjà apprécié des Parisiens. Lors de la brouille avec Nijinski, c'était lui qui s'était vu attribuer certains des rôles du prestigieux danseur et, contre toute attente, l'avait parfois égalé. Un emploi de sportif lui convenait à merveille et eût-il porté son costume pour aller au golf que l'arbitre le plus exigeant n'y eût rien trouvé à redire. Etait-ce à la photo du prince de Galles que Chanel devait cette réussite ? Les vœux de Cocteau étaient comblés. L'héritier du trône d'Angleterre, dont les échotiers ne cessaient de vanter le charme et les audaces vestimentaires, n'aurait pas hésité à accepter pour partenaire un jeune homme d'une mise aussi soignée. Woïzikovsky portait col blanc, cravate serrée, et, sur la culotte dite « de golf », un chandail rayé, assorti à ses chaussettes. *Per-*

1. Lettre à Boris Kochno, *op. cit.*

fectly smart. C'était ce qu'avait affirmé l'un des proches amis du prince, dont les furtives apparitions au théâtre des Champs-Elysées avaient eu de quoi surprendre. Le duc de Westminster... A laquelle des Anglaises faisait-il la cour ? Misia ne le connaissait pas. Il n'était pas de sa bande. Alors on se demandait ce qu'il faisait là.

Pas de problème non plus avec Sokolova, de son vrai nom Hilda Munnings. Elle avait été la première Anglaise engagée par Diaghilev. Demeurée dix ans seule de son espèce, dans une compagnie dont toutes les ballerines étaient russes, Hilda s'était muée en Lydia, elle avait changé de nom, puis de langue, puis de façon d'être, si bien que vivant jour et nuit en compagnie des transfuges du théâtre Marie et de l'Ecole impériale de Saint-Pétersbourg, plus rien ne la distinguait d'elles, sinon un sens de l'humour propre aux Britanniques.

Le rôle de *Perlouse* allait être l'occasion d'en faire bon usage.

Toute autre que Gabrielle Chanel se serait attachée à évoquer cette prestigieuse période de sa vie. Lorsqu'on l'en priait : « Et *Le Train bleu* ? Pourriez-vous nous raconter un peu... Les répétitions, les danseuses et tout ça ? », elle répondait : « C'était un autre monde. Et puis je n'étais là que pour les costumes. » Mais encore qu'elle n'en parlât qu'en tant qu'interprète du *Sacre,* elle gardait de Sokolova un souvenir assez vif : « Elle avait le sérieux des nonnes », affirmait-elle. Et l'on sentait la chose dite en toute connaissance de cause.

En blanc des pieds à la tête, sa raquette à la main, coiffée d'un de ces bandeaux comme Gabrielle Chanel, en amazone et au grand scandale de son tailleur, en avait porté elle-même, treize ans auparavant, au temps des galopades à travers les bois de Royallieu, Nijinska s'était réservé le principal rôle féminin, celui de la *Joueuse de tennis*. Petite, musclée, les chevilles épaisses, elle était, comme Nijinski, assez courte sur jambes, et son visage, par une sorte d'aplatissement mongol, par la lourdeur du menton, la bouche ingrate aux lèvres charnues, les yeux bridés, rappelait le visage de son frère. Porté par elle, le serre-tête des *tennis women* n'était pas d'un effet bien seyant. Nijinska manquait de cette vivacité à laquelle celle qui aurait dû lui servir de modèle devait sa popularité. Suzanne Lenglen qui, championne de France à quinze ans, réussissait à arracher des rires au public de Wimbledon à force de sauts extravagants, avait sans doute plus d'esprit qu'elle, mais, malgré ces réserves, personne ne pouvait nier qu'il fallait être Bronislava Nijinska pour camper avec une pareille autorité un personnage qui retenait l'attention à force d'inattendu. C'était effectivement une rude bonne femme...

Lors de la répétition générale, *Le Train bleu* frôla la catastrophe. La troupe qui n'avait pas su à qui obéir, de Cocteau ou de Nijinska, paraissait hésiter à chaque pas. Gabrielle avait eu beau être là tout le temps, rien n'allait, pas plus les jupes que les maillots. Pris dans d'interminables discussions *Gigolos* et *Poules* en avaient vu de dures. Et voilà qu'il leur était ordonné d'endosser des costumes sans les avoir essayés ! Vision pitoyable dont Boris Kochno, qui en avait été le témoin, garde le souvenir : « Le chauffage du théâtre n'était pas encore allumé... L'aspect de ces baigneurs grelottant sur la plage dans des costumes qui n'étaient pas à leur mesure était lamentable et burlesque. Dès le lever du rideau, Diaghilev, accablé, s'était réfugié au dernier rang du balcon et, se sentant impuissant à réparer le désastre, me questionnait sur les ballets qui, à la dernière minute, pourraient remplacer *Le Train bleu*[1]. »

1. Boris Kochno, *op. cit.*

La situation était d'autant plus alarmante que la première avait lieu le soir même.

Parmi les *Gigolos*, fraîchement débarqué de Kiev, Serge Lifar, un débutant d'une remarquable beauté, doutait que les costumes fussent utilisables : « Dans certains mouvements ils devenaient trop longs ou trop courts. Ce n'était pas des costumes conçus pour la danse [1]. »

On savait Diaghilev habitué à ce climat de naufrage. Mais ce qui s'engagea cet après-midi tenait tout à la fois de la course contre la montre et de la partie de poker. Pas un danseur, pas une danseuse, pas une habilleuse, pas un machiniste ne quittèrent le théâtre de l'après-midi. Entre ce désastre et l'instant où le rideau d'avant-scène allait s'ouvrir pour le public des grandes premières, il ne restait que quelques heures à courir... Des bricoleurs de génie se mirent à l'œuvre.

Picasso passa en coup de vent. Un mois auparavant, dans l'incroyable fouillis de son atelier, Diaghilev était tombé en arrêt devant un tableau représentant deux femmes en blanc, dont les tuniques aux épaulettes arrachées donnaient à voir leurs seins nus. Deux femmes aux bras étendus, dans une folie de soleil, de sable et de mer, deux femmes aux têtes comme des fleurs pliées par le vent, une image du bonheur de courir. C'était un tableau de cette période que l'on appelle, chez Picasso, la période des *Géantes*. Diaghilev avait prié Picasso de le laisser l'utiliser. Il voulait en faire le rideau d'avant-scène pour *Le Train bleu*. Picasso hésita. Mais il en alla de cela comme du reste. On ne résistait pas à Diaghilev. Alors, à son corps défendant, Picasso accepta, comme il avait accepté la commande d'une série d'études pour l'illustration du programme, un travail que Boris Kochno lui avait ar-

1. Propos recueillis par Pierre Galante dans *Les Années Chanel* (Mercure de France).

raché avec quel mal ! Picasso prétendait qu'il avait perdu les dessins. Il allait les retrouver, c'était certain. Mais le désordre de son atelier était indescriptible. Et l'imprimeur qui menaçait d'abandonner... Et l'éditeur qui exigeait que l'on renonçât... Quant au rideau, Picasso s'en était complètement désintéressé; Diaghilev avait confié l'exécution du projet à l'un de ses proches collaborateurs, le prince Schervachidze, dont le talent en la matière tenait du prodige.

Lorsque Picasso vit son rideau pour la première fois, le travail du prince artisan le laissa si stupéfait que ne sachant comment manifester son enthousiasme il choisit de le dédier à Diaghilev et écrivit d'un trait au bas d'une œuvre à laquelle il n'avait pas apporté le moindre coup de pinceau : « Dédié à Diaghilev ». Puis il signa : « Picasso. 24. »

Ce fut bien la seule surprise heureuse que réserva cette fin de journée. Pour le reste... Il fallait que les maillots fussent décousus, remontés, les jupes réajustées. Et pendant ce temps-là, Nijinska et Cocteau, qui n'avaient plus loisir de se chamailler, revoyaient ensemble la chorégraphie. Ils corrigeaient, ils resserraient.

Ceux qui, trente ans plus tard, virent Gabrielle dans la frénésie des nuits qui précédaient la présentation de ses collections, ses ciseaux à la main, une ride profonde au travers du front, ceux-là peuvent sans mal l'imaginer telle qu'elle fut en cette occasion, sur la scène des Champs-Elysées, jeune encore et belle et encore silencieuse, à genoux devant les danseurs de Diaghilev, dans l'humble pose de l'artisan face à son œuvre. La lutte qu'elle engagea contre le temps et une matière rebelle n'était pas encore prétexte à monologue. Plus tard, plus tard seulement, l'âge aidant. Alors lui vint cette manie d'accompagner son travail d'un long murmure, entrecoupé de sarcasmes. « Elle parle en travaillant, bas, d'une voix contenue exprès », nota

Colette dans le portrait qu'elle lui consacra. « Elle parle, elle enseigne et reprend avec une sorte de patience exaspérée [1]. » Trait qui ne fit que s'accentuer au fil des ans. Comme un délire qui fascina tous les écrivains [2] qui l'approchèrent et dont s'épouvantèrent parfois ses amis. Mais il fallait traduire, interpréter, déchiffrer. Quoique obscur, son discours n'en garda pas moins jusqu'au dernier jour valeur comparable à celle de ces paroles qui échappaient des lèvres de la Pythie.

Ce torrent de mots, à qui s'adressait-il ? Dans une espèce de demi-mort, elle qui toujours éludait les questions, livrait à qui ne lui demandait rien le secret des secrets.

« Toujours ôter, toujours dépouiller. Ne jamais ajouter... Il n'y a d'autre beauté que la liberté des corps... » Seules étaient appelées à l'entendre de jeunes femmes défaillant de fatigue, sur les corps desquelles, pendant des nuits entières, ses mains insatisfaites semblaient s'acharner : « Toujours trop de tout, répétait-elle. Trop de tout... »

Mais sur la scène des Champs-Elysées personne ne parlait. Et pendant trois heures d'affilée il n'y eut que silence propre à tromper le temps.

Enfin prêt, le programme, sous couverture de Picasso, illustré des six études de danseuses que Kochno avait eu tant de peine à se procurer, annonçait une saison particulièrement brillante et des décors de Braque et de Juan Gris.

Le 13 juin 1924, quand André Messager monta au pupitre et qu'éclatèrent les premiers accents de la fanfare que Diaghilev avait spécialement commandée à Georges Auric pour saluer le rideau de Picasso, *Le*

1. Colette, *Prisons et Paradis*.
2. « Tout de suite sa parole me fascina », lit-on dans l'article que lui consacra Michel Déon dans *Les Nouvelles Littéraires* du 21 janvier 1971.

Train bleu avait été remis sur ses rails. Le ballet était méconnaissable. La salle qui, en un mélange des plus inhabituels, groupait tout ce que pouvaient offrir d'artistes, de mécènes, d'aristocrates et de grands bourgeois, la France, l'Italie et l'Angleterre, lui fit une ovation. La périlleuse variation acrobatique d'Anton Dolin fut un des grands moments de la soirée.

A quelque temps de là parut un vibrant éloge de la Nijinska : « Dans *Les Biches*, Mme Nijinska vient d'atteindre la grandeur sans préméditation. » Jean Cocteau[1] en était l'auteur. Les dissensions étaient oubliées. Et *Le Train bleu* reçut sa part de louanges : « Des œuvres telles que *Les Fâcheux, Les Biches, Le Train bleu* apparaissent nettement « nouvelles » et « modernes » parce que modifiant le présent et faisant en lui surgir l'avenir[2]... » lisait-on dans la presse.

Mais ce n'était pas en interrogeant Gabrielle que l'on aurait obtenu plus amples détails.

« *Le Train bleu* ?

— Quoi *Le Train bleu* ?

— L'assistance ? Les gens ? »

Si elle conservait de la salle un souvenir si vague, c'était peut-être que l'émotion d'avoir été liée au spectacle avait tout absorbé. A moins que l'habitude de défense ne fût prise, la peur de se voir « exploitée », fût-ce de ses proches, une manie de prudence désormais enracinée. Elle n'avait pourtant rien à cacher en ce domaine. On insistait... La baronne Edouard, la baronne Henri, la baronne Maurice, la baronne Robert, tous les Rothschild de la terre, elle n'allait tout de même pas nous faire croire... Et puis les fantômes du Tout-Proust, il y en avait plein les gazettes, les d'Arenberg, Caraman-Chimay, Greffulhe, Gramont et autres

1. *Revue de Paris*, 15 juin 1924.
2. Boris de Schloezer, *La Nouvelle Revue française*, 1er juillet 1924.

« Oriane », le comte de Beaumont, le comte Primoli et tous les « Charlus » et tous les « Norpois » du jour, les avait-elle oubliés ? Elle affectait de ne se souvenir de personne, ni des fidèles de Deauville présentes ce soir-là, ni des belles Italiennes. La duchesse de Camastra ? La princesse de Bassiano ? Les colonnes mondaines des quotidiens ne faisaient grâce d'aucun nom et, les soirs de gala, un théâtre était exploré de fond en comble. Ne lisait-elle pas les journaux à l'époque ? Mais Gabrielle se plaçait délibérément aux antipodes de tout cela. Les Américaines de Paris, celles des dames de la Russie des tsars qui avaient surnagé, les Espagnoles de Biarritz, les Anglaises de Venise, la princesse Paley, Lady Cunard, « le colonel Balsan et Madame », elle ne se souvenait pas ? Ces noms, qui tous ensemble étaient *sa clientèle*, semblaient lui être sortis de la tête par besoin d'universelle contradiction. Pour ne rien dire d'un silence encore plus épais autour de certaines silhouettes rappelant le temps de Moulins. Des rigolos qui avaient renoncé aux petites femmes et aux culottes rouges pour se remettre à courir les hippodromes en gentlemen-propriétaires et qui étaient là nombreux, n'est-ce pas ? Avec leurs épouses, n'est-ce pas ?

Il n'en fallait pas davantage pour qu'elle ait aussitôt oublié leurs noms. Elle rejetait de tout son cœur une société qui au temps où elle n'était rien l'avait ignorée. Elle pouvait enfin s'offrir le luxe de ne pas les *reconnaître*.

« Après le spectacle, qu'avez-vous fait ?

— Nous avons été chez Misia.

— Nous qui ?

— Comme après le mariage de Picasso. Un peu les mêmes gens, les peintres. Mais cela faisait quand même un peu moins *Boris Godounov*.

— Pourquoi ?

— A cause des musiciens. Tous Français : Auric, Poulenc, Milhaud... »

Pour elle, cela allait de soi : liée avec eux par une solidarité d'espèce, seuls les artistes valaient d'être nommés, et sa partialité rageuse niait tout ce qui n'était pas eux. Au reste sans snobisme et sans chercher à s'accorder une importance égale.

Un magazine, ayant réussi à la convaincre d'autoriser la publication d'un choix de notes qu'elle qualifiait tantôt de *Maximes*, tantôt de *Réflexions*, tantôt de *Sentences*, donna, sans qu'il y parût, la cause véritable de sa réticence à parler de ses expériences théâtrales. Et pourtant, qu'on ne s'y trompe pas, peu d'activités lui avaient été autant que celle-là source de satisfactions. Son refus d'en faire étalage était lucidité. Certaines confusions lui faisaient horreur. Cela relevait d'une distinction capitale : « Les costumiers, écrivait-elle, travaillent avec un crayon : c'est de l'art. Les couturiers avec des ciseaux et des épingles : c'est un fait divers [1]. »

Une forme si rare d'orgueil et de modestie mêlés ramène une fois de plus à celui qui en souffrit autant qu'elle : Reverdy, orgueilleux et modeste au-delà de toute raison : « J'étais travaillé d'un orgueil incoercible, d'autant plus gênant qu'il n'était soutenu d'aucune prétention [2] », écrivait-il à peu près dans le même temps. Un trait qu'elle et lui avaient en commun.

1. Dans l'édition française de *Vogue*, en 1947.
2. Pierre Reverdy, *En vrac*.

UNE ILLUSION VICTORIENNE ET CE QUI S'ENSUIVIT 1925-1933

« Tout a commencé par une faute de français. »

ARAGON,
Le Fou d'Elsa.

I

LES BONHEURS PIPÉS

AUTANT que Gabrielle, dont il fut l'amant de 1924 à 1930, le deuxième duc de Westminster demeure, un quart de siècle après sa mort, victime de sa légende. Le dépeindre au net c'est avant tout le dépouiller des témoignages de son escorte d'échotiers. Il était l'homme le plus riche d'Angleterre. Ils étaient sans cesse attachés à ses pas. Prendrait-on leurs écrits au pied de la lettre que l'on ne pourrait épargner au duc de Westminster la banalité d'épithètes telles que : fantasque, fastueux, ennuyé... Il était bien tout cela à la fois mais plus que cela aussi. Et le limiter à une avidité amoureuse assez désordonnée ou à la seule satisfaction de jouir de son fabuleux héritage équivaudrait à le mal juger.

Au physique, un grand blond solidement taillé, pratiquant au plus haut point une façon d'être que résume cette brève formule : « Elégant, c'est-à-dire détaché [1] ». L'éducation britannique avait porté ses fruits et l'on ne soupçonnait pas les colères dont il était capable. Violent, lui ? On ne connaissait à ce bon géant que l'amour du jeu et des farces puériles : plonger dans son café un sucre prisonnier de son enveloppe et chronométrer le temps qu'il mettait à fondre, cacher des diamants sous l'oreiller de ses maîtresses ou

1. Pierre Reverdy, *En vrac*.

profiter de leur sommeil pour fixer, comme d'énormes cailloux, de coûteux pendentifs aux bords de leurs chapeaux.

Ce que l'on disait moins était qu'il les battait lorsqu'elles avaient cessé de lui plaire.

On n'ignorait rien de ses goûts et les mêmes histoires étaient à son sujet inlassablement répétées. Le duc de Westminster avait de la drôlerie; le duc de Westminster avait de l'originalité; le duc de Westminster avait plein les poches d'objets imprévus : une petite boîte d'aquarelle, une pièce d'or, ses joujoux en somme; il fumait le cigare en peignoir et buvait de la chartreuse verte; il exigeait de son valet que ses lacets de souliers fussent repassés chaque matin mais peu lui importait que les semelles en fussent trouées; il donnait des pourboires royaux mais hésitait à prendre un ticket de vestiaire... On le savait bon marin et l'on se félicitait qu'il aimât, autant qu'il aimait les femmes, le sport, les fleurs sauvages, les chiens, les poneys et le pique-nique. Ce qui sous-entendait qu'il avait été formé à bonne école — Eton — et aussi qu'il avait servi dans les Guards.

Churchill lui-même, lorsqu'il confia à la presse britannique quelques souvenirs pour célébrer la mémoire de son ami de jeunesse, commença par dire : « Il excellait à la chasse et n'ignorait rien du comportement du gibier[1] », propos qui lui paraissait de nature à l'honorer le mieux. Ils s'étaient liés d'amitié en 1900, au cours de ce que Churchill appelait « un voyage quelque peu aventureux ». Aventureux ce voyage ? On ne pouvait s'exprimer avec plus de mesure. C'était la guerre des Boers. Qu'en cette occasion le duc de Westminster se soit révélé « à la guerre comme dans le sport un compagnon intrépide, joyeux

1. From Sir Winston, *Tribute to Duke of Westminster*, *Manchester Guardian*, 22 July 1953.

et charmant » était d'évidence aussi essentiel que ses capacités cynégétiques, puisque Churchill en faisait état avant que d'avoir noté ce qui suit : « Bien que peu habile à s'expliquer ou à parler en public, il réfléchissait profondément et possédait de rares qualités de sagesse et de jugement. J'ai toujours tenu son opinion en haute estime. » On pourrait s'étonner que soient mentionnées en dernier ces facultés-là, si ce n'était signe du consentement donné à ce qui constitue l'essence même de la conception britannique en regard de l'espèce humaine : ni fort penseur ni beau parleur, un homme, pour peu qu'il soit bon compagnon, qu'il ait cœur à jouer droit et qu'il ait le sens des nuances, a largement de quoi être rangé parmi les gens de qualité. Conditions auxquelles le duc de Westminster souscrivait et à tous égards.

Mais dire de lui qu'il était terriblement anglais ne suffirait encore pas, n'ajouterait-on ceci : bien qu'il se crût typiquement de son temps, l'homme qui entrait dans la vie de Gabrielle était en vérité aussi victorien que l'avait été le premier duc de Westminster, l'aïeul qui l'avait élevé. Et à cela tenait son drame. Car, n'en étant pas conscient, il ne parvenait pas à s'expliquer ce qui empêchait qu'il se montrât en tout son égal.

C'est que les années de l'après-guerre ne furent pas toutes terrain de choix pour un grand seigneur de cette sorte. Le temps où l'on ignorait le nombre de ses domestiques mais où l'on savait qu'il fallait aux menus seize plats, toujours détaillés en français sur des cartons armoriés et gravés de vignettes, le temps des grosses malles et des robes lacées, des soubrettes attendant jusqu'aux petites heures du matin le retour de dames dans l'impossibilité de se déshabiller seules, des épouses n'ayant d'autre justification que de procréer et de plaire à des maris qui, eux, n'avaient d'yeux que pour leur fusil, leurs chevaux et leurs chiens, cette époque-là aurait sans doute mieux convenu à l'amant de Gabrielle que les jours bruyants du charleston.

S'il est singulier qu'après Arthur Capel, qu'après le grand-duc Dimitri, nous retrouvions une troisième fois auprès de Gabrielle un homme dont l'enfance a été si profondément marquée par l'absence du père, ne voyons là que raillerie du destin, clin d'œil, façon de faire entendre que le mal est le même, que le père soit filleul d'une reine — ce qui était le cas ici — ou, comme dans le cas de Gabrielle, colporteur, enfin qu'il n'y a pas de degré dans cette carence.

L'amant de Gabrielle était né en 1879. Il n'avait que quatre ans lorsque son père mourut. Celui-ci avait trouvé femme et fort jolie — une beauté de dix-neuf ans — bien qu'il ne fût ni sportif ni entreprenant, désordonné dans sa tenue et presque obèse. On le disait aussi atteint d'épilepsie. « Ce pauvre garçon... » Dans la correspondance de Victoria Ire, sa royale marraine, il n'est jamais désigné autrement. Il ne laissa donc pour tout souvenir à son fils que celui de sa détestable santé.

Restait le formidable aïeul auquel l'enfant fut confié. Hugh Lupus, tel était le prénom du vieux gentleman. Il en allait ainsi dans sa famille depuis l'an 1066, époque où Guillaume le Conquérant avait débarqué en Angleterre avec l'un de ses petits-neveux, un certain baron Hughes, qui affichait des instincts si féroces qu'il reçut de ses compagnons le sobriquet flatteur d'« Hughes le Loup ». Il brava l'Eglise et l'opinion en transformant une chapelle en chenil tant était vif son goût pour la chasse. Ses bâtards étaient innombrables. Ses fils aussi. Tous pareils. Tous chasseurs autant que leur père, tous ayant, autant que lui, corpulence et force à revendre. On désigna l'aîné d'un surnom à sa mesure : *le Gros Veneur*. Les années passèrent et le nom, par plaisanterie puis par habitude, resta. Mais comme cela arrive lorsque, par fait de guerre, il y a commerce de langues entre deux peuples, toutes deux dégénèrent et le parler des vainqueurs est souvent celui qui, en premier, s'effrite, payant tribut à celui des vaincus. Alors, à ce surnom donné aux descendants d'Hughes le Loup, se substitua le nom de *Grosvenor* qui devint celui d'une famille parmi les plus célèbres du Royaume-Uni.

Ainsi pour les Grosvenor « tout avait commencé par une faute de français », pour ne rien dire d'un blason — « *Azur a Bend'or with plain Bordure Argent* » — où apparaît cet échange de mots qui scelle, entre deux langues, un accord aussi sacré qu'entre deux hommes un échange de sang.

Telles étaient donc les origines de ces Grosvenor chez qui allait pénétrer Gabrielle, non point par une entrée dérobée, mais par la porte principale et avec rang de favorite à part entière. Mais qui, dans ce nom de Grosvenor, entendait ce qui participait encore de la violence des jeunes guerriers partis, il y avait huit siècles de cela, des bourgs de la Normandie dans un grand bruit de barques hâtivement clouées ? Or il y avait moins de distances qu'il n'y paraissait entre l'amant de Gabrielle et ces guerriers-là. Car bien que Bend'or fût devenu de ces hommes si riches qu'ils ne sont plus en mesure de chiffrer leur fortune, bien que parmi les plus beaux quartiers de Londres il y en eût qui lui appartenaient en entier — sans parler de terres en Ecosse, d'un château du Cheshire aussi vaste qu'une ville, d'un manoir en Pays de Galles et de vastes forêts à l'étranger —, demeurait en lui un peu de leur esprit d'aventure et, face à la mer, ce secret tressaillement comme face à la seule maîtresse... Ce quelque chose en somme qui avait fait de ses ancêtres, fils de terriens et gens de labours, d'intrépides navigateurs.

Lorsque, à bord de son yacht, le deuxième duc de Westminster passait d'une rive à l'autre de la Manche

— et qui sait combien de fois il fit ce voyage au cours de sa vie — que faisait-il que ses ancêtres n'avaient fait ? Ils s'étaient entassés au fond de leurs barques, et une fois parvenus sur l'autre rive, étendards au vent, ils avaient fait de leurs chevaux de labour d'abord des chevaux de guerre puis des chevaux de chasse. Transportant ses lads et ses chiens, le deuxième duc de Westminster n'agissait pas autrement et la première guerre mondiale ne lui parut point — du moins dans ses premiers mois — une raison suffisante pour renoncer à aller courre le cerf sur ses terres de Normandie [1]. Le duc aimait beaucoup la France et beaucoup son château de Saint-Saens, pourtant fort laid. Il n'allait pas se priver de chasse pour une méchante histoire de frontières à laquelle il ne pouvait rien. Quant aux fonctionnaires de l'ambassade de France à Londres recevant ses demandes de laissez-passer... Qu'avaient-ils, diable, à prendre ces airs-là ? Le duc entendait être obéi. En Angleterre on s'ingéniait à satisfaire ses moindres désirs. Il avait ses entrées dans les ports et, un jour, un chef de gare obligeant avait arrêté un express d'un coup de sifflet afin qu'il pût y monter. Il est vrai que la compagnie des chemins de fer n'avait pas à se plaindre de lui. Chaque année, le deuxième duc de Westminster louait un train spécial pour se rendre au Grand National de Liverpool avec ses invités. Mais les Anglais savaient que ce n'était pas par seule passion des courses ou par goût du paraître. Le duc agissait autant par amour du sport que par tradition familiale.

C'est que l'histoire des Grosvenor se confondait avec celle de leurs chevaux. Confusion voulue dont les responsables se sentaient immensément flattés. Elle faisait qu'aux murs de Eaton Hall, pendaient aux places d'honneur ceux des ancêtres qu'avaient immortali-

1. Lettre inédite de Paul Morand à l'auteur.

sés Gainsborough et Reynolds, et, peints par les plus habiles animaliers de l'époque, l'élite de leurs chevaux, ceux du moins qui s'étaient illustrés sur les champs de bataille ou de courses, tels *Copenhagen* (produit des haras de Eaton que le duc de Wellington avait monté à Waterloo) et *Macaroni*, dont on parlait avec une telle vénération autour de la table familiale que, se perdant entre ses ancêtres et leurs chevaux, le jeune Grosvenor — c'était peu après la mort de son père — avait demandé à sa nurse :

« Et moi? Est-ce que moi aussi je descends de *Macaroni* ? »

Après leur mort, certains produits des haras du duc alignaient, comme de rares pièces d'ivoire, leurs précieuses vertèbres sous les lustres de Eaton Hall. Ils devenaient l'attraction majeure des vastes galeries au centre desquelles ils trônaient. On les scrutait. On cherchait à leur arracher les secrets de leur primauté. Avec la persévérance d'un amateur passionné, le premier duc de Westminster faisait l'éducation de son petit-fils. C'était pour l'enfant Grosvenor, placé sous la tutelle d'un vieillard tendre et qui parlait en connaisseur, une lente promenade parmi les squelettes.

« *Touchstone* par *Camel* et *Banter*, expliquait l'aïeul. De l'un et de l'autre il avait reçu le sang chaud d'*Eclipse*. Vingt ans de présence aux haras... Trois cent vingt-trois de ses saillies donnèrent trois cent vingt-trois chevaux vainqueurs. Il était né l'année où l'aîné des Grosvenor reçut de Victoria le titre de marquis de Westminster. C'était en 1831. Il n'avait que dix-neuf côtes...

— Qui ça? demandait l'enfant. Le marquis?

— Mais non. *Touchstone*. Compte donc. »

On conçoit d'autant mieux les erreurs de cet enfant lorsque l'on sait qu'à quelques mois d'une des plus grandes victoires de son grand-père au Derby, on l'avait surnommé Bend'or, du nom du cheval vainqueur, le célèbre *Bend'or* par *Doncaster* et *Rose Rouge*. Le fait qu'il eût reçu à sa naissance les prénoms de Hugh Richard Arthur fut si bien oublié que ce fut sous le seul nom de Bend'or que le deuxième duc de Westminster figura dans les annales de son temps aussi bien que dans le cœur de ses maîtresses. Bend'or... Gabrielle s'en étonna-t-elle? Pas le moins du monde. Sans doute les étrangetés de Eaton Hall prenaient-elles, à la lumière de celles de Royallieu, valeur de recommencement et rendaient-elles à Gabrielle les bizarreries des Grosvenor plus qu'à une autre acceptables.

« De toute façon, disait-elle, les gens en Angleterre n'ont pas la tête faite comme chez nous. Imaginez-vous un Noailles portant pour prénom un nom de cheval ? Un Noailles se faisant appeler *Epinard, Biribi, Jujubier* ou tout autre nom du même genre ? Tandis qu'en Angleterre.... Enfin ces sortes de confusions, là-bas, étaient plus fréquentes qu'en France et l'on n'y attachait pas la même importance. »

Bend'or lui avait souvent raconté que, lorsque les contemporains de son grand-père entonnaient ses louanges — comment ayant été page au couronnement de Victoria il était mort, comme par politesse, treize mois avant elle; comment il avait occupé pendant cinquante ans d'affilée sa place au Parlement, s'étant montré assez libéral pour étonner ses pairs mais avec assez d'humour pour s'assurer leur estime; comment il était intervenu avec efficacité aussi bien pour défendre les minorités arméniennes en butte à la vindicte turque que pour déposer une loi en faveur des demoiselles de magasin afin qu'elles disposent d'une chaise, sans que la position assise soit considérée injurieuse pour les dames qui entraient, et comment, en dépit de l'âpreté de la discussion, le duc avait obtenu gain de cause à une confortable majorité — tout cela, en fait, avait moins servi sa gloire que d'avoir, par une sorte d'instinct supérieur, pris par surprise le monde des courses et dépensé 14 000 guinées, somme jamais égalée, pour acheter *Doncaster*, un étalon qui dans les haras de Eaton Hall allait produire une lignée de chevaux invincibles. Le premier duc de Westminster avait été aussi Master of The Horse de la reine Victoria et ce titre l'avait distingué autant dans l'opinion que d'avoir été l'ami de Gladstone; ses activités les plus désintéressées, tous les hôpitaux, toutes les églises construites à ses frais étaient autant d'actions oubliées alors que demeurait célèbre la phrase, mille fois répétée, par laquelle l'inégalable aïeul avait refusé à un milliardaire américain de lui vendre *Bend'or* :

« Il n'y a pas assez d'argent dans toute l'Amérique pour acheter un cheval tel que celui-là. »

Comment se faisait-il qu'en une époque d'étiquette aussi stricte, le premier duc de Westminster ait fait admettre aux souverains qu'il recevait chez lui qu'il y eût un cheval parmi ses invités ? Question que son petit-fils n'était pas seul à se poser. Car le jour où son grand-père avait fêté par une garden-party le Jubilée d'or de la reine Victoria, ce n'avait été ni le prince de Galles, ni le prince héritier de Prusse, ni le roi de Danemark, ni la reine des Belges, ni la reine de Hawaï dans ses curieux atours, pas même la belle Mme Albani, célèbre cantatrice qui avaient fait l'entrée la plus remarquée, ce fut *Ormonde*, cheval du siècle, *Ormonde* par *Bend'or* et *Lily Agnès*, perpétuant par son père le sang glorieux de *Doncaster* et par sa mère celui de *Macaroni*, *Ormonde* dont la lignée était connue du petit Grosvenor plus parfaitement que sa propre généalogie et qui, par permission spéciale du lord maire de Londres, avait été autorisé à traverser Saint James Park puis Green Park afin d'éviter à l'hôte du duc de Westminster les désagréments du trafic. Etrillé, bichonné, frisotté, faisant le joli cœur pour toutes les têtes couronnées, le corsage bien tourné, le rein irréprochable, jouant avec mesure et tact de la merveilleuse puissance de ses jarrets, *Ormonde* avait tenu comme personne sa place au centre de la pelouse et croqué sans se faire prier les fleurs que lui offraient les plus nobles dames d'Angleterre en robe de point d'esprit et rubans à la mode de cet automne 1877.

Chaque fois que Bend'or évoquait le souvenir du formidable aïeul, chaque fois, c'était comme si une voix d'outre-tombe lui eût crié « Qu'as-tu fait ? Que vas-tu faire de notre nom ? » Car l'aïeul continuait à peser de tout le poids de ses vertus victoriennes sur l'affectivité de son petit-fils, lorsque Bend'or rencontra Gabrielle. Et ce mal n'était pas de ceux qui s'atténuent avec le temps. Le quart de siècle écoulé depuis le jour où lui était parvenue en Afrique du Sud la nouvelle du duc mort, de Chester en deuil, des magasins fermés, des drapeaux en berne, du glas sonnant au clocher des églises, des discours déplorant la disparition du plus grand philanthrope que l'Angleterre ait connu, et des deux services funèbres simultanés, celui de Chester et celui de Westminster Abbey en présence de la famille royale, rien n'avait transformé Bend'or, rien ne l'avait modifié. L'on eût dit qu'avec son dernier souffle le duc de Westminster avait infligé à son petit-fils une raison de plus d'éprouver son indignité et que Bend'or s'en voudrait toute sa vie de n'être pas l'égal de l'homme grand et bon qu'un détachement du régiment qui, depuis 1797, était entièrement constitué par les gens des Westminster, *The Earl of Chester Yeomanry Cavalry*, avait conduit en cortège jusqu'à sa dernière demeure. Sans Bend'or... Car il y avait encore cela. C'était la guerre des Boers et Bend'or était là-bas... Bend'or n'avait pas vu la petite note imprévue que l'aïeul avait écrite de sa main : « Pas de fleurs », non plus que le bouquet d'immortelles pour lequel la grosse vieille reine, son amie, avait demandé que l'on fît exception. Placées sur le cercueil, les fleurs portaient une carte : « Témoignage du respect et de l'estime de Victoria R.I. », mais Bend'or n'était pas là. Et cela aussi lui pesait... Tel était Bend'or toujours refoulé sur le terrain de ses premières émotions.

Dans une de ces formules brèves dont elle avait le secret, Gabrielle Chanel parlant du secret écrasement qu'éprouvait son amant, disait :

« Il fallait savoir ce qu'avait été son grand-père pour comprendre ce que Bend'or n'était pas. »

Mais affirmer que l'aïeul [1] avait excellé en tout, qu'il avait eu plus d'honneurs, plus de succès, plus de fortune, plus de chevaux et plus de victoires qu'on ne pouvait en imaginer — le Derby gagné quatre fois ! — n'était dévoiler qu'une part infime du drame de son petit-fils.

Le pire était que l'aïeul avait eu plus d'enfants que tous ses contemporains. Quinze de deux femmes successives : l'une avait été sa cousine, la seconde, de tente-deux ans sa cadette, était la sœur de son gendre, ce qui faisait du premier duc de Westminster, alors âgé de cinquante-huit ans, le beau-frère de sa fille... Or, deux mariages successifs n'avaient donné à Bend'or que deux filles et un seul héritier mâle qui mourut, à quatre ans, d'appendicite. Trouver une femme qui lui ferait oublier et cette mort et son chagrin fut l'une de ses hantises.

Il fallait que cette femme eût à la fois les qualités d'une maîtresse et celles d'une épouse, qu'elle fût assez vive pour vaincre son ennui, assez spirituelle pour

1. Une biographie du premier duc de Westminster (*Victorian Duke* par Gervas Huxley, Oxford University Press 1967) était une lecture que Gabrielle Chanel recommandait aux écrivains auxquels elle tenta de faire écrire ses mémoires. La parution de cet ouvrage lui avait été signalée par Louise de Vilmorin.

lui pardonner ses infidélités, assez dévouée et assez féconde pour lui donner une nombreuse descendance. Jamais il ne la rencontra. Existait-elle ? Celles qui paraissaient le mieux désignées l'ennuyaient mortellement. Il les fuyait. Celles qu'il épousa — émettant chaque fois le vœu sincère de ne plus jamais divorcer — ne lui donnèrent point d'enfant. Ainsi se maria-t-il quatre fois. A la deuxième déception il se sentit blessé dans son amour-propre et pour tout dire, volé. On ne lui offrait que des bonheurs pipés. Il n'en fallut pas davantage pour que, déçu, stupéfait comme un convive privilégié auquel la vie brusquement aurait refusé la meilleure place, Bend'or s'écartât des façons de vivre du milieu qui était le sien. S'il prit le contre-pied de l'*Establishment* britannique, ce ne fut jamais lorsqu'il eut à conduire ses affaires, mais seulement dans sa manière de choisir ses amies.

L'épisode Chanel se situe entre le deuxième et le troisième mariage du duc.

L'attirance qu'il éprouva pour Gabrielle, le choix qu'il fit d'elle, le besoin qu'il eut de l'imposer, font sentir, plus vivement que tout, la réaction brutale d'un homme conscient d'avoir été par naissance étouffé d'idées anciennes et comme étranger à son temps. Il éprouva une sorte d'éblouissement à découvrir celle que le travail avait libérée et que le souci permanent de la réalité avait si merveilleusement identifiée avec son époque.

II

APRÈS « LE TRAIN BLEU »

SUR les deux rives de la Seine, les girandoles s'étaient éteintes et l'Exposition des arts décoratifs avait fermé ses portes.

La « solennelle clôture » avait eu lieu dans le hall du Grand Palais en présence du président de la République, des délégués étrangers et des cinq commissaires coloniaux, personnages des plus exotiques, tandis que les chœurs de l'Opéra entonnaient *La Marseillaise*. De la Concorde à l'Alma commençaient à être démolis des pavillons que des millions de curieux, français ou étrangers, avaient visités. L'exposition avait englobé mobilier, architecture — on y avait vu une église, un cimetière, des cités-jardins, des fontaines — et, dans le grand musée de l'habitat qui, pendant six mois, avait privé les Parisiens de l'usage de l'esplanade, c'était un nouveau mode de vie qui se dessinait. Jusques à un palais des Elégances [1]... Le propre de la manifestation avait été de grouper des robes de Jean Patou, de Chanel, de Jeanne Lanvin ou de Louiseboulanger autant que de présenter des tissus de Poiret, des soieries, des éclairages, du mobilier, des cristaux de Lalique, des laques de Dunand, des bijoux de Cartier, de l'orfèvrerie de Christofle, de la ferronnerie, de la porcelaine, françaises ou étrangères, à la seule condition que lignes et formes fussent nettes,

1. Dans *Connaissance des Arts*, n° 266, Hélène Demoriane : « Bien plus que les trois péniches de Paul Poiret, *Amours*, *Délices* et *Orgues*, le clou de l'Exposition ce fut le pavillon de l'Elégance. Là dans une architecture asymétrique de Rateau, derrière une baie immense voilée par Rodier de soie blanche tramée d'argent, Worth, Callot, Lanvin, présentaient des robes de rêve sous un ruissellement de lustres. »

d'une ornementation sobre et d'un relief modéré.

Le succès des Arts Déco était un fait indiscuté. Jamais mot d'ordre plus impératif n'avait été mieux respecté.

Un mobilier nouveau, sans sculptures, sans ornements, entrait dans l'ère de l'industrialisation, c'est-à-dire dans celle de l'édition et de la vulgarisation. « La séparation de la littérature et de l'ébénisterie est définitive, lisait-on. Nul Gallé de demain ne tentera à nouveau de faire parler à ses bois un langage forestier[1]. »

Avec ce décor, la mode féminine allait forcément faire alliance. Elle abolissait les boucles, les épingles, les cheveux longs et les chemises de nuit auxquelles se substituait un vêtement jusque-là réservé aux hommes : le pyjama. Elle réduisait à rien les dessous. Enfin, pour que les femmes se distinguent de moins en moins de celui qu'elles voulaient désormais considérer en compagnon de travail et en égal — l'homme —, la mode effaçait les seins et pour la première fois ordonnait que toute chevelure féminine égalât en noirceur et en éclat celle de Rudolph Valentino. C'était imposer l'usage de la brillantine, et celui de la coupe « à la garçonne ».

Pour Chanel cela n'impliquait aucune modification. Cette mode, c'était elle. Elle en avait été l'initiatrice. Mais si, dans le domaine de son métier, les Arts Déco ne lui avaient rien appris, sur un plan plus général, la signification sociale d'une telle manifestation avait été immense et l'on ne pouvait plus en douter : à l'occasion de cette kermesse, la Parisienne avait offert son vrai visage, et ce visage était signé Chanel. Sans que Gabrielle l'ait voulu ou même souhaité, son style s'était propagé hors des milieux où se recrutait sa clientèle.

1. Henri Clouzot dans *L'Illustration*, n° 4307.

Ainsi, à côté de robes exécutées à grands frais et destinées à un public de haut luxe, allaient, du fait même de leur simplicité, devenir possibles des copies plus ou moins clandestines, peu coûteuses, s'adressant à des femmes moins fortunées. D'où sortaient-elles, ces robes ? Fallait-il leur faire la chasse ? Déclarer la guerre aux copistes ? C'est ce à quoi se décidèrent la plupart des couturiers. A la seule exception de Chanel. Se gendarmer ? Engager des poursuites ? Une bataille perdue d'avance, elle le savait. Mais, dès 1925, elle en conclut que la mode, elle aussi, entrait dans l'ère de la vulgarisation. On la verrait dorénavant plus souvent conditionnée par des impératifs commerciaux que par des caprices, et il allait falloir la modifier de saison en saison par des changements *raisonnables*, comme un carrossier modifie la ligne d'une automobile.

En 1926, l'édition américaine de *Vogue* prédisait qu'une certaine robe d'une déconcertante simplicité allait devenir une sorte d'uniforme unanimement adopté. Sans col ni poignets, en crêpe de Chine noir, à manches longues et très ajustées, blousant sur les hanches que la jupe enserrait et moulait étroitement, c'était une création Chanel, un simple fourreau. Que des femmes en grand nombre acceptent de porter la même robe ? La prédiction paraissait des plus déraisonnables. Alors, afin que ses lectrices admettent que ce serait à sa commodité et peut-être même à sa simplicité *impersonnelle* que cette robe devrait son succès, *Vogue* la compara à une automobile. Hésitait-on à acheter une voiture sous prétexte qu'elle ne différait point d'une autre ? Bien au contraire. Cette similitude en garantissait la qualité. Et, appliquant ce principe à la mode en général et à cette robe noire en particulier, le journal concluait : « Voici *la Ford signée Chanel.* »

L'automne de 1925... Reverdy organisait son départ

vers Solesmes et Gabrielle s'y résignait mal. Alors il lui advenait l'histoire ordinaire : elle se rejetait sur son travail, ses amis, mais de plus se grisait d'amusements dans une société qui était tout ce que l'homme qui la faisait souffrir lui avait appris à mépriser.

Son appartement de la rue du Faubourg-Saint-Honoré ne désemplissait pas. Il était plus que jamais le lieu de rencontre des Ballets russes et des amis de Misia, auxquels s'ajoutaient de nouvelles connaissances, toujours issues du monde artistique : Colette, Dunoyer de Segonzac, Christian Bérard, Jean Desbordes. Sa clientèle aussi s'était considérablement accrue. Et Gabrielle commençait à être reçue et à recevoir chez elle quelques-unes des femmes qu'elle habillait. Américaines du Sud, Américaines du Nord, milliardaires de l'Argentine, les Sanchez Elia, les Pédro Corcuera, les Martinez de Hoz, les W.X. Vanderbilt, de quelque milieu qu'elles fussent, les clientes de Chanel l'accueillaient à leur table, et se montraient dans les lieux les mieux fréquentés en compagnie de leur couturière.

Enfin il arrivait aussi que l'on vît Gabrielle, non point avec ses clientes, mais avec leurs maris.

Dans les journaux spécialisés, Chanel se taillait la part du lion. Page après page, il n'y en avait que pour elle. « Tout ce qui à Paris s'intéresse à l'élégance passe dans les salons de Chanel[1] », lisait-on. Ou bien : « Aucune collection ne reflète plus que celle de Chanel la pensée de son créateur et ne s'identifie aussi complètement aux goûts de l'heure présente[1]. » Ou encore : « ... Subtilité de la coupe, apparente simplicité : l'effort demeure invisible[1]. »

A Paris, à Monte-Carlo, à Biarritz, à Deauville, on signalait partout sa présence.

1. Edition française de *Vogue*.

En vérité elle se forçait. Il lui fallait coûte que coûte faire figure, faire face. Elle dansait le shimmy de façon si frénétique qu'elle en cassait son fabuleux sautoir et les cent invités d'une fête se jetaient à genoux à la recherche de ses perles [1].

Automne 1925... Kees Van Dongen, devenu le peintre en vue de ces années-là, préparait une édition illustrée de *La Garçonne*, le roman le plus canaille que l'on ait eu à lire.

Automne 1925... Le dollar était au plus haut et Hemingway, Scott Fitzgerald, Dos Passos, Sinclair Lewis, Thornton Wilder, Henry Miller habitaient Paris.

Automne 1925... Le divorce du duc de Westminster d'avec sa deuxième femme, Violet Mary Nelson, épousée cinq ans auparavant, faisait plus de bruit qu'il n'eût été souhaitable. Le jugement était prononcé aux torts du duc. Une déplaisante affaire d'adultère avec flagrant délit à l'hôtel de Paris. Tout ça très contraire aux façons de faire de l'*Establishment* britannique et qui lui valut d'être tenu pendant plusieurs années à l'écart de la cour. Mais Monte-Carlo était l'endroit où tout se passait. C'était du reste là, au cours d'une soirée, que le duc de Westminster avait été présenté à Gabrielle Chanel.

*

Lettres d'amour apportées de Londres à Paris par les courriers de Sa Grâce en un perpétuel aller-retour; fleurs tantôt coupées dans la serre aux gardénias tantôt dans la serre aux orchidées de Eaton Hall; paniers de fruits cueillis, par le duc lui-même, dans les forceries où melons, fraises et clémentines poussaient en plein hiver, saumons d'Ecosse qui, à peine pêchés,

1. Témoignage de Georges Auric dans *Les Années Chanel*, Pierre Galante, Gallimard.

étaient confiés aux soins d'autres courriers spéciaux — ceux-là voyageaient par avion, ce qui paraissait extravagant — ainsi fut conquise Gabrielle, après un siège mené dans un style qui avait de quoi surprendre.

Un jour, n'étant pas encore admis au privilège de partager son oreiller mais néanmoins désireux de ménager à Gabrielle une de ses farces préférées, le duc dissimula un écrin au fond d'un cageot de légumes. L'écrin ne contenait qu'une pierre, mais énorme : une émeraude à l'état brut. Le maître d'hôtel en eut le souffle coupé. Joseph — c'était lui qui ouvrait les colis — se félicitait de ces dons autant que s'ils lui eussent été adressés. Le témoignage de sa fille prouve que rien de ce qui a été dit sur cette période de la vie de Gabrielle n'est légende et que c'était bien un tapis d'or que Bend'or déployait à ses pieds.

Et malgré cela, elle hésita. Cela non plus ne fait nul doute. Quand on lui demandait pourquoi, elle avait un haussement d'épaules. Sa réponse était là, dans un geste de lassitude et sa façon de dire : « Je n'avais plus le cœur... » Il fallait comprendre que, déjà, elle n'avait cœur que de son métier.

C'est que d'une certaine façon elle n'était plus seule. Autour d'elle ce groupe d'artistes dont elle était plus fière que d'une conquête... C'était mieux qu'un beau mariage, mieux qu'un titre de noblesse. Et que Joseph continuât à considérer peintres et musiciens en pique-assiettes n'empêchait pas Gabrielle de penser qu'ils étaient devenus, pour une part, *sa vie*. Quitter tout ça ? Elle disait aussi : « Je ne voyais pas ce que je serais allée faire en Angleterre... » C'est qu'elle connaissait la fragilité de ces sortes de pactes. Inclure Bend'or, le mêler à cette société d'artistes, ce serait aussitôt l'effritement, sa chapelle s'en allant en poussière, ses peintres la fuyant comme d'autres avaient fui Misia à l'époque de son mariage avec Edwards.

Allait-elle vivre une aventure similaire ? Bend'or l'arrachant, fût-ce involontairement, à son métier, sa seule certitude, à ses amis, sa seule fierté ? Qu'attendre de lui ? Des bijoux ? N'avait-elle pas dorénavant de quoi s'en offrir autant qu'il lui plaisait ? Moins beaux sans doute et moins nombreux, mais quelle importance !... Alors qu'attendre ? Se faire connaître du Tout-Londres. Argument de poids qu'on ne manqua pas d'utiliser.

Car le duc s'était assuré certaines intelligences dans la place.

Une de ses amies, qui avait cette nacrure de peau et cette intensité singulière qui plaisent aux Anglais, une de ces jeunes femmes frémissantes comme il en tournoyait pas mal autour de lui, figurait avec éclat parmi les intimes de Gabrielle. Vera Bate [1] était son nom. La belle Vera... Personne n'était plus aimée qu'elle dans la haute société londonienne et c'était elle qui, sans penser à mal, avait présenté Bend'or à Gabrielle à l'issue d'une *party* à Monte-Carlo. Anglaise de naissance, Américaine par mariage, un inimitable mélange d'audace et de beauté, Vera était en instance de divorce. Elle avait de quoi rappeler à Gabrielle, Antoinette par son appétit de vivre, Adrienne par son élégance, l'une et l'autre par ses soucis d'argent. Ce qui expliquait

1. Née à Londres, en 1888, Sarah Gertrude Arkwright — Vera n'était qu'un nom de bataille — avait été infirmière en France pendant la première guerre. C'est à Paris qu'elle avait rencontré son premier mari, un officier américain, Fred Bate, qu'elle épousa en 1919 et dont elle divorça en 1927 pour se remarier en 1929 avec un officier italien qui fut un des meilleurs cavaliers de son époque, Alberto Lombardi. La parenté de Vera Arkwright avec la famille royale d'Angleterre ne fait aucun doute, encore que sur son acte de naissance elle ait été déclarée fille de maçon. La thèse la plus répandue est qu'elle était fille illégitime d'un descendant de ce duc de Cambridge qui par suite d'un mariage morganatique n'avait pas été autorisé à donner à ses fils d'autre nom que Fitz-George. Cela explique les liens étroits qu'il y avait entre Vera Bate et le prince de Galles.

qu'elle travaillât chez Chanel depuis l'année 1925, sans que l'on pût très bien comprendre en quoi consistait son emploi.

On n'a pas encore trouvé de mot pour définir ces fonctions qui échappent aux définitions, encore qu'elles soient reconnaissables au premier coup d'œil. Rabatteuse ? Vera — était-ce pour se mettre à la mode du jour qu'elle avait renoncé au prénom de Sarah ? Il y avait encore plein de Slaves chez Gabrielle — Vera avait donc pour mission de faire profiter la maison Chanel de ses relations. De plus, elle portait si bien la toilette que cela suffisait pour que ses amies eussent aussitôt envie de ses robes. Ses robes ? On les croyait siennes. A tort : c'était Chanel qui les lui offrait. Mannequin, en somme, élégante habillée à peu de frais, Vera Bate était tout cela à la fois et beaucoup plus. Car elle était de bon conseil et Gabrielle l'écoutait. Ajoutons que ses soupirants étaient en tel nombre, qu'à voir ces Archie, ces Harold, ces Winston, et ces Duff rechercher la compagnie de Vera, qu'à entendre d'aussi parfaits accents d'Oxford ou de Cambridge, Gabrielle en vint à penser que pour aller à la conquête de l'Angleterre, Vera suffirait bien. Qu'avait-elle besoin d'un duc ?

Certains témoins l'affirment, c'est assez rudement que Gabrielle repoussa les premières avances de Bend'or. Eût-elle cherché une ruse pour se l'attacher plus sûrement qu'elle n'en eût pas trouvé de meilleure. Les visites du duc à Paris n'en devinrent que plus fréquentes; surprises et farces se succédèrent à un rythme accéléré. Un soir, fort tard, Joseph ouvrit la porte à un géant qui disparaissait sous un chargement de fleurs. « Posez ça là », dit-il au livreur. Mais à l'instant du pourboire, il reconnut le duc de Westminster venu en personne apporter le produit de ses serres.

A quelque temps de là, c'était un jeune homme, un

inconnu qui sonnait à son tour, et qui, sachant que Gabrielle était en pleine préparation de sa collection, suppliait qu'on ne la dérangeât pas. Il prétendait avoir rendez-vous avec Vera Bate. « Elle n'est pas là », répondit Joseph. Le visiteur, qui avait fort bonnes façons, avait néanmoins l'air affreusement gêné. Il voulait à toute force attendre à l'office. Joseph, surpris mais pensant que ce n'était peut-être pas « *quelqu'un de bien* », l'y fit asseoir puis l'oublia. Plusieurs heures passèrent. Enfin, Vera sonna à son tour. Alors Joseph se souvint du visiteur qui l'attendait toujours. Mais celui-ci, s'ennuyant à l'office, s'était installé à la cuisine où il menait avec le chef une conversation animée sur le tour de main qu'il fallait pour réussir les profiteroles.

« Mrs. Bate est là. Qui dois-je annoncer ? demanda Joseph.

— Le prince de Galles », répondit l'inconnu.

Alors que ses amis en riaient beaucoup, ces petits faits de sa vie quotidienne n'amusaient que médiocrement Gabrielle. Que cachait cette réserve ? Rien d'autre qu'une animosité contre qui croyait la gagner par des bijoux, des relations flatteuses et des fleurs. Chanson connue... On la forçait à revivre le temps d'un long écœurement. Les entreteneurs... Bend'or eut beau faire, l'amertume qu'elle en gardait fut longtemps la plus forte. Et longtemps elle s'efforça de lui offrir autant de cadeaux qu'elle en recevait.

Mais voilà que les échotiers britanniques prêtèrent au duc des projets de mariage. Ils étaient formels : c'était d'une Française qu'il s'agissait, cette fois. Une couturière de grand renom... Alors poussée, précipitée en plein mirage, Gabrielle décida de se montrer plus clémente. Si bien qu'un soir, alors qu'elle se trouvait à bord du *Flying Cloud*, Bend'or profita de ce que presque tous ses invités fussent partis pour donner l'ordre de lever l'ancre. Ils se retrouvèrent au large de

Monte-Carlo, elle et lui, presque seuls. Enfin... « Seuls », c'était une façon de parler. Car le duc avait aussi enlevé un orchestre qu'il tenait dissimulé.

Une dernière farce avant les plaisirs qu'il espérait.

III

L'APPRENTISSAGE DU FASTE

UNE fois de plus, les temps étaient venus pour Gabrielle de s'émerveiller. Une fois encore, elle crut que ce qui se nouait ne se dénouerait plus. Inguérissable midinette... Passé une certaine surprise, elle perdait la tête et rêvait de mariage. Elle vit un abri définitif dans chacune des maisons où le duc l'emmena, à Mimizan, sa « chaumière » des Landes, à Saint-Saens, son château de Normandie, en Ecosse, dans sa maison de pêche. Où n'alla-t-elle pas?

Elle se rendait aussi souvent qu'elle le pouvait en Angleterre. Elle fit, en un temps éclair, connaissance des multiples possessions de son nouvel amant. Tout d'abord de ses deux yachts. L'un dans un port méditerranéen, l'autre dans la Manche ou l'Atlantique, tous deux attendaient le bon plaisir de Sa Grâce. C'était le *Flying Cloud*, un quatre-mâts-goélette. Il comptait quarante hommes d'équipage et était entièrement meublé en Queen Ann. Lits à baldaquins, lourds bahuts sculptés, tables en bois massif, un musée flottant. L'autre, un ancien destroyer, le *Cutty Sark*, jaugeait 883 tonneaux, et avait été construit pour le commerce avec l'Extrême-Orient par le major Henry Keswick, négociant présomptueux d'une quelconque China Trading Firm. Incapable d'en assumer l'entretien, il l'avait aussitôt revendu à Bend'or, pour la plus grande joie de ce dernier. C'était un navire fait pour les pires tempêtes et il n'y avait pas de lieu au monde où Bend'or se sentît mieux. A peine à bord, il attendait avec une impatience enfantine la venue du gros temps. Il lui fallait ça pour être heureux. Il fallait aussi que sa maîtresse ne souffrît point du mal de mer — il en avait répudié plus d'une pour la seule raison que par peur ou malaise elle redoutait la houle — il fallait enfin que le *Cutty Sark* tangue, roule furieusement, que les meubles se détachent et menacent les passagers, que les dames effrayées supplient le capitaine de rejoindre au plus vite le port le plus proche. Quel que fût le temps, celui-ci avait ordre de n'en rien faire. Alors dans l'affolement général, le duc s'enfermait à double tour dans sa cabine et s'endormait profondément. On ne le voyait réapparaître qu'une fois la tempête calmée. L'intrépidité dont fit preuve Gabrielle face aux éléments déchaînés fut pour beaucoup dans l'estime que lui témoigna son compagnon de voyage.

Par beau temps, Bend'or profitait de la nuit pour commander que l'on changeât secrètement de cap. Les plans s'en trouvaient bouleversés. Au matin, ses passagers éberlués s'inquiétaient auprès du steward : « Quelles sont ces côtes ? » demandaient-ils. L'ordre, où que l'on fût, était de répondre :

« Ce doit être l'Espagne. »

Gabrielle fit aussi l'expérience de trains spéciaux, comptant deux voitures-pullman et quatre fourgons à bagages prévus pour transporter malles et chiens. On la photographia en compagnie de Bend'or au Grand Liverpool. Les échotiers épièrent ses moindres gestes et les amies de Bend'or s'étonnèrent qu'en matière d'habillement les goûts « de la célèbre couturière » fussent aussi simples.

Enfin elle apprit à connaître Eaton Hall. Elle s'étonna de raffinements que l'on sentait liés aux temps lointains de la splendeur victorienne, lorsque le château recevait à l'improviste les membres de la famille royale et que le châtelain de Eaton Hall, le plus riche sujet de la reine, se considérait tenu de laisser dire qu'il vivait sans cesse sur pied de fête. A l'époque des *week-ends* de Gabrielle à Eaton Hall — une soixantaine d'invités à demeure parmi lesquels Winston Churchill et sa femme qui étaient du nombre des intimes —, quantité d'habitudes, datant de cette époque, étaient encore respectées. La salle de bal, où depuis 1886 tous les ducs de Clarence, d'York ou de Galles avaient dansé, était toujours ouverte et cirée de frais. Il suffisait de faire appel à l'orchestre local en veste rouge et souliers vernis, pour que l'on y dansât. En certaines occasions les dîners se servaient en musique, soit que l'organiste attaché au château improvisât sur les orgues monumentales, soit que des artistes fussent amenés de Londres à grands frais. Parfois un ventriloque, parfois des comiques, une autre fois un célèbre pickpocket... Gabrielle se familiarisa tant bien que mal avec le bataillon de valets que commandait un maître d'hôtel plus digne qu'un général, avec les galeries et les antichambres en enfilade dans lesquelles elle se perdit souvent, bien qu'elle eût mis tout son sérieux à en étudier le plan.

C'était un aïeul de Bend'or qui avait décidé d'ériger, en 1802, une colossale bâtisse hérissée de tours et de tourelles après avoir jeté bas un élégant manoir, construit au XVIIe siècle. Initiative désastreuse et qui, de génération en génération, pesa toujours plus lourdement sur les finances des Grosvenor. Sur une superficie énorme, un échantillonnage complet de tous les motifs architecturaux dont on ait eu l'usage entre le règne de Charles II et celui de George III. Gabrielle se fixa des points de repère. Toutes les galeries étaient voûtées. Il y avait la galerie pseudo-gothique aux lourds pilastres de marbre et au pavement en mosaïque; il y avait aussi, moins sévère, la galerie aux bustes romains, puis la galerie aux chevaux, puis la bibliothèque où s'entassaient dix mille volumes, enfin l'escalier principal que l'on reconnaissait à l'énorme toile de Rubens qui en décorait les murs et aussi à ce qu'on en gravissait les marches entre une double haie de chevaliers en armure — douze silhouettes inquiétantes qui montaient la garde derrière les visières abaissées de leurs heaumes — il y avait enfin et surtout Mrs. Crocket, ses clefs à la ceinture, affable *house keeper*, toujours prête à voler au secours des invités en perdition.

Eaton Hall était irrémédiablement hideux. On avait tout tenté pour remettre un peu de goût dans ses façades. De 1802 à 1882, les uns après les autres, les Westminster dépensèrent des fortunes à démolir et rebâtir des portions de Eaton Hall. Avant Bend'or, son grand-père avait eu beau employer six cent mille livres à coiffer les tours crénelées de toits pentus, il n'avait abouti à rien. Alors il avait songé que ce qui manquait était une statue. Placée au centre de la cour d'honneur, bien grande et visible depuis l'entrée, elle apporterait un peu de vie, pensa-t-il. Commande fut passée d'une gigantesque effigie d'Hughes le Loup. Mais voilà que le premier duc de Westminster réalisa quel incorrigible paillard avait été le fondateur de sa famille. De quoi choquer, dans son puritanisme, la grosse vieille reine, son amie. Il revint sur son initiative et demanda au sculpteur s'il était encore temps de faire de la statue commandée un saint Oswald. Trop tard, hélas !... L'artiste avait déjà placé un faucon sur le poing de l'impitoyable chasseur et, comme le « gros veneur » avait été d'une historique corpulence, il l'avait juché sur une sorte de percheron. Alors ? Toujours dans le même souci d'animation, le premier duc de Westminster se rabattit sur la musique. Il fallait des cloches. Il commanda un carillon jouant à la manière belge, considérée très supérieure à celle des carillons anglais. L'organiste de Saint Paul's Cathedral fut expédié tout exprès à la fonderie de Louvain afin de contrôler, une à une, les vingt-huit cloches prévues et pour s'assurer que, parmi la vingtaine d'airs programmés, *Home, sweet home* n'avait pas été oublié. C'est sur cet air-là que, du temps de Bend'or, les invités du *week-end* prenaient, vers minuit, le chemin de leurs appartements privés.

Restait le parc. Une pure merveille que Bend'or, découragé par l'incurable laideur du château, n'avait cessé d'embellir. Il avait apporté à ses transformations toute l'exubérance dont il était capable, un enthousiasme juvénile, comme d'un adolescent auquel la fortune n'aurait rien refusé. Et la nature s'était pliée à ses caprices. Il avait la passion des miroirs d'eau et des ruisseaux aux sinuosités capricieuses. Chaque vue du parc était un tableau en soi. Il avait conduit Gabrielle en barque sur le lac et lui avait fait les honneurs de l'île aux singes. Toute sa vie elle garda un souvenir enchanté de la douceur des gazons anglais, de l'abondance des fleurs et de la merveilleuse compétence des jardiniers. Avec les tweeds d'Ecosse, avec les gilets du matin que portaient les valets de Eaton Hall, au buste rayé, aux manches noires, avec la sombre tenue des marins du *Cutty Sark*, leur vareuse à boutons dorés et leur bonnet posé au ras des sourcils, c'était de loin ce qui l'avait le plus séduite en Angleterre.

Et de tout cela elle fit aussitôt les thèmes dominants des vêtements qu'elle créa.

De 1926 à 1931 la mode Chanel fut anglaise. Jamais on n'avait vu chez elle autant de vestes « de coupe résolument masculine », disaient les journaux, autant de blouses et de gilets à larges rayures, autant de manteaux « pour le sport », autant de tailleurs et de tenues « à porter aux courses ». Gabrielle fit sienne l'habitude anglaise de vivre en chandail. Mais elle sut aller plus loin en les accompagnant de bijoux comme aucune dame de la société anglaise n'aurait osé en porter, sinon en robe de gala. Aussi vit-on, sous son influence, Misia recevoir à déjeuner en costume de « crêpe marocain » qu'accompagnait un simple tricot, mélange qui ne manqua pas de causer la plus vive surprise parmi les arbitres de l'élégance. Surprise qui se transforma en stupeur lorsque l'on s'aperçut qu'avec cette robe du matin Misia portait aussi « sa magnifique chaîne de diamants à triple rang ». C'est qu'en 1926 un vent de somptuosité brassait la clientèle Chanel. Mais une somptuosité discrète et qui se laissait oublier. Jamais, et cela jusqu'à la fin de sa vie, Gabrielle n'imagina que le luxe pût avoir d'autres fins que de rendre la simplicité remarquable.

C'est qu'elle fut très vite plus qu'à moitié conquise par le milieu anglais. Elle sut mesurer ce qu'elle en recevait et très vite aussi se sentit chez elle à Eaton Hall. Au point qu'elle s'attacha à ce qui, au début, l'avait le plus choquée : l'architecture de ce château, farci de réminiscences médiévales, la démesure de tout cela... Elle oublia ce qui, dans ce décor, participait à la fois de l'imagerie d'un roman de cape et d'épée et de la poésie hagarde d'un drame hugolien. De quoi exciter l'ironie de Misia à chacun de ses séjours. Misia prétendait qu'il y avait du macbéthisme chez les Westminster et qu'il fallait avoir été fou pour élever cette forêt de donjons au haut desquels on croyait sans cesse voir des silhouettes somnambuliques prêtes à se jeter dans le vide. Mais à comparer le prestigieux décor de Westminster et celui des Sert, Gabrielle constatait qu'ils avaient plus d'un point commun. A la fin elle aima Eaton Hall pour la grâce d'un certain mauvais goût. Pourquoi ? Si on la contraignait à s'expliquer elle usait de comparaisons qui étaient l'expression permanente des blessures du passé : obsession de la netteté, de la propreté, crainte de manquer aux règles du naturel, autrement dit la marotte de ce qui différenciait la société véritable du monde des courtisanes et des parvenues.

« Eaton Hall, disait-elle, aurait pu être *dégoûtant*... Vous voyez ce que je veux dire ? Habité par D'Annunzio avec plein de tentures poussiéreuses, de panoplies de théâtre, d'objets *ridicules*, une bimbeloterie pour bal costumé. Ce qui, bien au contraire, forçait l'admiration, c'était la propreté de cette demeure, c'était le naturel anglais. On en oubliait les laideurs. Planté au coin d'un escalier, un chevalier en armure ça fait bien un peu *mélo*... A moins qu'il ait toujours été là. Alors on le regarde comme un fruit de la terre, fier et droit, surtout si ses armes sont bien astiquées et comme tenues prêtes à resservir. A Eaton Hall, il y en avait un, en particulier, une sorte d'hidalgo, que son casque, auquel ne manquaient que des plumes, désignait aux regards. Enfermé dans sa ferraille, il était devenu pour moi une sorte d'ami. Je l'imaginais jeune et beau. Je le saluais chaque fois que je passais. Je me disais : « Quand même, ce que c'était bien agencé, ce « machin-là ! Et comme on devait se sentir séduisant « et puissant, là-dedans ! » Lorsque j'étais certaine que personne ne pouvait me voir, je m'approchais et lui serrais la main. »

C'est qu'elle venait de découvrir *en vrai* le décor, qu'à une moindre échelle, les femmes entretenues du début du siècle avaient cherché à traduire en faux. Et cela lui inspirait des considérations sous lesquelles se devinait un acte d'accusation en règle. Mais comme il lui fallait à toute force truquer, au lieu de s'en prendre directement au style feuilletonesque du décor et des modes de la courtisanerie, elle préférait utiliser un prête-nom : D'Annunzio. Médiocre ruse. Le fantôme d'Emilienne d'Alençon hantait les lointains de sa conversation. Emilienne n'avait-elle pas, elle aussi, fait le voyage d'Angleterre ? « Tu t'appelleras la comtesse de Songeon et je te ferai connaître mon cousin Edouard... » Les termes par lesquels le roi des Belges l'avait invitée à le suivre. Emilienne, Otero, Liane... Elles portaient « jambières, cuissards, gantelets, licous de perles, boucliers de plume, baudriers de satin, de velours et de gemmes, cottes de mailles, ces *chevaliers* hérissés de tulle [1]... », et la rancœur de Gabrielle envers *l'artificialité* sous toutes ses formes était de celles auxquelles on n'échappe pas. Que faire alors sinon ce qu'elle faisait ? Laisser sa rancœur s'exhaler au point de conditionner tous ses jugements. Ainsi ne nous méprenons pas sur le sens d'une anglophilie, aussi inconditionnelle que tenace, qui découla moins du *sentiment* qu'elle avait pu éprouver pour Bend'or que de son *ressentiment* envers ces « guerriers d'amour [2] » avec lesquelles elle craignait si fort qu'on l'identifiât. Telle était Gabrielle, toujours en proie à un ressentiment qui était le souffle même de sa vie, toujours luttant contre ses souvenirs avec son génie propre, ses grandeurs et son profond désenchantement.

Et pourtant, au temps de sa liaison anglaise, fort avait été l'espoir qu'envers et contre tout elle avait porté au cœur : se marier... Se marier comme Marthe Davelli qui avait renoncé au chant et épousé Constantin Say « des sucres ». Se marier comme celle qui continuait, sur scène, à s'appeler Gabrielle Dorziat mais qui, dans la vie, était devenue la comtesse de Zogheb. Se marier comme son amie Vera Bate qui filait le parfait amour entre les bras d'un bel officier italien et était devenue Vera Lombardi. Epouser Bend'or... Gabrielle mit tout en œuvre pour y parvenir. Elle le suivit. Elle s'installa dans une sorte de

1. Jean Cocteau, *Portraits-souvenirs*.
2. Jean Cocteau, Préface au catalogue de l'Exposition des toiles de Paul Poiret à la galerie Charpentier en 1944.

tourbillon de plaisirs, faisant sien le mode de vie insouciant du grand seigneur dont elle partageait le sort. La joie qu'il éprouvait à changer sans cesse de résidence était contagieuse. Elle voyagea. Il installait, partout où il allait, une sorte de droit souverain à penser et agir dans une optique anglaise; ses chemises, ses chapeaux, sa démarche, sa voix, ses plaisanteries, ses réflexions, faisaient de lui un Anglais — et jusqu'à sa guerre... Car, dans sa bouche, la moindre anecdote portait la marque de l'Angleterre. Elle l'écouta. De l'esprit nouveau, bouillonnant et libre qui avait régné sur la demeure parisienne de Gabrielle lors de ses dernières amours, de Cocteau, de Max Jacob, de Reverdy, que restait-il ? Rien. Elle fit celle qui n'en souffrait point et tendit une oreille complaisante au récit des chevauchées byroniennes du duc de Westminster à travers les déserts de l'Afrique. Car Bend'or, s'il haïssait son époque, l'art moderne et les avions, avait aimé la guerre.

En 1914, sa contribution au conflit mondial avait consisté à mettre ses Rolls-Royce à la disposition de l'armée anglaise. Il en possédait huit. C'est ainsi qu'après une brève affectation à l'état-major de Sir John French — il semble que tous les amants anglais de Gabrielle s'y soient donné rendez-vous : après Boy, Bend'or... — on retrouve le duc dans le désert de Libye menant, avec l'aide de quelques amis, une petite guerre personnelle, comme on mène une partie de chasse. Chaque membre de sa « cuadrilla » disposait d'une automobile armée, privée de ses banquettes et portant une mitrailleuse fixée à la place du coffre arrière. Aux Rolls-Royce étaient venues s'ajouter des voitures de tourisme, ainsi qu'un nombre imposant de camionnettes et de fourgons automobiles, le contenu des garages du duc, ceux de France comme ceux d'Angleterre. La compagnie disposait enfin des services d'un docteur et de ceux des membres du personnel de Eaton Hall ayant rejoint leur maître. Pour la circonstance, jockeys, cochers et valets avaient été revêtus de tenues de combat et chargés des tâches secondaires. Les corvées d'eau, l'entretien des voitures, le cirage des chaussures et la recherche du carburant leur incombaient. Pendant ce temps, aux commandes de leurs mitrailleuses Hotchkiss, Bend'or et ses amis se réservaient l'usage noble des armes.

Ils foncèrent et, sans trop savoir comment, tombèrent sur un camp de guerriers qui, alliés des Turcs et des Allemands, stupéfaits, se rendirent. C'était un camp de Sénoussi. Les vainqueurs firent main basse sur les armes, les vivres, les munitions et, au cours de leur fouille, découvrirent plusieurs sacs de lettres en anglais : le courrier de prisonniers britanniques que les Sénoussi retenaient en plein désert. Bend'or renforça sa colonne de quelques chameaux, chargea son butin et, à la suite d'un guide-otage, partit à la recherche de ses compatriotes. Il les trouva à cent cinquante kilomètres de là, sur le point de mourir de soif. Lorsque les prisonniers virent les hauts capots des Rolls apparaître entre les dunes, certains se crurent menacés de folie, d'autres crurent à un mirage.

Et dans tout cela, comme un air de blague.

Mais on conçoit que le duc ait trouvé plaisir à revenir sur son passé.

Tant qu'elle vécut avec lui, Gabrielle affirma qu'elle le trouvait « parfait dans son genre ». Ce n'est qu'après l'avoir quitté qu'elle voulut bien reconnaître en lui une certaine insuffisance intellectuelle.

*

Bend'or envisagea-t-il le mariage ? Disons que, pris dans un ensemble de contradictions et aussi longtemps que la passion fut la plus forte — jusqu'en 1928 environ — la question demeura implicitement posée. Mais il ne s'agissait pas tant pour lui de se marier que d'avoir un héritier. Gabrielle ne fut pas longue à le comprendre. Du même coup, faire un enfant devint un de ses problèmes majeurs. C'est qu'elle n'était plus jeune. Quarante-six ans... Le temps lui était compté. D'espoirs en désillusions, elle enragea mais n'en démordit pas. Peu lui importait que son corps fût rétif. Elle n'eut pour lui guère plus d'indulgence que pour ce qui, parfois — employées, ouvrières, mannequins ou matériaux — lui résistait. Aussi s'imposa-t-elle de consulter. Elle se livra aux médecins, s'abandonna aux soins plus ou moins troubles de femmes qu'elle croyait plus expertes qu'elle. Dans son vieil âge, lorsqu'elle se sentait en confiance, elle laissait entendre qu'elle avait subi une opération et que, sur le conseil d'une sage-femme, elle s'était astreinte à des « gymnastiques humiliantes ». En vérité, sa misère se résumait en un mot : stérilité. Ressentiment, rancune, solitude, échec, tout en avait découlé. Mais elle réussissait encore, par des subterfuges de langage ou des sous-entendus des plus comiques, à rejeter la responsabilité sur d'autres qu'elle. Tantôt la stérilité de Bend'or était clairement dénoncée, tantôt elle laissait croire à une incapacité chez lui à vaincre comme une sorte de virginité prolongée chez elle. Il n'en demeurait pas moins qu'elle disait aussi : « J'ai toujours eu *le ventre enfantin.* Déjà du temps de Boy... » Alors, en dépit de son *pathos,* il devenait clair que là avait été son drame. Avec Capel, avec Bend'or. Un drame deux fois répété. Et l'on comprend mal qu'en dépit de ses précédentes expériences, elle ait aussi longtemps gardé confiance. Epouser Bend'or... Chaque témoignage d'amour lui paraissait une preuve que le pire n'est pas toujours sûr. Cet héritier, après tout, était-il aussi indispensable qu'elle se l'était imaginé ? Elle se disait : « Qui sait ? Peut-être m'épousera-t-il sans cela. » Car Bend'or la couvrait de cadeaux. Elle les prenait comme ils venaient, tantôt inouïs, tantôt touchants, parfois dérisoires. Ils contribuaient à encourager l'illusion.

En 1928 elle s'offrit un terrain planté d'oliviers sur les hauteurs de Roquebrune, avec une vue de toute beauté. Une acquisition royale[1]. Une maison d'été, un lieu de vacances situé dans le voisinage des chefs de file du Tout-Londres et des hôtesses les plus à la page... Une propriété sur la Côte d'Azur, un *home* en France, n'était-ce pas ce qui pouvait le mieux séduire Bend'or ? A quelques kilomètres de *La Pausa*, son vieil ami Winston Churchill, écarté du pouvoir, commençait à écrire l'histoire de sa famille. A Golfe-Juan, chez Maxime Elliot, au cap d'Ail, chez Lord Beaverbrook et chez Lord Rothermere[2], c'était chez eux qu'habitait Churchill. Et pour que *La Pausa* devienne effectivement le lieu de rencontre de tous les amis de Bend'or, Gabrielle offrit à la belle Vera et à son mari, une petite maison au fond du jardin : *La Colline*. Car c'était Vera qui était dans l'intimité de ces célébrités, c'était elle l'amie des Churchill, elle l'amie du prince de Galles bien plus que Gabrielle.

Et Bend'or parut enchanté de cet arrangement.

Alors, reprenant courage, Gabrielle recensa ce qui, en plus de son incapacité à lui donner une descendance, pouvait encore faire obstacle à leur union.

A supposer qu'on le découvrît, ce n'était pas son passé le plus gênant. Le chant, et même le caf'conc',

1. C'est au nom de Chanel que la propriété fut achetée. L'acte d'achat du lot le plus important a été transcrit au troisième bureau des Hypothèses de Nice le 9 février 1929 (volume 19, n° 47). Mais de l'avis de tous ceux qui vécurent avec Gabrielle ces années-là, les pourparlers d'achat furent engagés trois ans auparavant et, quoi qu'on en ait dit, cette propriété fut bien achetée par Chanel de sa seule initiative et non point un cadeau du duc de Westminster.

2. Lord Beaverbrook était le fondateur et le propriétaire du *Daily Express*, du *Sunday Express*, de l'*Evening Standard*. Lord Rothermere possédait le *Daily Mail* et les *Evening News*.

n'avaient pas, du point de vue anglais, caractère d'anathème. Londres n'était pas Paris. Mais les Chanel ? Elle n'avait plus de sœurs, plus de mère. Son colporteur de père ? Plus que probablement mort, le nez dans un fossé. Pas gênant. Une tante modèle vivait en sourdine : Adrienne. On pouvait compter sur son silence. La perspective du mariage la rendait plus prudente que jamais. Restaient ses frères. Personne, en dehors d'elle, ne savait quoi que ce soit les concernant. Rien d'Alphonse, rien de Lucien. Mais qu'un échotier les découvre, qu'une certaine presse s'empare d'eux et le déchaînement serait fatal. Oui, ses frères. Le danger était là.

Curieusement, le plus inquiétant des deux, Alphonse, n'était pas celui que Gabrielle redoutait le plus. Alphonse n'avait d'autre soutien qu'elle et point de métier. On pouvait, à la rigueur, le considérer en rentier, en petit retraité. Il « montait » à Paris plusieurs fois par an. A chaque voiture défoncée, à chaque dette de jeu, à chaque éclat torrentueux avec sa femme, qui aussitôt cachait l'argent et fermait tout à clef, Alphonse avait recours à Gabrielle, profitant d'un jour où elle était seule pour s'asseoir en face d'elle, à cette table que l'on ne trouvait jamais deux fois à la même place. Ce n'était pas un spectacle ordinaire que les déjeuners d'Alphonse au faubourg Saint-Honoré. Pour les imaginer il convient d'écouter ses filles. Que disaient-elles ? « Père revenait plein d'histoires. Des histoires sur comment vivait sa sœur, sur sa maison aussi, *comme un palais hindou*, et sur ses serviteurs, des types en livrée, gantés de blanc. Une fois il nous raconta comment, à peine assis à table, il avait dit à Gabrielle : « Envoie ch... le larbin qui se tient derrière moi. Sentir qu'on a un type comme ça debout dans vot'e dos, ça me la coupe. » Et la tante Gabrielle avait éclaté de rire. Mais le maître d'hôtel avait tiré un de ces nez ! Une autre fois

Père avait avoué à sa sœur la triste vérité : « Plus de voiture, Gaby. Elle est au fond d'un ravin. Mieux vaut l'y laisser. En miettes... » Et au lieu de se fâcher, Gabrielle s'était écriée : « J'ai ton affaire ! Débarrasse-moi de la voiture qui est devant la porte et du chauffeur avec. » Et l'on avait vu Alphonse revenir à Valleraugue dans un coupé de marque inconnue, conduit par un grand escogriffe en casquette. »

Voilà Gabrielle désarmée par la drôlerie du frère retrouvé, voilà le frère, l'ancien mineur, l'ancien colporteur, le coureur de jupons — un fort en gueule comme son père — le voilà assis entre les paravents de Coromandel, vêtu de noir comme les gens des Cévennes et portant le chapeau à large bord. Or Gabrielle ne se trompait pas : elle n'avait rien à redouter d'Alphonse. Il avait trop besoin d'elle. Et puis Valleraugue ? Qui irait jamais le dénicher là-bas ? Les Cévennes étaient à l'autre bout du monde. Gabrielle se limita à lui verser plus d'argent tout en exigeant d'Alphonse plus de sagesse. Et qu'il n'aille pas donner le mauvais exemple à son frère, surtout. Elle travaillait assez comme cela et n'avait pas besoin qu'il lui crée plus d'ennuis. Alphonse promit. Il promettait toujours.

Lucien, dans son indépendance, était autrement inquiétant. Elle lui versait une pension, c'est vrai. Mais il n'en avait pas pour autant renoncé à travailler. Son éventaire était toujours dressé les jours de marché derrière la cathédrale de Clermont-Ferrand, et l'on voyait Lucien, au petit matin, comme par le passé, charriant des souliers à pleins paniers. Le terrible était qu'il aimait ça et gagnait bien. Camelot ! Le frère de l'éventuelle duchesse faisait le métier de camelot ! Que cela devienne public, que Lucien, trop confiant, tombe aux mains de la presse et Clermont-Ferrand deviendrait aussitôt une mine d'anecdotes pour cette bande de voyous. A Paris comme à Londres, on n'aurait pas fini d'en faire des gorges chaudes.

Evidemment le plus simple eût été d'aller chez les Chanel et de s'expliquer avec Lucien et sa femme. Mais Gabrielle n'en avait ni le temps ni l'envie. Retourner dans cette province du désespoir ? Elle n'y songeait pas.

Lucien reçut une lettre. Gabrielle voulait qu'il fût oisif. Elle avait *de quoi* désormais. Il était normal que ses frères en profitent. Pourquoi fallait-il que Lucien continuât à courir les foires alors qu'Alphonse, lui, « jouait au monsieur » ? N'était-ce pas son tour à Lucien, d'en faire autant ? Il en avait assez vu, assez fait comme cela. Elle ne voulait plus qu'il travaille. Qu'il cherche une belle maison, qu'il l'achète, qu'il l'installe et que cette maison ait un jardin, surtout. Elle lui enverrait tout l'argent nécessaire. Mais Gabrielle alla plus loin, et plaçant par ruse au premier plan de ses préoccupations son désir de prendre sa retraite en Auvergne, elle exigeait de Lucien qu'il choisisse une maison bien grande afin qu'éventuellement il y eût place pour elle. Attendri, touché par le soin qu'elle avait de sa personne, éperdu à l'idée que c'était chez lui que cette prodigieuse sœur envisageait d'habiter, Lucien obtempéra. Et pourtant toute sa vie était là, dans les foires, les cris, les réveils matinaux. Pauvre Lucien... Contre le sentiment de sa femme, il renonça à son emploi, à la confiance de ses fournisseurs et jusqu'à la proposition qui venait de lui être faite : un poste fixe, la succession de fabricants connus dans le pays.

Mais Gabrielle parlait de revenir...

Au-dessus de Clermont-Ferrand, un terrain à flanc de colline. De là on dominait tout. Il en parla à sa sœur et l'acheta. Elle ne lui pleurait pas l'argent. Lucien fit construire. Un pavillon, quelque chose de coquet, en meulière, avec un auvent vitré au-dessus de la porte, un minuscule perron et, aux fenêtres un encadrement de pierre. Ce qu'allait en penser Gabrielle ? Lucien en avait des sueurs. Allait-elle approuver, allait-elle l'aimer cette maison ? Enfin, sa réponse : elle jugeait que Lucien avait vu trop petit et aurait voulu qu'il se logeât en ancien. Là, le bon sens de Lucien prit le dessus. Elle exagérait, la sœurette ! Etait-ce un château qu'elle voulait ? Lucien ne se voyait pas dans une bâtisse avec des pièces à ne savoir qu'en faire. Comment meubler ça ? Et puis cela eût semblé suspect. Qu'aurait-on pensé dans le pays de cette fortune soudaine ? Il n'allait tout de même pas rompre avec ses amis les forains, les fabricants de chaussures, ses vieux clients, tout ça parce que Gabrielle exigeait qu'il habitât un château. On tomba d'accord. Va pour le pavillon, décida Gabrielle. Elle affirmait à nouveau qu'elle y viendrait.

Elle n'y vint jamais.

Elle avait obtenu ce qu'elle désirait.

Lucien ne courait plus les champs de foire et ses deux frères vivaient désormais en rentiers. Il n'y avait plus de quoi goguenarder.

Mais dans sa dernière lettre, elle demandait à Lucien qu'il renonçât à voir Alphonse, et cela en termes assez désobligeants pour ce dernier. Lucien n'était pas sans savoir qu'Alphonse était une tête brûlée. Mieux valait qu'il le laissât dans son coin, n'est-ce pas ? Sans quoi il serait entraîné malgré lui...

Et parce que c'était l'avis d'une sœur si bonne, si généreuse, une nouvelle fois Lucien obtempéra. Séparer ses frères ? Empêcher qu'ils se voient ? Ultime ruse de Gabrielle. Alphonse eût-il appris les libéralités dont Lucien était l'objet qu'il eût aussitôt enjoint Gabrielle d'en faire autant en sa faveur.

IV

SI BLANCHES...

L'ORDRE mis dans sa famille fut aussitôt rendu inutile. Bend'or la trompait et Gabrielle, dans son amère lucidité, se voyait vivant ce qu'elle avait déjà vécu avec Capel, prisonnière d'une liaison dégradante, mensongère. En vérité, l'année 1929 aurait pu être une des belles années de sa vie. Les travaux de *La Pausa* étaient enfin terminés et tout se passait comme si d'avoir fait bâtir avait aidé Gabrielle à s'affirmer. Le style de cette maison, les idées de Gabrielle en matière de décoration faisaient école. On les lui empruntait, on la copiait. Toujours au chapitre de ses inventions, le n° 5 était devenu « le parfum le plus vendu du monde » et l'harmonie régnait encore entre elle et la société [1] chargée de sa diffusion. Au chapitre de la couture, tout ce qui allait être la mode des années 30, ses tissus — le marocain, le crêpe romain — ses lignes — les robes à mi-mollet, les jupes cloches, une certaine ampleur, les pyjamas de plage — tout cela avait pris naissance face aux glaces de son célèbre salon. Et pourtant l'année ne lui offrait, en matière de sentiments, que désillusions. Gabrielle supportait mal le sang-gêne d'un compagnon qui ne cherchait même pas à ménager sa sensibilité. En séjour à *La Pausa*, il passait le plus clair de son temps au casino de Monte-Carlo. Elle l'accablait de sarcasmes. Or il n'admettait pas qu'on le mît en accusation.

Certains soirs, qui s'échelonnent entre 1928 et 1929,

1. Fondée en 1924, la société des parfums Chanel marquait l'association de Gabrielle avec le propriétaire de la plus grande usine de parfums en France : Pierre Wertheimer. Heurts, désaccords violents, procès de toutes sortes les opposèrent l'un à l'autre pendant quarante ans. Mais la société allait résister aussi bien à leurs dissensions qu'à la guerre et à l'occupation.

dans le silence des olivaies de *La Pausa*, des discussions éclataient et des portes claquaient. A peine achevée, cette demeure, conçue pour une vie qu'elle avait rêvée si belle, avait déjà perdu sa raison d'être.

Etrange croisière que celle du *Flying Cloud* le long des côtes dalmates, en 1929. Brusque et continuelle présence de Misia, dans l'intimité de ce couple sur le point de se défaire. Il est frappant de constater qu'à chaque difficulté surgissant dans la vie sentimentale de Gabrielle, Misia réapparaît et finalement s'impose. Elle était à bord, elle voyageait avec eux. Il est vrai qu'elle avait quelques raisons de s'éloigner de Paris. José Maria Sert lui infligeait la présence quotidienne de sa dernière passion : une jeune Géorgienne habitée jusqu'au vertige par la fascination de se perdre, de se tuer. C'était pour ne plus subir la vision démoralisante de leur ménage à trois — « Je me rappelle José Maria Sert, effondré dans un fauteuil sans ressorts, entouré de ses deux épouses, Misia et Roussy, étendues à ses pieds », lit-on dans *Venises* [1] — que Misia était partie en croisière. A l'escale de Venise elle partit à la recherche de Diaghilev. Gabrielle l'accompagnait. Venise, dans sa vie, s'identifiait à une redite : toujours des déconvenues amoureuses et toujours Misia à l'origine d'une recontre avec Diaghilev.

Un télégramme avait alerté Misia. Diaghilev était au Lido, malade et mal soigné. Il s'agissait de la soudaine aggravation d'un mal qui inquiétait ses familiers depuis des mois. A Paris, son médecin avait été formel : Diaghilev était diabétique au dernier degré. Alors, fuyant une vérité qui l'accablait, Diaghilev était allé en vacances en Allemagne, puis en Autriche où il avait pu, librement, enfreindre les interdits. Aussitôt de retour à Venise, commença une crise. Cela tenait et de la fièvre cérébrale et du typhus. Ce n'était ni

1. Paul Morand, *Venises*, Gallimard, 1971.

l'un ni l'autre. Mais le médecin local, un Diafoirus de palace, qui se refusait à confirmer le diagnostic de son collègue français, s'égarait dans « les suppositions les plus vagues [1] ». Rhumatismes, typhus, grippe, septicémie, il hésitait.

Diaghilev reçut Misia et Gabrielle, le 17 août 1929, dans sa chambre à l'hôtel des Bains. Il était toujours alité mais sa fièvre était tombée. Ultime accalmie. Il se montra enjoué, charmeur, et fit des projets de voyage. Il fallait que leur prochain rendez-vous fût à Palerme. Et les Ballets ? Il n'avait pas envie d'en parler. Brusquement, l'amour de la musique s'était substitué à l'amour de la danse. Un amour unique, exclusif.

Misia le quitta, convaincue qu'il était perdu.

Le *Flying Cloud* reprit la mer n'emportant que deux passagers aux prises avec un ressentiment fade : Gabrielle, que diminuaient à ses propres yeux les infidélités de son amant, et Bend'or qui, bien qu'ayant des projets de mariage en tête, aussitôt qu'il sentait Gabrielle sur le point de le quitter, retrouvait des forces pour la retenir.

Misia était restée à Venise.

Le soir, à l'hôtel des Bains, Diaghilev parlait de la joie qu'il avait éprouvée à revoir ses amies. Il les décrivait, il répétait : « Elles étaient si jeunes, tout en blanc ! Elles étaient si blanches [2] ! » Et sa joie semblait tenir dans ce mot, dans cette blancheur qui débordait d'elles, la vie.

Dans la nuit du 18 au 19 août, Misia, appelée par téléphone, accourait au Lido. Diaghilev était à l'agonie.

Il n'entendit pas les chuchotements de ceux qui le veillaient. Il n'interpréta pas le claquement sec de la

1. Boris Kochno, *Diaghilev et les Ballets russes*, Fayard.
2. *Ibid.*

valise que l'infirmière refermait en s'en allant. La femme disait qu'il en aurait juste pour la nuit. Il ne l'entendit pas. Il ne sut rien de ce qui se passait dans sa chambre. Ni dans Venise. A qui disait-il : « Pardon... » ? Le prêtre, appelé par Misia, n'était pas arrivé. Au-dehors, la lagune et l'eau se confondaient dans une même grisaille. Il ne vit pas la lumière lente monter. Il mourut aux premières heures du jour.

Ceux qui assistèrent à sa fin notèrent qu'à l'instant où sa respiration s'arrêta, il eut un point brillant au coin de ses paupières et une larme en déborda. Comme un trop-plein d'images, de sons, de ciels, d'hommes, d'amours, de mirages, d'univers inventés qui s'échappaient. Dernier signe que donnait le regard du rêveur, avant que l'ombre inflexible ne l'obscurcît.

Or, comme à l'ordinaire, la caisse des Ballets était vide. Misia utilisa les liquidités dont elle disposait. Il fallait régler les dépenses de première urgence, la note de l'hôtel, l'infirmière, le médecin, il fallait... Mais à son tour elle manqua d'argent. Elle alla chez un bijoutier de qui elle était connue, afin de mettre en gage un bijou de grand prix : sa chaîne à triple rang. Il le fallait. Sinon comment donner à Diaghilev des funérailles décentes ?

C'est en chemin qu'elle rencontra Gabrielle. Celle-ci débarquait à peine. Un pressentiment. Elle avait imploré Bend'or. Il avait accepté de rebrousser chemin.

La visite au bijoutier se révéla inutile et les diamants restèrent au cou de Misia. Gabrielle se chargea de l'enterrement. C'était pour quand ? Le soir même, à la nuit. Pourquoi cette heure incongrue ? A cause de la clientèle. Il ne fallait pas... Mais un orage éclata. Et la gondole ne put aller chercher le corps de Diaghilev au Lido. Tout fut remis au lendemain de très bonne heure. Il ne fallait pas que les baigneurs, les clients... C'était la pleine saison.

A l'heure de la grisaille, trois gondoles s'éloignèrent

de l'hôtel. Dans l'une le cercueil : « Ce lit de parade flottant qu'est un convoi vénitien emportait vers l'îlot funèbre de San Michele la dépouille du magicien [1]. » Suivaient quatre amis en vêtements d'été : Kochno et Lifar, Misia et Gabrielle de blanc vêtues. Il n'y eut qu'eux au cimetière. « Malgré la rareté des arbres à Venise, l'orage avait jonché le chemin de branches vertes [2] », lit-on sous la plume d'un contemporain. Et ce ne fut pas la seule étrangeté qui marqua cette cérémonie. Si l'on en croit les confidences de Gabrielle, Lifar et Kochno, à peine les gondoles amarrées, voulurent aller jusqu'à la tombe en se traînant à genoux. Elle les fit lever en les rabrouant vertement : « Arrêtez cette pitrerie, je vous prie. » Si l'on en croit Morand : « Lifar se précipita dans la fosse. » Et de conclure : « Comme écrivait Byron à Murray, de Venise le 25 novembre 1816 : *L'amour dans cette partie du monde n'est pas une sinécure*[3]. »

*

On ne vit point le duc de Westminster à *La Pausa* en cette fin d'été. Gabrielle y séjourna en compagnie de quelques artistes, et de celle que les journalistes bien informés appelaient déjà « sa chère amie Misia [4] ».

A Londres, le duc de Westminster donnait des signes de mauvaise humeur. A moins que ce ne fût de jalousie. On aurait tort de s'en étonner. De retour à Paris, Gabrielle avait rapidement retrouvé ses habitudes et son cercle d'amis. C'est à propos d'elle que Bend'or, qui bien qu'infidèle s'arrachait difficilement

1. *Venises*, Paul Morand.
2. *Diaghilev et les Ballets russes*, Michel Larionov, Bibliothèque des Arts.
3. *Venises*, Paul Morand.
4. Bettina Ballard.

à son emprise, disait dans un français approximatif et que son accent britannique rendait comique : « Coco est folle ! La voilà en ménage avec un *kiouré...* »

Sa décision à lui était prise : il allait se marier. Mais sans aller jusqu'à imaginer Gabrielle abîmée dans le chagrin il aurait voulu être regretté. Or, assez machiavélique, Gabrielle se comportait comme si cette rupture l'eût délivrée et le « curé » auquel le duc de Westminster l'associait n'était autre que Pierre Reverdy.

Alors un nouveau type de relations s'instaura entre elle et Bend'or. Bien sûr, ça n'allait pas sans quelques difficultés. Gabrielle, en particulier, se serait passée volontiers des visites que le duc de Westminster tenait à lui faire chaque fois qu'il passait par Paris. Sur cette partie perdue elle aurait préféré couper court. Mais d'une certaine façon la bonhomie de Bend'or l'aidait à « sauver la face ». Elle avait à se garder d'une société qui guettait sa chute. Toujours à l'affût des ruptures, des brouilles, cette maudite société dont elle dépendait. Qu'y faire ? En sorte que Gabrielle imposa silence aux rêves envolés comme à ses rancunes et s'organisa dans cette attitude de fausse amitié qui n'était en vérité qu'orgueilleuse crispation.

Le 29 avril 1930, à Paris, Adrienne se mariait enfin. La disparition de son père laissait à l'« adoré » liberté d'épouser celle qui attendait de porter son nom depuis plus de trente ans. « Mademoiselle Gabrielle Chanel, couturière, domiciliée 29, rue du Faubourg-Saint-Honoré » servait de témoin à la mariée.

Et l'on apprit les fiançailles du duc de Westminster.

Il allait épouser l'Honorable Loelia Mary Ponsonby, fille du premier baron Sisonby. Or voici — on a peine à le croire — que le premier souci du futur époux, avec l'inconsciente cruauté de ceux qu'enferme dans une sorte de pouvoir absolu une fortune sans limite, fut d'aller présenter sa fiancée à Gabrielle. Il poussa la magnanimité jusqu'à lui demander si la jeune femme lui paraissait bien choisie.

V

LA REPRISE ILLUSOIRE

RAVAUDER, recoudre, renouer... Cette fois, l'on dirait qu'influencée par son métier Gabrielle jugeait des choses du cœur en termes de couture. Reprendre Reverdy ? La voilà repartie à rêver. Ignorait-elle que l'amour ne se laisse point rafistoler ?

Il est probable qu'elle eut, pour l'attirer, recours à un prétexte des plus curieux : une offre de collaboration. Mais on ne peut l'affirmer, faute d'être en mesure d'établir avec certitude qu'il y eut concomitance absolue entre cette offre et le retour de Reverdy au Faubourg. A quelle date l'offre fut-elle faite ? Avant la *reprise* ou immédiatement après ? Fut-elle prétexte ou conséquence ? Nous ne le saurons jamais. De leurs échanges épistolaires, seules quelques réponses de Reverdy ont été conservées, sur lesquelles aucune date ne figure. Quoi qu'il en soit, cette correspondance [1] suffit à prouver que l'offre fut faite, et cela sans nul doute, autour des années 30, époque où Reverdy « entreprenait d'écrire les notes [2] » qui allaient former *Le Livre de mon bord*.

Que voulait-elle ? Qu'ils écrivent ensemble. Il ne s'agissait que d'aphorismes qu'elle destinait à divers magazines. Mais elle jugeait que rien de ce qu'elle

1. Collection de M. Hervé Mille.
2. « A la rencontre de Pierre Reverdy. » Catalogue de la Fondation Maeght, P. 186.

avait écrit n'était publiable si Reverdy n'y apportait ses corrections. En fait, il s'agissait surtout d'ajouter aux quelques pensées existantes, peu nombreuses et n'ayant trait qu'à son métier, d'autres réflexions d'un ordre plus général, traitant de l'amour, de la séduction. Il était clair qu'elle avait besoin d'aide. Qui pouvait mieux que Reverdy s'acquitter de cette tâche ? Après la publication, en 1927, d'un volume de notes [1], on ne pouvait plus en douter : tout Reverdy était là, dans ce contact avec la réalité d'une concision presque insoutenable.

Elle devait exercer sur lui un pouvoir de fait, sinon eût-il accepté pareille proposition ? Or il s'y prêta de bon cœur. Se piquant au jeu, il fouilla ses réserves — « ...ce sont là les dernières, celles qui étaient dans un sous-main » — lui soumit une partie de sa récolte — « ...ce ne sont que les plus légères des boutades. Les autres, celles que je ne voudrais même pas voir publiées de mon vivant, ne valent que par l'ensemble » — et mit toute sa délicatesse, lorsqu'elle lui adressait un texte, de ne parler que d'*interpréter* sa pensée plutôt que de la *corriger*. Enfin il faisait dans chacune de ses lettres une éblouissante analyse des techniques de la création.

« Bien sûr, chère Coco, ce que je dis de mes notes, c'est de l'ensemble que je le dis et seulement par rapport à moi-même... D'ailleurs comme elles sont le résidu de mon activité intérieure je ne sais quand elles cesseront de s'accumuler... Je n'en ai extrait que quelques-unes du vieux manuscrit, celles qui ont une ligne. J'en écris même quand je suis soûl. J'en brûle des tas.

« Voilà comment j'ai interprété la vôtre : *Comment oserions-nous confier le poids d'une justification à*

1. *Gant de crin*, collection « Le Roseau d'or », Plon.

une oreille qui ne peut même pas attendre d'écouter une réponse[1] ?

« En voici une que je trouve en ouvrant, par hasard et au hasard, La Bruyère et qui s'applique si bien à certaines amitiés, injustifiables par ailleurs, que j'ai eues moi-même. C'est l'histoire de mes ivrognes. Curieux n'est-ce pas ?... « *Rien ne ressemble mieux à une vive amitié que ces liaisons que l'intérêt de notre amour nous fait cultiver...* »

« Mais il faut avoir du culot d'écrire dans ce genre quand on a lu ces types-là. Faites-vous acheter *Les Caractères* de La Bruyère; vous avez dans votre bibliothèque les *Maximes* de La Rochefoucauld et celles de Chamfort. Prenez-les. De temps en temps quelques-unes le soir. C'est aussi bon que les calgalettes[2], dans un autre genre.

« ... Le secret et l'écueil de ce genre d'expression c'est qu'il exige la concision, le poids et la profondeur, la justesse et la légèreté... On est battu si on lâche la pensée en faveur de l'expression, on l'est encore si on rate l'expression en faveur de la pensée.

« Et pour finir, tout de même, ce soir, celle-ci : *La pensée c'est le plus noble et le plus sûr chemin du cœur.* »

Cinq ans s'étaient écoulés depuis sa rupture avec Paris et Reverdy habitait toujours Solesmes. Mais le bonheur du début, la paix qu'il avait trouvée à vivre de la vie des moines — lever à l'aube, messe à sept heures, matinée à travailler, retour à l'abbaye pour la grand-messe, enfin vêpres et complies « Et aucune distraction de Dieu, écrivait-il... Et cela durera autant qu'il voudra dans le soleil, sous le ciel gris[3] » —

1. Etait-ce, mise sous forme d'aphorismes, une phrase d'une lettre que lui avait adressée Gabrielle et avait-elle tenté de *justifier* sa liaison avec Westminster ?

2. Quelle signification donner à ce mot ? Sans doute un mot inventé dont Gabrielle et lui étaient seuls à connaître le sens.

3. Lettre à Stanislas Fumet, *Mercure de France* n° 1181.

tout cela était fini. Reverdy se trouvait confronté avec un dilemme cruel : avouer qu'il avait perdu la Foi et quitter Solesmes, ce qui équivalait à se *résigner*, notion inadmissible — « C'était admettre l'échec de l'homme par l'échec de l'œuvre et vice versa [1] » — ou ne pas céder et demeurer à Solesmes.

C'est à cette ultime solution qu'il s'était rangé. La conséquence étant qu'il écrivait de moins en moins, publiait moins encore — « Sa bibliographie nous le rappelle dont les titres et les dates rapprochées entre 1915 et 1930 laissent apparaître brusquement un long vide entre 1930 et 1937 [2] » — et qu'il quittait fréquemment sa retraite pour des séjours à Paris, de plus en plus longs.

Ses évasions, loin de l'apaiser, le laissaient sous l'impression d'un double échec. A Solesmes, Dieu l'avait quitté mais il demeurait enchaîné à l'idée qu'il s'en était faite et pour toujours *sous le coup* de l'illumination ressentie six ans plus tôt. A Paris, le culte des faux-semblants, le consentement donné aux mystifications de toutes sortes, l'accablait. Du coup, il se sentait exclu et contraint de quitter Paris comme, quelques jours auparavant, il avait été contraint de fuir le désert de Solesmes.

En 1931, ayant brusquement pris parti pour l'échec, Reverdy décida de se traiter par l'excès. *Il m'apparut comme un homme en rupture avec quelque chose*, constate un ami de ces années-là [3]. Le ciel était vide, soit. Il ne lui restait qu'à se laisser emporter. D'autant que Gabrielle se dépensait sans compter. Elle essayait d'éveiller en lui une foi bien différente : foi dans son talent, dans son avenir, dans le plaisir. Chez

1. Jean-Paul Sartre, *L'Idiot de la famille*, t. III.
2. René Bertelé, « Un poète en vacances », *Mercure de France* n° 1181.
3. *Ibid.*

cette ambitieuse, le désir de *reprendre* est accru par la certitude qu'elle est confrontée avec son antithèse absolue. Vaincre son contraire ? Il y avait là une gageure à sa mesure. Un jour, nous le verrons, plus tard dans sa vie, Gabrielle se laissera à nouveau enflammer à l'idée de gagner là où d'autres avaient échoué. Alors elle s'engagera délibérément dans une tout autre sorte d'aventure et la plus folle que l'on puisse concevoir.

On revit donc Reverdy en compagnie de Gabrielle. Lequel était davantage prisonnier ? Reverdy de ses tergiversations ou Gabrielle des hauts et des bas de son poète ? Un jour il souhaitait un logement indépendant et elle l'encourageait à accepter un atelier, trouvé à grand mal et loué pour lui dans le quartier de la Madeleine. C'était Vera, qui s'était chargée des recherches. Elle, qui avait tout acheté, les meubles, les draps. Mais à la seule idée de se fixer à Paris, Reverdy était pris de phobie et retournait à Solesmes, où il restait enfermé quelques semaines. De là, il écrivait à Gabrielle une de ces lettres dont il avait le secret, un message qui se voulait apaisant mais où transparaissait le pire désarroi. Il s'arrangeait néanmoins pour que, de quelque nature qu'elle fût, cette lettre contînt les apaisements que Gabrielle était en droit d'attendre : « Aussitôt à Paris, je volerai vous embrasser, ce que je fais ici, déjà, mille fois en pensée [1]. » Ou bien : « Je n'avais certes pas quitté Paris sans idée de retour mais je ne pensais pas y revenir de sitôt — votre appel coupe mon plan, mais il ne fera que l'interrompre. Je ne résiste pas à la joie de vous voir [1]... »

Et on le revoyait en effet.

Il s'installait à la terrasse du *Dôme, apparemment fort détendu, ouvert, cordial, disert, un rien cynique,*

1. Lettres inédites. Collection Hervé Mille.

parfois frivole[1]. Ses amis de la première heure, ceux du Bateau-Lavoir et de *Nord-Sud*, lui firent fête, les Braque, Max Jacob, les Laurens, Fernand Léger, les Derain, Brassaï, Cendrars, Cocteau, Tériade. Il se couchait tard, *voyant beaucoup de monde, « sortant », déjeunant et dînant beaucoup*[2]. Où rencontrait-on encore ce loup en rupture de solitude et à qui faisait-il allusion, dans sa lettre à Gabrielle, lorsqu'il parlait de « ses ivrognes » et de certaines « amitiés injustifiables » ? Reportons-nous au témoignage de ses contemporains : *Longues journées et soirées aux nombreux verres.* Et toujours de même source : *Il m'entraînait vers tels de ces bars ou de ces restaurants qu'il aimait, parfois chez des amis anglais ou américains. Il en fréquentait beaucoup à cette époque*[3]. (Et Gabrielle donc !) *Je le vois encore, certains soirs, dans son toujours impeccable complet croisé de flanelle grise, un verre de scotch à la main, la mèche impérieuse et l'œil brillant, parlant interminablement de tout et de rien*[4]. C'est l'époque où Derain, le rencontrant un matin, du côté de la Closerie-des-Lilas, et croyant que sa mauvaise mine était la conséquence d'une vie monastique, lui dit :

« Tu as maigri. Ils ne te font pas jeûner, au moins, tes curés ? »

Et Reverdy de rétorquer :

« Ce n'est pas le jeûne, c'est le jazz. »

Car il y avait encore ça : il y avait des boîtes. On l'avait vu avec Gabrielle au *Jimmy's et dans maint autre endroit, où le Montparnasse d'alors menait son étonnant ballet d'allées et venues avec les quatre coins du monde*[5].

1. René Bertelé, *op. cit.*
2. *Ibid.*
3. *Ibid.*
4. *Ibid.*
5. *Ibid.*

Il y avait enfin l'attrait des longues vacances.

En 31, les séjours que fit Reverdy à *La Pausa* se prolongèrent une partie de l'été. Ce fut l'époque où les dossiers de Gabrielle s'enrichirent de nouvelles *pensées* qui, à quelques années de là, parurent sous sa signature. Une mise en rapport de ces textes avec quelques-unes des notes de Reverdy, choisies aussi bien dans *Gant de crin* que dans *Le Livre de mon bord*, serait à tenter. On constaterait alors de troublantes analogies. Que penser d'une pareille identité dans le choix des thèmes; bienfaits du hasard, méfiance à l'égard du *goût*, horreur du *décoratif*, répugnance à l'égard de la négligence, craintes devant *la retouche qui, si elle n'est pas merveilleuse, risque de tout abîmer* [1] ? Et il faudrait ajouter un goût de la boutade, du mot à l'emporte-pièce, ainsi qu'une indéniable identité dans le choix des mots. Mais l'évidence rend la démonstration inutile. Et il suffit de citer, parmi les pensées de Chanel, celles qui rendent le son le plus résolument reverdyen pour se convaincre que l'auteur c'était lui, bien plus souvent qu'elle. A la lecture peut-on hésiter ?

« Il y a un moment où l'on ne peut plus toucher à une œuvre : c'est lorsqu'elle est au pire. »

« Le bon goût ruine certaines valeurs réelles de l'esprit, le goût tout simple par exemple. »

« Le dégoût c'est souvent l'arrière-garde du plaisir et souvent l'avant-garde. »

« On peut en être réduit à tromper par un excès de délicatesse dans l'amour. »

« Si vous êtes né sans ailes, ne faites rien pour les empêcher de pousser. »

« Pour une femme, trahir n'a qu'un sens : précisément celui des sens. »

1. *Gant de crin*, 1927, Librairie Plon, Collection « Le Roseau d'or ».

« C'est le propre d'un esprit faible que de se vanter d'avantages que le hasard peut seul nous donner. »

Averties des ambitions littéraires de Chanel, des publications féminines se hâtèrent de prendre connaissance de ses écrits. La déception fut grande. On s'attendait à de la mode. Un magazine américain délégua auprès d'elle sa représentante la plus qualifiée [1]. Il s'agissait de lui arracher « quelque-chose-d'un-peu-plus-couture ».

« Foutez-moi la paix avec vos idées. La parure n'est jamais qu'un reflet du cœur », rétorqua Gabrielle.

Et comme l'autre insistait, elle ajouta :

« Vous m'em... avec votre mode. »

Un an avant la guerre, la déception ayant fait place à la résignation, la presse féminine se décida à publier des pensées signées Chanel, si « intellectuelles » fussent-elles. Un avant-propos élogieux préparait un public de femmes aux nouveaux exploits de la prestigieuse couturière qui, décidément, « ne ressemblait à personne ».

*

Fin 31, la tentative de récidive avait définitivement échoué et, dans la vie de Gabrielle, la place de l'amant était de nouveau vide. Le rafistolage n'avait tenu qu'un an. Reverdy était laissé à ses tourments, c'était son lot. Ce ne pouvait être celui de Gabrielle qui, lassée par cette répétition sans espoir, renonçait une fois pour toutes. Le malheur s'attrape, elle le savait. Elle s'écarta autant par goût de la vie que par crainte, face à la contagion.

Reste à savoir après combien d'éclats, d'orages, de

1. Marie-Louise Bousquet. Représentante à Paris du *Harper's Bazaar*. Veuve de Jacques Bousquet qui fut le collaborateur de Rip, elle tint un salon animé en son appartement de la place du Palais-Bourbon.

discussions violentes, de réconciliations entrecoupées de brouilles absurdes, cessa cette lutte sans merci. Difficile à préciser. Mais on ne peut douter que bien des paroles folles furent échangées. A quel moment précis de leur désengouement lui adressa-t-il la lettre suivante ?

« Je m'en voudrais de tarder ne fût-ce qu'une seconde à répondre à votre petit mot — que je finis de lire. Rien ne pouvait me procurer un plus sensible émoi. Vous savez bien que quoi qu'il advienne, et Dieu sait s'il en est déjà advenu, vous ne pouvez faire que vous ne me soyez toujours infiniment chère. Aimer quelqu'un, c'est le connaître d'une certaine manière sous un jour et jusqu'à un point que rien ne peut atteindre ni désagréger. Une façon de voir son être comme il ne le voit ni ne le connaît lui-même. En tout cas s'il était en mon pouvoir d'être méchant ce n'est pas contre vous qu'il me prendrait envie de le montrer. Simplement je crois qu'il était infiniment plus sage, étant donné nos deux caractères, de ne plus nous voir, c'est-à-dire nous opposer à un moment où la *violence* emportait tout [1]. »

Un fait est certain. Venant d'un autre que lui, les allées et venues de Reverdy entre le Paris-futile de Gabrielle et la paix de Solesmes pourraient à la longue évoquer les péripéties d'une assez mauvaise comédie. Or, c'était bien d'un calvaire qu'il s'agissait; les péripéties n'en étant que les inévitables stations. La lettre qui suit — où l'on peut lire le mot *guerre* — permet d'établir rigoureusement l'époque où Reverdy réintégra définitivement sa prison :

« J'ai dû faire un long retour sur moi-même, écrivait-il, une lente et profonde retraite. Bref, j'ai beaucoup réfléchi et, tout bien retourné et pesé, j'ai

1. Lettre inédite, collection Hervé Mille.

conclu qu'il me fallait de nouveau vivre ici, comme avant, dans la solitude. D'abord à cause de mon état nerveux et mental qui exige que je me traite moi-même comme un malade — que je suis — ce dont les autres n'ont pas à tenir compte et que je ne peux pas leur demander de comprendre. Ensuite, parce qu'il est temps que je change de genre de vie auquel je me suis lâchement livré depuis *quelque dix ans*, si je ne veux pas arriver au mépris complet de moi-même. A présent qu'elle n'a plus l'excuse de *tendres liens* et de *sentiments profonds*, cette existence n'est plus supportable. J'ai trop longtemps laissé le pas en moi à cette partie qui ne demandait qu'à courir après le plaisir, dans le plus entier mépris du reste. C'était courir après le vent — on s'essouffle et n'en garde qu'une très pénible amertume. Je suis trop lourd, trop sérieux, naturellement enclin à fouiller les racines les plus profondes des choses pour pouvoir, sans retomber ensuite beaucoup plus lourdement, me laisser porter au gré des courants d'air, comme une plume. La frivolité des autres et leur agitation, si rafraîchissantes qu'elles soient, sont impuissantes ensuite à calmer l'ardeur des meurtrissures.

« Je voudrais avoir la foi que j'ai eue et entrer au couvent. Encore qu'il y ait, là aussi, une mécanique beaucoup trop rébarbative. Mais il n'en est pas question. Il faudra rester moine, seul, laïque et sans foi. C'est encore plus sec et encore plus héroïque.

« Plus modestement, il s'agit de garder ce minimum d'équilibre et de maîtrise de soi que je ne trouve qu'à l'écart, dans une vie d'une simplicité presque ascétique, en me créant quelques saines et reposantes habitudes. Enfin cette guerre m'a remis dans une situation financière périlleuse et je dois, de toute nécessité, cesser mes folies si je ne veux pas perdre, en plus de tout le reste, le peu de liberté relative que pourront peut-être me conserver les quelques sous qui me restent. Je vous embrasse. P[1]. »

Faut-il le donner pour entièrement sincère ? Ou bien, par le biais de cette lettre, Reverdy ne faisait-il qu'esquisser le personnage du solitaire sous les traits duquel il avait décidé de se peindre[2] dans l'ouvrage qu'il avait en chantier ? De fait, lorsqu'on abordait ce sujet avec Gabrielle, elle qui toujours, s'interdisait la moindre réserve à son sujet, laissait poindre un certain amusement :

« Lorsque, dans ses lettres, il se tenait pour très malheureux, disait-elle, alors je comprenais qu'il s'était à nouveau jeté dans l'écriture. C'était une façon de m'annoncer : « Je suis sauvé. »

Cela dit, à l'époque de sa deuxième rupture avec Gabrielle, le malheur qu'il s'était choisi était trop neuf pour qu'il en fût pleinement envoûté. Et l'on retrouve, à l'occasion d'une conversation avec Stanislas Fumet, l'écorché de 1931 cherchant encore à nier la foi perdue et son désarroi :

« Je vous assure que je suis très, très, heureux », lui affirmait-il.

Et ces mots à peine prononcés, Reverdy éclata en sanglots.

La scène se passait en 1937, rue Saint-André-des-Arts. Six ans s'étaient donc écoulés depuis que, pour la deuxième fois, il avait fui Gabrielle et la tentation de vivre à Paris.

*

L'été 32, Reverdy ne vint pas à *La Pausa*. Ce fut Misia qui occupa, dans l'aile droite de la villa, l'apparte-

1. Lettre inédite, collection Hervé Mille.
2. « Je suis sur le seuil de l'oubli comme le voyageur nocturne », lit-on dans *Le Livre de mon bord*.

ment tout à côté de celui de Gabrielle. Misia, toujours elle, Misia présente lorsqu'il le fallait, animant les creux, peuplant les blancs de la vie sentimentale de Gabrielle, Misia et les artistes qui la suivaient où qu'elle allât, Misia et son piano... Peu d'Anglais à l'exception de Vera. Du reste Vera n'était-elle pas désormais Italienne par mariage ? Donc point d'Anglais. Plus de lords. Une page était tournée. Et plus de poètes. Cet été-là, il y eut, chez Gabrielle, musique tous les soirs.

Lorsqu'une invitation arrivait, Misia et Gabrielle s'y rendaient ensemble. Les gazettes signalaient leur présence à Monte-Carlo, en compagnie du cercle retrouvé de Misia : Philippe Berthelot, Etienne de Beaumont, etc. On louait l'élégance des deux amies. Misia, en Chanel, « robe de georgette vert eau et boa de plumes de même ton ».

En fait, depuis la rupture avec le duc de Westminster, Misia avait toujours été là. C'est ainsi qu'elle avait assisté à un événement mémorable : la rencontre, à Monte-Carlo, de Gabrielle avec Samuel Goldwyn.

Le grand-duc Dimitri avait servi d'intermédiaire. L'amant des années 20 retrouvait au sommet de sa gloire celle qui l'avait aidé dans l'épreuve et, à son tour, lui apportait son concours. Le descendant des Romanov lui présentait le tsar de Hollywood.

Et voilà que le destin de Gabrielle comporte, une nouvelle fois, l'un de ces moments singuliers, de ceux qui ne figurent dans aucun livre, l'Histoire ne retenant que ce qui met en branle de grandes masses humaines, pestes, guerres, invasions, villes incendiées, mais prêtant peu d'attention aux rencontres imprévisibles entre les êtres. Comme si l'Histoire n'était pas *aussi* la patiente addition d'images d'époque, chacune contenant sa modeste part de vérité, chacune donnant à voir quelque chose, parfois à peine plus qu'une poussière, de ce que fut ce temps-là ! C'est *cela* aussi l'Histoire après tout.

Ainsi dans les bouleversements que subissait l'Amérique des années 30, dans la crise économique s'aggravant de mois en mois et préparant, sans que l'on s'en doutât, l'accession au pouvoir de Franklin D. Roosevelt, en cet instant précaire de l'histoire américaine, un fils d'émigré polonais, devenu citoyen loyal du continent qui l'avait laissé libre de se forger un destin à sa mesure, Samuel ex-Goldfish, devenu Goldwyn en même temps que pionnier du cinéma américain, discutait pied à pied avec Gabrielle dans le but de la convaincre de se rendre en personne à Hollywood.

Mais cette discussion, qu'était-elle sinon un affrontement entre fils et fille de camelots, ayant l'un autant que l'autre l'expérience des jacasseries du métier ? Sur les trottoirs de sa patrie d'emprunt, le fils Goldfish s'était sorti d'affaire en vendant des gants. Il avait été commis voyageur. Aux jours sombres de son enfance, la fille Chanel avait aidé sa mère à dresser l'éventaire familial dans le tohu-bohu des champs de foire. Et qui donc servait de témoin à cet entretien sinon l'un des derniers survivants du régime tsariste ? Constatation qui conduit à se demander s'il y aurait eu des Goldfish aux Etats-Unis sans des tsars sur le trône de toutes les Russies, des tsars pour leur faire endurer, siècle après siècle, les pires misères, et plus particulièrement aux ancêtres du petit Samuel qui ne connurent en Pologne russe qu'une suite ininterrompue de pogroms. Que l'on me croie si je dis que c'est de l'Histoire que d'avoir été un garçon sachant de longue main ce que signifiait le galop des cosaques dans un ghetto polonais, et de marcher, marcher pour les fuir, puis d'avoir faim, d'une faim d'émigré de treize ans, sur les quais de New York en 1890; et qu'il est fort probable que l'insistance de Samuel Goldwyn auprès de Gabrielle eût été d'une tout autre nature s'il n'avait gardé au fond de lui-même le souvenir de cette faim-là.

Se pourrait-il qu'il y ait eu à l'origine de sa démarche comme une sombre prescience ? En mars 1932, quatorze millions d'Américains étaient sans emploi. La misère, il fallait, comme Sam Goldwyn, en avoir connu le poids pour savoir qu'à l'instant où elle prend à la gorge, entre un morceau de pain et un billet pour aller au spectacle, c'est le pain que l'on choisit. Sam Goldwyn avait d'emblée compris qu'apporter à ses usines à rêve un supplément de sophistication l'aiderait à surmonter, en partie, les difficultés qui s'annonçaient. Ce n'était pas le moment d'afficher de grands noms et d'acheter du prestige. Ainsi, faute de pouvoir attirer de plus grandes masses populaires s'assurerait-on, en milieu urbain, la clientèle accrue des riches. Donner aux femmes une double raison d'aller au cinéma ? C'était cela tout son plan. Elles iraient : « *Primo*, pour voir ses films et ses stars, *secundo*, pour voir le dernier cri de la mode[1]. » Il lui fallait Chanel.

Le contrat garantissait à Gabrielle une somme fabuleuse : un million de dollars. Sam Goldwyn ne prétendait à rien de moins que la faire aller deux fois l'an à Hollywood. La décision du célèbre producteur était sans appel : dorénavant ses vedettes seraient exclusivement habillées par Gabrielle, à la scène comme à la ville. Et c'était cela la grande nouveauté : il ne s'agissait pas seulement « d'habiller » des films mais bien d'entreprendre une réforme du goût vestimentaire des grandes dames de l'écran. Face à l'oukase, comment allaient-elles réagir ? A Hollywood se manifestèrent deux courants d'opinions. Celui des rédactrices de

1. Interview de Sam Goldwyn signée Laura Mount dans le *Collier's*, avril 1931, cité dans *Les Années Chanel*, Gallimard.

mode qui se disaient optimistes : « Les stars accepteront parce que c'est Chanel »; et puis celui des échotiers qui, sachant à qui Gabrielle aurait affaire, manifestaient des doutes : « Chanel, rien que Chanel ? » Dans les studios passe encore. Mais dans la vie de chaque jour ? Les stars n'avaient-elles pas chacune leur goût, leur caractère et même leur mauvais caractère et leur mauvais goût ?

Goldwyn resta ferme sur ses positions : il lui fallait Chanel.

Il s'étonna néanmoins. Quand il avait obtenu, il y avait de cela sept ans, la collaboration d'Erté [1], ce dernier s'était montré enthousiaste et n'avait fait aucune difficulté pour s'installer à Hollywood pendant plus d'un an. Or, la proposition qu'il faisait à Gabrielle était autrement flatteuse. Comment se faisait-il qu'elle fût si peu tentée ? Etre celle qui allait habiller des créatures qui engendraient le rêve, le désir, c'était autrement brillant que ce que l'on avait proposé à Erté ! Disposer, à des fins personnelles, de tous les écrans du monde ? Faire du corps de Mary Pickford ou de Gloria Swanson des « silhouettes Chanel », était-ce tout l'effet que cela lui faisait ? Jamais pareille proposition n'avait été faite à une Française. A la fin allait-elle accepter ? Après maintes hésitations Chanel céda. Elle irait à Hollywood.

Mais de ce prestigieux voyage — dont une autre qu'elle aurait tiré vanité — Gabrielle ne soufflait mot.

1. Erté (Romain de Tirtoff), peintre russe, né à Saint-Pétersbourg en 1892, établi à Paris en 1912, élève de l'académie Jullian, puis dessinateur chez Poiret où il fit des costumes de théâtre et habilla Mata Hari, en 1913. De 1919, où il fit les costumes de Mistinguett pour les spectacles du Bataclan, à 1970 où il habilla Zizi Jeammaire pour le spectacle du Casino de Paris, Erté n'a cessé de produire à Paris, à New York, à Londres, costumes et décors des plus célèbres revues à grand spectacle. Il a été aussi le dessinateur attitré de la revue américaine *Harper's Bazaar* à laquelle il fut lié par des contrats d'exclusivité renouvelés de dix ans en dix ans.

L'étonnant, dans cette bavarde, étant qu'elle ne *se* racontait jamais.

Il n'y avait pourtant rien à cacher, rien qui ne pût la servir, la grandir. Alors pourquoi ce silence ? Se taire était devenu une seconde nature. Essentiels ou secondaires tous les épisodes de sa vie lui semblaient également dangereux à livrer. Tous étaient les maillons d'une même chaîne, tous des filons exploitables par qui aurait voulu dévoiler ce qu'elle s'acharnait à cacher : son âge, ses débuts misérables, ses premières amours.

Allez savoir... Mieux valait trop se taire que pas assez. Poussée, contrainte à livrer quelques souvenirs, elle s'en tirait par des boutades. Hollywood ? « C'était le Mont-Saint-Michel de la fesse et des seins. » Pourquoi n'en gardait-elle pas un souvenir plus vivant ? « C'était comme une soirée aux Folies-Bergère. Une fois qu'on a dit que les filles étaient belles et qu'il y avait de la plume, on a tout dit. » Mais enfin... « Il n'y a pas de mais enfin. Vous savez bien que tout ce qui est *super* se ressemble. Le supersex, les superproductions... Il fallait bien qu'un jour ou l'autre tout cela craque. La télévision a remis les choses à leur juste place. Et puis je n'aime que les films policiers. » Et l'atmosphère de Hollywood ? « Infantile... Misia en était plus importunée que moi. Moi j'en riais. Un jour nous avons été reçues chez un grand acteur qui, pour nous honorer, avait peint les arbres de son jardin en bleu. Je trouvais ça gentil mais *bébête...* » Et les stars ? « Oh ! ça. A ce voyage-là je n'en ai rencontré qu'une qui valût la peine du déplacement. » Qui ça ? « Eric von Stroheim. » Et pourquoi donc ? « Parce qu'avec lui au moins l'outrance avait une raison d'être. » Laquelle ? « Il assumait une vengeance personnelle. C'était un Prussien qui persécutait des sous-ordre juifs. Parce que Hollywood était essentiellement juif... Des juifs d'Europe centrale qui eux retrouvaient en la personne de Stroheim un cauchemar familier. Au moins ça c'était sans frime ! Tous ensemble ils vivaient une vieille histoire dont ils connaissaient à l'avance les rebondissements et à laquelle ils étaient, en définitive, assez attachés. »

Sa visite eut lieu en avril 1931. Misia l'accompagnait. Ensemble elles firent dans la cité du cinéma une entrée triomphale. Sam Goldwyn ne regarda point à la dépense. En dépit de la crise, Hollywood continuait d'être l'endroit le plus fou du monde. C'était encore la capitale de l'excès, celle des films à 3 000 figurants, des studios gigantesques, du pouvoir absolu des stars. Toutes sortes de vedettes se portèrent à la rencontre des visiteurs. Et de Garbo à Stroheim, de Marlène à Cukor, de Claudette Colbert à Frédéric March, chacun se considéra grandement honoré de pouvoir s'entretenir avec celle que l'on disait être « le plus grand cerveau que la mode ait connu ».

Lorsqu'elle rentra en France, Gabrielle avait fait plus que *voir* Hollywood. Elle s'y était rendue à des fins professionnelles, ne l'oublions pas. De même qu'elle avait appris — il y avait à peine sept ans de cela — ce qu'était un costume de ballet en travaillant pour Diaghilev, ce qu'était un costume de théâtre en travaillant pour Cocteau et Picasso, elle venait d'apprendre ce qu'étaient les impératifs du cinéma au contact des plus célèbres techniciens de l'époque. Elle avait vu tourner des films, elle avait rencontré les premiers spécialistes en matière de décors et de « fashion design », les Mitchell Leisen [1], les Adrian [2], les Cecil B. De Mille. Dorénavant elle les connaissait et était connue d'eux. Dans l'esprit de ses contemporains

1. (1898-1972). Il fut directeur artistique pour De Mille et à ce titre domina la scène de Hollywood pendant douze ans, signant la décoration de presque tous ses films jusqu'en 1933.
2. Dessinateur découvert et lancé par Leisen qui l'employa jusqu'en 1930 pour les costumes de la plupart de ses films.

elle avait acquis un prestige nouveau : elle avait fait « le voyage d'Amérique »; elle avait été « mise sous contrat »; sa créativité lui avait valu d'être de ces *valeurs* européennes auxquelles Hollywood avait fait appel. La demoiselle de Moulins, la gommeuse de Vichy, la modiste en chambre avait brûlé les étapes. Que de chemin parcouru ! Elle avait pris sur ses concurrents une avance considérable : celle que confère, en quelque métier que ce soit, une notoriété internationale. Enfin — et ceci était peut-être l'essentiel — elle venait de prendre conscience, à la meilleure source, de ce que signifiait le mot *photogénie*. Une notion qui allait entrer en ligne de compte, consciemment ou non, dans un grand nombre de ses créations.

Mais les choses en restèrent là et après le premier film [1] que Gabrielle habilla, les stars se rebiffèrent. Elles n'accepteraient pas qu'on leur impose, film après film, les créations du même cerveau, fût-ce celui de Chanel.

Gabrielle se tint quitte d'un deuxième voyage et Goldwyn en fut pour son argent. Mais pour ce qui était de la publicité, nul n'était perdant. Tous les quotidiens consacrèrent à *Tonight or never* de longs articles. Le *New York Herald Tribune* saluait « le talent indéniable de Miss Swanson et le merveilleux naturel qu'elle apportait dans un rôle de comédie légère ». Il notait aussi que son récent film paraissait mieux servir la jeune actrice que ses dernières créations qui ne lui avaient guère porté bonheur. *Variety* se félicitait de la voir renoncer aux rôles canailles qui décidément ne lui convenaient pas. Il ajoutait : « La voici dans une performance capitale. » Les mots « bon goût » et « bon sens » revenaient sous la plume de la plupart

1. *Ce soir ou jamais* avec Gloria Swanson, habillée par Chanel. Mise en scène de Mervin LeRoy. Une comédie légère où Swanson, dans un rôle de grande cantatrice, fut unanimement louée par les critiques. Film présenté en décembre 1931.

des critiques. Enfin, on lisait dans le *New Yorker* un commentaire plein d'humour sur le *pourquoi* de la rupture de Gabrielle avec Hollywood. C'était un commentaire en forme d'hommage : « Le film offre à Gloria l'occasion de mettre en valeur un grand nombre de somptueuses toilettes. Elles sont de Chanel, la célèbre Parisienne dont la récente visite à Hollywood a fait grand bruit. Mais il semblerait qu'elle ne soit pas prête à revenir de sitôt dans notre cité de lumière et de savoir. Car on lui a laissé entendre que ses créations manquaient de « sensationnel ». C'est qu'elle s'est attachée à ce qu'une dame se présente vraiment comme une dame. Elle ne pouvait pas s'attendre à ce que les gens de Hollywood lorsqu'ils mettent en scène *une* dame, s'attachent avant tout à ce qu'elle se présente comme s'il y en avait *deux.* » Le baratin des commères avait donc magiquement opéré, et personne ne put ignorer ce qu'avait été la brève alliance entre l'inventeur de Hollywood et la grande Chanel.

Ce que l'on savait moins était qu'à Paris, dans l'ombre des paravents de Coromandel, déjà se manifestait une influence sans laquelle Gabrielle n'aurait jamais accepté l'invitation de Samuel Goldwyn.

DE QUELQUES BALS
1933-1940

« Quand tes pieds ont dansé si fort dans les colères, Paris ! quand tu reçus tant de coups de couteau... »
ARTHUR RIMBAUD,
L'Orgie parisienne.

I

RENCONTRE AVEC LE DÉMON

« Mon chéri, il fait beau. Comment dire ? Il faudrait décrire ça en musique. Tant de fraîcheur, de chaleur, d'odeur qui pourrait les décrire... Une pleine lune sur la mer telle qu'on a envie de lui dire : « Si c'est pour moi, mettez-en un peu moins. » Le reste c'est la mer, le bain, les fleurs, la promenade solitaire et ton absence. Une explosion de lis roses : vingt-neuf tiges d'un côté, vingt de l'autre, en deux rangs ont fleuri à la fois. C'est magnifique. Contre le mur de briques ajourées, tu sais le mur auquel est appuyé le cagibi aux outils ? autre explosion de lis roses, mêlés à une cascade de plumbago bleu pâle et des ruisseaux de volubilis bleu vif. Et tu n'es pas là ! »

Colette, ses fleurs, ses bêtes, son jardin : c'est une lettre parmi toutes celles qu'elle adressa à Maurice Goudeket[1] au cours de l'été 1933. Immobile, le petit port méditerranéen vivait ses dernières années de célébrité vraie. On se le partageait entre connaisseurs. Pour le seul plaisir de communiquer un peu de son émerveillement à qui l'aimait. Colette faisait surgir tout ce que son Midi contenait encore de séductions : la mer paresseuse, les barques aux voiles repliées, *La Treille muscate* et les fleurs qui l'assaillaient. Mais ses

1. Colette épousa Maurice Goudeket en 1935.

lettres étaient aussi celles d'un observateur qui, par-delà la tendresse, l'humour ou la gaieté, entretenait avec l'espèce humaine des rapports d'œil d'une objectivité absolue. Démasquer l'implacable mécanisme de l'invasion ? Saint-Tropez, peu à peu rongé par « l'alerte bêtise parisienne » ? Saisir le vrai des êtres, en somme, c'est ce à quoi Colette épistolière excellait. Comme ici, dans la série d'instantanés à partir desquels elle met au jour acteurs et actrices de la comédie tropézienne à l'époque de ses premiers balbutiements.

Rien n'éclaire, autant que ce texte, l'inquiétant personnage qui brusquement se laisse entrevoir aux côtés de Gabrielle.

« Hier à la fin de l'après-midi, j'étais à la ville avec Moune[1] et Kessel[2] le temps de prendre à six heures et demie le courrier et d'aller au petit magasin[3] voir Jeanne Marnac[4] qui devait s'y faire les ongles. Comme j'achetais quelque chose chez Vachon deux

1. Hélène Jourdan-Morhange, violoniste, interprète de Ravel. L'auteur d'un ouvrage *Ravel et nous*, femme du peintre Luc-Albert Moreau et la plus intime amie de Colette.

2. Georges Kessel, frère de l'écrivain Joseph Kessel. Journaliste. Gabrielle Chanel, à la fin de sa vie, chercha à le convaincre d'écrire ses mémoires.

3. Là se vendaient les produits de beauté fabriqués par Colette.

4. Jeanne (à la scène Jane) Marnac eut le destin dont Chanel avait rêvé. Elève des sœurs, fit ses débuts en 1907, à la Gaîté-Rochechouart, commère de revue dans *Tu l'as l'cri-cri*. Etudia le chant avec Litvine, brilla dans l'opérette puis passa avec succès du chant à la comédie de boulevard. Devint Mrs. Trevor en épousant un honorable colonel britannique, en 1927. Elle tint l'affiche au Casino de Paris presque aussi souvent que Mistinguett, carrière qui l'amena tout naturellement à « prendre un théâtre » et à devenir directrice avisée. Parlant d'elle, la presse disait : « Un peu mannequin, un peu rue de la Paix et un peu poule de luxe. Et de l'esprit sur tout ça. » Il y a eu ainsi, dans l'entourage de Colette des Jane Marnac et des Spinelly... De ces femmes que Gabrielle redoutait comme la peste craignant toujours que leur commun passé de caf' conc' et de galanterie ne soit prétexte à révélations.

mains me ferment les yeux, un corps agréable pèse sur mon dos... C'était Misia toute caressante. Effusions, tendresses.

« Comment, tu es là ?

— Mais oui, je suis là, etc. »

Mais elle avait quelque chose d'urgent à me jeter dans l'oreille :

« Tu sais, elle l'épouse !

— Qui ?

— Iribe. *Ma chèrre, ma chèrre,* c'est une histoire inouïe : Coco aime pour la première fois de sa vie ! »

Commentaires, etc.

« Ah ! je te garantis qu'il connaît son métier, celui-là. »

Je n'avais pas le temps de demander quel métier.

« On te cherche, on est parti chez toi, on veut t'emmener dîner à Saint-Raphaël, à Cannes, à... »

Je décline, je retombe dans ses bras, je sors avec Moune et nous allons récupérer Kessel qui achetait n'importe quoi. Nous faisons trois pas, deux bras me ceignent, c'était Antoinette Bernstein [1] et sa fille. Effusions, etc.

« On vous cherche, on vous emmène dîner chez Robert de Rothschild à Valescure... etc. »

Elle savait déjà que je prenais la critique du *Journal* [2]. R'éffusions, baisers. Nous repartons Moune et

1. Epouse d'Henry Bernstein, l'auteur dramatique qui fut le voisin de Chanel à l'époque de *Bel Respiro.*

2. Comme Reverdy, Colette — qui, elle, notait avec précision le jour et l'heure où elle écrivait une lettre — ne la datait pas. Cependant cette phrase concernant sa collaboration au *Journal* — la première chronique théâtrale qu'elle y signa parut en octobre 1933 — a permis à Maurice Goudeket de fixer avec précision l'époque où Colette lui écrivait : c'était l'été de la même année. Et la précision de Colette écrivain permet de pousser plus loin : la lettre a été écrite entre le 1er et le 13 juillet 1933, époque et de la floraison des lis et de la pleine lune en ce juillet-là.

La lettre citée est inédite comme l'est l'ensemble de la correspondance de Colette avec Maurice Goudeket.

moi, nous faisons trois pas, deux bras de faucheux m'étreignent, c'étaient les Val[1] :

« Je viens de chez vous, je vous cherche, je vous emmène dîner à l'Escale avec... etc. »

Je décline — c'est le cas de le dire, à vue d'œil... Moune et moi nous faisons trois pas, deux mains très fines et froides se posent sur mes yeux : c'est Coco Chanel. Effusions... plus réservées :

« Je vous emmène dîner à l'Escale avec... etc.

Je décline de plus en plus et à quelques pas j'aperçois Iribe qui m'envoie des *bezers*. Puis il m'embrasse avant que j'aie pu accomplir les rites d'exorcisme, serre ma main tendrement entre sa joue et son épaule :

« Comme vous avez été méchante pour moi... Vous m'avez traité de démon !

— Et ça ne vous suffit pas ! que je lui dis. Mais il débordait de joie et de tendresse. Il a ensemble soixante ans et vingt printemps. Il est mince, ridé de blanc et rit sur ses dents toutes neuves. Il roucoule comme une colombe, ce qui est d'ailleurs curieux car tu trouveras dans de vieux textes que le démon prend la voix et la force de l'oiseau de Vénus... »

Pourquoi Colette redoutait-elle Iribe au point d'esquisser des gestes d'exorcisme à son approche ? Il est clair que le nouveau « fiancé » de Gabrielle lui inspirait la plus vive suspicion. Une sorte de défiance animale au regard de ce qui est frelaté ? On ne peut être Colette sans cet obscur instinct.

Iribe était le pseudonyme que s'était donné Paul Iribarnegaray à ses débuts dans le dessin satirique, autour des années 1900. Contemporain exact de Gabrielle, il était né en 1883 à Angoulême, de parents basques. Et, bien qu'un solide vernis mondain autant

1. Valentine Faucher-Magnan.

qu'un certain cosmopolitisme lui aient ôté toute marque de terroir, lui restait un accent indéfinissable, d'où les *bezers* que l'on trouve sous la plume de Colette, allusion au parler d'Iribe et à ce zézaiement que trente ans de parisianisme n'étaient pas parvenus à effacer.

Ses débuts ne sont pas sans rappeler ceux de Cocteau, comme lui subjugué par les gloires du jour et au plus haut point atteint de ce « mal rouge et or » qu'était la folie du théâtre. D'un certain théâtre toutefois, celui dont le Paris d'alors se gargarisait : le vaudeville. Mais les débuts d'Iribe furent plus ardus que ceux de Cocteau. Son père, journaliste, contrecarrait sa vocation. Paul ne rêvait que dessin. Il fut placé à seize ans typographe à l'imprimerie du *Temps*. Deux ans plus tard, il quittait son emploi et s'inscrivait au cours d'architecture des Beaux-Arts. Iribe n'avait que dix-sept ans à l'époque où *L'Assiette au beurre*[1] publia ses premiers dessins et vingt-trois ans lorsqu'il fonda son propre journal, *Le Témoin*[2]. Personne ne cernait *l'événement* d'un trait plus net que lui et peu importait que le fait qu'il relatait fût grave, futile, inexistant. C'était le trait qui le consacrait. *Le Témoin* publiait aussi les dessins d'un débutant qui, en ce domaine, égalait Iribe. Il signait Jim. Comment les deux dandys ne se seraient-ils pas rencontrés ? Jim n'était autre que Cocteau. Ensemble, ils usèrent, dans l'illustration, d'une acuité tranchante qui laissait pressentir les froides audaces esthétiques des années 25. On devine ce qu'ils s'apportèrent mutuellement. L'aîné, Iribe, avait de quoi éblouir Jim par ce que l'on sentait en lui de voracité. Il avait appétit de tout : d'argent, d'honneurs, de femmes. Tandis qu'aux yeux d'Iribe, Jim avait l'attrait d'un bourgeois aux solides

1. Célèbre hebdomadaire satirique des débuts du siècle.
2. Fondé en 1906, *Le Témoin* paraîtra pendant quatre ans.

assises qui « besognait comme par plaisir[1] ». Cocteau stupéfiait Iribe. Que n'avait-il la même aisance que lui ! C'était toujours le guignon de porter un nom impossible. Ah ! pouvoir comme Cocteau proclamer :

« Je suis né parisien, je parle parisien, je prononce parisien ! »

Iribe aurait donné n'importe quoi pour que l'on oubliât une bonne fois qu'il s'appelait Iribarnegaray.

Le Témoin « rédigé avec beaucoup d'esprit et dans une note nouvelle » valut à Iribe d'être convoqué par Poiret, première phase de cette parisianisation tant souhaitée. L'anecdote est connue, celui qu'on appelait Poiret le Magnifique en ayant fait dans ses Mémoires[2] une relation détaillée. Mais on n'a peut-être pas attaché toute l'attention qu'il mérite au portrait d'Iribe qui sert de préambule au récit. Il n'a d'intérêt que de confirmer dans une large mesure certaines impressions laissées par le portrait qu'en fit Colette. « C'était un garçon extrêmement curieux, un Basque potelé comme un chapon qui tenait à la fois du séminariste et du prote d'imprimerie. Au XVIIe siècle il eût été abbé de cour; il portait des lunettes d'or, des faux cols largement ouverts autour desquels était nouée une régate un peu lâche [...]. Il parlait d'une voix très basse, comme mystérieuse, et donnait à quelques-unes de ses paroles une inflexion capitale en détachant les syllabes, par exemple en disant : — C'est ad-mi-ra-ble ! »

Iribe avait donc un langage imité de l'élite dont il enviait l'aisance et les belles manières.

Et voilà que l'illustre couturier annonçait son intention de lui confier la réalisation de dessins exécutés d'après les modèles de sa collection. Entreprise

1. Colette, dans *Cocteau ou l'illustre inconnu*, de G. Sion.
2. Paul Poiret, *En habillant l'époque*, Grasset.

d'un immense prestige puisque l'album allait être adressé, à titre d'hommage, aux « grandes dames du monde entier ». Iribe demanda à voir les robes et aussitôt « tomba en pâmoison », s'écriant : « C'est *ad-mi-ra-ble.* Je veux me mettre au travail *im-mé-dia-te-ment.* » Après quoi il annonça qu'il conduirait chez le couturier une de ses amies, « femme *é-ton-nan-te* », une certaine Mme L... qui porterait ses robes « *di-vi-ne-ment* ».

Ce qui frappe, un demi-siècle plus tard, est qu'en dépit de deux guerres et de quelques révolutions, le langage de l'affectation ait aussi peu changé. Est-ce à dire que ce langage-là est indissociable d'une certaine façon de vivre et qu'on en hérite au même titre que du patrimoine et des ambitions ? Voudrait-on le prêter aux petits-maîtres d'aujourd'hui, pas un mot, pas une inflexion ne serait à modifier. Mais le drôle avec Iribe est que ce personnage qui se voulait si urbain demeurait insituable. Ainsi l'opération de parisianisation tardait-elle à porter ses fruits. C'est justement cela que dit Poiret : « Comme par hasard Iribe avait besoin d'argent. Je lui versai le montant de ses premiers dessins et il disparut. Le temps me sembla long pendant lequel il ne revint pas. J'avais négligé de lui demander son adresse. Quand il m'apporta des croquis, je fus enchanté de la manière dont il avait compris et interprété mes modèles et je lui demandai d'achever rapidement son travail. [...] Et d'abord, lui dis-je, donnez-moi votre adresse que je puisse correspondre avec vous. Il me répondit qu'*il n'avait pas d'adresse fixe* à Paris mais qu'il prenait tous les matins son petit déjeuner chez Mme L. Puis après avoir touché un nouvel acompte, il s'éclipsa de nouveau. J'eus beaucoup de mal, cette fois, à le ramener et à obtenir livraison de son travail. Je crois me rappeler que je dus le menacer assez sérieusement [...]. Enfin il m'envoya ses derniers originaux et le travail d'imprimerie put commencer. On connaît cet ouvrage qui se trouve aujourd'hui dans les bibliothèques des artistes et des amateurs d'art. Son titre était : *Les Robes de Paul Poiret racontées par Paul Iribe*[1]. » Un exemplaire en fut adressé à chaque souveraine d'Europe. Toutes réservèrent bon accueil au prestigieux cadeau, à l'exception de la reine d'Angleterre qui le fit retourner à l'envoyeur avec une lettre de sa dame d'honneur priant le couturier de s'abstenir à l'avenir d'envois de cette espèce...

Un Iribe sans le sou, sans domicile fixe, attendant des paiements anticipés pour aller dans les beaux quartiers se faire admirer et nourrir par Mme L., tout dans cette description suscite des sentiments contradictoires. Qu'est-il au juste, séducteur ou gigolo ?

Mais c'est en donnant à sa collaboration avec Cocteau la forme d'une association qu'Iribe prit définitivement pied dans la vie parisienne. En 1914, ils fondèrent ensemble *Le Mot*, s'écartant ainsi du journalisme pur, pour lancer une formule encore peu exploitée, celle d'un journalisme de luxe où le dessin était roi. Ses deux ans d'apprentissage, vécus parmi les ouvriers typographes, avaient porté leurs fruits : Iribe était un technicien hors pair. *Le Mot* était d'une présentation qui faisait date. Un contretemps : la Grande Guerre. Elle ôtait au *Mot* toute chance de survie. Un an plus tard, il cessait de paraître. Mais pour Iribe le tournant était pris. Le luxe, le luxe sous toutes ses formes allait être son unique préoccupation, et cela en dépit du fait que, loin d'être l'âge d'or retrouvé, la paix en fut la négation. L'Europe des plaisirs était morte ? Tout s'inscrivait en faux contre le Paris du *Mot* ? N'importe : seul de son espèce, Iribe, qui n'aimait que la richesse, chercha son salut dans la négation des réalités de son temps. Ce qui ne l'empêcha pas de compter parmi les

1. L'ouvrage parut en 1908.

meilleurs créateurs de formes et de matières des années folles. Car il réussit ce tour de force : concevoir des meubles, des tissus, des tapis, des bijoux, sans jamais admettre que l'on puisse sacrifier à l'esprit de simplification géométrique qui hantait ses contemporains [1]. Ajoutons qu'il ne se fit pas davantage à l'idée que l'art *par* et *pour* le luxe eût perdu de son attrait. Quant au glissement de Paris, cette perte du « contrôle moral du monde [2] » consécutive à la guerre, jamais il ne voulut l'admettre. Iribe était un nostalgique de la « grandeur française », dût-elle s'exprimer sous les dehors les plus futiles. Le luxe était pour lui un bien dont il ne fallait point admettre le partage, et il en était arrivé à donner valeur de symbole à toute création artisanale. Vêtements, colliers, coiffures, broderies, accessoires mineurs ou majeurs, qu'importe à condition qu'ils fussent facteurs de charme, tout cela, dont il se faisait le gardien acerbe, était du prestige national. De là à considérer l'élégance comme le symbole d'une certaine façon de penser (bien évidemment celle de la classe supérieure), et comme une qualité innée (étant sous-entendu qu'elle demeurait interdite aux conditions modestes qui, elles, ne pouvaient prétendre qu'au *chic*), il n'y avait qu'un pas. Ce pas avait été allégrement franchi à l'époque où s'amorçait son idylle avec Gabrielle.

Le plus surprenant dans leur relation est qu'en choisissant Iribe on dirait que Gabrielle cherchait à se démettre entre ses mains d'une partie de ses pouvoirs. Est-ce cela qui fit dire à Misia que Gabrielle aimait pour la première fois ? Comment ne pas voir que d'une certaine façon Iribe satisfaisait toutes ses aspirations à la fois. Voilà qu'enfin existait un homme pour qui les questions de milieu social ne

1. On lui doit en particulier des tissus d'une séduction inégalable. De grands collectionneurs, parmi lesquels Robert de Rothschild et Jacques Doucet, lui commandèrent des meubles.
2. Paul Morand, *Venises*.

comptaient pas et cela la vengeait de Boy; un homme que son passé familial n'écrasait pas, bref l'opposé de Dimitri et de Bend'or; un créateur suffisamment mêlé au monde des Arts pour qu'elle se sentît en accord avec lui, mais délivré des malédictions inhérentes à la condition d'artiste et de poète, ce qu'il lui fallait en somme pour oublier Reverdy. Voilà que Gabrielle échappait au joug des génies.

Si telles étaient les pensées de Gabrielle, il n'est pas tout à fait sûr qu'elle n'ait éprouvé aussi un malin plaisir à se voir courtisée par celui qui, vingt-cinq ans auparavant, s'était fait la chantre de son vieil ennemi Poiret. Car enfin, Iribe ne s'était pas limité « à raconter les robes de Poiret ». Il était aussi l'auteur de la griffe que portaient toutes les toilettes sorties des ateliers de l'avenue d'Antin. Sa nouveauté graphique, et la rose qui ponctuait la formule magique *Paul Poiret à Paris,* avaient fait sensation à l'époque. Gageons qu'il entrait dans la conquête de Gabrielle une satisfaction de métier. Enfin — autre motif de satisfaction — Gabrielle, qui jalousait les femmes et ne pouvait souffrir qu'il y en eût remportant plus de succès qu'elle — inconsciente façon de leur faire porter la responsabilité de ses propres malheurs — se voyait, dans sa liaison avec Iribe, jouant à ses rivales un tour à sa façon : elle leur soufflait un séducteur.

Qu'il ait eu une vie agitée, est-ce assez dire ? Iribe s'était défini en fonction de ses succès féminins. Chacune de ses liaisons, dont rien ne se passait dans l'ombre, avait été un pas de plus vers la notoriété. En période de vaches maigres, rien ne l'arrêtait. Qu'une de ses amies possédât un rare collier de perles, alors, alléguant que cela faisait « nouveau riche », Iribe lui conseillait d'en supprimer quelques-unes et de les remplacer par des boules d'onyx. A la fin de leur liaison le rang entier était en onyx.

Il avait, pour commencer, séduit et presque certainement épousé une délicieuse comédienne qui lui fit don intégral de son cœur, de sa vie : Jane Diris, étoile du vaudeville et star du muet.

Elle s'était illustrée dans le rôle de Marie Bonheur, héroïne de *L'Equipe*[1], un roman de Francis Carco transposé à l'écran. L'histoire d'une petite ouvrière, successivement gigolette, puis fleur des fortifs, amoureuse d'un mauvais garçon parti en Afrique et versé aux Bat'd'Af'... Du Carco. Le film se terminait sur une Marie Bonheur devenue hétaïre de haute volée mais plus que jamais amoureuse de « son homme ». Jane Diris mit dans ce personnage « toute la fatalité nécessaire », disait la presse[2]. Le rôle lui allait mieux qu'un gant. Elle jouait les Marie Bonheur jusque dans sa vie privée.

Lorsque Iribe connaissait des déboires financiers, c'était sous le nom de Jeanne Iribe qu'elle se prêtait aux exigences des photographes. Et lorsque *Comœdia* publiait d'elle — « vêtue avec élégance d'un mantelet d'hermine » — un portrait qui n'était en réalité qu'une annonce publicitaire pour les fourrures Revillon, ou encore la montrait à la fenêtre d'un luxueux coupé, prêté pour la circonstance et conduit par un mécanicien d'emprunt — « Madame Jeanne Iribe dans son auto garni (sic) de *verres Triplex* » — alors, ensemble, l'hermine, la fière allure du mécanicien, la beauté de la jeune femme, le haut marchepied du coupé et les prestigieux accessoires auxquels il tenait lieu de socle, la boîte à outils laquée de noir, la roue de secours enduite de blanc et arrimée comme une bouée de sauvetage au flanc d'une nef de deuil, tout cela, dans sa somptuosité, servait à la publicité d'Iri-

1. Film de Maurice Lagrenée, produit par *Diris-Films*. Sa présentation, en 1921, fut un événement parisien auquel assistèrent Colette, Gabrielle Dorziat, Polaire, Spinelly, Marguerite Moreno, bref *l'équipe* de Colette au complet.
2. Critique de J.-L. Croze dans *Films de France*, 1921.

be. On oublie trop ce qu'il y eut d'intelligences secrètes entre les années 25 et la couleur noire. Le velours des sofas... L'obscurité des premiers cabarets... L'argenture remplaçant peu à peu la dorure dans la décoration, et, dans la vie d'Iribe, l'onyx faisant place aux perles... Infortunée Jeanne qui, derrière la glace baissée de cette espèce de char, souriait à un Iribe absent.

Pour le bonheur, c'était mal choisir que de l'épouser. Etait-ce à cause de l'inconscience qu'il mettait à faire souffrir ses maîtresses et de son acharnement à *se* faire plaisir, était-ce à cause de cela que Colette le traitait de démon ? Amie de Jane Diris, la sachant gravement atteinte, lors des premiers assauts d'ur mal qui allait l'emporter, Colette alertait Francis Carco en ces termes : « Jane Diris très souffrante [...]. Je me sens inutile amèrement devant ce grand joli corps qui est possédé par quelque chose d'invisible, d'actif et de capricieux [1]. »

Jane Diris mourut en 1922 alors que d'autres amours occupaient Iribe : le dollar et les belles Américaines. L'une d'elles, Maybelle Hogan, avait déployé les séductions d'une coquette fortune. Il l'avait épousée à New York City en 1919. A son arrivée aux U.S.A., Iribe avait fait une déclaration fracassante d'où il ressortait que les gratte-ciel avaient quelque chose « *d'en-chan-teur* et qu'il avait trouvé plus à apprendre dans les artères illuminées de Broadway qu'entre les façades des hôtels de la place Vendôme ». Suivait un aveu :

« Pour être franc, le pire ennemi des Etats-Unis est leur mauvais goût. »

Le reporter qui recueillait ses propos [2] précisait qu'ils étaient le fait du plus important dessinateur étranger. Il employait le mot *foreign cartoonist*.

1. Colette dans *Lettres à ses pairs*, Flammarion.
2. Cornélius Vanderbilt, J.R., 25 janvier 1920, dans le *New York Times*.

Alors, toute honte cessante, Iribe jugea le moment venu de tirer parti de ce que, jusque-là, il avait cherché à cacher. N'était-il pas désormais assez célèbre pour se faire une gloire de ses origines ? Il affirma que les pays les plus puissants avaient tous, à un moment quelconque de leur histoire, été redevables de leur notoriété aux Basques. A commencer par les U.S.A... Christophe Colomb n'était-il pas Basque ? Et Noé ? Autant que Colomb. C'était en somme une vérité qui remontait au déluge.

Le reporter consigna scrupuleusement l'ensemble de ces vues très nouvelles. Mais il se permit quelques réserves sur les tendances de *ce touche-à-tout-des-Arts* [1], lui reprochant d'avoir limité ses créations au domaine du haut luxe. Critique qu'Iribe balaya d'un revers de main :

« Le goût vient toujours d'en haut, déclara-t-il, jamais d'en bas. Il est plus difficile d'exécuter une commode laquée que de fabriquer une table de cuisine. »

Sur quoi il s'installa dans un délicieux cottage avec sa jeune femme, fréquenta assidûment Hollywood et donna, comme tout le monde, dans le milieu cinéma. C'était plonger en pleine légende dorée. Il fit la connaissance de Cecil B. De Mille. Le style d'Iribe, sa compétence en de nombreux domaines — dessin, architecture, histoire du costume, du mobilier — ne pouvaient manquer de le séduire. Et jusqu'à ses défauts... C'étaient les défauts de De Mille.

Il commença par confier au jeune Français l'étude de divers films, et plus particulièrement, décors et costumes de *Man Slaughter* dont il assurait lui-même la mise en scène. Leatrice Joy [2], habillée par Iribe, fit

1. Il qualifiait Iribe de « jack-of-all-arts ».

2. Leatrice Joy débuta à l'écran tout enfant; c'étaient aussi les débuts du cinéma. La compagnie qui l'avait engagée ayant fait faillite, elle trouva un emploi dans le commerce. C'est Samuel Goldwyn qui la redécouvrit et De Mille qui la consacra *star*.

une telle sensation qu'il fut aussitôt promu Directeur Artistique, ce qui plaça sous son autorité dessinateurs et décorateurs dont certains travaillaient pour Cecil B. De Mille depuis 1919. Or Iribe n'avait pas, comme De Mille, le talent de se rendre odieux sans que le dévouement de ses collaborateurs en fût affecté.

On adorait De Mille. Tandis qu'Iribe... Ses empoignades avec Mitchell Leisen, portes claquées, cris, brouilles demeurèrent légendaires.

On le trouve, en 1923, réalisant costumes et décors des *Dix commandements*. Leatrice Joy tenait à nouveau la première place dans la distribution. Mais point de Mitchell Leisen qui, pour éviter d'être soumis à Iribe, avait refusé de collaborer au gigantesque spectacle.

L'Egypte d'Iribe était une Egypte des années 20, laquée, brillante d'or, dominée par un sphinx plus imposant que celui de Guizèh et pourvue de sanctuaires immenses où pas un dieu, assis, debout, à tête de chien ou de bélier, ne manquait. Des divinités sans nombre, une foule de figurants, tout cela témoignait d'une extraordinaire richesse d'invention.

Nouvelle promotion en 1924, lorsqu'il s'improvisa metteur en scène de *Changing husbands* avec la bénédiction de De Mille. Seule Leatrice Joy échappa aux coups de la critique. « *Amateurish* »... déclara le *New York Times* qui alla jusqu'à qualifier le film d'absurde.

Aussitôt Cecil B. De Mille fit une tentative pour rattraper Mitchell Leisen.

Il usa de toutes sortes d'arguments : il venait de se séparer de la Paramount; ce n'était pas le moment de lui refuser son aide d'autant que, cette fois, c'était lui le metteur en scène et non Iribe. Et puis le clou du spectacle allait être une catastrophe ferroviaire. Il fallait que le train se désintègre en quelques secondes [1]. Qui, sinon Leisen, était capable d'un tel exploit ?

Leisen se laissa attendrir. Mais la catastrophe faillit dépasser les limites de l'écran lorsqu'une bataille éclata entre lui et Iribe. A la fin du tournage, les deux hommes ne s'adressaient plus la parole.

Lorsque Cecil B. De Mille mit en chantier *Le Roi des Rois*, son équipe demeura inchangée : toujours Leisen pour les costumes, toujours Iribe à la direction artistique. Ce n'était pas par inconscience. Une équipe offrant quelques violents antagonismes n'était pas pour lui déplaire.

En d'autres domaines, il avait multiplié les précautions pour que rien ne vînt ternir la réputation morale de ces vedettes. Le Christ dut s'engager par contrat à ne jamais être vu une cigarette à la bouche. Il s'engagea aussi à renoncer aux boîtes de nuit, enfin et surtout il ne devait, sous aucun prétexte, divorcer avant la date de sortie du film. C'est à ce prix que le public pourrait accorder quelque créance à son personnage.

Le drame éclata au pied du Golgotha, à l'instant où De Mille constata qu'Iribe avait oublié de prévoir l'orage et que la scène du crucifiement était laissée au hasard. Savait-on comment Harry Warner allait tenir sur sa Croix ? Et allait-il saigner des mains ? Rien de prévu.

De Mille décréta une exécution immédiate : celle d'Iribe. Leisen accepta de prendre sa succession à la seule condition de ne jamais plus entendre prononcer son nom.

A l'époque où *Le Roi des Rois* fut soumis à l'approbation d'un tribunal religieux qui réunissait un prêtre catholique, un rabbin, un représentant de l'Eglise orthodoxe et un moine bouddhiste, Paul Iribe avait quitté la Californie sans esprit de retour. Il était re-

1. *The Road to yesterday.*

venu à Paris où Maybelle lui avait offert, rue du Faubourg-Saint-Honoré, un magasin à la façade duquel le nom de son mari brillait en lettres d'or sur fond de laque. Iribe retrouvait ses premières amours : les arts décoratifs.

Aux meubles, aux tissus, aux tapis, aux bijoux, vinrent s'ajouter des décorations d'intérieurs. Il n'accepta de travailler que pour des personnalités en vue. C'est ainsi que Spinelly, dont l'atelier Martine[1] avait décoré l'antichambre et le salon, fit appel à lui pour sa chambre à coucher. Etre le décorateur de celle que Colette et un vaste public populaire appelaient familièrement « Spi »! Pouvait-il imaginer cliente mieux faite pour le comprendre ? « L'esprit d'aventure, le goût du risque qui jette l'un contre l'autre deux tons, trois tons que leur choc étonne puis enchante, la liberté aristocratique dans le choix [...] rencontraient en Spinelly la complice idéale. Là où je ne portais qu'un œil amateur de couleur et d'arabesque, Spinelly reconnaissait d'abord le but de parure et de consommation, *l'incontestable nécessité du luxe*[2]. » Iribe trouvait en Spinelly la cliente rêvée. Sans doute, fit-il en cette chambre un peu plus que de la décoration. Car à peine terminée, à peine « essayée », elle valut à Iribe une autre commande : celle de la salle à manger. C'est que Spi, chanteuse formée à la dure école du caf'conc', Spi « de ses pieds parlants à sa fringante épaule », « Spi en son incomparable forme spinellique[3] » enfin quoi! Spi n'était pas une vertu.

Elle jouissait d'un rare privilège : à peine la voyait-il, l'homme de la rue, qu'il fût aux galeries du Casino de Montmartre ou au promenoir de l'Européen, s'arrogeait le droit de la tutoyer en secret. Une

1. Maison de décoration, créée en 1912 par Paul Poiret. Elle était située 83, rue du Faubourg-Saint-Honoré.
2. Colette, *Prisons et Paradis*.
3. *Ibid*.

familiarité immédiate. Et avec ça, bravant assez ouvertement les convenances pour qu'une certaine presse en fît ses délices. Que de sa rencontre avec un Argentin naquît, en Pays Basque, un superbe bébé — « Trois pas de tango, danse ô combien dangereuse ! » a-t-elle déclaré au quotidien espagnol qui l'interrogeait — aussitôt les échotiers se précipitaient. A chaque interview, ce qu'elle appelait son « home » était minutieusement décrit : « Cela tient à la fois d'un temple hindou, d'un palais grec, d'une alcôve persane et d'une loggia de cabaret. Après avoir traversé l'antichambre, gardée par un géant Bouddha de bronze vert, il vous faut pénétrer dans l'atrium pavé de mosaïques d'or, dans lequel s'ouvre un bassin circulaire où nagent deux poissons télescopes venus de Chine. Puis trois degrés de marbre conduisent dans le grand salon au plafond de cristal... C'est là, assise dans un fauteuil de bois laqué, soutenu par deux dragons vomissant la flamme, que Spinelly nous dira ses impressions de jeune maman...[1] » La chambre réalisée par Iribe fut au diapason du reste de l'appartement. Il dessina pour elle un lit de cuivre, dont le pied formait comme un paraphe d'or. Les murs, vert céladon, la table basse, en laque de Chine, tout cela était une réussite incontestable. Mais l'important était que le lit immense, la marche sur laquelle il était posé et son matelas à la japonaise, l'important était que cela faisait jaser.

Iribe allait-il s'en tenir là ? Certes pas. Il devint photographe, expérimenta de nouvelles techniques de publicité, mêla typographie et photographie, excella en photomontages, et à New York en 1931, se classa deuxième d'un concours de publicité qui groupait cinquante photographes européens de huit nations différentes. Iribe battait Hoyningen-Huyne de quelques

1. « Spinelly Maman », article signé L.G., *Le Parisien*.

longueurs, mais laissait loin derrière lui tout ce que l'Europe pouvait aligner de meilleur. Le baron Meyer et Man Ray n'eurent droit qu'à des mentions honorables.

Tantôt il gagnait énormément d'argent, s'offrait d'abord une Voisin, dont les lanternes étaient d'argent et les coussins capitonnés de blanc, puis un voilier, *La Belle de Mai*, puis une maison à Saint-Tropez. A quelque temps de là, c'était la dèche et il vendait l'auto, le yacht puis le mas. Alors Maybelle se faisait démarcheuse et c'était elle qui décrochait les contrats. Ainsi reçut-elle une commande de bijoux chez Cartier et une autre... chez Chanel.

Elle était résignée aux incartades d'Iribe, résignée à attendre. Il lui suffisait d'un télégramme : « Je ne peux pas revenir mais je t'aime » pour que de cet absent elle restât dupe. Entre quels bras dormait-il ? Maybelle croyait que c'était là une façon d'être homme typiquement française.

Un jour néanmoins sous la pression de sa famille qui s'inquiétait de l'extravagance de ses dépenses, Maybelle Iribe, pour préserver son avenir et celui de ses deux enfants, se résigna à quitter son mari dont les exigences financières risquaient de l'acculer à la ruine.

C'était quelques mois avant ce jour de juillet 1933 où Colette compara Iribe au démon.

A mieux connaître sa vie on comprend le pourquoi de cette comparaison.

Ce que Colette lui pardonnait mal était l'absence de ces qualités qui étaient le propre de Gabrielle. Et l'une d'entre elles en particulier : « Par chance, elle n'a rien gardé sur elle-même du contagieux éclat de l'or, indiscrète lumière qu'exsudent les êtres faibles et comblés de biens [1] », lit-on dans le magistral portrait qu'elle lui consacra.

1. Chanel par Colette dans *Prisons et Paradis*.

A l'évidence, Iribe avait succombé à ce contagieux éclat et l'antipathie de Colette n'avait d'autre raison. Campé parmi ses richesses, installé dans le provisoire, il l'aurait amusée... Dominé par elles... c'était le démon.

II

LA FIN DU FAUBOURG

QUE se passait-il ? On avait introduit au rez-de-chaussée de l'hôtel Pillet-Will d'étranges figures de cire. Dénichées dans les arrière-magasins parisiens où elles dormaient depuis les premières années du siècle, elles ne manquaient pas d'inattendu et l'on pouvait se demander à quoi Gabrielle allait diable les utiliser. Ce n'étaient pas des mannequins à vêtements. Rien que des bustes, comme on en voyait jadis dans les vitrines des coiffeurs. Moins le chignon... Des bustes en cire, aux yeux parés de cils, maquillés à la perfection, coiffés court et qui, bien qu'ils fussent privés de bras, semblaient vivants. N'eussent été les sourcils épilés à la mode des années trente, les cheveux courts et les lèvres d'un rouge soutenu, on se serait cru, quant à l'expression, revenu cinquante ans en arrière. La drôlerie de tout ça... Pareils objets n'auraient été d'aucun emploi rue Cambon où la mode était toujours à se vouloir sans fantasmes.

Plus strictes, plus nettes que jamais, les robes de Chanel étaient présentées par des jeunes femmes aux visages impassibles. L'idée qui les avait transformées la saison précédente continuait à assujettir leur silhouette : le rembourrage des épaules. Et cela faisait bientôt deux ans que les courriéristes les plus écoutées répétaient qu'*avoir de la carrure* était le propre d'une élégante : « Si vous avez le type approprié, n'hésitez pas à adopter, pour les heures simples, une silhouette d'une rigidité toute militaire[1]... »

Alors, que signifiait la mise en place de ces effigies aux gracieux sourires, au cou penché, de ces mentons lovés au creux des épaules ? Et pourquoi placer ces filles serpentines sur des socles à l'ancienne ? Mais Gabrielle était chez elle, après tout, et libre d'y faire ce que bon lui semblait.

Joseph avait reçu l'ordre de tenir les portes sur la cour fermées et d'en interdire l'entrée. Il y eut cependant un mouvement de curiosité dans le quartier, lorsque l'on sut que Gabrielle avait reçu le commissaire principal, qu'ils avaient ensemble contrôlé les fermetures de sa demeure, et mis en place un dispositif d'alerte, tout un réseau de sonneries, si bien que le rez-de-chaussée de l'hôtel Pillet-Will se trouvait directement branché sur le commissariat du quartier. Comment n'en pas être averti ? Une nuit, un invité ayant mis par mégarde le pied sur quelque piège, tout un car d'agents débarqua dans la cour, au grand émoi de la concierge. Aux étages supérieurs les lumières éteintes se rallumèrent. Des visages exaspérés parurent aux fenêtres. Cela déplut profondément. Qu'est-ce que cette maudite couturière était encore allée inventer ? On ne pouvait plus dormir tranquille.

C'est le 7 novembre 1932 que fut inaugurée une exposition comme on n'en avait encore jamais vu dans une demeure privée. Rien que des bijoux, dont pas un n'était à vendre. Ils étaient dessinés par Chanel. Cela était étrange qu'une femme qui n'était ni diamantaire ni joaillier s'avisât de rénover l'art de la parure et que ce fût à elle — qui s'était faite la championne des bijoux fantaisie, au point d'en exploiter la

1. *Vogue*, octobre 1931.

vente sur une large échelle — que se fût adressée la Ligue internationale des Diamantaires. Enfin, qu'ayant, en plus d'une occasion, affirmé qu'à l'exception des perles seuls les bijoux de couleur étaient portables, Gabrielle n'en eût pas moins accepté de n'utiliser que la blancheur des diamants. Elle, des diamants ? On conçoit l'étonnement de ses collaborateurs. Pas une femme, de quelque condition qu'elle fût, ne pouvait ignorer que les fausses perles étaient le dernier cri de la mode. Jusqu'aux entraîneuses qui s'y étaient mises, jusqu'à la Simone d'*Aurélien*[1] dans les éclairages orange et bleu du *Lulli's... Et si j'ai de la perlouse, dis donc ! C'est le grand chic cette saison... Même les personnes qui en ont des vraies, des perles, eh bien elles les ont remplacées par des au mètre... oui !* Et celle qui avait imposé l'usage du faux se lançait dans le vrai ? Et où voulait-elle en venir, en exigeant que l'on payât pour entrer chez elle ? Il est vrai que le produit intégral des entrées allait être versé à l'*Œuvre de l'allaitement maternel*, présidée par la princesse de Poix, et à l'*Œuvre d'assistance à la classe moyenne*, présidée par un membre de l'Académie française[2]. Chanel, dame quêteuse, Chanel dame d'œuvres... Et de quelles œuvres ! C'était à rire. L'idée de bienfaisance lui avait jusque-là été étrangère. Mais voilà qu'elle se rangeait dans le personnel de charité des classes dominantes. Que s'était-il passé ? Personne ne s'y trompait. Il y avait là une atmosphère nouvelle.

Les bustes endiamantés se multipliaient à l'infini dans des paravents de miroirs. Des lumières tenues très basses faisaient couler sur les pierreries d'étranges reflets. La rénovation des formes était éclatante. Les bracelets tous transformables étaient traités en larges manchettes. Ils se dédoublaient à volonté, si

1. *Aurélien*, Aragon, roman (N.R.F.).
2. Maurice Donnay.

bien qu'une femme, à l'instant où elle le voulait, d'un joyau pouvait en faire quatre. Les colliers ne se posaient plus à la naissance du cou, ils se répandaient autour des épaules en pluie d'étoiles. Plus de tiares mais de minces croissants de lune que des barrettes invisibles fixaient à la chevelure. Plus de broches, non plus, mais des soleils blancs pendus à de longues chaînes comme des cailloux au bout d'une corde. Il y avait enfin un joyau baroque, une façon de ferronnière que l'on admirait sans penser un instant qu'on puisse la porter. Formant sur le front une frange de pharaonne — cette frange qui, quelque dix ans plus tard allait devenir la « frange Chanel » — elle était faite non point de cheveux mais de diamants tous d'égale grosseur et ruisselants en rideau jusqu'à la ligne des sourcils.

Il y aurait beaucoup à dire sur le sens de cette parure qui n'avait plus rien à faire avec la mode. Que faisait là cet accessoire chimérique ? Etait-il né d'un geste paradoxal qui consistait à redonner à l'élément capillaire valeur de panache à une époque où l'on ne songeait qu'à couper, plaquer, réduire à rien une « tête ronde, rase, polie comme une pomme d'ébène[1]... » ? Un aveu en somme, presque un regret d'avoir été celle qui, en privant la femme de sa chevelure, l'avait désexualisée. La chevelure, n'est-ce pas, *la chevelure c'est la femme elle-même dans sa différence fondatrice*[2] ? Mais il se pouvait aussi que ce joyau n'ait été qu'une manière de scalp, jeté aux pieds du vainqueur : Iribe, l'homme-diamant.

Quoi qu'il en soit, présenté seul dans une vitrine que protégeaient des gardiens aux revolvers très visibles, l'objet nouveau était le clou de l'exposition.

La manifestation attira une foule de bijoutiers fran-

1. Colette, *Prisons et Paradis*.
2. Roland Barthes, *Erté*, Franco Maria Ricci éditeur.

çais et étrangers. Elle n'était ouverte qu'aux hommes de l'art. Mais quel qu'eût été le rang des amis ou des visiteurs non professionnels pour lesquels Gabrielle avait fait exception, que ce fût Etienne de Beaumont ou bien Fulco della Verdura — l'un, comte français, et l'autre, duc italien, dessinaient des bijoux fantaisie pour Chanel[1] — que ce fût un maître du goût tel Charles de Noailles ou bien les vendeuses de la maison de couture, que ce fût le fidèle Joseph ou sa fille, alors âgée de vingt ans, tous les témoins gardèrent de cette manifestation un souvenir mitigé. C'était beau, certes, et par moments fantasmagorique; cependant, on ne savait à quoi cela tenait, dans le décor quelque chose choquait. Une note hollywoodienne. Et ce *trop* tenait à Iribe.

Jusque-là, leur liaison, qui durait depuis plus d'un an, n'avait guère fait de bruit. A peine si on s'en doutait. Pour mille raisons — la plus évidente étant que sa femme, elle, ne se doutait de rien — Iribe s'était montré discret. Il n'y avait guère que Colette et Maurice Goudeket à avoir compris. Et encore... Par la force des choses. Le refuge où les amants se retrouvaient en secret, c'était à eux que Gabrielle l'avait acheté. « Une propriété où roucouler[2]... » Juchée sur les hauteurs de Montfort-l'Amaury et peuplée d'arbres, elle était pleine de nids. Colette en avait accroché, un peu partout, et les oiseaux en avaient aussitôt profité. Ils étaient multitude. *La Gerbière*... Ainsi s'appelait la maison que Maurice Goudeket fut contraint

1. La collaboration qu'apportaient à Chanel des personnalités du Tout-Paris devint un de ses objectifs en matière de bijoux. Ainsi parvint-elle, par personnes interposées, à s'inspirer de rares joyaux que leurs possesseurs tenaient enfermés dans des coffres plus souvent qu'ils ne les montraient. « Tous ces aristos, ils ont fait fi de moi mais je les aurai à mes pieds », devait-elle dire à l'artisane à qui elle avait confié la fabrication de ses bijoux. (Propos de Mme Gripoix dans *Les Années Chanel* de Galante.)

2. Lettre de Maurice Goudeket à l'auteur.

de vendre, « étranglé par la crise », et, comme écrivait Colette à cette époque-là, « le lardoire dans les fesses[1] ». Il était souvent question de difficultés financières dans ses lettres : « Sacré bon sang, nous traversons Maurice et moi une de ces passes... » Les effets de la dépression commençaient à se manifester en France. Mais cela ne semblait pas affecter Gabrielle qui, pour acheter *La Gerbière*, se rendit à Montfort, seule, dans le courant de l'hiver 31. Il faisait froid. Colette resta au coin du feu tandis que l'affaire se concluait entre Goudeket et Gabrielle, le temps d'un tour de jardin. Etait-ce fait ? Colette ignorait le motif de ces tractations. Et lorsque Gabrielle revint, elle s'effaça pour la laisser passer.

« N'en faites rien, dit Gabrielle. C'est à moi de vous laisser le pas... puisque je suis chez moi dorénavant. »

C'était lui apprendre un peu brutalement que *La Gerbière* ne lui appartenait plus.

Gabrielle changeait. On s'en apercevait en maintes occasions. Lorsqu'elle faisait à la presse des déclarations qui rendaient un son patriotard des plus inhabituels... Ainsi, à l'en croire, son exposition de bijoux n'avait eu d'autre but que de faire connaître les artisans parisiens, qu'elle affirmait « être les meilleurs du monde[2] ». Elle ne voulait à aucun prix faire concurrence aux bijoutiers, oh non ! Elle ne s'intéressait qu'aux artisans, que « le chômage rendait libres et sans joie », et à la joaillerie, « un art très français ». Allons, le luxe se mourait, le chômage menaçait. Qu'opposer à cela, sinon des diamants ?

Tout lui devenait prétexte à assigner au luxe une fonction salvatrice. Il était clair qu'elle s'appropriait le langage d'Iribe.

1. Lettres à Marguerite Moreno en août 1930 et septembre 1931.
2. Interview d'Albert Flamant dans *L'Illustration* n° 4680 du 12 novembre 1932.

Ce fut à l'époque de cette exposition que sa liaison prit un tour officiel. Il s'installa, chez elle, au Faubourg. Cette présence à ses côtés, franchement avouée, effaçait la trace en elle de tant d'amours nouées au cours de sa vie, de tant de liens qu'il avait fallu taire.

*

En 1933, après vingt-trois ans de silence, les kiosques de Paris affichèrent un revenant : *Le Témoin*. Paul Iribe en était à la fois le directeur, l'éditorialiste et le principal illustrateur. Ses dessins n'avaient rien perdu de leur force. C'était toujours le même esprit corrosif, l'emploi impitoyable du noir, utilisé en vastes à-plats, le noir générateur de force, de beauté, le noir éloquent, voué à un *crescendo* continu. Aucune tendance au « décoratif », peu de concessions à « l'élégance », encore que sur le plan graphique *Le Témoin* n'apportât rien qu'on n'eût déjà vu. Et puis tout se gâchait, et jusqu'à la puissance du trait, lorsque Iribe introduisait dans ses dessins deux couleurs, toujours les mêmes, qui, apposées sur les réserves blanches, apportaient l'inévitable note patriotique. C'était un rouge et un bleu drapeau...

Dans les textes, le mot *France* revenait à chaque ligne. On ne sortait pas de ce thème. C'était l'affirmation majeure, le slogan unique, exalté jusqu'à l'absurde. Pour susciter des abonnements, point d'autre formule que celle-ci : « *Le Témoin* parle français. Abonnez-vous. » Et dans chaque numéro une page entière, occupée par une fleur unique, gravée en bleu, blanc, rouge, était ainsi légendée : « Il n'y a pas d'industries de luxe, il n'y a que des industries françaises. » Annonce publicitaire ? C'était de l'argent perdu. Gabrielle en était-elle consciente ? Elle finançait seule cette publication et *Le Témoin* était édité par une société Chanel.

L'idée en soi avait de quoi séduire. Gabrielle croyait faire le bonheur d'Iribe tout en s'assurant le concours d'un artiste qui, en réussissant à mêler étroitement actualité politique et sens commercial, avait fait date dans l'histoire de la publicité. L'amoureuse pouvait autant que la femme-chef-d'entreprise trouver avantage à cet arrangement.

Mais tandis qu'il avait su manifester un esprit neuf en acceptant quelques annés auparavant de mettre son talent au service d'une marque de vins [1], il n'en allait pas de même dans *Le Témoin*. La drôlerie avait fait place à un chauvinisme des plus sinistres. Nationaliste, antiparlementaire, réactionnaire, Iribe était tout cela à la fois. Il l'était à la manière des bourgeois survoltés de l'époque. Mais pourquoi fallait-il que ses articles fussent aussi mauvais ? Ses visées artistiques semblaient dictées par les trublions qui, en France, prônaient le retour aux *formes saines* et aux complaisances cocardières qu'honoraient l'Italie fasciste et l'Allemagne nazie. Iribe était devenu l'homme qui dénonçait la liaison de l'art et du « cube » — il entendait par là l'art moderne — et souhaitait qu'on arrachât l'homme à « la machine », objet haïssable, engendrant tous les maux de l'humanité. « Allons-nous sacrifier la fleur sur l'autel du cube et de la machine ? » ou encore « Le règne de la

1. En 1930, les vins Nicolas avaient commandé à Iribe un album qui était un prodige de drôlerie involontaire. Sa formule ? Un chauvinisme à tous crins mis au service des vins Nicolas. Il n'en exaltait la qualité qu'en dernière page non sans avoir au préalable démoli tout produit susceptible de les concurrencer. Pour cela, point d'autre solution que d'identifier les produits concurrentiels avec leurs pays d'origine. Un tueur portant l'uniforme russe ? Il était là pour guérir le consommateur français de toute velléité de boire de la vodka. Servir des vins rhénans? La réponse d'Iribe consistait à montrer une usine de la Ruhr... Tout achat fait à l'Allemagne ne pouvait qu'accélérer la remilitarisation de la Rhénanie ! Goûter au whisky ? C'était favoriser l'impérialisme britannique. Une boisson américaine ? Elle encourageait la mégalomanie des U.S.A. Buvons français !

machine représente l'assaut de la conception européenne contre la française, c'est-à-dire le dur, le froid, l'hygiénique, contre la grâce, la féminité, le luxe. » Ces quelques citations donneront une idée suffisante de son style. Si l'on ajoute : « Au moment où tous les drapeaux s'efforcent d'être monochromes et les opinions unanimes, il est bon d'aimer les trois couleurs », alors on prendra la mesure de sa xénophobie. A le lire, on eût dit que la France était l'éternelle victime d'une vaste machination internationale. Aux ennemis de l'intérieur — qui s'appelaient forcément les « Samuel » ou les « Lévy », les Etrangers, Léon Blum et sa « mafia judéo-maçonnique », « l'espion Thorez et sa racaille rouge » — s'ajoutaient les ennemis de l'extérieur : l'U.R.S.S. et ses hordes barbares, la perfide Albion, et l'on ne savait trop pourquoi l'Amérique. S'il dénonçait Hitler, s'il déplorait la mainmise de l'Allemagne sur l'Autriche, il admirait trop l'ordre et la force pour s'en prendre directement au Reich.

Encore qu'admirablement illustré, *Le Témoin* n'était que l'inutile reflet de la presse de ces années-là, tout au moins de cette presse dite patriotique, qui allait encourager à l'action Anciens Combattants et jeunes ligueurs, francistes de Marcel Bucard, Croix-de-Feu du colonel de la Rocque, et sections d'assaut de la Cagoule. « La France aux Français ! » Le slogan d'Iribe, vidé de son contenu publicitaire, et utilisé à d'autres fins, fut de ceux qui servirent de prétexte aux sanglantes émeutes du 6 février.

Bien sûr, *Le Témoin* connut une diffusion confidentielle et il convient de n'en pas exagérer l'importance. On ne s'y arrêterait pas si ce n'était qu'il marque, dans la vie de Gabrielle, le passage de l'indifférence politique à une conception de l'avenir, sans cesse exaspérée par d'innombrables contradictions, mais se réclamant néanmoins des opinions d'Iribe. Il est vrai que ce dernier n'avait pas hésité à exploiter Gabrielle au niveau de l'image. La République ? C'était elle. Elle, qui, pour symboliser le calvaire de la France, était représentée sous les traits d'une Marianne crucifiée, rendant l'âme sous son inévitable bonnet phrygien, elle ce cadavre aux seins nus, elle cette victime désignée, couchée sous les pelletées de terre d'un fossoyeur qui n'était autre que Daladier; elle enfin cette France innocente face à un tribunal ricanant. Ses juges ? Roosevelt, Chamberlain, Hitler, Mussolini. Et allez donc ! tous coalisés, tous acharnés sur l'infortunée *grandeur française*, et tous responsables des *désordres* qui la menaçaient.

Politiquement, les dessins d'Iribe n'avaient aucun sens. Historiquement, ils demeurent le reflet d'une certaine façon de penser. Celle d'une classe qui, menacée dans la jouissance de ses biens, identifiait sa disparition possible avec celle de la suprématie française. Affichée dans les kiosques, étalée sur les tables, parfaitement reconnaissable, Gabrielle était le visage féminin chargé d'exalter les valeurs en péril. Fut-elle fière du choix qu'il fit d'elle ? En fut-elle touchée ? De ces deux hypothèses, la seconde est la plus vraisemblable. Aucun homme avant Iribe ne l'avait aussi ostensiblement *affichée*.

Alors elle s'ingénia à faire pour lui ce qu'elle n'avait fait pour personne : le mêler à sa vie professionnelle, partager ce pouvoir dont, jusque-là, elle s'était montrée si jalouse. Elle était heureuse, en somme, n'ayant plus rien à cacher.

Tandis que ses démêlés avec la *Société des parfums Chanel* commençaient et que tout lui devenait prétexte pour engager contre ses associés procès sur procès, ce fut Iribe qu'elle envoya présider une assemblée générale à sa place, bien qu'il n'en eût point le droit. Elle s'estimait lésée. Iribe devint l'homme de confiance, le paladin chargé de la défendre.

Cela aussi était très nouveau.

On s'avisa qu'elle s'en remettait à un homme.

Les rumeurs s'en trouvèrent confirmées. Et Colette, toujours en cette année 33, s'en fit une fois de plus l'écho : « ... On vient de me raconter qu'Iribe épouse Chanel. N'es-tu pas épouvantée — pour Chanel ? Cet homme est un bien intéressant démon [1]. »

*

C'était l'émeute aux portes de la demeure de Gabrielle. Le 6 février jeta sur la place de la Concorde quarante mille manifestants. La meilleure vue que l'on en eût jamais fut de l'endroit où tomba la première victime : Corentine Gourlan, trente-trois ans, femme de chambre à l'hôtel Crillon. Du balcon de ce bel édifice, au couvert de la colonnade de Gabriel, on suivait les charges de la garde à cheval, barrant tantôt l'accès du Palais Bourbon, tantôt celui du Faubourg, on apercevait des hommes armés qui, juchés dans les arbres, protégeaient les manifestants, des Anciens Combattants qui, du haut de la terrasse des Tuileries, balançaient des pavés sur le service d'ordre tandis que d'autres mettaient le feu au ministère de la Marine, on voyait, au pied de l'Obélisque, un autobus qui brûlait, on voyait aussi les cavaliers de la police qui frappaient à grands coups de sabre des jeunes gens bottés et coiffés de béret, et au loin, descendant les Champs-Elysées, des Messieurs aux poitrines cliquetantes chantant *La Marseillaise* et jouant de leurs cannes. Ce n'était pas des cannes de promenade. Une lame de rasoir fixée à leur extrémité les rendait aptes à taillader les jarrets des chevaux.

Lorsque la fusillade devint générale le désordre gagna le Faubourg.

La France avait un président larmoyant que proté-

1. Colette, *Lettres à Marguerite Moreno*, Flammarion.

geaient des gendarmes résolus. Les Messieurs aux poitrines cliquetantes atteignirent néanmoins les abords immédiats de son palais. Ils laissèrent sur les pavés du Faubourg une cinquantaine de blessés graves sans avoir réussi à forcer le barrage qui leur était opposé. L'Elysée avait résisté.

Ce fut peu avant minuit qu'un officier de gendarmerie, envoyé sur place bien qu'il ne fût pas de service ce soir-là, décida de prendre l'initiative. Avec ce qui restait de la garde montée, il tenta de dégager la place et commanda une charge. Ce fut lui, le colonel Simon, qui brisa l'émeute.

A deux heures du matin les jeunes gens bottés avaient renoncé à chasser les députés de leur Chambre et les Messieurs aux cannes coupantes avaient manqué leur but. Le Palais Bourbon pris d'assaut, un gouvernement provisoire aussitôt proclamé, le président chassé de l'Elysée, tout avait échoué.

Mais depuis les combats de la Commune, Paris n'avait jamais vécu une nuit pareille.

Quelle fut l'incidence de ces événements sur la décision que prit Gabrielle ? Au printemps 1934, elle annonça au fidèle Joseph qu'elle le licenciait. Elle ne renouvellerait pas son bail et quittait le Faubourg. Les effets de la dépression n'avaient pas fini de se faire sentir. La production française diminuait et la misère grandissait. Allait-on dévaluer ? Elle voulait alléger son train de vie. A l'exception de sa femme de chambre, Gabrielle renvoya son personnel et partit avec ses meubles s'installer dans l'hôtel qui allait jusqu'à sa mort être sa seule résidence parisienne : le Ritz.

Gabrielle Chanel et Joseph Leclerc se quittèrent « fâchés ».

Jamais il ne raconta ce qui s'était passé au cours de leur dernière discussion. Il avait assisté au drame Capel, accueilli le grand-duc Dimitri, reçu Reverdy, servi le duc de Westminster et combien d'autres... Il connaissait le fond des choses. On ne se fit pas faute de l'interroger. Jamais il ne parla.

Chaque année, à l'époque des collections, Joseph mettait un peu plus d'attention à la lecture des quotidiens. Mais jamais il ne revit Chanel et jamais il ne lui écrivit.

Sans doute se disait-il que ce qui lui arrivait était inhérent à la condition domestique. Gabrielle allait convoler avec Iribe. Elle se voulait sans souvenirs, sans témoins. Au seuil d'une nouvelle vie, elle se voyait dans la nécessité de licencier son personnel. C'était toujours comme ça avec les femmes. Changer de mari rendait nécessaire qu'elles changeassent aussi de maître d'hôtel. Lorsque Misia Edwards était devenue Misia Sert qu'avait-elle fait d'autre ? Elle s'était séparée de Joseph.

Joseph Leclerc se garda de manifester la moindre amertume à l'égard de celle qui, si brutalement, l'écartait après seize ans de loyaux services. Mais tout le temps qu'il vécut, Joseph continua à la servir... par son silence.

Il mourut un jour de juillet 1957. C'était après le « come-back » de Gabrielle. Elle avait réintégré la rue Cambon depuis trois ans. Joseph Leclerc avait dû suivre l'aventure d'assez près car à l'instant de mourir ses proches l'entendirent murmurer : « Il y a collection aujourd'hui... »

*

Un nomadisme indéniable avait chassé Gabrielle du Faubourg. Sur *La Pausa* se portèrent ses soins. C'était là dorévanant que serait *sa maison*. Sa rupture avec le duc de Westminster n'avait pas laissé à ce dernier le temps de voir le jardin terminé, les salons dans leur forme définitive. Pour ce qui était du Ritz, elle y avait loué un appartement, déployé ses paravents de

Coromandel et planté un décor aussi fastueux qu'au Faubourg. Mais l'agréable était qu'elle n'y avait jamais habité auparavant. Là encore elle avait obtenu ce qu'elle désirait : une nouvelle vie. Pour quand ce mariage dont plus personne ne doutait ?

Iribe venait tout juste d'obtenir sa séparation d'avec Maybelle quand il vint à *La Pausa*. Il dominait Gabrielle qui, volontiers, lui laissait les prérogatives d'un maître de maison. Elle aimait sa propre faiblesse, c'est donc qu'elle était amoureuse.

Un été pendant lequel elle décida de vivre une fête sans fin. Au diable les pessimistes ! Au diable les événements de l'hiver, au diable ceux du printemps ! Elle voulait qu'ils fussent sans effet sur cette portion de rivage et le répit qu'elle y goûtait. Devant, derrière la maison, c'était la houle des oliviers que caressait le vent de mer. Vacances... *La Pausa* valait bien que l'on oubliât le reste.

En janvier, la Sarre s'était massivement prononcée en faveur de son rattachement à l'Allemagne, un droit que nul ne songeait à lui contester. Mais cela avait déclenché outre-Rhin une explosion de joie martiale avec chants, rassemblements, bras levés et pluie de fleurs au passage des chemises brunes. Pas de quoi s'étonner. Après une pareille victoire... Il y avait de quoi griser plus d'une tête solide[1]. Et puis ces jeunes gens ne manquaient pas d'allure. Vous conviendrez qu'ils avaient un peu meilleure façon que les Faucons Rouges ou autres excités de même espèce. En mars, Hitler avait rétabli le service militaire et annoncé que l'Allemagne allait enfin retrouver une armée dont elle pourrait être fière. Heureux Allemands ! Tout de même, était-il possible de mépriser à ce point les clauses d'un traité ? Quel traité ? Quelles clauses ?

1. Le plébiscite avait donné les résultats suivants : pour le rattachement à l'Allemagne 477 109 voix; pour le *statu quo* 46 513 voix; et pour le rattachement à la France 2 124 voix.

Versailles et ses clauses restrictives... Allons voilà que ça recommençait ! Voilà que pour un peu, on allait se gâcher l'été à pleurer sur un traité chiffonné. C'était révoltant, à la fin. Jamais de vacances tranquilles. Et puis quand c'était pas ça, c'était autre chose. L'été d'avant... L'été dernier, déjà, l'échec de la conférence du désarmement avait soulevé des tempêtes. Parce que Roquebrune était comme une enclave britannique. Alors les Anglais de la Côte, les nobles voisins de Gabrielle en avaient fait tout un plat. Winston tempêtait à ce que l'on disait. Il considérait qu'il aurait fallu prendre le réarmement allemand de vitesse. Mais de quoi se mêlait-il ? Il n'était plus dans la course. Les troubles sociaux, la guerre... Allait-on continuer à vivre ces mots à la bouche ? Et ce qu'il fallait de paroles, ce qu'il fallait de futilité pour cacher la réalité. Gabrielle s'y employait. Que ses pyjamas de plage aient été portés partout et copiés comme une leçon apprise par cœur, que c'en fût fini des pantalons à pattes d'éléphant et qu'il faille, pour être à la mode, les porter comme Gabrielle, ni plus larges ni plus étroits que n'étaient les pantalons masculins, c'était de cela qu'étaient faites les conversations de *La Pausa*, de cela et des bals de la rentrée et des robes de soirée avec de drôles de manches mousseuses que rien ne retenait au corsage, comme des bracelets de tulle volanté, glissés au-dessus du coude. Une idée de Gabrielle... Et qu'allait-elle imaginer, à la rentrée, pour envoyer au tapis la nouvelle venue, cette Schiaparelli [1], cette espèce d'Italienne qui commençait à la harceler d'un peu trop près. Il n'était plus possible de la traiter à la légère. Elle existait. Elle lui chipait

1. Célèbre couturière née à Rome en septembre 1890, morte à Paris en novembre 1973. Elle connut une grande notoriété, entre 1930 et 1940, en apportant à la mode un peu de bizarre, et des couleurs que le souci de sobriété de Gabrielle Chanel avait jusque-là bannies. Elle marque le début d'une réaction très sensible et qui ne fit que s'accentuer dans l'après-guerre.

ses clientes. Que des femmes acceptent de porter des chapeaux de clownesses et des tenues de saltimbanques mettait Gabrielle hors d'elle. Pour la première fois en quinze ans, Gabrielle allait devoir tenir compte d'une concurrence. Mais ce serait pour après les vacances, ces problèmes-là... Alors, seulement, on mettrait les bouchées doubles.

Cela se passait durant l'été 1935, celui qui vit Iribe tomber sur le court de tennis à l'instant où Gabrielle venait l'y rejoindre. A peine s'il eut le temps d'arrêter ses yeux sur elle. Il tomba. On le releva inanimé. Il mourut dans une clinique de Menton sans avoir repris connaissance.

La Côte d'Azur dans sa splendeur estivale et là, comme au temps de la mort de Boy, le choc, une deuxième fois éprouvé.

Gabrielle souffrit à l'extrême.

Mais sans presque s'en plaindre.

Une fois de plus Misia accourut. En musicienne avertie, elle tendit vers le silence de Gabrielle une attention lucide, critique. Elle savait faire la juste part entre ce que ce silence avouait de malheur et ce qu'il en dérobait. Elle l'entendit comme il le fallait : comme un cri atroce. Quels secours Gabrielle ne reçut-elle pas de l'amie qui ne la quitta plus.

Les semaines passèrent.

Dans la chaleur rayonnante de l'août romain des hommes en chemise noire hurlaient : « Nous voulons notre place au soleil » et suaient. En fait de soleil... Mussolini leur promettait une aventure africaine. Les déclarations fracassantes qu'il fit à un représentant de la presse britannique eurent une répercussion immédiate parmi les Anglais de la Côte d'Azur. Autour de Gabrielle le doute était général. On croyait à un bluff. Et l'on commentait le *Daily Mail* avec quelque solennité.

Le 29 août 1935 s'éleva la voix de celui qui polarisait autant d'espoirs à gauche que de haines à droite : « ... Que nos officieux confrères et le gouvernement dont ils sont les interprètes, s'enfoncent bien dans la tête cette vérité pourtant simple : une fois que la guerre aura commencé en Ethiopie, nul, si rusé qu'il soit, ne sera plus maître d'en mesurer ou d'en limiter les contrecoups [1]. » Mais *Le Populaire*... Lisait-on *Le Populaire* dans ces parages ?

Et ce fut la rentrée.

Octobre tenait une bombe en réserve : l'agression italienne en Ethiopie. Décidément la saison s'annonçait mal.

Gabrielle regagna Paris. Voici qu'elle était seule à nouveau, seule pour trancher, décider, imaginer. Elle fit des projets. Elle accepta d'écouter Cocteau qui lui parlait d'une pièce qu'il se promettait d'écrire : *Œdipe roi*. Il souhaitait que Gabrielle en exécute les costumes. Jean Renoir, lui, c'était un film qu'il avait en tête : *La Règle du jeu*. Et lui aussi la voulait. « Un beau film, tu sais, avec des vedettes... Paulette Dubost, Mila Parely. » Il insistait pour qu'elle acceptât.

Ainsi chacun s'ingénia et crut guérir Gabrielle par le travail. Mais il ne faisait pas de doute, pour qui la connaissait bien, qu'elle n'était plus la même. Le bonheur mis au rang des chimères, c'était cela le changement, cela qui allait expliquer le reste.

1. *Le Populaire*, 29 août 1935 : *Nous n'acceptons pas l'idée de la guerre fatale*, Léon Blum.

III

UNE JOIE MÉMORABLE

AH ! singulière année qui s'ouvrait là, avec ses violences, ses délires et l'embellie d'avril au son des accordéons. Un peuple en liesse... Mais pour si peu de temps. Année de bout en bout imprévisible, jusque dans ses moindres événements, jusque dans cette façon qu'elle eut de porter les êtres aux limites d'eux-mêmes.

Il y eut... Mais prenons les choses par leur début, il y eut le fanatisme, atteignant en France un degré jamais égalé. Comme une folie... Il y eut Blum, tiré de sa voiture par un groupe de jeunes « patriotes », puis roué de coups. Il y eut les ouvriers d'un chantier voisin qui le sauvèrent de justesse et le portèrent à l'hôpital, le 13 février. C'était comme ça la France de 36. C'était un vieillard, adjurant ses lecteurs de débarrasser la patrie de « ce juif allemand, ce monstre de la République Démocratique » et souhaitant qu'il soit fusillé dans le dos [1], c'était cela ou pire quand on lisait : « Blum n'est ni anglais, ni allemand, ni français : il est l'Etranger. Son destin est d'être le Destructeur... Voilà l'homme dont les semelles laissent sur notre terre, l'empreinte grasse des ghettos dont il est sorti [2]. »

Il y eut, en zone rhénane, coup de force de l'armée allemande et, pour désigner le claironnant défi, les délicates trouvailles des gens de chancelleries. « Occupa-

1. Charles Maurras dans *L'Action française*, 9 avril 1935.
2. Portrait de Blum par le lieutenant-colonel Renaud dans *Solidarité française*, organe d'une ligue d'extrême droite financée par François Coty, propriétaire du *Figaro*. Depuis 1922, *Solidarité française* avait ses sections d'assaut en bottes et chemises bleues. Leur slogan était « La France aux Français. »

tion symbolique », déclara le baron Konstantin von Neurath[1] aux ambassadeurs de France et d'Angleterre, et peut-être cet homme d'une autre époque croyait-il à ce qu'il disait. Il y eut des mots aux sonorités nouvelles, des mots menaçants mais qui ne troublèrent point les habitudes anciennes. Ainsi, « Schulung » crié dans les téléphones militaires, « Schulung », par quoi il fallait comprendre que l'opération foudroyante, première d'une longue série, devait être déclenchée. « Schulung ! Schulung ! », la Reichswehr pénétrait en Rhénanie, c'était un samedi 7 mars, et les membres du Cabinet britannique respectaient la tradition du week-end.

Des diplomates modestes qui savaient tout informèrent des diplomates de haute volée qui ne voulurent rien entendre. Il y eut, dans les dépêches d'un consul de France à Cologne[2], que les casernes poussaient, les terrains d'aviation s'étendaient et que, sous couvert de fonctions civiles, les militaires arrivaient en masse. Il y eut son insistance qui demeura sans effet. Au Quai-d'Orsay des fonctionnaires méthodiques reçurent ses dépêches, les lurent puis les classèrent, mais n'en tinrent point compte.

Ah ! singulière année qui ignora jusqu'aux temps de saison ! Il pleuvait sur la France, le 26 avril 1936. Il pleuvait dur. Dans l'eau venue du ciel, certains mirent leurs espoirs : c'était jour de vote et les Français allaient rester chez eux. Or, 85 p. 100 des électeurs se présentèrent aux urnes et ce fut la victoire du Front Populaire.

« Une bourgeoisie raide de peur », fut la remarque d'un observateur étranger[3].

Dans les beaux quartiers, on attendit. Volets clos,

1. Ministre allemand des Affaires étrangères, congédié en 1937 parce que réticent devant le programme des agressions hitlériennes.

2. Jean Dobler. Fait signalé par l'historien américain William L. Shirer, *La Chute de la IIIe République*, Stock.

3. William L. Shirer, *La Chute de la IIIe République*, p. 306.

certains attendaient des déchaînements populaires qui n'eurent point lieu. Plus agressive, une dame de la bonne société attendait Blum « pour lui cracher au visage[1] ». Et une autre, moins agressive, mais tout aussi inepte, écrivit à une amie romaine : « Ma chère, il se passe à Paris des choses terribles. Mon coiffeur m'a fait attendre : *Princesse,* m'a-t-il dit, *les gens de mon espèce ont aussi quelques droits*... Voilà ce que c'est ! »

L'hostilité des milieux de la fortune était générale mais elle s'exprimait de diverses façons : à leur férocité on reconnaissait ceux dont les capitaux étaient déjà à l'étranger, à leur panique ceux qui s'étaient laissé surprendre. Tous achetèrent de l'or. Tel était, en 1936, l'état d'esprit d'une classe sociale où se recrutait l'essentiel de la clientèle de Gabrielle. Mais elle ne resta pas un seul jour derrière ses volets tirés et la maison Chanel continua, toutes portes ouvertes, à attendre une clientèle qui se terrait.

Et la Bourse s'effondra.

Ce climat, jugé calamiteux par les gens d'affaires, n'était pas moins défavorable à ceux qui voulaient imposer au pays une nouvelle politique sociale. Déjà, *ce n'était pas à la corbeille* qu'ils souhaitaient que se décidât le destin de la France. Et ils n'eurent point recours à ces *petites phrases* qui pour être entendues exigent autant d'attention qu'il en faut aux extralucides pour interpréter le marc de café. Non. Ce fut un printemps de mots simples qui s'écoutaient et se comprenaient sans que l'on ait eu, pour cela, besoin d'avoir fait des études : semaine de quarante heures, contrats collectifs, congés payés, amnistie, c'était clair, non ? Clair à des oreilles françaises, clair pour des étrangers, si clair que cela s'entendit jusque dans les bagnes de Cayenne, les prisons du Maghreb et du

1. Pertinax, *Les Fossoyeurs*, tome II, pp. 74-75.

Levant : les « politiques » s'entendaient annoncer leur libération.

Mais ce n'était qu'un commencement.

Ensuite vinrent d'autres réformes : nationalisation des industries de guerre, réforme du statut de la Banque de France, prolongation de la scolarité, etc. Tels furent les mots pour lesquels, pour la première fois dans l'histoire du pays, accéda au pouvoir un président du Conseil socialiste et juif de surcroît.

Et quand déferla la vague de mai, quand se multiplièrent les occupations d'usine, menaçant le pays dans sa vie, alors fut prononcée une autre phrase, également simple, également claire : « *Il faut non seulement savoir commencer une grève mais savoir la finir*[1]. » C'était sans équivoque. Le travail reprit, l'économie se remit en marche et l'on fêta le 14 Juillet.

Ce qui saisit le peuple de Paris ce jour-là fut une joie mémorable. A quel point la fête fut courte... Mais au-dessus de tout ce qui a été dit, au-dessus des échecs et des illusions — trois jours plus tard, la guerre d'Espagne, les malheurs qui s'ensuivirent et Dieu sait s'il y en eut, l'échéance de 39 où chacun se retrouva, qu'il fût ouvrier ou bourgeois, sous le même uniforme et dans le même emploi : celui d'un condamné à la défaite, d'un humilié — oui, en dépit de cela et du reste, rien n'empêchera jamais qu'en ce jour de juillet les ambitions légitimes des classes les plus humbles se virent satisfaites.

Cette fête ! De la Concorde à la Bastille, quatre cent mille personnes, cela faisait du monde. Aux carrefours, on s'arrachait cocardes, banderoles et les vendeuses criaient leurs offres comme au marché : « Achetez votre bonnet phrygien ! » C'était comme un bal imprévu, où tout aurait été laissé à l'improvisa-

1. Maurice Thorez dans un discours au gymnase Jean-Jaurès le 11 juin 1935.

tion. Mais existe-t-il fêtes plus belles que les fêtes du hasard ?

Harcelés de doutes, ceux qui se dérobaient au passage des cortèges, petits bourgeois, petits épargnants, s'interrogeaient : « Ce n'était donc que ça ? » Ils voyaient, ce qui s'appelle voir, ces *cochons de grévistes, ces traîtres, ces fauteurs de troubles,* ils les voyaient et ne revenaient pas de leur étonnement. S'être cachés toute une semaine de peur de tomber sous le couteau des révolutionnaires et trouver des rigolos qui portaient cocardes comme de bons conscrits et faisaient valser les filles. Qu'était-on allé croire ?... Les égorgeurs dansaient sur des airs de musette.

*

Mais Gabrielle dans la vague de mai, Gabrielle dans les grèves, seule à la tête de ses quatre mille employées ? Quelle ne fut pas son indignation !

Que les hommes se mettent en grève, soit. C'était déjà assez choquant. Mais, après tout, c'était leur affaire. Au début elle garda son sang-froid. Les automobiles, Hotchkiss, Rosengart, Panhard et Levassor, Hispano-Suiza, les cheminots, les postiers, la métallurgie, le bâtiment, les pompes à essence, les taxis, les cafés, les restaurants, tout était en grève, mais c'était affaires d'hommes. Elle pensa que les choses en resteraient là. Mais le pain ? Mais la grève des boulangers ? Les boulangers étaient des hommes.

La vague s'étendant au textile provoqua sa stupeur. L'étoffe, les tissus, le jersey, la dentelle, même s'il fallait des hommes pour en diriger la fabrication, demeuraient un article de consommation féminine. Le textile en grève, cela la touchait directement. Elle en fit une façon d'injure personnelle. On lui faisait ça ! Pouvait-elle comprendre, pouvait-elle même se douter que cette conception-là de l'autorité, cette façon de penser qui avait été celle des maîtres de l'industrie au XIXe siècle, c'était précisément cela qui était en cause ? Lui aurait-on dit que le patron de droit divin allait être la première victime des événements et que 36, dans l'Histoire, signifierait son arrêt de mort, l'aurait-elle cru ? Consentir au dialogue, rendre des comptes aux ouvriers et puis quoi encore ? Ces hommes étaient fous, se répétait-elle. Elle, femme, demeurait résolue à ne rien changer à ses méthodes de gouvernement.

Et elle ne changea rien, en effet. Elle se montra seulement plus attentive à ce que ses ouvrières soient ponctuelles et fassent preuve de plus de célérité que de coutume.

Lorsqu'elle apprit que les chefs du textile, en vrais patrons de combat, se rebellaient contre les accords Matignon, qu'ils refusaient d'appliquer les hausses de salaire, alors ils retrouvèrent auprès d'elle l'estime qu'ils avaient perdue. Elle leur adressa des encouragements. Allons ! Les hommes se ressaisissaient... C'était bon signe et leur exemple, elle n'en doutait pas, allait être suivi. Or, presque aussitôt, s'étendant aux grands magasins, la grève engloba le personnel féminin et plongea Gabrielle dans la consternation. Des femmes en grève ! Pouvait-on imaginer chose pareille ? Des vendeuses, dansant autour des comptoirs, piqueniquant dans les escaliers, tout ça au couvert des portes closes et des coupoles en verre de ces temples dorés du commerce qu'étaient le Printemps et les Galeries Lafayette, alors oui, vraiment, c'était la révolution.

Vingt ans plus tard Gabrielle tenait pour certain que la France devait son malheur à cette grève-là. Il était évident que derrière les demoiselles de magasin elle voyait *ses* vendeuses, derrière des employées passant la nuit sur leur lieu de travail, elle imaginait l'occupation de *ses* ateliers, derrière les petits bals au son des fanfares et « la Miss » donnant l'aubade aux grévistes, une possible bacchanale entre les miroirs de *son* salon. Elle alla jusqu'à soutenir que le plus choquant était que ces gens fissent grève « en rigolant », partageant en cela l'opinion des journaux qu'elle lisait à l'époque; *L'Echo de Paris* n'avait-il pas jugé que « la bonne humeur des grévistes était le plus sinistre des présages [1] » ?

Que la misère des travailleurs français ait suffi à expliquer les grèves de 36 et leur caractère spontané ? « Qu'est-ce que vous me chantez là ? » Elle faisait celle qui ne comprenait pas.

Mais elle ne se fâchait pas, ou, du moins, ne se fâchait pas encore : ce n'était là qu'affaires d'hommes.

Que ces grèves aient été une façon de chanter victoire, de fêter le droit de se syndiquer, ce qui était le cas aux U.S.A, en Allemagne et ne l'avait pas été en France avant 36, de cela non plus elle ne voulait pas convenir.

« Aux U.S.A. ? Laissez-moi donc tranquille avec vos U.S.A. ! Ce ne sont pas ces gens-là qui nous apprendront quoi que ce soit, et en tout cas pas en matière d'élégance. Ah ! la, la ! Avec des idées comme ça, vous n'irez pas loin, mon petit, c'est moi qui vous le dis... »

Tout était costume pour elle et l'écouter c'était encore entendre la voix d'Iribe.

Qu'on abordât la question des salaires et elle explosait.

« Vous allez cesser de me rebattre les oreilles avec vos sornettes ! »

Qu'au travers d'une grève, des femmes aient cherché à s'affirmer dans un pays où les salaires féminins étaient honteusement bas, la mettait hors d'elle. Elle affirmait que chez Chanel, en 1936, les salaires étaient

1. William L. Shirer, *op. cit.*, Stock, p. 302.

« tout ce qu'il y avait de convenables » et que, du reste, seule de son espèce, elle envoyait « ses arpètes les plus fragiles » prendre l'air à Mimizan.

A ce point de la discussion on passait du dialogue au monologue et il n'était plus possible de l'arrêter.

Le rouge lui montait au visage.

Elle criait : « Parce que vous croyez, vous, que tout ça était une affaire de salaire ? Eh bien, moi, je vous affirme le contraire... Les gens ont attrapé ça comme la grippe espagnole, comme les moutons attrapent le tournis. Jusqu'aux paysans... Oui, jusqu'aux paysans. Et il ne pouvait être question de salaire pour eux, hein ? Parce que la terre, elle, elle ne paye pas en salaires que je sache ! Eh bien cela ne l'a pas empêchée d'être occupée, la terre, comme les usines, comme le reste. Mais oui ! Dans le Sud-Ouest, les paysans ont occupé les vignes. Vous m'entendez ? Les vignes ! Vous ne me direz pas que ces gens-là n'étaient pas des malades ? Je vous le dis : 1936 c'est le tournis. Occuper les vignes ! Une momerie qui a à peu près autant de sens que mes ouvrières faisant le tas sur *mes* robes. Faire le tas ! C'est gracieux, non ? C'est plaisant et séduisant d'imaginer une femme dans cette position : faisant le tas. Eh bien, c'est une idée de vos U.S.A. Le *sit-down* c'est le tas. Du joli ! Non mais quelles gourdes, ces filles ! Et vous qui allez les défendre... Alors, ça ! Mes ouvrières sur le tas... »

Car là était le comble, le crime de lèse-majesté, là le geste inqualifiable : la maison Chanel avait fait la grève. Or une fois l'événement constaté, plus un mot. Gabrielle se barricadait dans sa réprobation comme ses ouvrières dans les ateliers de la rue Cambon, ce jour de juin. Inutile de l'interroger. « Fichez-moi la paix. Et taisez-vous... Vous êtes folle. Une folle ! »

Mais des témoins se souvenaient.

Un piquet de grève à deux pas du Ritz n'est pas de ces choses que l'on oublie.

Un matin, à l'heure où s'ouvraient les ateliers, une gosse en sarrau était allée coller sur la porte de la boutique une pancarte hâtivement tracée : « Occupé. » Gabrielle en fut aussitôt avertie. Celle que l'on appelait : « Madame Renard », douce personne, chargée de vérifier les comptes privés de Mademoiselle, tâche qu'elle accomplissait rue Cambon — l'arrangement, qui datait du duc, était une survivance du Faubourg, de la vie à toute bride —, « Madame Renard » donc, ne faisant pas partie du personnel s'était vu interdire l'accès de la maison. On imagine son effarement. Elle qui... Elle dont... D'un bond elle fut au Ritz. Elle ne parla que des dangers que courait Mademoiselle. Paris allait être aux mains de la pègre. Les ouvrières en furie n'auraient que la rue à traverser. Elles qui... Elles dont... Il fallait que Mademoiselle se décide à quitter la ville au plus vite. Elle avait un refuge tout trouvé : *La Pausa*. Pour sa part « Madame Renard » demandait la permission d'aller se tapir chez elle et de n'en plus bouger. Non sans avoir soigneusement veillé au remplissage de sa baignoire. Et elle conseillait à Mademoiselle d'en faire autant. Faute de mieux on aurait toujours ça à se mettre sous la dent : l'eau de la baignoire.

La terreur de Madame Renard était celle de la plupart des Parisiennes de la bourgeoisie et, dans la mesure où l'on en possédait une, toutes les baignoires de la ville étaient pleines.

Dans le courant de la matinée, les « déléguées des ateliers » demandèrent à être reçues. Ce qui équivalait à dire qu'elles s'étaient présentées à la porte du Ritz, qu'elles avaient affronté un concierge galonné et, la gorge nouée par l'émotion, fait prévenir *la patronne*. Autant d'entreprises inimaginables quinze jours auparavant.

Mademoiselle fit répondre qu'elle ignorait ce qu'était « une déléguée d'atelier » et qu'en conséquence elle ne recevrait personne. Comment recevoir quelque chose qui n'existait pas ? Du reste, elle était au lit. Mais aussitôt prête, elle irait comme chaque jour au 31 et, si l'on avait à lui parler, elle écouterait *ses* ouvrières à *son* heure.

L'avis du portier : « Il n'était pas certain qu'on la laisserait entrer. »

Réponse de Gabrielle : « C'est ce qu'on verrait. »

Elle s'habilla. Elle renonça à son tailleur de travail — ce qu'elle appelait son numéro 2 — et choisit parmi ses numéros 1 quelque chose d'adéquat, de sérieux, un petit bleu marine, et avec ça, pas mal de bijoux. Ici, intervention de la fidèle Eugénie : « Mademoiselle n'allait pas sortir ses *vrais* ? » Et pourquoi pas ? « Mademoiselle savait bien que c'était une époque à se faire écharper pour moins que ça... Mademoiselle cherchait l'incident, pas vrai ?... Mademoiselle n'était pas raisonnable. » Mais si... Elle voulait ses perles. « Mademoiselle n'allait pas se mettre son grand sautoir au moins ? » C'était exactement son intention.

Un vent d'émotion souffla sur le Ritz. Allait-*on*, n'allait-*on* pas la recevoir ?

On ne la reçut pas.

Elle parlementa longuement, fièrement. C'était non. Et la fermeté de ce « non » était une humiliation dont il fallut près de vingt ans pour effacer les traces, si tant est qu'elles s'effacèrent jamais. L'entrée de *sa* maison lui avait été interdite. Elle s'était trouvée *à la porte*. Situation pour elle plus que pour toute autre intolérable.

Les pourparlers entre Gabrielle et son personnel s'engagèrent dans un climat de vive tension. Elle commença par opposer une fin de non-recevoir aux exigences les plus modestes : salaire hebdomadaire, congés payés, horaires contrôlés, contrats de travail. A cela, Gabrielle répondit par le licenciement de trois cents ouvrières... qui ne bougèrent point. Les choses traînèrent en longueur. Gabrielle tenta une ultime manœuvre. Elle proposa de faire don de sa maison à ses ouvrières à condition d'en assurer la direction. Cadeau empoisonné que les déléguées refusèrent. L'été approchait. Ses conseillers firent remarquer à Gabrielle que si un accord n'était pas conclu avant la fin de juin, il faudrait perdre tout espoir de présenter une collection de rentrée. Alors Gabrielle céda.

Ce fut sans doute la seule occasion de sa longue carrière où Gabrielle ne parvint pas à masquer son désarroi. *Sa* maison, c'était tout ce qui lui restait. Or elle lui échappait. Pouvait-on imaginer plus grande injustice ? Ces filles, que lui voulaient-elles ? Existaient-elles seulement ? Sans Gabrielle, sans *ses* robes, elles *n'existaient* pas.

Bien sûr, abstraitement, Gabrielle savait que les filles en sarrau qu'elle ne regardait jamais, ces gamines qui cousaient toute la journée, avaient un corps, une tête, une bouche qui ne mangeait pas toujours à sa faim mais chantait volontiers dans le travail, de braves petits yeux qui apparaissaient parfois dans l'ampleur d'une robe portée à bouts de bras, et sous laquelle se tenait l'arpète, fière comme si elle eût été chargée du Saint Sacrement. Et qu'elles avaient aussi des envies, ces petites, et toutes les impatiences que l'on a à leur âge, bien sûr, abstraitement Gabrielle le savait. Elle le savait d'autant mieux que ces envies et ces impatiences avaient été les siennes. Elle avait été, jadis, l'une de ces filles penchées sur leur ouvrage à en avoir la berlue. Elle aussi avait connu l'arrogance des clientes, et l'angoisse — Ah ! zut, v'là que mon biais se débine ! — et l'arrondi rebelle, et l'aplomb flanchard. L'époque où elle se rendait à domicile, dans la région de Vichy, et où les dames de Bourbon-Busset et autres châtelaines étaient ses clientes, c'était hier dans sa mémoire. Elle avait eu vingt ans, elle aussi, et quel apprentissage...

Ses employées n'avaient rien à lui apprendre. Alors, ce « non » qu'elles lui avaient jeté au visage, c'était comme si la Gabrielle des premiers temps, comme si sa propre jeunesse l'avait reniée. Voilà que son ombre se levait du sol et la menaçait. Voilà que plus rien, dans *sa* maison, n'avait le même sens, le même aspect. Il n'était pas dans sa nature de réagir autrement. Le peuple ? Ah ! qu'on ne la fatigue pas avec ce genre de question... C'était comme de vouloir lui faire expliquer sa propre famille. Le peuple ? Comment aurait-elle pu répondre qu'elle en était, du peuple, puisque c'était là tout son secret. Et si elle ne cherchait plus à se représenter ce qui se passait dans la tête de *ses* ouvrières, c'est que pour *s'en sortir*, comme on dit, pour *sortir du peuple*, il lui avait fallu s'astreindre à un labeur acharné. Pour s'en sortir ? Pas d'autre voie que le travail. Elle y croyait profondément.

Aussi, ce qui la choquait ce n'était pas tant la grève en soi, mais que ses filles aient *cassé le métier*, foulé aux pieds *son* travail, *son* œuvre, tout ce qui incarnait, pour elle, la conquête de la respectabilité.

Comment aurait-elle pu comprendre ? Tout s'y opposait. Et par exemple, qu'en couture, l'œuvre et l'ouvrière mutuellement s'éclairent, au point qu'au bout du compte, on ne parvient plus à les dissocier. Chez Chanel, il était plus qu'ailleurs impossible de s'arracher à cette confusion. Les miroirs peut-être, qui favorisaient l'identification de l'ouvrière avec la robe en cours d'essayage, multipliant l'image ouvrière + robe, ouvrière + robe, à l'infini... Et le grand escalier aussi qui, du fait qu'il n'en existait point d'autre, servait aux ouvrières autant qu'aux clientes. Aux heures de sortie, les ateliers s'y éparpillaient par bande. On les regardait passer comme des volées de moineaux.

Mais que ce fût chez Chanel ou ailleurs, partout et toujours le parler de couture participe à cette confusion. Si le salon demande : « L'essayage de Madame X... » une fois transmis, l'ordre devient : « Manon, c'est pour *ta* robe. » Ce qui équivaut à dire : « Manon, toi qui n'oses montrer la semelle de tes souliers et qui caches sous ta blouse une jupe portée plus que de raison, quitte la pièce sous les combles, sors de tes coulisses et va jusqu'au miroitant royaume où la richissime Madame X... attend cette robe qu'elle portera et que tu ne porteras jamais, mais qui n'en est pas moins *ta* robe et le demeurera, parce qu'elle sort de tes mains, qu'elle est ton œuvre, ton chef-d'œuvre. » *Ta* robe ! Comme elle résiste au temps cette illusion ! Aujourd'hui encore l'atelier tout entier s'y complaît. *Ta* robe ! Point n'est besoin de la porter. Qu'on lui accorde seulement un rôle à cette robe et son succès sera celui des mains qui l'ont faite. Qu'à la télévision ou ailleurs passe la femme du président et, pour peu qu'elles aient taillé son manteau, c'est aux ouvrières de l'atelier Manon que la garde rend les honneurs.

Et qu'y pouvait Gabrielle, je vous le demande, qu'y pouvait-elle si, en dépit de sa notoriété, des amours tapageuses et de la fortune, restaient en elle certaines des hantises de la gamine de jadis ? De l'orpheline, de l'élève d'Obazine elle tenait le goût de l'ordre, l'horreur du gaspillage comme une leçon jamais oubliée. Est-on seul dans sa peau ? Il y a nous et puis tout ce que les autres y ont mis. En cet été 36, l'héritage de Moulins, de Vichy, celui de tante Julia autant que celui d'Iribe, pesait sur Gabrielle. Pouvait-elle s'empêcher de penser ? Iribe, qu'aurait dit Iribe de ce gâchis ? Ah ! non. Assez ! *Mes* robes ! On lui sabotait *ses* robes et Gabrielle en concevait une accablante amertume.

Longtemps elle en voulut à ses ouvrières, regrettant de ne pouvoir faire la seule chose dont elle eût envie : mettre tout ce beau monde à la porte et tirer le rideau de fer. Fermer, comme à Narbonne, au temps de l'enfant Reverdy, ce cabaretier qui se refusait à servir les militaires, c'était son droit, non ? Mais impossible... Schiaparelli la talonnait. Gabrielle se serait-elle accordé les moindres loisirs qu'à peine sa maison fermée, l'autre en aurait profité. Laisser la scène à « Schiap »... Gabrielle ne s'y résignait pas.

Et puis l'Expo. Car il y avait encore ça, l'Expo qui sentait fort la guerre, avec le pavillon de l'Allemagne terminé et placé comme par insulte à proximité des pavillons de la France et de l'Empire encore dans leurs plâtras, l'Expo et le pavillon soviétique terminé également, l'Expo et son retard, qui n'avait pu être rattrapé, l'Expo inaugurée le 24 mai, alors que c'était pour la fête du Travail qu'étaient prévus fanfares et rubans à couper, un échec du Front Populaire, des grèves, et encore des grèves que la droite daubait, l'Expo, ses grandes eaux et sa mélancolie de fin du monde, l'Expo du couchant, ses lieux de plaisir, ses défilés de mannequins, ses chefs sous leurs toques, ses sommeliers en tablier noir, ses restaurants étalés tous les cent mètres, comme si l'on ne pouvait compter désormais que sur la mangeaille et la gloire de nos vins pour faire recette : l'Exposition des Arts et Techniques, à Paris, en 1937.

Or on misait sur son succès pour accélérer la relance économique. Gabrielle était sans cesse conviée à quantité de manifestations, fêtes, inaugurations... Se montrer ? Une obligation. Il fallait se montrer comme s'étaient montrées Adrienne et la petite Antoinette, à l'époque de la première boutique, à Deauville. Mais où étaient-elles ? Par moments, c'était singulier, elles lui manquaient horriblement. A elles trois... Ce qu'elles lui en auraient fait voir à la « Schiap » ! Mais Gabrielle était seule désormais. Alors se montrer ? Un terrain sur lequel on la donnait gagnante.

L'Expo fut pour Gabrielle l'occasion de se faire une cour de photographes et de journalistes. Non, elle ne se laisserait pas abattre... Effectivement, on ne vit jamais Gabrielle plus jolie qu'un soir à l'Expo, au bras de Christian Bérard. Sa robe était si légère que l'on se demandait ce qui, autour des hanches de Gabrielle, faisait cette écume pâle, ce nuage de fleurs. C'était l'un de ses secrets, la légèreté. Elle l'affichait comme un défi, à l'autre, à l'Italienne, comme une sorcellerie dont elle eût été seule capable. Non, elle ne se laisserait pas abattre et la voilà, allant par les rues de l'Expo sous ses voiles d'organdi, portant un diadème de fleurs comme Diane son croissant, tout entière dédiée à l'idée de vaincre. Sans le contraste entre le regard si gai et ce que l'on nommerait du nom de « sourire », si ce n'était que les coins de la bouche réprimaient mal l'aveu, descendaient, tombaient que c'était à en pleurer, on aurait pu croire Gabrielle guérie. Elle ne l'avait jamais été moins.

Elle se déguisa, cependant. On la vit en *Bel Indifférent*, chez le comte Etienne de Beaumont, dont c'était le bal de printemps. En été, à *La Pausa*, on la vit en pantalon de flanelle, grimpant aux arbres, plus souple qu'un chat. L'année suivante, avec Misia, Dali, Auric, elle fêta la renaissance de l'esprit « Ballets russes » avec l'inégalable Danilova. C'était à Monte-Carlo [1]. On la vit entrant à l'hôtel de Paris, main dans la main avec le grand-duc Dimitri Pavlovitch. A Paris, toujours avec Misia, elles allèrent à l'ouverture de l'Athénée et Jouvet leur fit fête et Stravinski, le complice des étés à *Bel Respiro*, s'assit auprès de Gabrielle avec des airs attendris. Ce fut un bref retour aux « années slaves », comme ça, pour rien, pour la mélancolie... Mais le chapeau qu'elle portait n'était pas

1. Bénéficiant du patronage de la Principauté, René Blum, transfuge des *Ballets russes du colonel de Basil*, fonda en 1937 une compagnie dont les étoiles étaient formées à l'école russe, et qui fut autorisée à porter le nom de *Ballet de Monte-Carlo*.

joli. Et Gabrielle souriait et souriait encore à ses amis, aux photographes, comme elle aurait tenu à deux mains un masque pressé sur son visage.

Quelle détresse ! L'inspiration la fuyait. La chance aussi peut-être. Elle consulta une voyante. La femme lui conseilla « le travail ». Cela ne lui apprenait rien. Mais parce qu'elle s'ébahissait facilement devant la beauté des hommes, quand un jeune comédien, un inconnu, lui demanda les costumes de cette pièce dont Cocteau... Vous savez, *Œdipe roi*... Elle accepta. Or on douterait presque que les costumes soient d'elle tant sont laids ces bandages qui faisaient de chaque comédien, selon qu'il était grand et blanc ou rose et rond, une façon de grand blessé ou de bébé dans ses langes. Il fallait avoir la beauté d'un jeune dieu pour porter ça, il fallait être Jean Marais. Mais à part lui... C'était pathétique. Des bonnets phrygiens qui vous avaient des airs de chaussettes, Lady Abdy portant deux rangs de bobines de fil en guise de collier, tout ça d'un affligeant... La presse, comme le public, ne se fit pas faute de le dire.

Le 21 septembre 1938, les puissances occidentales abandonnèrent la Tchécoslovaquie à son destin. A Prague, au palais du Hradcany, Benès fut éveillé en sursaut à deux heures du matin. Les gouvernements de Londres et de Paris l'informaient de leur trahison et le successeur de Mazaryk ne put s'empêcher de sangloter. Les Tchèques étaient seuls. Dans le quartier tranquille de Bubenec un général [1] déchira son passeport français et s'enrôla dans l'armée tchèque. A Londres, les journaux du matin publièrent une déclaration qui leur avait été faite la veille, à minuit : « Le partage de la Tchécoslovaquie sous la pression de l'Angleterre et de la France, équivaut à la reddition totale des démocraties occidentales aux menaces de la

1. Le général Faucher, chef de la mission militaire française.

force nazie. Un tel effondrement n'apportera la paix et la sécurité ni à l'Angleterre ni à la France. » Une déclaration de Churchill. « Tiens, tiens ! encore le vieux Winston ! » comme aurait dit Chanel. Elle disait aussi : « Il ressemble à ces grosses poupées qui ont du lest dans les talons. Plus on les abat plus elles se relèvent. » Et parce qu'elle aussi était capable de sursauts surprenants, malgré ce qu'elle traînait en elle, Gabrielle sut encore jouer de sa virtuosité. Des robes longues en particulier lui valurent un grand succès. Les robes de l'été 39 : des robes gitanes. Le curieux était que la plus admirée affichait une gamme de tons tout autre que gitane. Qu'il y ait eu souvenir ? C'était son secret... Mais nul doute, ces robes étaient bel et bien tricolores. Quelques touches à peine, un rien de bleu dans la jupe, de rouge au corsage, il y avait là comme une allusion discrète aux couleurs chères à Iribe, et aux temps si proches où Gabrielle posait pour *Le Témoin*.

Telles furent les robes du dernier printemps où l'on dansa.

Encore quelques semaines de rebuffades, d'injures acceptées, de cris, de discours hystériques, de vociférations, et, soudain, un dimanche de septembre ce fut la guerre. La « drôle de guerre », soit, mais de cela personne ne pouvait se douter.

Au milieu de la confusion, de la stupéfaction, et tandis que des millions de Français obéissaient à l'ordre de mobilisation générale, la décision que prit Gabrielle lui valut la réprobation de ses confrères, une sorte de blâme exprimé sans ambages. Chanel annonça la fermeture de Chanel. Elle licenciait sans préavis la totalité de ses ouvrières. Seule la boutique resterait ouverte. On vit là une manière de vengeance, l'occasion qu'elle attendait, en somme, depuis 36.

IV

FAIRE LA MORTE

CE fut ce que dans les milieux de la couture, où l'exagération fait partie du langage, on appela la trahison de Chanel, sa désertion. Mais était-ce bien ça ? Voire... Encore faudrait-il se demander s'il lui était possible de se considérer liée à des ouvrières qui, elles, il y avait de cela à peine trois ans... Faire fi de cette obligation, c'était cela déserter dans le langage des gens ? Et puis déserter... pourquoi pas après tout ? Tout l'avait quitté. A son tour de s'en aller. Et que l'on appelle cela déserter, eh bien soit ! Cela ne lui faisait ni chaud, ni froid.

Elle fut honnie, vilipendée. La Chambre syndicale tenta une démarche. Les négociateurs avaient ordre de l'émouvoir : qu'elle renonce à fermer sa maison, ils l'en suppliaient. Si elle ne se résignait pas, ce geste en faveur de ses ouvrières, qu'elle le fasse pour sa clientèle. La clientèle des temps de guerre ? Elle l'avait déjà servie une fois et n'était pas prête à recommencer. Il y avait une raison à cela : à l'époque, c'était en 1914, elle avait Boy, cette fois elle était seule, mais de cela elle ne pouvait s'expliquer avec ces gens. Tout ce qu'elle trouva à dire fut : « Peuh », avec un dédain infini. On insista. Mais de cette clientèle elle ne voulait plus. Alors les pourparlers s'engagèrent sur une autre voie. Peut-être qu'en la flattant...

On lui affirma que pour le prestige de Paris, il fallait qu'elle restât. Il y aurait des galas, des défilés, on allait en organiser des quantités au profit des combattants. Or, quelle signification aurait un gala sans Chanel ? Elle répondit qu'elle avait déjà participé à ces sortes de réjouissances à Deauville, il y avait de cela vingt-cinq ans, et qu'on ne l'y reprendrait plus. Elle n'en resta pas là et ajouta sur un ton d'ironie glaciale que cette fois, *quelque chose* lui disait qu'on sombrerait dans le ridicule. « La Haute Couture au service des pioupious ? Très peu pour moi, merci. » Effarés, ses interlocuteurs essayèrent de la tenter par le travail. Les commandes ? Elle en aurait sûrement, lui dit-on. Ainsi les tenues d'alerte... Elle les avait déjà faites en 1916. Si les femmes en voulaient d'autres, elles n'avaient qu'à s'adresser à leurs mères. « Sûr que les mamans se souviendraient ! Et l'on n'avait pas besoin de Chanel pour ça. » Alors on lui donna Poiret en exemple : faire comme lui durant l'autre guerre, se dévouer, imaginer de nouvelles tenues pour les officiers, habiller les infirmières. On ne pouvait tomber plus mal. « Moi ! s'écria-t-elle. Vous voulez rire ! Moi ! Habiller ces femmes ! Merci bien. En 14, déjà, elles me levaient le cœur. D'une incompétence notoire... Je suis sûre qu'elles ont achevé un tas de p'tits gars qui, sans elles, seraient aujourd'hui vivants et heureux. » Qu'on la laisse tranquille avec tout ça. La guerre était une affaire d'hommes. C'était bon pour un gros patapouf comme Poiret, ces propositions. C'était de l'ouvrage pour lui, ça, « Il n'est pas mort que je sache ? » Bon. Eh bien, qu'on lui téléphone ! Un mégalomane de son espèce ne pouvait que s'offrir à rééquiper l'Armée française tout entière et de pied en cap. Quant à elle, sa décision était sans appel, elle quittait tout et elle fermait, quoi qu'il advienne. Elle répéta *quoi qu'il advienne* et aussi que personne ne réussirait à la faire travailler contre son gré; non, personne.

Le cabaretier de Narbonne, n'est-ce pas ? Il avait fait école. Car ce qui gouvernait Gabrielle venait d'un passé lointain : c'était la *testardise* cévenole, et dans ce *quelque chose* qui tout à coup l'avertissait, la magie paysanne, ce qui force un cultivateur à lever le nez bien avant que ne tombe la première goutte de pluie.

Or, Gabrielle en était certaine : ce qui se préparait n'allait pas être un temps à robes.

*

Il y eut quelqu'un cependant qui l'approuva.

Quand Gabrielle disait : « Ce n'est pas un temps à robes », Reverdy partageait son avis. Sans doute leurs raisons n'étaient-elles en rien les mêmes, mais qu'importe... A mesure qu'elle sentit, autour d'elle, croître l'hostilité, elle eut au moins ça pour la réconforter : dans sa retraite de Solesmes, Reverdy pensait comme elle. Lui aussi disait que la seule chose à faire, en pareilles circonstances, était de se terrer.

Du reste, un an plus tard, lorsque les Allemands envahirent la France et que, passant par Solesmes, il y en eut qui s'introduisirent dans le petit jardin de Reverdy, son jardin de curé, et que des militaires volèrent des légumes, puis s'introduisirent dans sa maison, que fit-il ? Il décida qu'il ne lui était plus possible désormais de l'habiter. Ce qu'il fallait ? Ne plus *voir* les Allemands, ne plus *les* voir jamais et pour cela ne plus *voir* ce qu'ils avaient *vu*. Son lieu de travail ? Sa maison ? Il vendit tout précipitamment et aménagea une grange dont il fit murer les fenêtres sur rue. Son jardin ? Là il risquait d'*en* voir passer. Il décida de faire hausser les murs. C'était un temps ni à voir ni à être vu.

Quand on évoquait cet épisode de la vie de Reverdy, Gabrielle disait brièvement : « Nous nous ressemblions. » Et d'une certaine façon c'était vrai.

La première fois que Reverdy vint à Paris — c'était dans les premiers mois de l'Occupation — rencontrant Georges Herment, il s'écria : « Comment ? Les Allemands sont là et vous pouvez écrire ? »

La maison Chanel était fermée et Gabrielle invisible.

Où était-elle ? Où se cachait-elle ? Elle était à l'hôtel

du Pèlerin dans un petit village des Basses-Pyrénées. A Corbères... Là s'était réfugiée la famille de son neveu.

Reverdy n'allait la revoir de longtemps.

*

Mais Gabrielle poussa plus loin son désir de rupture. En certains moments de fragilité, la détresse prend le pas sur la raison et suscite des réactions imprévisibles. On connaît le cas de cette lionne du Tchad qui, à peine capturée, se mit en devoir de se dévorer les pattes. C'est presque ce que fit Gabrielle rompant les derniers liens familiaux qui lui restaient. Ah ! le destin exigeait que sa vie fût un désert, que l'homme qu'elle aimait lui fût arraché ! Eh bien, le destin verrait ! En fait de désert, elle ne se voulait pas en reste. Plus d'amant; deux de ses sœurs étaient mortes; il lui restait le fils de Julia. C'était un garçon poli, montrable, sur l'éducation duquel, depuis le temps de Boy, elle veillait. Celui-là, elle ne l'abandonnerait pas. Mais pour ce qui était de ses frères : elle allait rompre avec eux par sa seule volonté.

La lettre brutale qu'elle écrivit à Lucien ne peut s'expliquer que par un désir de n'être *rien* pour *personne*. A ceci près, cependant, que là encore se révélaient ses origines, car « fermer » cela signifiait ne plus « gagner » et, bien qu'elle fût énormément riche, cela entraînait chez elle « la peur de manquer », crainte ancestrale, vieille comme la paysannerie. Rompre avec ses frères c'était à coup sûr « faire des économies ».

La lettre que reçut Lucien en octobre 1939 pouvait tout laisser supposer : faillite, ruine totale...

« Je suis très désolée d'avoir à t'annoncer cette assez triste nouvelle. Mais la maison étant fermée me voilà moi-même presque dans la misère... Tu ne peux plus compter sur rien de moi tant que les circonstances seront les mêmes [1]. » Voilà, elle cessait de lui verser une pension. Lucien en fut profondément affecté. Il n'était plus temps de regretter son adieu au commerce, les champs de foire abandonnés, la succession des commerçants refusée, tout cela pour obéir à Gabrielle. Non, il n'était plus temps. Pauvre Lucien ! Il aurait mieux fait de se fier à sa femme et continuer à travailler, que cela plût ou non à Gabrielle.

Et maintenant, voilà qu'elle était dans la misère... Ses économies, c'était tout ce qui restait à Lucien, vivre de ses économies... Au lieu de quoi, il écrivit à Gabrielle et les mit à sa disposition. À son tour de lui adresser des mandats. Que pensa-t-elle ? Fut-elle touchée ? Elle ne revit jamais Lucien [2].

Mais Adrienne était là dans le voisinage de Clermont, toujours aussi « famille » bien que devenue châtelaine, et toujours aussi bonne. N'avait-elle pas recueilli l'infortunée ballerine du théâtre de la Monnaie, la petite amie du beau d'Espous ? Il était mort. Victime d'une sorte de veuvage avant que d'avoir été épousée, son « irrégulière » avait été promue par Adrienne au rang de dame de compagnie. C'est qu'elle n'éprouvait aucune honte de son passé, Adrienne, la douce et tendre Adrienne...

Le château où elle vécut devint le lieu de vacances de certains de ses neveux, d'autres, comme Lucien, y allèrent en visite. Sans doute laissa-t-elle entendre à ce dernier, ne fût-ce que pour apaiser ses craintes, que Gabrielle n'était peut-être pas aussi ruinée qu'elle le prétendait.

1. La lettre porte l'adresse du 160, bd Malesherbes, l'appartement que lui avait cédé Balsan, son premier atelier qu'elle avait toujours gardé et qui fut la seule adresse mentionnée sur les mandats qu'elle envoyait à ses frères.
2. Il mourut en mars 1941.

Alphonse, dans son village de Valleraugue, reçut un message de même nature. Finies les voitures, finie la pension, finis les voyages à Paris... Gabrielle n'avait plus le rond. Du reste, depuis la fin du Faubourg et sa rupture avec le duc de Westminster, ses relations avec Alphonse s'étaient espacées. Cette fois ce fut bien autre chose. Il fallait cesser de penser à Gabrielle comme à un recours suprême. Mais Alphonse avait une autre nature que Lucien. « Ma Gaby, te voilà dans la dèche. Cela devait arriver », lui écrivit-il. Elle avait mené trop grand train. Alphonse ne disposait que de ressources modestes mais il n'allait pas se mettre martel en tête pour autant. Il se contenta de gérer son café-tabac. Lui aussi mourut sans avoir revu sa sœur. [1]

Dix ans, quinze ans plus tard, il y eut, à Valleraugue, des malheurs dont on informa Gabrielle. Quand Yvan [2] s'en alla de la poitrine laissant plusieurs orphelins, Gabrielle demeura muette. Il y eut aussi des mariages, des naissances, des événements heureux, et cela longtemps après le « come-back » de Gabrielle. Mais elle continua à faire la morte.

Un jour les petites montèrent à Paris, les filles d'Alphonse, Gabrielle et Antoinette, celles qui avaient recueilli les enfants d'Yvan. Elles se présentèrent au 31, un jour où il y avait foule dans les salons. Elles n'avaient rien à demander. Elles ne voulaient que dire bonjour et peut-être voir... Oui, voir les robes... Les robes de la tante Gabrielle...

On leur répondit que leur tante n'était pas là, et que pour ce qui était des robes il fallait une permission. Les Chanel de Valleraugue se le tinrent pour dit. Par politesse elles s'enquérirent encore de l'heure et du jour où leur tante serait à Paris et répétèrent

1. Il mourut en février 1953.
2. Le fils aîné d'Alphonse.

qu'elles n'avaient rien à lui demander. Reviendrait-elle ? On n'en savait rien.

Elles s'en retournèrent à Valleraugue humiliées et décidées à ne plus jamais revenir.

Peut-être que leurs deux noms associés, Gabrielle et Antoinette, peut-être que c'était ça qu'elle n'avait pu supporter. Mais que ce fût pour une raison ou pour l'autre, à dater du mois d'octobre 1939, Gabrielle considéra qu'elle n'avait plus de famille dans les Cévennes, et personne en Auvergne. Plus rien !

LES ANNÉES ALLEMANDES
1940-1945

« L'espace et le temps ont sur le mot *trahison* des influences diverses. »

YOURI TYNIANOV,
La Mort du Vazir-Moukhtar.

I

VON D...

Il y a mille manières d'entendre qu'un homme est beau. D'évidence, à la façon dont on en parle, la beauté a compté plus que pour un autre dans la vie de von D... En conviennent ceux-là qui ne l'aiment pas ou l'ont désaimé, ceux ou celles qui l'ont redouté ou méprisé. Et que l'on n'aille point en conclure que l'auteur partage le moins du monde ce mépris. Limitons-nous à en prendre note, tout en convenant qu'il est, le plus souvent, le fait des maîtresses que von D... a abandonnées. Qu'ajouter à cela ? Qu'on aurait mauvaise grâce à lui en tenir rigueur. C'est là le propre des séducteurs. A tort ou à raison, ils sont toujours les méprisés de quelqu'un.

Qu'il n'était pas d'un modèle courant, voilà encore ce que personne ne nie. Von D... a laissé le souvenir d'un homme de haute taille, fin et élancé. Là, tous les témoignages concordent : il était grand, très grand. Ajoutons : léger. Sans quoi, quel sens donner au surnom qu'il reçut, *Spatz*, en français *Moineau* ? Curieux, si l'on songe que fut désigné ainsi un gaillard d'une stature peu commune et qui, à l'époque de ce récit, n'était plus un gamin. D'autres ajoutent : peu sérieux et l'on surprendrait le lecteur, tout en donnant à ce jugement son poids, si l'on dévoilait de quelles hautes personnalités allemandes il émane. Mais celles-ci ayant manifesté le désir de n'être point nommées, force nous est, à nouveau, de nous limiter à prendre note : von D... n'était pas seulement léger, il n'était pas sérieux. Cela va souvent ensemble et, dans l'ordre des succès féminins, est de peu d'inconvénient. Nous en savons plus d'une qui a perdu sa vie à l'attendre. C'est que certaines sociétés, parvenues à un haut degré d'usure, sont plus que d'autres tributaires des singuliers sortilèges de ces... disons de ces *moineaux*-là.

La famille von D... était de bonne noblesse, sans plus. Des hobereaux du Hanovre. Son père avait contracté mariage avec une Anglaise plus riche et mieux née que lui. Ce qui explique que Spatz se targuât volontiers d'une ascendance britannique à laquelle il devait une sorte de cosmopolitisme pour lequel il était parfaitement fait. Il ne manquait pas non plus d'une certaine instruction. Ainsi il parlait l'anglais, le français et écrivait aisément dans les deux langues, si l'on en juge par quelques spécimens de sa correspondance amoureuse, où l'on voit l'épistolier abandonner l'anglais pour le français, ou vice versa, selon qu'une langue ou l'autre se prêtait mieux à traduire son sentiment : « Je t'embrasse comme toujours et pour toujours. Love. Ton Spatz. » Telle est la formule qu'il utilisa le plus fréquemment. Von D... a eu, en effet, maintes occasions de s'en servir. C'est qu'il plaisait. Il plaisait follement et ne fut jamais en mal de conquêtes.

Il avait reçu le baptême du feu en 1914, sur le front russe, à l'époque où il était lieutenant au Royal Uhlans [1]. Guillaume II fut le chef de ce régiment, à forte densité hanovrienne, où servait également M. von D... père. Rien d'étonnant à cela. Il arrivait aux hobereaux de faire la guerre en famille, les régiments respectant, pour le recrutement de leurs officiers, des méthodes vieilles de plusieurs siècles qu'il

1. Königs-Ulanen-Regiment, numéro 13.

leur eût été pénible de modifier. On reconnaissait, comme une évidence, que la véritable fraternité d'armes ne s'établissait qu'entre gens du même monde. Et il en allait de même pour les mariages. Or l'on n'eut qu'à se féliciter du choix que, dans sa vingt-cinquième année environ, Spatz fit d'une demoiselle de bonne naissance, de belle santé et qui répondait au prénom de Maximilienne. Tout cela fort décent. On ne s'avisa que plus tard qu'il était déplorable que ladite Maximilienne eût, en plus de ses moyens de vie et de ses rares qualités, quelque peu de sang juif. Ce n'était pas un inconvénient dont on pouvait faire bon marché. Aussi, inutile de se demander pourquoi le mariage fut de courte durée. Spatz divorça en 1935. Non qu'il n'eût point d'amitié pour Maximilienne, ce serait trop dire. Mais pour peu que l'on eût de l'ambition, enfin pour peu qu'on fût Allemand, il était parfaitement incommode d'être en puissance d'une épouse qui fût un tant soit peu juive. Et puis, même s'il y eut dans son pays des gens pour juger ce divorce d'une rare lâcheté, on peut aussi se dire que, juive ou pas, Maximilienne, la pauvre... Parce que pour ce qui était de la tromper, Spatz était un peu là.

L'ennui était que notre jeune homme manifestait moins de goût pour le travail que pour l'amusement. En outre, il avait tendance à dépenser largement et parfois plus qu'il n'avait. Détail d'importance, comme on le devine. Car de là vint tout le mal. Mais à l'époque et dans le milieu qui était sien, cela ne choquait guère. L'inactivité et même une certaine indolence se portaient mieux qu'aujourd'hui.

Les premiers séjours de Spatz en France se situent autour de 1928. Un von D..., touriste, fit grand usage du Train bleu. Dans le mystère acajou de ses cabines, entre les marqueteries de René Prou et les accessoires de Lalique, il laissa une traînée de feu au cœur de plus d'une dame. Il est vrai qu'il était un compagnon flatteur et que doué comme il l'était !... On l'aurait fort bien vu figurant parmi les passagers de l'autre *Train bleu*, ce ballet qu'avait monté Diaghilev quelques années auparavant. Car Spatz, version allemande de *Beau Gosse*, les cheveux plaqués mais blonds, l'œil non point de velours mais d'eau pâle, était, comme ce Don Juan des plages qu'avait si bien incarné Anton Dolin, un sportif accompli.

L'octobre de 1933 vit revenir à Paris un von D... fonctionnaire. Il prit un appartement au Champ-de-Mars et s'installa dans un emploi qui lui laissait des loisirs. Maximilienne n'était pas encore répudiée. Spatz se disait attaché à l'ambassade d'Allemagne, ce dont personne ne douta. Pour les gens, un physique discipliné, de la prestance, une épouse bien née, un poste d'attaché, un bureau dans une ambassade, le tout était d'un diplomate. Et comme von D... n'en disconvenait pas, on lui fit grand accueil dans la bonne société. On serait tenté de remarquer que l'année où le pouvoir nazi était instauré en Allemagne, l'année où le Reichstag brûlait, où le *Horst Wessel Lied* remplaçait peu ou prou le *Deutschland über alles*, n'était peut-être pas l'année rêvée pour ouvrir toute grande sa maison au premier Allemand venu. Mais des esprits plus ouverts pourront en juger différemment et établiront, sans qu'il soit possible de les contredire, qu'en pareilles circonstances on ne saurait penser à tout... Or Spatz dansait à merveille. On se l'arracha.

Ce qui n'empêcha point qu'il y eut d'autres gens, en d'autres milieux, qui s'intéressèrent moins à ce qui le rendait irrésistible qu'aux raisons, toutes de parade, de sa présence en France. Spatz était à peine installé qu'il suscitait l'attention des services du contre-espionnage français. Ce qui tendrait à prouver qu'il était ou dangereusement imprudent ou remarquablement maladroit, choses, dans un métier tel que le sien, également lourdes de conséquences.

Jusqu'à quel point les services français furent-ils informés de la nature des menées de Spatz à Paris ? C'est ce que nous ne saurons jamais. Par contre certaines archives de la République fédérale renseignent suffisamment, sinon sur l'ampleur de sa mission, du moins sur celui qui en fut l'initiateur. *Hans Gunther von D... né à Hanovre le 15 décembre 1896, était chargé de mission par le ministère de la Propagande du Reich, sous couvert d'un emploi d'attaché de presse. Ses activités à Paris ont fait l'objet d'un contrat de service privé d'une durée d'un an qui entra en vigueur le 17 octobre 1933.* Le premier lieutenant de Hitler, l'orchestrateur des fastes du IIIe Reich, le spécialiste de l'intoxication des masses et des parades dans le foisonnement des bannières, c'était lui l'employeur de Spatz, c'était le sinistre petit homme auquel il avait fallu moins de dix mois pour mettre en place tout l'appareil de la propagande nazie. Spatz était aux ordres du docteur Goebbels.

Rappelé à la date d'expiration de son contrat, Spatz retourna en Allemagne et en revint presque aussitôt. Il n'existe aucune preuve que son contrat ait été renouvelé. En revanche tout tendrait à prouver qu'il ne le fut point. A partir de 1934, von D... en avait fini avec la propagande. Il avait opté pour une activité frappée d'indignité dans l'esprit des peuples latins, mais qui jouit, en pays anglo-saxons, d'une considération certaine jusque dans la meilleure société, pour une activité qui se nomme Intelligence à Londres et espionnage à Paris.

Qu'à partir de cette date le mystère s'épaississe autour de la personne de von D..., qu'il ne figure dans aucun des dossiers où étaient en droit de le trouver tant d'éminents spécialistes rompus aux plus modernes techniques de la recherche — et l'on sait quelle froide passion les Allemands apportent à ces sortes de tâches —, que tant de professeurs, soucieux d'apporter leur aide et de ne point laisser dans l'ombre ce qui, ici, concerne leur pays, aient été contraints de constater que le reste de la carrière de von D... est, selon leurs propres termes, « silence, honte (de l'historien) et mystère[1] », que l'on ne trouve trace, dans les archives militaires, de son passage dans l'armée, à croire qu'il n'y fut ni lieutenant ni uhlan aux ordres de feu le Kaiser, que les archives politiques passent ses activités en France sous silence, alors qu'il devrait y figurer en bonne place, car il ne fait guère de doute qu'à partir de 1937, et en plus de divers autres emplois civils ou clandestins, von D... fut à Paris ce que le prince Max-Egon de Hohenlohe Langenburg[2] était à Madrid et le baron de Turkheim à Londres, soit un des hommes liges du national-socialisme, qu'enfin les « ex-membres de l'Abwehr[3] », qui tous ensemble forment une petite compagnie des plus unies, publiant un surprenant bulletin[4] où se trouvent consignés aussi bien leurs moindres actions que leurs exploits les plus notables, que cette honorable société, dis-je, jure ses grands dieux que jamais un dénommé von D... n'a compté parmi ses membres, et nous n'avons aucune raison de mettre sa parole en doute, tout cela prouve assez quel excellent espion fut notre homme. Car enfin, qu'il n'ait laissé trace de ses activités, ni dans les écrits ni dans les mémoires allemandes, ne constitue pas une raison suffisante pour en déduire que les enquêtes du contre-espionnage français

1. Lettre à l'auteur du Pr. Dr. Eberhardt Jäckel, de l'université de Stuttgart, dont les ouvrages *La France dans l'Europe d'Hitler* (Fayard), et *Hitler idéologue* (Calmann-Lévy) font autorité.

2. C'est lui qui fut chargé de « guider » Lord Runciman à travers le pays sudète et de l' « informer », à l'époque où se préparait le putsch allemand.

3. Service de renseignement de l'Armée allemande. Organisme exclusivement militaire qui entra plus d'une fois en lutte ouverte avec la *Geheime Staatspolizei* (ou Police secrète d'État) plus connue sous le nom de Gestapo.

4. *Die Nachhut*, Informationsorgan für Angehörige der ehemaligen Militärischen Abwehr.

étaient du vent. Si von D..., comme d'aucuns le prétendent, fut bien aux ordres d'un certain colonel Waag (nom qui contient tant d'incertitude et de... vague qu'un espion ne saurait qu'en tirer vanité), s'il fut l'objet d'un arrêté d'expulsion aussitôt la guerre terminée, mesure qui n'est toujours pas levée, c'est sans doute qu'il ne s'était pas limité, durant les nombreuses années qu'il vécut en France, à faire le moineau et à picorer çà et là dans le cœur des dames.

Lorsque l'on sait ce qu'était l'armée d'espions, d'indicateurs, d'agents doubles ou triples, d'hommes de main plus ou moins assermentés, que représentait l'Office central de Sécurité du Reich [1] et que l'on prend conscience de la lutte sans merci qui opposa ses dirigeants les uns aux autres, et cela dès 1942, on sait aussi que nul ne peut dire, en dehors de von D... lui-même, à quel rouage précis de l'énorme appareil il se rattachait.

*

Le 26 août 1939, à dix-neuf heures, l'ambassadeur de France à Berlin fit auprès de Hitler une ultime tentative pour qu'il renonçât à intervenir à Dantzig. Et il est un fait que le représentant de la France sut inspirer à Hitler des scrupules qui ne lui étaient pas habituels. « Ah ! les femmes et les enfants... J'ai souvent pensé à eux [2] ! », murmura-t-il. Cela tranchait singulièrement avec les scènes de rage dont le Führer avait jusque-là gratifié ses interlocuteurs. Mais était-ce une hésitation ? Hitler se reprit presque aussitôt.

Joachim von Ribbentrop, lui, avait tout au long de

1. Institué en 1939 par un décret de Himmler le R.S.H.A. (Office central de sécurité du Reich) rassemblait non seulement la Gestapo et la S.D. (Services de Sécurité), mais la Police criminelle et tous les services de renseignements nazis à l'étranger.

2. Robert Coulondre, *De Staline à Hitler, Souvenirs de deux ambassades*, Paris, 1950.

l'entretien montré le même « visage de pierre [1] ».

Cinq jours plus tard, les scrupules du Führer, si tant est qu'il en eut jamais, n'étaient plus qu'un de ces brefs moments de l'histoire dont les ambassadeurs doués savent en quelques lignes relater l'essentiel. « J'ai ému Hitler peut-être. Mais je ne l'ai pas fait changer d'avis [2] », avait télégraphié M. Coulondre. Et en effet, son entretien avec Hitler fut le dernier contact diplomatique entre la France et l'Allemagne.

Le 31 août était lancée *la directive n° 1 pour la conduite de la guerre*. La date de l'attaque était fixée au 1er septembre 1939, l'heure était 4 h 45, le tout, *très secret*, était signé Adolf Hitler.

Et von D... reçut de l'homme « au visage de pierre » l'ordre de quitter Paris.

Il alla en avertir sa maîtresse. Pour ce qui est de l'identité de celle qui occupait alors sa vie, nous sommes contraint à nous borner à son seul prénom et en le travestissant légèrement : Elena. Car cette imprudente, de très ancienne lignée — au demeurant une belle femme et qui se porte on ne peut mieux — pour avoir eu de l'amour une vue peut-être trop utopique, s'attira tant d'ennuis que nous nous en voudrions de lui en occasionner davantage en la mêlant nommément à ce récit.

A l'instant de lui dire adieu, von D... affirma qu'il ne se résignerait pas à être mêlé à une aventure sanglante. Pacifiste, lui ? C'était surprenant, mais comment en douter ? Cette guerre, répétait-il, il ne la ferait pas. Celle à qui il se confiait ignorait ce qui n'était, aux yeux des services de renseignement, qu'un secret de polichinelle. Elle s'offrit à l'aider. Il souhaitait gagner la Suisse et n'en plus bouger. Pouvait-elle

1. Robert Coulondre, *De Staline à Hitler. Souvenirs de deux ambassades*, Paris, 1950.

2. *Le Livre Jaune français, Documents diplomatiques*, 1938-1939, Ministère des Affaires étrangères.

l'adresser à des amis sûrs qui accepteraient de l'accueillir ? Elle fit ce qu'il lui demandait et von D... quitta la France en direction d'un pays avec lequel nos relations n'étaient nullement altérées.

Le voici donc, en pays neutre, disposant d'une boîte aux lettres et d'une adresse à laquelle le courrier de France parvenait sans difficulté. Liberté dont l'amoureuse usa et abusa. Ce qui n'aurait pas eu de conséquences si von D... n'avait été l'objet de l'étroite surveillance que l'on sait. L'épistolière n'avait pas plus tôt posté et reçu une dizaine de missives qu'elle se vit arrêtée et inculpée d'intelligence avec l'ennemi. Cela devint public. L'affaire jeta la confusion dans l'entourage de l'accusée, dont la liaison fut exposée aux yeux de tous. Les militaires s'en mêlèrent. Pour ce qui était de lire les lettres d'autrui et d'en interpréter le sens, ils n'avaient pas leur pareil. Pour ce qui était de comprendre, c'était une autre affaire. On eut beau se porter au secours d'Elena, témoigner de sa bonne foi, chercher à démonter que ce qu'il y avait d'obscur dans cette correspondance n'était que pudeur, que ce qui semblait double sens n'était que raffinement de style, rien n'y fit. A chaque mot d'amour ses accusateurs trouvèrent une signification secrète, et virent jusque dans les ratures ou les fautes qui, dans l'émotion, échappent aux amoureux, les preuves évidentes de la trahison.

Ce que fut l'angoisse de cette femme n'a pas sa place dans ce récit. Qu'il suffise de dire qu'elle risqua sa vie pour l'amour d'un menteur. Huit mois plus tard, il revenait en vainqueur, au terme d'une guerre vite gagnée, et cela en dépit de la vigilance dont avaient fait preuve nos fouilleurs de correspondance.

Ce qui, par contre, appartient pleinement à la description du caractère de von D... est sa réaction lorsqu'il apprit qu'Elena était détenue en zone non occupée. Il se fit annoncer dans le château où vivait la mère de sa victime. Elle ne connaissait point l'amant de sa fille, n'avait nulle intention de le connaître et était demeurée en dehors de ce qui ne lui avait procuré que honte et tristesse. Le visiteur se présenta sous un jour aimable mais avec une pointe d'arrogance. Soudain elle comprit à qui elle avait affaire. Aussitôt il lui donna à entendre qu'il serait en mesure de faire libérer sa fille si... Enfin, que si une dame de son rang acceptait de se mettre à sa disposition et qu'il puisse en tirer argument auprès de ses supérieurs, leur assurant qu'elle ne refuserait ni de les recevoir ni de leur ménager des rencontres susceptibles de les intéresser, alors, dans ces conditions... Enfin quoi, cela étant, sa fille serait beaucoup plus rapidement libérée. Elle lui répondit que, fût-ce aux dépens de la liberté de sa fille, et quand bien même cette dernière devrait y perdre la vie, il ne pouvait être question de donner satisfaction à son visiteur. Si bien que, ne voyant rien à ajouter, elle ne voyait non plus aucune raison de le retenir.

Sans porter de jugement sur la qualité d'une démarche qui n'était pas forcément due à la seule initiative de von D... mais peut-être bien le fait d'un ordre reçu, on peut néanmoins en conclure qu'autour de cet espion-là l'air, comme eût dit la marquise de Sévigné, eh bien, « l'air était un peu gros ».

La zone non occupée, on le sait, ne fut qu'une imposture de courte durée. Aussitôt l'illusion dissipée, Elena fut remise en liberté. Libre, elle était libre ! Mais Spatz, lui, ne l'était plus. Il avait rencontré Gabrielle.

*

Gabrielle avait cinquante-six ans lors de son idylle avec von D... Elle avait aussi treize ans de plus que lui, ce qui, si grand qu'ait été son charme, ne laissait guère de cartes maîtresses dans sa belle main. Mais à quoi bon parler d'âge ? Nul ne peut arbitrer l'amour et Gabrielle était sans âge puisque, quoi qu'on en ait dit, il l'aimait.

Essayons de nous représenter cette aventure singulière dans le Paris d'alors.

Gabrielle n'avait pas fait long feu à Corbères. Après quelques semaines vécues là-bas et au terme d'une brève halte à Vichy, elle avait retrouvé Paris aux derniers jours d'août 1940. Il n'était pas dans sa manière de jouer longtemps les régugiées, et puis le fils de Julia avait été fait prisonnier. Pour une fois, la mauvaise santé de ce garçon pouvait lui être de quelque avantage. Elle souhaitait tenter des démarches afin qu'on le libérât.

Une autre qu'elle, trouvant les Allemands au Ritz, eût décidé de loger ailleurs. Gabrielle n'en fit rien et exigea du directeur qu'il l'écoutât. Il l'avait « vidée » ? Elle accepterait de changer de chambre, mais non d'adresse. Car le bel appartement dont les fenêtres ouvraient sur la place Vendôme, la vaste pièce où elle avait reconstitué le décor du Faubourg au temps de sa liaison avec Iribe, tout cela avait été déménagé dans les heures qui avaient suivi la réquisition. Où aller ? Changer de quartier signifiait s'éloigner de sa boutique, perdre de vue son gagne-pain, elle ne s'y résignait pas. Oui, une autre qu'elle se serait considérée en butte aux vexations tant de l'hôtelier que des Allemands et pour tout dire, chassée. Considérations qui, avec Gabrielle, n'entraient pas en ligne de compte. Sa force ? Aller d'abord à ce qui la *servait*. Et elle tenait à si peu. Ni toit ni murs, aucun décor jamais ne lui avait paru définitif, et que « l'on touchât à ses meubles », crainte majeure de la bourgeoisie, la laissait indifférente. A l'argent, au bas de laine, commençait le danger. Là était la seule menace, celle d'être laissée sur le sable. Mais, en dehors de ça ? On la déménageait ? La belle affaire... Voilà que ses paravents de Coromandel allaient trouver leur pleine justification. N'avaient-ils pas été conçus pour être indéfiniment pliés et dépliés ? Elle les déploierait, à quelques pas du Ritz, juste au-dessus de sa boutique, et, là, elle aménagerait un salon à sa guise, comme on dresse sa tente. Attitude que lui dictaient son enfance et les années vécues en camp volant. Quant à ce que proposait le Ritz, une petite pièce de rien du tout, sur la rue Cambon ? Elle avait connu pire et n'en demandait pas davantage. C'était bien assez pour dormir au chaud. Pouvait-elle aussi se douter que ce serait assez pour mourir ? Car c'est dans cette modeste chambre que se termina sa longue vie.

Mais quoi qu'il en soit, elle n'avait pas le choix.

A qui lui conseillait d'aller habiter ailleurs, à Misia, en particulier, qui s'étonnait qu'elle se satisfît d'un décor aussi médiocre elle rétorquait : « A quoi bon changer ? Tôt ou tard les hôtels seront tous occupés. Alors ? Autant rester ici. Ma chambre est petite ? Elle n'en sera que moins chère... » Toujours le souci de l'épargne et cette ancienne vertu de simplicité qu'elle n'avait aucun mal à retrouver. Ses propos le prouvaient assez. Qu'un ami, rencontré à Vichy, lui demandât ce qui la pressait tant de renter à Paris, elle alléguait le prix de l'essence : « Attendre ? Pour que le voyage de retour soit hors de prix ! Mais vous n'y pensez pas ! Au train où nous y allons ! L'essence va devenir aussi précieuse que le parfum... » Le Chanel N° 5 ! Sa seule unité de mesure, son étalon-or. Elle était riche pourtant. Mais avec elle ni sottes précautions ni petits profits, et, si riche qu'elle fût, tout lui semblait bon, comme à ces paysannes qui, en temps de défaite ou d'invasion, ne jettent rien, thésaurisent, gardent le pain et les vieux os d'un mois sur l'autre. Gabrielle était décidément de cette race-là, et, osons le dire, avare.

*

Spatz et Gabrielle... Savoir quand, où et comment ils se connurent... Fallait-il la croire lorsqu'elle affirmait qu'ils étaient amis « de longue date » ? Façon de laisser entendre qu'ils s'étaient rencontrés avant guerre, peut-être... Mais que nous dira de savoir ? Que ce fût ici ou là, en telle ou telle année, chez l'un ou chez l'autre, en comprendrons-nous mieux le paysage secret de cet amour, son éclairage particulier, ses douceurs, ses violences, ses vérités ou ses mensonges ? Et qu'elle l'ait connu avant la défaite, ou, au contraire, que ce fût la première fois qu'elle le voyait, le jour où elle alla lui demander de faire rapatrier le fils de Julia, qu'est-ce que cela change ? Car c'est ainsi qu'ils se trouvèrent ou se retrouvèrent, ainsi que tout commença entre elle et lui.

Von D... était, désormais, assez dénué d'ambition pour se faire oublier de ses chefs, mais assez efficace pour que sa présence à Paris ne fût plus mise en question. Jeu délicat, manœuvre subtile, dont le but était de demeurer en France. Il n'avait d'autre souci que celui-là, d'autre appréhension que de se voir honorer d'une mission spéciale, de celles qui nécessitaient que l'on plongeât dans le guêpier berlinois, avec tous les risques que cela comportait, le pire étant qu'une camarilla s'emparât de votre personne sans qu'il fût possible de l'éviter. Ainsi se retrouvait-on embrigadé par les amis de Canaris [1] con-

1. Aussi énigmatique dans ses entreprises qu'irréprochable dans sa vie, l'amiral Canaris fut pendant neuf ans le chef de l'Abwehr. Impliqué dans la conjuration de juillet 1944, fut arrêté et interné. Le 9 avril 1945, selon un scénario d'une atrocité bien apprise, il fut conduit nu au gibet. Le gibet était réduit à un croc de boucher, la corde était une corde de piano. (Le plus souvent l'agonie était filmée.) Après quoi son corps fut brûlé, vingt et un jours avant la chute du IIIe Reich.

tre Heydrich[1], ou bien chargé de mission, avec l'assentiment d'Hitler, vous disait-on, alors qu'il n'en était rien et que l'on se découvrait œuvrant contre lui, ou bien encore montant un « coup » pour déjouer les plans de l'état-major de la Wehrmacht alors que l'on croyait être à ses ordres, prisonnier, en somme, des divergences, des haines, des machinations, des jalousies bestiales, et bientôt victime des maîtres secrets du IIIe Reich. C'était cela que von D... redoutait plus que tout au monde, cela qu'il voulait éviter. Quitte à ce que ses plus proches camarades le taxent d'indolence — ce qu'ils ne se faisaient pas faute d'insinuer. Quitte aussi à ce que ce reproche soit le premier que lui adresserait Gabrielle. Mais pas tout de suite. Car, au début, Gabrielle n'aimait rien tant que ce von D... discret, toujours en civil, et parlant volontiers l'anglais.

Ce désir de vivre cachés, avec le bonheur entre eux, et une satisfaction physique dont von D... fit assez souvent l'aveu pour qu'en conviennent jusqu'aux plus jalouses parmi ses anciennes maîtresses, tout cela explique que domine ici une sorte de mystère. Spatz et Gabrielle invisibles parce qu'heureux, et cela pendant près de trois ans, heureux dans un monde où l'horreur s'accumulait, heureux tandis que Misia devenait lentement aveugle, tout en faisant comme s'il n'en était rien — « Chez moi elle devine les boutons de porte, notait Colette[2]... Sa noble coquetterie, comme elle nous émeut mieux qu'une plainte... » — heureux tandis qu'à Davos, en 1942,

1. Lieutenant de vaisseau chassé de la Marine pour scandale de mœurs, Heydrich rallia les S.S. en 1931. Promu en 1933 chef de la R.S.H.A. (Office central de sécurité du Reich) il devint l'homme le plus puissant après Hitler. Nommé, en plus de ses autres fonctions, « Protecteur » de la Bohême, il mourut à trente-huit ans des suites d'un attentat, à Prague.

2. Colette, *Journal intermittent*, 15 août 1941 (*Œuvres complètes*, t. XIV, P. 300).

mourait seul, le compagnon de *Bel Respiro* et des jours de soleil sur le bassin d'Arcachon, le grand-duc Dimitri Pavlovitch, emporté par la tuberculose, heureux tandis qu'à Saint-Benoît-sur-Loire le martyre de Max Jacob commençait, comment l'oublier, heureux, ces deux-là, que dire de plus, heureux, faut-il les en blâmer ?

Pauvre, pauvre Max, qui cherchait à masquer ses tourments par des plaisanteries. Max auquel venait d'être imposée l'étoile jaune qu'il portait sur son paletot élimé et ainsi, marqué d'infamie, traversait le village, chaque matin, pour aller à la Basilique servir la première messe. Pauvre, pauvre Max... Il avait ouvert la porte derrière laquelle une voix criait : « Police ! » puis avait accueilli l'homme qui venait l'interroger : « Enchanté ! Approchez-vous donc du feu... » Votre regard, Max, le jour où, avec Pierre Colle [1], nous sommes allés vous voir et qu'à cette extrémité du désespoir vous chantiez, sur un air d'Offenbach, je crois, une sorte d'antienne : « J'suis l'bou, j'suis l'bouquet, j'suis l'bouc émissaire », et que vous improvisiez, pauvre Max, une sorte de mimodrame où un crapaud s'en allait à l'église : « Heureux crapaud, disiez-vous, qui ne porte point l'étoile ! »

Tout cela tandis que les deux autres dans leur folie... Un tête-à-tête qu'aucune sortie ne venait interrompre, un rendez-vous quotidien dans le décor de toujours, hâtivement reconstitué, autour d'un crapaud, mais oui... Gabrielle avait voulu un piano sur lequel se faire les doigts. Or un crapaud c'était tout de même mieux qu'un droit, maintenant qu'il avait fallu, faute de place, renoncer à l'aile immense et noire du grand-queue de concert. Elle avait le temps, désormais. Or Spatz aimait la musique. C'était bien porté dans son métier. Un secret pour personne que

1. Marchand de tableaux et ami de Max Jacob, Pierre Colle fut son exécuteur testamentaire.

Heydrich avait fait carrière, au début, grâce à ses dons pour le violon. A force d'avoir cajolé, chez Canaris, ses quatuors préférés, une certaine confiance s'était *mise* entre lui et le chef du contre-espionnage allemand. Jusqu'à ce que des rivalités se fassent plus impératives que leur amour pour Mozart ou bien pour Haydn. Mais il n'en demeurait pas moins qu'au début... Un coup d'archet à n'en plus finir, magistral, vraiment. Et Gabrielle s'était remise au piano. Alors elle retrouva ce que lui avaient enseigné les dames chanoinesses et cela tout mêlé au répertoire de la Lyre Moulinoise écoutée, jadis, à la dérobée. Quelques conseils aussi. Ceux du tapeur de l'Alcazar s'adressant à une apprentie gommeuse, et puis, enfin, le souvenir de certains concerts entendus à la terrasse du Grand Casino de Vichy. Toujours, *Madame l'Archiduc* et *La Grotte de Fingal*... Gabrielle retrouva donc son aisance dans un répertoire d'opérettes et d'opéras.

Parfois elle chantait et von D... l'écoutait. L'amour de cette femme faisait de lui un homme d'Orient, un homme qui ne sortait plus et qu'on ne voyait nulle part, ni dans les restaurants « de luxe [1] » où, moyennant une redevance au Secours National, on mangeait ce que l'on voulait, ni chez *Carrère*, la boîte de nuit à la mode, jamais dans un bistrot, que ce fût au *Bélier d'argent* ou au *Veau d'Or* [2], ne participant ni à l'énorme drôlerie par laquelle se manifestait « la très utile légèreté du caractère national [3], » ni à la tristesse grande et à l'abattement d'un peuple avili. Jamais nulle part.

Gabrielle et Spatz vécurent ainsi, au-dessus d'une boutique où se pressait une foule d'acheteurs en uniforme. Lorsque le Chanel N° 5 venait à manquer, ces étranges touristes se contentaient de voler à l'étalage

1. La Tour d'Argent, Lapérouse, Maxim's, Drouant, Carton.
2. Bistrots des Abattoirs de la Villette.
3. Michelet, *Histoire de la Révolution*.

des flacons factices, marqués de deux C entrelacés. C'était toujours ça... Quelque chose à rapporter. Un souvenir de l'Occupation, un article de Paris, comme on dit.

II

LE PARFUM NOIR DE L'AVENTURE

QUE penser d'une vie qui ne laissait à l'inattendu aucune chance ? Ce n'était quand même pas de cela que Gabrielle pouvait se satisfaire, non plus que de musique ou du train-train d'une liaison que les interdits de l'époque ligotaient. Tandis qu'installé auprès d'elle, dans cette atmosphère où tout prenait un caractère d'envoûtement, von D... se délectait. Ce n'était pas un homme à imagination.

Que l'initiative du changement viendrait de Gabrielle, c'était plus que probable. Elle avait toujours eu besoin de *faire quelque chose*. Jouer son sort ? C'était son plaisir.

Pendant un temps, ses démêlés avec la société des Parfums Chanel eurent de quoi l'accaparer. *Ses* parfums... Cela faisait quinze ans qu'elle avait cédé aux frères Wertheimer le droit de les fabriquer et de les vendre, sans que jamais elle se fût résignée à l'idée de ce contrat signé une fois pour toutes. Des avocats, parmi les plus célèbres, eurent beau lui fournir les apaisements qu'elle était en droit d'attendre et témoigner de la loyauté de ses associés, ils eurent beau faire et beau dire, livrée à elle-même, elle retournait à ses doutes. Allons, c'était clair ! On l'avait flouée ! Une sorte d'idée fixe.

Quand les lois de l'Occupation lui fournirent la possibilité de briser cette association, l'occasion lui parut trop belle pour ne pas être saisie. Arracher ses parfums aux frères Wertheimer ? Une ordonnance des occupants déclarait que les biens dont les administrateurs avaient dû quitter le territoire se verraient imposer une nouvelle gestion. Gabrielle pensa que c'était là sa chance. Un coup à tenter, un coup bas. Voilà que c'était à elle de jouer, elle, l'exploitée, la grugée et le clan Wertheimer allait voir de quel bois elle se chauffait. Elle était aryenne, elle, eux pas. Elle était en France, ils étaient aux Etats-Unis. Des émigrés... Des juifs. Aux yeux de la puissance occupante il n'y avait qu'elle en somme.

Elle rêvait d'imposer un administrateur de son choix. Face aux représentants d'une affaire juive, une femme prête à tout et forte d'appuis allemands ? Dans cette France-là, il semblait impossible qu'elle perdît. Drôle à dire, c'est pourtant ce qui arriva. Le camp de ses opposants comptait de fins joueurs. Ah ! elle croyait être seule à pouvoir compter sur certains appuis ! Quelle ingénuité que la sienne... Ignorait-elle qu'il y avait à Paris des Français prêts à s'interposer pour sauvegarder les biens juifs et qu'il y avait aussi, comme partout ailleurs, des Allemands, prêts à se laisser acheter ? Dans le mélange qui s'offrait il suffisait de faire vite et de ne pas se tromper.

Et d'abord un aryen.

Il en fallait un à qui vendre la société pour presque rien. On le trouva en la personne d'un industriel spécialisé dans la construction d'avions : Amiot.

Ensuite un Allemand.

A celui-là on demanderait de témoigner de la validité de l'opération précédente, tout un trafic de faux transferts de documents antidatés, tout un micmac qu'il fallait rendre plausible, inattaquable. Un Allemand ? Ce n'était qu'une question d'argent. On le trouva aussi... Mais au prix fort. Ainsi, la Société

Chanel pouvait prouver qu'elle n'appartenait plus aux frères Wertheimer. Rien à redire. Le tour était joué.

Ce n'était pas tout. Il fallait asseoir à la table du conseil un représentant du nouveau propriétaire, un homme susceptible de faire échec à l'éventuel candidat de Gabrielle.

Celui-là, par une sorte de raffinement dans la cruauté, on alla le chercher en un milieu que Gabrielle ne connaissait que trop. Elle se vit donc perdante face à ses adversaires de toujours mais, de plus, sous l'œil ironique d'un homme mis là pour la confondre, un homme du monde, et précisément de ce monde auquel elle ne songeait jamais sans amertume. Il avait été de la bande de Moulins. Voilà qu'elle se trouvait confrontée avec un témoin de son passé : le président qu'on lui imposait était le frère de « l'adoré » d'Adrienne. Que répondre à cela ? Elle avait perdu. Ce qui ne signifiait nullement qu'elle allait renoncer.

Cependant, lors de son retour en France — notons-le pour n'y plus revenir — il semble que Pierre Wertheimer, en retrouvant le contrôle de ses biens, jugea que la générosité fût la seule revanche qu'il pût prendre. Mais n'en faisons pas un saint. Où finit la générosité, où commence le cynisme en affaires ? Pierre Wertheimer aurait pu accuser, accabler, il aurait eu beau jeu. Il s'en garda bien. Gabrielle vivante, qu'aurait été une Société Chanel *sans* elle ? Gabrielle salie, déshonorée, qu'aurait été une Société Chanel *avec* elle ? Sans doute était-ce là son raisonnement.

Quoi qu'il en soit, les liens se renouèrent et la guérilla reprit entre eux de plus belle. Mais mieux valait cela, mieux valait cela mille fois que rien. Car, pour des gens de leur sorte, ces hostilités saisonnières, ces déclarations contradictoires, ces hommes de loi sans cesse occupés à se pourfendre, donnaient un sens à leur vie. C'était comme un luxe.

Ils se jouèrent les pires tours. Chausse-trapes, embuscades, ruses, machinations de toutes sortes, la liste des pièges qu'ils se tendirent serait longue à établir. Nouveaux parfums, subrepticement mis en vente par Gabrielle et aussitôt, sur son ordre à lui, retirés du marché... Echantillons secrètement introduits aux Etats-Unis, et saisie en douane aussitôt décrétée par Wertheimer... Menace faite, par elle, de lancer un Chanel N° 5 amélioré... De quoi couler l'ancien, dont le succès faisait sa fortune à lui... Un pareil machiavélisme, mis en œuvre de part et d'autre, laissait les combattants émerveillés. Le plus étonné était encore Wertheimer. Après tant d'années, revoir Gabrielle, cette tigresse, Gabrielle, son ennemie intime, toujours sur la brèche... Il n'y avait qu'elle à oser le braver ainsi. Un tel acharnement valait bien qu'il prît les meilleurs avocats.

Dans ce qui liait M. Wertheimer à Gabrielle il entrait, plus encore que l'attrait du gain, une forme d'admiration inavouée. Et aussi un regret : qu'il n'y ait eu, entre eux, que des intérêts opposés. Jamais question d'autre chose. Et combien il eût souhaité obtenir ce qu'elle ne lui donnait pas : des encouragements, des satisfecit... Quelque succès qu'il remportât, jamais un mot d'elle. Pas même le jour où un cheval de l'écurie Wertheimer fut vainqueur au Derby d'Epsom. Un mot, rien qu'un mot, l'aurait rendu si heureux ! Pour tout dire il l'aimait. Enfin presque... Car personne autant que Gabrielle ne lui remettait en mémoire les souvenirs de son passé. Personne. C'est que Pierre Wertheimer avait été de ces *entreteneurs* comme il n'en existait plus. D'où l'attrait qu'exerçait sur lui Gabrielle. Comment l'eût-il considérée autrement qu'en irrégulière ?

Enfin vint le jour où, ayant obtenu quelques assurances, Gabrielle accepta le principe d'une trêve. C'était en 1947. Parmi ses adversaires, on essaya bien de ruser encore un peu. Mais comme ça... Par habitude. A la fin, Pierre Wertheimer capitula. Il accepta, en plus de tout ce qui lui était par ailleurs consenti, de verser à Gabrielle une *royalty* de deux pour cent brut sur les ventes de ses parfums dans le monde entier[1]. Alors elle se résigna.

Elle avait soixante-cinq ans.

Il était grand temps de déposer les armes.

Mais parce que son vieil adversaire était de quelques années plus jeune qu'elle — ce qu'elle jugeait intolérable — à l'instant où l'on établissait les contrats, Gabrielle réussit à falsifier l'extrait de naissance qu'on lui réclamait.

Elle était devenue une femme aux revenus colossaux. Cela valait, largement, qu'elle se rajeunît de dix ans.

*

Mais revenons-en au temps de l'Occupation et à l'affaire des parfums, lorsque Gabrielle voyait ses opposants étendre le réseau de leurs alliances et compter dans leurs rangs un de ces beaux messieurs de la bande de Moulins qu'elle eût tant souhaité ne jamais revoir.

C'est exaspérant un échec. C'est d'une lourdeur insupportable. Imagine-t-on Gabrielle restant sur une défaite ? A peine la reprise en main des parfums s'était-elle révélée irréalisable qu'une autre frénésie l'emporta. Ambition cette fois, présomption ? A moins qu'il ne convienne de donner à cela un autre nom : esprit de conquête, désir de s'imposer, goût, appétit grand d'éblouir, allez savoir... Les Allemands,

1. Soit environ un million de dollars par an.

eux, ses amis, n'y virent que désintéressement et esprit de sacrifice. Il y en eut même qui allèrent jusqu'à reconnaître qu'elle portait « une goutte de sang de Jeanne d'Arc dans ses veines[1] »! Jeanne ou non... Il n'en reste pas moins que son fougueux projet allait conduire Gabrielle vers des milieux autrement compromettants que sa précédente entreprise et autrement dangereux : le monde officiel ou semi-officiel du renseignement et de la guerre.

Depuis le 24 janvier 1943 et la conférence d'Anfa, le doute n'était plus possible. Roosevelt et Churchill avaient rendu leurs décisions publiques. De l'Allemagne, on exigerait la capitulation inconditionnelle et la paix ne pourrait être qu'à ce prix. L'émotion que cela souleva... Il y eut la satisfaction de ceux qui, en territoires occupés, se rangeaient parmi les clandestins, continuaient la lutte et ne voyaient en d'autres formes de règlement ni avenir ni honneur. Il y eut aussi la cruelle déception des autres. Car des voix s'élevèrent, à quoi bon le nier ? Des voix pour regretter, pour dire que l'effusion de sang avait assez duré. Il y en eut en France pétainiste, il y en eut jusqu'en Angleterre. Ces dernières sans grande audience, il est vrai... Des politiciens de l'entourage de Lord Runciman, mais de ceux-là qu'attendre d'autre ? Des aristocrates, aussi, qui eussent souhaité que l'on traitât, afin qu'un terme fût mis aux bombardements — et parmi eux le duc de Westminster, dont les arguments mettaient en rogne son vieil ami Winston — ou bien des gens qui voulaient épargner l'Allemagne — et c'était sans doute ce que pensait, dans ses îles lointaines, une sorte d'exilé, le duc de Windsor, encore qu'interrogé là-dessus dans les années d'après-guerre il s'en défendît[2].

1. Lettre de Theodor Momm à l'auteur.
2. Dans une déclaration du 1er août 1957, rendue publique par ses avoués.

Ainsi, plus d'un ami anglais de Gabrielle, plus d'un admirateur de la belle Vera, de ces visiteurs auxquels Joseph ouvrait, jadis, toutes grandes les portes du Faubourg, se rangeaient désormais parmi ces rêveurs de paix que les déclarations de Churchill avaient brutalement ramenés sur terre.

Et que dire de l'Allemagne ?

Là existaient des pacifistes d'une tout autre race et certains, ceux qui complotaient contre le régime, d'une témérité et d'une abnégation héroïques. On sait ce qu'il advint d'eux... Les exigences de Churchill ne facilitaient pas leur tâche, mais loin de modérer leur ardeur, l'encourageaient plutôt. Persévérer, abattre le régime; on traiterait ensuite et peut-être à meilleur compte; c'était là leur seul but.

Et puis, les calculateurs.

Ils étaient multitude ceux dont le Premier ministre britannique brisait les espoirs. Ceux-là n'avaient d'autre visée que de détruire l'Armée rouge, et la paix séparée à laquelle ils aspiraient ne leur fournissait qu'un moyen de continuer, avec ou sans l'Angleterre, la guerre contre l'Union soviétique. Mais bien qu'ayant des objectifs différents, parfois même radicalement opposés, les partisans d'une paix de compromis avaient ceci en commun : l'incessante préoccupation d'entrer en contact avec les dirigeants anglais, et, pour y parvenir, la volonté de ne laisser échapper aucune chance, si mince fût-elle.

Jugée hors de ce contexte — qui nous restitue la vérité de cette époque — l'entreprise dans laquelle allait se jeter Gabrielle pourrait paraître le geste d'une mythomane, ou d'une mégalomane. Replacé, au contraire, dans l'atmosphère d'incertitude qui fut celle de ces années-là, cet épisode apparaît comme l'aboutissement presque inévitable d'un destin tel que le sien. Celui d'une femme sans statut, une femme de flottement, de ressentiment, et qui ne s'était arrachée à sa condition qu'à la faveur d'actions hasardeuses. Ce qu'elle tentait n'était, en somme, qu'un coup de dés, un de plus. Et dans cette initiative folle, qu'allait-elle chercher sinon un moyen de s'affirmer en « gagnant » ? Arrête-t-on jamais un joueur...

*

Drôle de destinée que la sienne ! Se trouver, en pays vaincu, en contact avec des vainqueurs, tout en connaissant intimement celui dont allait dépendre, pour une bonne part, l'issue de la guerre. Quels tours lui avait joués la vie ! Churchill... Dire qu'il suffirait peut-être d'une brève rencontre pour lui faire sentir, à ce vieillard sans merci, qu'à poursuivre son jeu de mort il préparait celle de l'Europe, *son* Europe, la bonne vieille Europe des privilèges, des traditions. Il fallait arrêter cette guerre, se disait Gabrielle. L'arrêter coûte que coûte.

Réussirait-elle où d'autres avaient échoué ? Convaincre Churchill ? L'écouterait-il seulement ? Elle était résolue à tenter le tout pour le tout... Churchill ne trouverait-il pas *naturel* qu'elle allât lui rendre visite, comme au temps des vacances à *La Pausa*, lorsque le duc de Westminster se faisait annoncer chez lui à l'improviste et qu'elle l'accompagnait ?

Bien sûr, elle rêvait et cela ne surprendra pas. Vivre dans l'imaginaire, qu'avait-elle fait d'autre ? Sa vie n'était qu'une longue songerie débouchant brusquement sur l'action. Il est aussi un fait qu'il entrait dans ce rêve un grain de folie. Comment nier qu'un tel projet semblait irréalisable ? Mais, là encore, comment s'étonner ? Ses entreprises avaient toutes été marquées, au départ, d'impossibilité fondamentale. Réussir *malgré* ? Gabrielle avait l'habitude. Alors, elle continuait.

L'étonnant n'est donc pas qu'elle ait cru à ce rêve,

mais bien qu'elle l'ait fait partager, et à des interlocuteurs qui y crurent aussi. Ils étaient Allemands, il est vrai. Et l'Armée rouge, en cet été 43, était aux frontières de leur patrie. Mais est-ce une explication suffisante ? Dire l'ingénuité de certains... Dire l'Allemagne...

C'est six mois, environ, après l'entrée des Allemands à Paris que von D... avait présenté à Gabrielle un ami de jeunesse. Comme on pouvait s'y attendre, les démarches entreprises pour faire rapatrier le fils de Julia n'avaient toujours pas abouti. Si léger, ce Spatz... Mais il avait eu une heureuse initiative en confiant l'affaire à un personnage d'envergure. L'ami de jeunesse était un homme pourvu d'un poste de haute responsabilité, un officier — tandis que Spatz, lui, toujours en civil... —, enfin un homme de travail et d'expérience. Vraiment, le connaissant, on conçoit qu'il ait pu inspirer confiance à Gabrielle. Le Rittmeister Momm était de ces Allemands comme les événements d'alors pouvaient faire douter qu'il en existât encore.

Et de dire, lors de sa première visite chez Gabrielle, que dans sa famille on était « textilien » de père en fils, et cela depuis cinq générations, quelle excellente entrée en matière ! Avec ça, usant joliment de ce mot inventé, « textilien », auquel il ajoutait une accentuation gutturale qui est le propre du parler allemand. Gabrielle répéta « Textilien ! Ah ! vraiment... » Après quoi il lui apprit qu'il était né et qu'il avait été élevé en Belgique où son père dirigeait une affaire de teinturerie. Il se fournissait chez les cotonniers de Manchester. Tiens, voyez-vous ça !... En 1914, sa famille avait regagné l'Allemagne, comment faire autrement ? Bien sûr, bien sûr, toujours la guerre. Et c'était en 15 qu'il avait fait la connaissance de von D... Où ça ? Au 13e, mais oui, au 13e de uhlans. Que le monde était donc petit ! En outre, il annonça que le plus redouté des cavaliers de concours, le célèbre Momm, qui dans les années 35-36, avait gagné on ne savait trop combien de coupes du Monde, que cet as des as était son proche cousin. Votre cousin! qui aurait jamais imaginé ça! Gabrielle l'avait admiré, applaudi... La nouvelle fut du meilleur effet. L'équitation était de ces sujets sur lesquels elle se savait imbattable et puis, entre cavaliers, on finit toujours par s'entendre. Enfin, et ceci était l'essentiel, le poste que le Rittmeister occupait à Paris était celui de responsable du textile français auprès de l'administration allemande. On voyait clairement ce que cela signifiait.

Il se pencha sur le cas du fils de Julia, décida qu'il était urgent de remettre en marche une petite entreprise de tissage proche de Saint-Quentin et témoigna que Gabrielle en était la propriétaire. Dans ces conditions, les autorités allemandes se devaient de rendre la liberté à un prisonnier tout désigné pour en assumer la direction. L'enfant sur l'éducation duquel avait veillé Boy Capel, le neveu de Gabrielle retrouva enfin sa patrie. Le major avait fait merveille et elle continua à lui témoigner de l'amitié. Qui n'aurait agi de même ? Au point où elle en était...

Lorsque vint le moment où sa hantise de rencontrer Churchill ne lui laissa plus de paix, c'est à Momm [1] qu'elle s'en ouvrit. Le fait que son choix se porta sur lui et non sur von D... indique que ce dernier ne réunissait déjà plus les conditions requises. Le major s'en étonna bien un peu. Etrange femme qui ne se cachait pas d'accorder son cœur à l'un et sa confiance à un autre. Que s'était-il donc passé entre elle et Spatz ? Mais une fois remis de sa surprise, le Rittmeister considéra, qu'à tout prendre, la révélation

1. Après la guerre, Theodor Momm retrouva toutes ses activités. Il voyagea beaucoup et, en dépit de son grand âge, occupa un poste à la Société textile du Tchad ainsi qu'à la Cotonnerie industrielle du Cameroun.

capitale qui lui était faite se trouvait, en ses mains, plus en sûreté qu'en toutes autres.

Décider Churchill à accepter le principe d'une conversation anglo-allemande, tenue strictement secrète, c'était là tout son plan. Elle commença par secouer vertement son interlocuteur en lui laissant entendre que d'une façon générale, les Allemands « ne savaient pas s'y prendre avec les Anglais », qu'ils accumulaient les gaffes, car pour réussir il fallait d'abord bien connaître les Britanniques, les connaître depuis longtemps, ce qui, fort heureusement, était son cas. Elle fit état, devant le major, des raisonnements qu'elle croyait de nature à vaincre les réticences du Premier ministre et, une fois dans le vif du sujet, mima leur entretien. Alors, arpentant l'étroit salon de la rue Cambon, emportée par son élan, elle s'adressait à l'officier allemand comme s'il eût été Churchill en personne. Elle le gourmandait : « Tu as prédit du sang et des larmes et ta prédiction s'est déjà réalisée. Mais cela ne te fera pas entrer dans l'Histoire, Winston. » Et, d'une voix qui ne souffrait aucune contradiction, elle ajoutait : « Il te faut maintenant épargner des vies humaines et terminer la guerre. En tendant la main à la paix, tu montreras ta force. C'est cela ta mission. » Et soudain, l'Allemand, que cette scène confondante plongeait dans un état de semi-stupeur, entendit la réponse de Churchill. C'était à se demander si... Rêvait-il ? Le moyen de résister à cette femme... Il voyait le Premier ministre du Royaume-Uni mâchonnant gravement son cigare et hochant la tête. Il l'écoutait qui acquiesçait en des termes combien étranges :

« T'as raison, Coco, répétait-il, t'as raison. »

« Le poids d'une personnalité unique », comme devait en convenir Theodor Momm lorsque, trente ans après, d'une voix un peu hésitante, il cherchait à faire revivre l'entretien mémorable. « Ce qui commença alors sous le sceau du secret, pourrait faire l'objet d'un récit fascinant », précisait-il. Mais il avouait aussi avoir hésité... « Ah ! oui. Fichtrement hésité. »

Etre l'intermédiaire de Gabrielle ? Il y avait plus d'un risque à cela. Quelles garanties offrait-elle ? Rien. Moins que rien. Et qu'en penserait-on à Berlin ? L'autoriserait-on à quitter la France ? Un permis aller-retour délivré par le M.B.F. [1], c'était ce qu'elle demandait. Car il lui faudrait aller en Espagne. Elle connaissait personnellement Sir Samuel Hoare. En fait, c'était là, à Madrid, dans un contact avec l'ambassadeur de Grande-Bretagne, que se déciderait du succès ou de l'échec de sa mission. Mais... Mais si elle ne revenait pas ?

Le Rittmeister Momm se rendit à Berlin, ne sachant trop à quelle porte frapper. Il s'adressa d'abord aux Affaires étrangères. Et ce choix obéissait à un souci de prudence. Alerter les services diplomatiques, c'était aller au-devant des moindres risques. Là, le baron Steengracht von Moyland [2] accepta de le recevoir. Un fonctionnaire de grande distinction, mais de courte expérience. Il venait tout juste de prendre son poste. Or, les nouvelles alarmantes avaient de quoi l'occuper. Ce n'était pas non plus que les Affaires étrangères brillassent d'un éclat particulier, à l'époque. Là comme ailleurs, la mainmise nazie avait opéré ses ravages et les fonctionnaires n'étaient plus que des exécutants passifs. Ce qui n'était pas pour déplaire à leur ministre. Le très médiocre Joachim von Ribbentrop « ne voulait pas d'officiers penseurs dans ce qui l'approchait [3] », et l'interlocuteur du major ne faisait pas exception. « Sa physionomie noble et vide annonçait des idées convenables et rares [3]. » Mais

1. Militärbefehlsaber in Frankreich (Commandement militaire en France).
2. Il était secrétaire d'Etat.
3. Stendhal, *Le Rouge et le Noir*.

convenons qu'il y avait quelques raisons à demeurer sur la réserve. Berlin, dans ses sphères dirigeantes, vivait un temps de terreur. Et « les gens de salon » suscitaient la plus vive méfiance. La Gestapo tendait ses pièges. « *L'affaire du thé de Mme Solf*[1] » datait de deux mois à peine et d'éminents diplomates étaient menacés d'exécution. On conçoit sans mal ce qui motiva l'extrême prudence du baron Steengracht. Qu'avait cette couturière parisienne à vouloir se rendre à Madrid ? Elle ne semblait compter pour réussir que sur ses belles relations. Or on ne savait que trop où cela menait. Aucune confiance... Il éconduisit poliment son aimable visiteur en lui signifiant qu'il ne donnerait aucune suite à un projet de cette espèce. La démarche, ajouta-t-il, était de nature « à n'être point retenue ».

*

Un mauvais début. L'homme qui s'était donné mission de défendre les projets de Gabrielle n'avait plus guère le choix. Les services de renseignements de l'armée ? Ils étaient hors jeu. A moins d'être naïf ou étourdi, on ne pouvait ignorer que Hitler tenait l'Abwehr pour responsable de tous les complots. Les jours de l'amiral Canaris étaient comptés, son organisation menacée[2], et ce n'était certes pas à ces bureaux-là qu'il eût fait bon s'adresser.

Restaient les services de Himmler, seuls détenteurs

1. Le salon de Mme Solf, veuve d'un ambassadeur d'Allemagne, était un lieu où l'on parlait librement. Le 10 septembre 1943, s'introduisit chez elle un agent de la Gestapo. Le 12 février 1944, tous ceux qui avaient été présents « au thé chez Frau Solf » furent arrêtés, jugés et exécutés — à l'exception de Mme Solf et de sa fille qui furent déportées à Ravensbrück et retrouvées vivantes en 1945.

2. La dissolution devint effective deux mois plus tard. L'amiral Canaris ne fut d'abord qu'écarté et nanti d'un emploi secondaire. Six mois lui restaient à vivre avant que Schellenberg en personne ne vînt l'arrêter.

de la confiance du Führer. Le Reichsführer des S.S. régnait sur un univers de mystère et d'obscurité. Pas que l'on brûlât de se risquer dans ce dédale... Ce fut pourtant à l'Office central de sécurité du Reich qu'en dernier recours et comme à contrecœur, s'adressa le Rittmeister Momm. « Un monde où rien n'était trop fantastique pour être impossible, où une conduite sans arrière-pensée, une façon d'agir franche étaient regardées comme une bizarrerie, où personne n'était jugé sur son apparence mais plutôt sur ce que cette apparence était susceptible de cacher[1]. »

Le sort de celui qui pénétrait dans le labyrinthe demeurait suspendu à toutes sortes d'impondérables. Vers qui, vers quoi allait-il être dirigé ? Le premier contact était déterminant, car le visiteur, si l'information dont il était détenteur offrait quelque intérêt, ne recouvrait plus la liberté de changer d'interlocuteur : il appartenait au premier qui l'avait écouté. Mieux valait, est-il besoin de le dire, susciter l'intérêt de l'AMT VI, qui se réservait le contrôle du renseignement à l'étranger, que de l'AMT IV, chargé du contre-espionnage en Allemagne autant qu'en pays occupés, et qui n'était autre que la Gestapo. De plus, un compartimentage rigoureux isolait les divers secteurs de l'Office. On y œuvrait dans l'ignorance des activités de ses voisins les plus proches.

Lorsqu'il comprit à qui il avait affaire, Theodor Momm n'eut qu'à se féliciter. Le responsable de l'AMT VI avait accepté de l'entendre. Ce fut donc au benjamin des chefs S.S., et l'on serait tenté de dire à l'agent de charme des services secrets allemands, qu'il eut à exposer le sujet de sa visite.

Malgré sa jeunesse, un physique de cinéma et le caractère éduqué de son langage, Walter Schellenberg

1. Allan Bullock, dans sa préface aux mémoires de Walter Schellenberg, *The Labyrinth*, Harper and Bros, New York.

n'était ni un débutant ni un amateur. C'était bien un peu par hasard qu'il était entré aux S.S., ça oui... Il ne le niait pas. Un gosse qui avait grandi en Sarre occupée et vu la misère de près, un père qui fabriquait des pianos, sept frères et sœurs nés avant lui, un retour en Allemagne où la crise économique réduisit à néant l'activité paternelle, des études à l'université de Bonn où l'étudiant balafré qu'il était devenu se révélait extraordinairement doué — c'était au printemps de 1933, il avait vingt-trois ans et très peu d'argent — et puis là, brusquement, un juge chez qui il se trouvait en stage lui assurant qu'il aurait plus de chance de réussir s'il entrait au parti nazi. Qu'y pouvait-il ? Ce n'était pas très tentant. Il ne se voyait pas en chemise brune, militant parmi les braillards de brasserie. L'uniforme S.S. avait quand même une autre allure... Et c'est le costume qui détermina son choix.

Il commença, comme tout le monde, en jouant les durs. On le versa dans la Garde. A vingt-quatre ans, il avait été parmi les jeunes gens chargés de la sécurité des premiers dignitaires du nazisme réunis à l'hôtel Dreesen de Bad Godesberg. A travers les hautes baies et sous une pluie qui tombait à seaux, il reconnut Goebbels, Goering et vit, posé sur eux, le regard interrogateur de Hitler. La purge qui allait coûter la vie à Roehm et aux fondateurs du mouvement national-socialiste venait d'être décidée. Le bain de sang qui allait suivre glaça d'horreur les plus endurcis des vétérans. Mais ce fut cette nuit-là que commença la prépondérance absolue du corps d'élite dans lequel Schellenberg avait choisi de servir.

Il suivit la filière normale. Sorti du rang, il eut à montrer de quoi il était capable. Sa première action d'éclat consista à s'introduire par surprise dans la prison de Nuremberg où, pour avoir tué un juif à coups de marteau, deux S.S. purgeaient une peine de dix ans. C'est qu'il y avait encore, en 1934, quelques villes dont les gouverneurs n'étaient pas nazis. C'était le cas à Nuremberg. Schellenberg réussit à déverrouiller la porte d'une cellule où se tenait celui des deux condamnés qui n'avait fait que prêter le marteau... Il le libéra et fut chaudement félicité par ses chefs.

Mais on exigea de lui d'autres preuves et dans des domaines plus abstraits. Savait-il s'exprimer en public ? En sa qualité d'étudiant en droit, on lui confia un cycle de conférences sur des sujets antireligieux. Il avait pourtant été élevé dans la foi catholique. Qu'importe... Il avait tant de facilités à endoctriner et, pour tout dire, tant de talent. On imaginait sans mal l'avocat qu'il aurait pu être. Alors deux observateurs discrets, mis là pour l'écouter, embrigadèrent aussitôt ce sujet rare et le versèrent dans une branche d'activité « hautement secrète ». C'est ainsi que, sans quitter les S.S., Schellenberg était devenu espion.

Le garçon était cultivé, on ne lui confia que du fin.

Sa première mission à l'étranger consista à aller en Sorbonne. Il y avait là un professeur particulièrement inquiétant [1]. Quatre semaines furent nécessaires pour mener à bien une enquête délicate dont il s'acquitta avec succès. Mais avant de statuer sur son cas, on crut bon de l'envoyer plus loin. Ordre lui fut donné de photographier le port de Dakar sous toutes ses faces. Nouveau succès. Aussitôt il fut soumis à une nouvelle épreuve. Avait-il du savoir-vivre ? Cela non plus n'était pas la qualité dominante parmi les recrues de la première heure. Alors Schellenberg se vit chargé de créer, à Berlin, une maison de tolérance pour hauts fonctionnaires, officiers supérieurs, ministres et hôtes étrangers. Rien n'y manqua. Un service stylé, un décor d'un goût exquis, un personnel féminin hautement qualifié. Personne ne pouvait se douter que sols,

1. Le nom de ce professeur n'est pas précisé dans les mémoires de Schellenberg. On ne peut que regretter cet oubli, à coup sûr volontaire.

murs, plafonds, et jusques aux lits étaient truffés de micros. Pour ce qui était du recrutement, Schellenberg avait raflé ce que les capitales européennes possédaient de meilleur. Du premier choix, seulement. Le succès aidant, les offres de service furent si nombreuses qu'il ne sut plus où donner de la tête. Des volontaires fort jeunes et d'excellent milieu s'offrirent en masse à servir leur patrie « de cette manière-là ». Le *Salon Kitty*, il est vrai, offrait, en plus d'un salaire avantageux, une cave de premier ordre et la meilleure cuisine de Berlin.

Sur quoi, ses supérieurs décidèrent qu'il n'était plus nécessaire de prolonger son temps de probation et la carrière éclair de Schellenberg commença. Il fut de toutes les grandes heures du nazisme, de toutes les joyeuses entrées de Hitler, que ce fût à Vienne ou à Prague, toujours veillant sur la sécurité du Führer. Et partout il fit preuve du même esprit d'initiative, raflant les documents secrets qui lui tombaient sous la main — ce qui fut le cas au palais de Hradschin —, désarmorçant les bombes lorsqu'il s'en trouvait menaçant Hitler sur la voie de ses triomphes — ce qui fut le cas à Vienne —, brûlant les trois millions de roubles versés par l'U.R.S.S. en échange des documents qui allaient entraîner la mort du maréchal Toukhatchevski. Il fut aussi de tous les coups durs. A Prague, après l'assassinat de Heydrich, à l'heure où les S.S. encerclaient l'église de Saint-Charles-Borromée, qui menait l'enquête ? Schellenberg. Ah ! il n'avait pas froid aux yeux ! Un espion de grande envergure. Dès qu'un travail requérait plus que du doigté, du génie, on avait recours à lui. Poser un câble téléphonique à travers la ligne Maginot, s'assurer de la « compréhension » de personnalités haut placées chez Schneider, au Creusot, dresser la liste des ladies, des écrivains, des savants, des boy-scouts et de leurs chefs, qui devaient être emprisonnés aussitôt l'Angleterre envahie, autant de missions qui furent confiées à Schellenberg, lui, toujours lui... Il avait une spécialité : les enlèvements. Le plus spectaculaire avait été celui de deux agents de l'Intelligence, cueillis sous une grêle de balles en territoires hollandais; le plus raté celui du duc et de la duchesse de Windsor, lors de leur passage à Lisbonne. Mais pouvait-on s'attendre à ce qu'un vieil ami du duc vînt tout exprès d'Angleterre imposer à Leurs Altesses un départ précipité vers ces îles Bahamas où il semblait qu'ils eussent si peu envie d'aller ? Un des rares fiasco de sa carrière. Cela lui fut vite pardonné et, à l'époque où il recevait la visite du Rittmeister Momm, le jeune Obergruppenführer Schellenberg — du fait même qu'il assumait en plus de la direction de l'AMT VI les lourdes responsabilités que l'on venait d'arracher à l'amiral Canaris — se trouvait être le chef de tout ce que l'Allemagne comptait d'espions à l'étranger.

Or il avait trente-trois ans.

*

Contrairement à toute attente, Schellenberg jugea la proposition de Theodor Momm du plus haut intérêt. Bien que ses proches collaborateurs fussent loin de s'en douter, Schellenberg s'employait activement à prendre des contacts dans le camp occidental. Il était de ceux qui espéraient encore en cette paix séparée, dernière chance laissée au Reich de pouvoir continuer à l'Est.

Mais on se tromperait en supposant que Schellenberg agissait à l'insu de Himmler. Bien au contraire. Il bénéficiait, sinon de son approbation, du moins de sa neutralité bienveillante. Car un jour, par surprise, il avait gagné le Reichsführer des S.S. à ses vues pacifistes.

« Reichsführer, avait-il demandé de but en blanc,

dites-moi quel est le tiroir secret où vous cachez *votre* solution de rechange pour terminer la guerre ? »

Himmler l'avait regardé stupéfait. Avoir une solution de rechange sous-entendait qu'on l'eût *à l'insu* d'Hitler. Pactiser avec les Alliés sans qu'il en fût informé ? Trahir le Führer ? « Est-ce que vous êtes devenu fou ? » s'était-il écrié. Personne, jamais, n'avait osé, devant lui, s'exprimer de la sorte. Schellenberg avait insisté. Les conséquences de cette manœuvre n'étaient-elles pas évidentes ? En cas de succès, les Alliés se refuseraient à traiter avec Hitler, et lui, Himmler, maître-policier du IIIe Reich, serait seul à pouvoir prendre en main les destinées de l'Allemagne. Successeur de Hitler, lui ! Tenté, sans vouloir en convenir, Himmler[1] s'était borné à accorder à Schellenberg une exceptionnelle liberté d'action. Cela se passait dans l'année qui suivit le désastre de Stalingrad, autant dire à l'époque de la visite du Rittmeister Momm à Berlin.

Le confident de Gabrielle reçut donc l'assurance que les services parisiens de l'Office central de sécurité du Reich seraient autorisés à lui délivrer les ordres de mission nécessaires. L'opération devrait être menée dans le plus grand secret. Gabrielle voyagerait incognito. On convint d'un code. Le voyage de Gabrielle ne pourrait être désigné que sous l'appellation « Modellhut ». L'opération *Chapeau* était décidée.

La réaction de Schellenberg ne tenait compte d'aucune des réticences qu'avait suscitées chez son visiteur l'absence de garanties, de preuves aussi, quant aux amitiés dont Gabrielle se targuait. Cette attitude prouvait assez que Schellenberg n'avait rien à redouter. « Madrid était la mieux organisée et la plus déve-

1. « Le chef S.S., apparemment attaché avec fanatisme au Führer, commença à se voir lui-même dans ce rôle, ce qui ne l'empêcha pas de jouer jusqu'à la fin le double jeu. » W. L. Shirer, dans *Le IIIe Reich*.

loppée des places fortes de l'espionnage allemand. »
Schellenberg, qui y était souvent allé et s'y tenait aussi à l'aise qu'à Berlin [1], disposait en Espagne d'un commando d'hommes de main des mieux entraînés. De plus, parmi ses « V-Männer », il n'en était pas de plus actif que le prince Hohenlohe. Ce dernier était de ses amis intimes et résidait précisément à Madrid. Un aventurier de qualité, un noble serviteur de l'Etat national-socialiste. Schellenberg lui avait confié plus d'une mission ultra-secrète. En janvier 43, c'est Max Egon Hohenlohe qui était entré en contact avec « Mister Bull [2] ». Dans ces conditions, qu'avait-on à redouter de Gabrielle ? En cas d'incartade, pouvait-elle échapper aux hommes de Schellenberg ? D'où la détermination qu'il manifesta. Quel que fût son scepticisme quant au résultat de l'opération *Modellhut*, mieux valait risquer l'échec, plutôt que d'avoir à regretter, un jour, de s'être trop tenu sur ses gardes.

*

Le retour du Rittmeister à Paris lui réservait une cruelle désillusion. Alors qu'il s'attendait à ce que le départ de Gabrielle ne souffrît aucun retard, elle l'informa qu'il lui était impossible de se mettre en route s'il ne lui fournissait une dame de compagnie. Voilà que sa « Jeanne » se révélait bien timorée... Gabrielle lui répétait qu'elle n'avait de sa vie voyagé seule. Du reste elle ne donnait aucune autre explication. Il devait

1. Ses services, qui entretenaient d'excellentes relations avec la police espagnole, occupaient en entier un des immeubles de l'ambassade d'Allemagne, ne comptait pas moins d'une centaine d'agents, une quantité de postes émetteurs, une centrale météorologique et tout cela demeura en état de marche jusqu'en 1945. *The Labyrinth*, Walter Schellenberg, Harper and Bros, New York.

2. Le pseudonyme d'Allen Dulles. Il dirigeait en Suisse l'O.S.S. (Bureau des services stratégiques américains).

comprendre n'est-ce pas ? Il lui fallait quelqu'un. Le major s'attendait peut-être à ce qu'elle nommât von D... Or c'était Vera Bate dont elle réclamait la présence et, ce faisant, elle créait une situation intolérable. Vera Bate ! Une Anglaise mariée à un Italien ! Gabrielle était-elle devenue folle ? Comment voulait-elle que le major retournât à Berlin chargé d'une pareille mission ? Qu'allait être la réaction de Schellenberg face à une telle lubie ? Et pour qui le prenait-elle ? Ne savait-elle pas qu'il s'était porté garant du sérieux de sa mission. Elle le ridiculisait à l'avance. Elle le rendait suspect à force d'amateurisme. Ce n'était pas des choses à faire par les temps qui couraient.

Mais aucun argument ne vint à bout de la détermination de Gabrielle : elle irait à Madrid avec Vera ou n'irait pas. Pouvait-elle dévoiler la vérité ? Avouer que, sans Vera, sa mission n'avait aucune chance d'aboutir. Vera seule était assez liée avec Churchill, assez aimée de lui pour que la joie qu'il éprouverait à la revoir fût plus forte que les difficultés du moment. Et puis il y avait le reste... Ces liens de parenté de Vera avec la famille royale d'Angleterre qui habilement utilisés... Parler, c'était perdre tout prestige aux yeux de Theodor Momm, c'était donner le premier rôle à Vera. De cela il ne pouvait être question. En cas de succès, Gabrielle n'envisageait pas de partage.

Alors, en novembre 1943, résigné et comme subjugué, le Rittmeister s'en retourna à Berlin. Gabrielle lui eût-elle dit ce qui, déjà, avait été tenté, — la démarche de von D... et les vaines mesures d'intimidations —, s'il avait pu imaginer ce qu'elle lui cachait, serait-il parti ?

Mais c'est dans l'ignorance la plus complète de ce qui s'était perpétré à Rome en vue de s'assurer de la personne de Vera, que, pour la deuxième fois, le confident de Gabrielle demanda à être reçu par Schellenberg.

III

POURQUOI DES ROSES ?

DEUX semaines auparavant, dans un paisible quartier de Rome, un officier allemand chargé de roses... Un officier très grand et un énorme bouquet. Des roses rouges... Ce n'était pas une rencontre à laquelle on pouvait s'attendre en cette journée du 29 octobre 1943. Aussi, son arrivée au 31 de la via Barnaba Oriani ne passa-t-elle pas inaperçue. L'officier se présenta au domicile du colonel Lombardi. Surprise d'autant moins souhaitable que celui-ci avait quitté Rome depuis le 11 octobre. Il vivait en clandestin sur les hauteurs de Frascati et n'était pas seul à s'être tapi de la sorte. Plus d'un officier en avait fait autant.

La République sociale italienne venait d'être proclamée — une république fantoche dont le chef, Mussolini, n'était qu'un pantin aux mains d'Hitler. A la grande fureur de ce dernier, le roi, le prince héritier, le maréchal Badoglio et le gouvernement lui avaient échappé. Il avait pourtant ordonné que l'impossible fût tenté. S'emparer d'eux par la force — « Avant tout, je veux le prince héritier [1] » —, c'était l'ordre d'Hitler et, faisant allusion au prince de Piémont, le feld-maréchal Keitel avait ajouté : « Il est plus important que le vieux. » Alors, en manière de plaisanterie, le général d'aviation chargé d'exécuter les ordres avait assuré son Führer qu'il ne laisserait certes pas « le bambino [2] » s'enfuir. En attendant, les membres de la famille royale avaient tous réussi à gagner le Sud et, avec sa plaisanterie en travers de la gorge, le général

1. Journal du Dr Goebbels, cité par Shirer, *Le IIIe Reich*. tome II.
2. *Ibid*.

Bodenschatz n'en menait pas large. Voilà que le bambino avait fait Charlemagne et que le maréchal Badoglio signait un armistice. Cela expliquait, sans doute, ce qu'il était advenu des officiers. On en aurait volontiers récupéré quelques-uns pour les verser dans les armées de la République, seulement voilà, ils demeuraient introuvables. Tout cela d'un désespérant, d'un mal commode...

Tandis qu'à Rome, roi ou pas, rien de changé.

La Ville Eternelle était aussi fortement occupée que jamais et plus des deux tiers de l'Italie demeuraient sous domination allemande. Aussi, lorsque Vera, la belle Vera, se vit face à face avec un officier allemand, pensa-t-elle d'abord que l'on recherchait son mari. Mais pourquoi des roses ?

Les roses, c'était Gabrielle.

Le visiteur[1] n'avait d'autre mission que de remettre en bonnes mains une lettre de Paris, datée du 17 octobre, et portant l'en-tête de la maison Chanel. Quatre ans bientôt que Vera était sans nouvelles de Gabrielle. Mais, fort brusquement, elle se souvenait de son amie : « Maintenant, chère, je suis triste de ne pas savoir ce que vous devenez », écrivait-elle. Elle se disait incapable de supporter plus longtemps l'idée que, pour vivre, Vera en était réduite à peindre des paravents. Aussi la priait-elle de venir la rejoindre au plus tôt. Le prétexte invoqué était qu'elle allait rouvrir sa maison de couture. « Je vais me remettre au travail, disait la lettre, et je veux que vous veniez m'aider. Faites exactement ce que vous dira le porteur de ce message. Arrivez aussi vite que possible, n'oubliez pas que je vous attends avec joie et impatience. » La formule finale était en anglais : « *All my love*[2]. »

1. Certains affirment que c'était von D... Mais rien ne le prouve.
2. Lettre de Gabrielle Chanel, coll. de l'auteur.

Comment Vera eût-elle deviné les véritables mobiles de cette lettre ? Elle la prit pour argent comptant, sans songer, fût-ce un instant, à lui donner une réponse affirmative. Le « porteur » insista. Elle ne lui laissa aucun espoir. C'était non, un non catégorique.

Or von D... était à l'origine de cette entreprise de séduction.

Que se passa-t-il exactement quand les roses se révélèrent sans effet ? Ses émissaires exécutèrent-ils ses ordres ou bien les dépassèrent-ils ? Vera fut-elle victime du zèle stupide d'un subalterne ou bien von D... opta-t-il pour la manière forte ?

Le 11 novembre 1943, au petit matin, Vera fut arrêtée et conduite en prison. Et là, aux Mantellate [1], toute bâtarde d'Angleterre qu'elle fût et bien qu'amie très proche de Winston Churchill, on la laissa parmi les prostituées et les condamnées de droit commun, méditer sur ce qu'il en coûtait de refuser ces sortes de propositions, fussent-elles dites avec des roses.

Arrêter Vera ? La gaffe était de taille. On imagine le bruit que cela fit dans plus d'un milieu. Von D... avait accumulé les erreurs et Gabrielle se reprocha certainement de lui avoir confié une mission de cette importance. Elle avait cessé aussitôt d'avoir recours à ses services. C'est sur ces entrefaites que, sans en avertir Spatz, elle avait fait appel à Theodor Momm.

Celui-ci n'était pas au bout de ses surprises. De retour à Berlin et entretenant Schellenberg pour la deuxième fois de l'opération *Modellhut*, il ne s'étonna pas de le voir réagir avec une extrême impatience aux nouvelles qu'il lui apportait. L'opération *Modellhut* prenait une tournure déplaisante et presque indigne d'un homme de son importance. L'Obergruppenführer avait de l'espionnage une idée qui lui interdisait de

1. A Rome, la prison des femmes.

traiter des affaires de deuxième zone. Ses contacts se situaient au plus haut niveau. Il était en rapport direct avec le chef du renseignement suisse, le général Masson, ainsi qu'avec le consul général britannique à Zurich, qui lui, au moins — et il pouvait le prouver — était en liaison permanente avec Churchill. Ce dernier avait même autorisé le consul à poursuivre ses « investigations » auprès des services du renseignement allemand. Schellenberg en avait été assuré personnellement. Alors qu'avait-il à perdre son temps avec *Modellhut* ? Et pourquoi ce capitaine venait-il tout exprès de Paris l'avertir que l'opération ne pouvait être lancée que si l'on assurait à sa responsable les services d'une suivante. C'était du dernier grotesque. Schellenberg avait des sujets de préoccupation autrement sérieux.

On était en pleine affaire *Cicero*, les services secrets étaient sur les dents, les menaces contre la vie du Führer se multipliaient, les luttes internes dépassaient en violence tout ce que l'on aurait pu prévoir — Himmler contre Canaris, Kaltenbrunner contre Schellenberg — encore aggravées par la maladresse, la fatuité de Ribbentrop, enfin, devant la menace du désastre sans cesse plus évidente, la folie lentement gagnait. Car c'était bien de cela qu'il s'agissait : une forme de démence collective. Un jour Hitler envisageait, le plus sérieusement du monde, de déporter le pape en Avignon et Himmler passait une journée entière à le convaincre de n'en rien faire. Quelque temps plus tard, c'était Ribbentrop qui convoquait Schellenberg et lui annonçait de graves décisions. Il était résolu à demander audience à Staline et, en cours de conversation, de lui tirer dessus à bout portant. Schellenberg accepterait-il de l'accompagner dans cette mission-suicide ? Alors, alors... *Modellhut*, après tout... Etait-ce une opération aussi déraisonnable qu'il y paraissait ?

Walter Schellenberg demanda comment s'appelait l'éventuelle candidate au rôle de suivante. Le Rittmeister, qui ignorait tout et des menées de Spatz à Rome et du sort réservé à Vera, communiqua son nom, son adresse et quelques précisions d'état civil. L'Obergruppenführer ordonna une enquête dont ses services romains lui communiquèrent presque aussitôt le résultat. Il fit l'effet d'un coup de tonnerre : la dame était en prison depuis une quinzaine. Sur ordre de qui ? s'écria Schellenberg. D'agents qui ne dépendaient pas de l'AMT VI. Ce n'était pas une information suffisante, et Schellenberg répéta qu'il lui fallait connaître les responsables sur l'heure. Alors, les responsables, tous de la Gestapo et que des demandes venant de si haut ne manquaient pas d'inquiéter, convinrent que Vera avait été écrouée sur leur ordre et, de plus, affirmèrent que cette détention était des plus justifiées. Ils invoquèrent une affaire d'espionnage. Vera Bate, agent de l'Angleterre ! Le Rittmeister que cette révélation stupéfiait, nota dans le rapport qu'il rédigea : « Ce fut surprenant de voir Schellenberg avaler la pilule qui pourtant lui était particulièrement amère. »

Mais l'était-elle tant que ça ? Et si elle l'eût été, pourquoi l'eût-il avalée ?

Vera, en prison pour espionnage, était, du point de vue de Schellenberg, une excellente affaire. Voilà que l'opération *Modellhut* ressemblait enfin à quelque chose. L'hypothèque d'amateurisme qui l'entachait se trouvait levée. Et puis Vera, parente des Windsor, fût-ce de la main gauche, était une prise de choix. D'un agent ennemi, tiré de prison et bien utilisé, on réussit presque toujours à faire une sorte d'otage.

A partir de là, l'opération *Modellhut* fut menée tambour battant.

Les agents désignés pour aller, le 29 novembre, tirer Vera de sa prison furent soigneusement choisis par Schellenberg lui-même. Il prit contact avec le chef des S.S. de Rome et lui ordonna de veiller en personne à la levée d'écrou. Il fallait que Vera fût traitée avec les égards dus à une femme de la meilleure société. Tout fut mis en œuvre pour effacer la détestable impression que lui avaient, à coup sûr, laissée le souvenir de son arrestation et les conditions de sa détention.

Le colonel des S.S. s'acquitta de sa mission et renouvela à Vera l'ordre de rejoindre Paris où son amie Gabrielle Chanel avait intérêt à la voir arriver dans les délais les plus brefs, précisa-t-il sans en dire davantage. Il lui fit valoir les égards exceptionnels dont elle allait être l'objet et les dispositions qui avaient été prises pour lui rendre son déplacement aussi plaisant que possible. Plutôt que de la ramener chez elle où rien n'était préparé pour la recevoir, un appartement lui avait été réservé dans le meilleur hôtel de Rome. La princesse Windischgraetz, qui y logeait, avait été avertie de son arrivée. Les deux dames étaient très liées. Leurs chambres seraient mitoyennes. Le lendemain, Vera serait conduite via Barnaba Oriani, afin d'y prendre ceux de ses effets dont elle pourrait avoir besoin. Après quoi, deux officiers la convoieraient en automobile jusqu'à Milan et, afin d'ôter à Vera toute appréhension quant au but de ce voyage, un de ses amis d'avant-guerre avait accepté de l'accompagner. L'ami, qui résidait à Rome depuis de nombreuses années sans que l'on comprît comment il avait fait pour n'être pas mobilisé, était un aristocrate allemand, grand connaisseur en objets d'art, un raffiné, très soigné de sa personne et qui prenait des airs entendus pour signaler telle œuvre de maître dont une de ses connaissances cherchait à se défaire, la pauvre... Un peu antiquaire, en somme, mais non dénué de charme et qui n'eût pas fait de mal à une mouche : le prince de Bismarck, ou plutôt, Eddie comme l'appelaient ses jeunes amis et les belles Romaines. Car on en raffolait, dans les palais, de cet Eddie qui allait être du voyage.

Toujours par souci de prévenance, le chef des S.S. avertit Vera qu'il ne fallait cependant pas qu'elle s'étonnât de ce que le prince de Bismarck fût vêtu en S.S. Pure formalité... Faute de quoi il n'eût pas été autorisé à prendre place auprès d'elle. Les ordres étaient formels et les véhicules transportant des civils étaient impitoyablement stoppés. Alors... Le prince s'était montré parfaitement compréhensif.

Or rien, dans ce discours, n'ébranla la volonté de Vera.

Convaincue que cette invitation cachait une menace, elle fit au deuxième émissaire de Gabrielle une réponse qui ne différait en rien de celle faite quelque temps auparavant. C'était non. Elle répéta qu'elle se refusait à quitter Rome sous quelque prétexte et pour où que ce fût.

Le colonel en référa à Berlin.

Schellenberg fit savoir qu'on était au regret de déplaire, mais que c'était Paris ou le retour immédiat en prison.

Vera se donna la nuit pour réfléchir. Que signifiait cette mise en scène ? Tout ce fracas, à seule fin de donner à Gabrielle l'aide qu'elle réclamait pour remettre en marche sa maison de couture ? On ne pouvait y croire et Vera ne se décidait pas à partir. Où voulait-on l'entraîner ? Paris, c'était l'exil. Et quand reverrait-elle, Berto, son mari ? Si ce départ, comme elle le croyait, n'était qu'une façon déguisée de la déporter, ne valait-il pas mieux retourner en prison ? Aux Mantellate, la saleté, les conditions d'hygiène et la promiscuité étaient atroces mais au moins c'était Rome. Or les Alliés étaient à Salerne et la Libération était peut-être pour demain. Si les Anglais entraient dans Rome, son frère, Georges Fitz-Georges, qui était officier de renseignement, aurait tôt fait d'apprendre quelle triste situation était la sienne. Et son mari dont elle ne pouvait parler à personne ? Et son mari... Il avait trouvé à se cacher chez les Aldobrandini. Autant dire en terre papale. Or Berto, c'était certain, à peine Rome libérée, Berto saurait la tirer de ce mauvais pas. Tandis qu'en Allemagne... En Allemagne...

Quel conseil lui donna-t-on au cours de la dernière nuit qu'elle passa à Rome ? Le lendemain Vera avait changé d'avis. Elle acceptait. Elle irait travailler en France. Mais puisqu'on cherchait à faire de ce départ forcé une partie de plaisir, elle exigerait d'emmener *Taege*. Et tant pis si cela ne plaisait pas. Qui, en l'absence de son mari, qui donc, mieux qu'elle, se chargerait de lui ? Pauvre *Taege*... Il vivrait, à Paris, avec elle. Ce serait une compagnie.

Haut sur pattes et de la taille d'un jeune veau, *Taege* était de race fort ancienne, mais inconnue ailleurs qu'en Italie. Une façon de dogue, d'origine calabraise. Avec son poil dur et ras, ses dents vite montrées, *Taege* n'était rien moins qu'aimable. L'accueil des S.S., à la nouvelle que la dame allait emporter ce molosse, fut frais. Mais ils n'osèrent importuner à nouveau Schellenberg. Aurait-il ou non accepté que la dame voyageât avec son chien ? A vrai dire, elle n'en faisait qu'à sa tête ! Et voilà que... Sur une route d'Italie, des S.S., une Anglaise et un chien, on n'avait encore jamais vu ça. Elle abusait d'eux. Pour qui se prenait-elle ? Malgré les égards qu'on lui témoignait, elle avait refusé le manteau militaire dans lequel le prince de Bismarck avait suggéré qu'elle s'enveloppât et elle ne manquait pas une occasion de les rabrouer.

Mais quel que fût l'étonnement qu'éprouvèrent les membres de son escorte, il ne fut pas moins grand que celui de Theodor Momm lorsqu'il accueillit Vera à Milan. Avec la dame de compagnie, voilà qu'arrivait aussi un chien... Pourquoi pas un cheval ? Et qu'allait-on faire de ce *Taege* ? Vu de près, il était terrifiant. Et quelle place il tenait ! Comment convaincre Vera de s'en séparer et par quel biais allait-on aborder l'affaire ? Il s'avisa alors que Gabrielle avait de surprenantes relations.

C'était la nuit, il fallait se délasser. Une halte nocturne avait été organisée chez un grand seigneur milanais. Sa demeure était de dimensions royales. Arcore... Le plus beau château de la région. Chacun fit de son mieux pour dérider Vera. En vain. L'hôte se mit en quatre. Il essaya de plaisanter. Mais, nom de nom, que redoutait-elle ? Si l'on donnait à ce voyage pareil lustre, c'est bien qu'elle n'était pas victime d'un enlèvement ? Peut-être était-ce un mauvais moment à passer, ça oui, et il comprenait son inquiétude, mais elle n'avait quand même pas matière à se plaindre. Son escorte était digne d'elle. Dans sa voiture, le prince de Bismarck et deux jeunes gens superbes; à Rome, la compagnie de la princesse Windischgraetz; à Milan celle du comte Borromeo; qui lui fallait-il encore ? Elle répondit qu'elle ne pouvait se résigner à s'éloigner de Rome. Elle disait *Rome* parce qu'il était impossible de dire *Berto*. Qu'on aille, après ça lui faire des ennuis, à lui aussi...

Le lendemain, à l'aube, il y eut recrudescence d'exaspération. Vera se vit déposée sur un terrain où l'attendait un avion de petite taille dans lequel il n'y eut place que pour elle, le pilote et le Rittmeister. Elle exposa, à nouveau, avec beaucoup de force, ce qu'elle pensait de procédés indignes qui consistaient à emmener les gens contre leur gré. Le comble était qu'on lui arracha *Taege*, sans qu'elle ait pu s'y opposer. Alors, le prince de Bismarck, mal à l'aise dans son uniforme d'emprunt, et bien que cela ne lui fît aucun plaisir de charrier ce chien — il était clair qu'il eût préféré, mille fois, s'en retourner en la seule compagnie des deux beaux conducteurs auxquels il aurait pu tenir des discours artistiques, avec des allusions sur les antiquités romaines —, Eddie, donc, bon prince, s'engagea solennellement à prendre soin de *Taege* jusqu'à la fin des hostilités.

Et ce fut le décollage, puis une navigation houleuse au cours de laquelle, malgré les efforts que déploya Momm, Vera ne desserra pas les dents. Aimable comme une porte de prison... On eût dit que parler lui faisait mal à la bouche. C'est en survolant Ulm que tout alla au pire. Un fort givrage des surfaces portantes mit le pilote dans l'obligation d'aller se poser au plus près. Paris était trop loin. On renonçait. Vint à l'idée de Vera que ce n'était qu'une ruse. Où allait-on ? A Munich. La conclusion logique était qu'on lui avait menti. Elle se vit morte. Ici, le Rittmeister fit l'impossible pour la rassurer. On venait à peine de toucher terre qu'il avait déjà trouvé une voiture. Où allait-on ? Il la conduisait à la gare. Sombre traversée, d'une ville aux côtés d'une femme plus renfrognée que jamais. La vue du train, le fait qu'ils montèrent tous deux dans la voiture marquée *Paris*, ne changèrent rien. A peine assise, Vera, qui refusait de s'exprimer en une autre langue que l'anglais, refusa aussi l'aimable proposition de son accompagnateur qui l'invitait au wagon-restaurant. Cette conviction qu'on lui voulait du mal... Le Rittmeister avait beau faire, l'attitude de Vera lui levait le cœur.

Enfin les mots : *Gare du Nord*.

Il y eut alors, entre eux, un point sur lequel ils tombèrent enfin d'accord : ils étaient en France. Mais Vera ne redevint elle-même qu'au Ritz. Gabrielle l'attendait. Là, Vera eut la seule bonne surprise que lui réservait ce voyage : ce n'était pas à Paris qu'elles allaient se remettre ensemble à la couture, mais à Madrid. Le projet de Gabrielle était de faire revivre Chanel en Espagne.

IV

L'IMBROGLIO ESPAGNOL OU UNE SEMAINE EN CASTILLE

GABRIELLE laissa son amie ignorer jusqu'au bout ses véritables intentions. Elle ne lui parla que couture. Si bien que, libérée des doutes qu'elle avait nourris tout au long de son voyage, Vera éprouva comme un regain d'affection pour cette Gabrielle enfin retrouvée. Elles étaient sœurs dans le travail, après tout, sœurs dans la difficulté. Leur alliance, qui ne datait pas d'hier, avait fait ses preuves. A l'issue de la première guerre mondiale, pendant ses années d'errement, lorsque, étrangère à Paris, son ménage en miettes et passablement désarmée, Vera avait cherché un emploi, où l'avait-elle trouvé sinon chez Chanel ? Ce sont là des choses dont on se souvient entre gens de courage. Gabrielle... Voilà que le moment était venu pour Vera de lui venir en aide à son tour. Si elle avait si impérieusement ressenti la nécessité d'avoir Vera auprès d'elle, c'était, à n'en pas douter, par manque de cœur à l'ouvrage, et la « reprise » lui avait été imposée, Vera en était convaincue. Mais voilà qu'à quelques jours de l'épreuve, elle annonçait son départ pour l'Espagne. Il devenait clair, aux yeux de Vera, que l'adversaire n'avait pas eu raison de Gabrielle, clair que ce nouveau coup de théâtre était un prétexte pour se tirer d'embarras, clair enfin qu'elles allaient se rendre ensemble dans un pays où les Allemands n'étaient pas.

Alors Vera fit en sorte d'effacer en elle toute trace de rancœur, et de perdre jusqu'au souvenir de ce qu'elle avait enduré à Rome. Mais n'était-ce pas un étrange spectacle que celui de ces deux femmes, ni alliées ni ennemies, menant à l'aveugle une partie faussée ? Car si Gabrielle s'interdisait de révéler à Vera que ce qui la faisait aller en Espagne était l'assurance d'être reçue par l'ambassadeur d'Angleterre, Vera, pour sa part, se défendait de lui avouer qu'à peine à Madrid, rien ne saurait l'empêcher de s'adresser, elle aussi, à ce même ambassadeur. Elle avait son plan : rejoindre, à toute force, les Anglais dans cette portion d'Italie où ils s'étaient fortement implantés. Et là ? Il faudrait entrer en contact avec Berto. Eh oui, une fois là, Vera retrouverait son mari pour de bon. Un simple message : « Je suis à Salerne. » Lui qui la croyait à Paris ! A Salerne ! Il se demanderait certainement ce qu'elle fichait là. Mais il s'élancerait aussitôt, elle en était certaine et en compagnie de *Taege*, bien sûr... Vera les imaginait, lui à cheval, franchissant les talus au galop et l'autre, la langue pendante, le suivant ventre à terre... Le rêve qui se formait dans la tête de Vera, fait de cavaliers en rupture de ban, voyageant avec leur chien parmi les convois militaires, était de ces scènes anglaises, comme elle en peignait sur les paravents.

Le séjour à Paris fut bref. Il se déroula dans la bonne entente et sans presque de difficulté, si ce n'est que Vera eut souvent l'impression que tout contact extérieur lui était interdit. Gabrielle n'était jamais à court d'arguments. Misia ? Misia était souffrante, Misia était absente, et, du reste, le téléphone étant d'un usage risqué, mieux valait ne rien entreprendre. Elle veillait, sans qu'il y parût, à ce que Vera n'eût affaire qu'à elle [1].

Le danger était grand en effet que quelqu'un s'éton-

1. Le seul rendez-vous pris à l'insu de Gabrielle fut sujet à drame. L'amie de toujours — Sabine Charles-Roux — avec laquelle Vera avait réussi à entrer en contact, manqua choir à terre d'étonnement lorsque Gabrielle apparut, et telle une furie, s'adressant à Vera sans ménagement, la pria « de ne plus recommencer ».

nât d'entendre pour la première fois parler d'une reprise d'activité, ou pire : d'un voyage en Espagne. Car enfin, en ces jours de longue épreuve, on n'avait guère souci de tourisme et les voyages à Madrid étaient aussi rares que le pain.

*

Vivre à Madrid, c'était encore une fois descendre au Ritz. L'élégante coterie qui y était casernée écoutait avec ravissement le portier appeler d'une voix forte des noms de la plus authentique aristocratie. Dans un confort d'avant-guerre, c'était un perpétuel va-et-vient de messieurs en civil, quoique Allemands, s'exprimant en espagnol, conduisant de lourdes voitures américaines et vivant dans la hantise d'un renversement de la situation. Ils voyaient s'accroître rapidement le nombre de leurs adversaires : d'autres messieurs en civil, conduisant des voitures de même marque, s'exprimant eux aussi en espagnol et mis là pour les surveiller. Ils étaient Anglais ou Américains. Ce face-à-face avait quelque chose de burlesque car chacun faisait en sorte que le rapport des forces demeurât strictement égal. Qu'un nouvel agent fît son apparition dans le camp des Anglais, et les Allemands recevaient aussitôt du gouvernement espagnol l'autorisation de s'adjuger un espion supplémentaire. Cela dit, les services secrets du IIIe Reich étaient seuls à bénéficier de l'appui inconditionnel de la police, le général Franco ayant de la neutralité une conception des plus particulières.

Si l'on ne sait pratiquement rien de ce que fut le voyage entre Paris et Madrid — à part que Vera et Gabrielle voyagèrent avec des sauf-conduits allemands —, s'il n'est nullement prouvé que von D... les accompagna — il l'affirma, mais ses plus proches amis le démentent — elles n'évitèrent pas que leur séjour dans la capitale espagnole eut de nombreux témoins.

Aussitôt arrivées, elles se mirent à l'œuvre.

Voici Gabrielle qui, sous le fallacieux prétexte d'aller faire une course, se présente à l'ambassade d'Angleterre. Et voici Vera, que cette course providentielle libérait, voici Vera prenant, sans le savoir, le même chemin que son amie. La sonnette, à l'instant où elle retentit, entraînant aussitôt l'apparition d'un employé anglais, constitue un événement qui prend pour Vera valeur d'une immense émotion : la voici enfin en terre amie.

Quelques heures plus tard, se produisit l'irrémédiable : les deux dames tombèrent face à face à l'instant où elles s'en allaient.

Toutes deux demeurèrent interdites, troublées, presque tremblantes, à chercher leurs mots.

Il semblerait que ce fût Gabrielle qui, la première, retrouva son sang-froid. Elle aurait dit :

« Voilà qui est joli ! Nous n'allons pas rester là, à nous regarder en chiens de faïence. »

Et elles quittèrent l'ambassade.

Gabrielle révéla alors à Vera ce qui l'avait amenée en Espagne. Elle ne lui cacha rien. L'existence de Schellenberg et la part qu'il prenait à toute l'affaire lui fut minutieusement exposée. Or Gabrielle venait d'être reçue par Sir Samuel Hoare, et le message qu'elle adressait à Winston Churchill allait être acheminé, du moins l'affirmait-elle. Et, bien qu'aucune trace de cette mémorable rencontre ne figure dans les archives britanniques, on ne voit pas ce qui aurait rendu impossibles[1] et l'audience et l'acceptation d'un message dont on pouvait à loisir vérifier le contenu.

Mais parce que Gabrielle n'avait de foi profonde que dans la force du secret, elle avait pris un risque

1. Nombreux sont ceux qui croient que le duc de Westminster aurait, de longue date, appuyé sa démarche.

impardonnable et qui allait rendre la suite de sa mission pour toujours suspecte aux yeux de la mission britannique en Espagne. Peut-être l'eût-elle été sans ça... Mais enfin cette omission fut l'élément déterminant. Car ayant dans l'idée de garder Vera en réserve, comme un ultime recours au cas où Churchill manifesterait des réticences à son endroit, Gabrielle n'avait soufflé mot de la présence de Vera à Madrid. Pouvait-elle s'attendre à ce que cette dernière eût, dans le même temps, pris contact avec un officier de l'Intelligence ? Or, Vera, elle, n'avait rien omis. Elle avait tout raconté, tout dit, Rome, l'épreuve terrible de la prison, les conditions dans lesquelles elle était sortie d'Italie, son séjour à Paris, les sauf-conduits allemands... On se demanda aussitôt pourquoi ces deux femmes s'étaient contredites. L'une disait tout, l'autre presque rien. L'une prétendait que Churchill était susceptible de la recevoir, l'autre demandait à se rendre dans la zone des armées d'Italie. Alors d'où venait qu'elles voyageaient ensemble avec des sauf-conduits délivrés à la même date et par les mêmes autorités ?

Leur cas parut des plus douteux.

Cependant tout n'était pas suspect dans cette énigme. L'une de ces femmes avait rendu son nom célèbre, l'autre avait les plus nobles attaches. Sans plus se risquer à avancer d'un pas, les agents britanniques jugèrent qu'on ne pouvait en aucun cas enterrer l'affaire. Ils demandèrent des instructions à Londres. Or le problème que posait l'initiative de Gabrielle n'était jamais qu'un tout petit événement noyé dans une quantité d'événements plus graves. A Londres, on ne considéra pas qu'il y eût lieu de se presser. Alors, à Madrid, les dames donnèrent des signes d'impatience. Et l'ambassadeur décida d'établir avec elles une sorte de liaison permanente, jugeant qu'elles méritaient quand même d'être prises en considération. Celui qu'il chargea de cette liaison était un garçon qui, bien qu'Anglais, ne se fit connaître que sous le nom de *Ramon* [1]. Jamais Gabrielle ne perça le secret de ce pseudonyme qui évoquait irrésistiblement l'époque de la gomina et du tango, encore qu'il fût en contradiction formelle avec la blondeur distinguée de celui qui le portait.

Les jours qui suivirent furent déterminants. Le dénommé « Ramon » manifesta un sentiment de confiance plus vif à l'égard de Vera que de Gabrielle — réticence dont cette dernière s'aperçut aussitôt. Ce *quelque chose* lui donna le sentiment que « Ramon » n'allait rien tenter pour hâter l'aboutissement de sa mission.

Et il lui semblait que Vera, elle non plus, ne concentrait pas, en sa faveur, l'ensemble de ses possibilités.

« Ramon » n'était pas étranger à tout cela.

Il avait distinctement laissé entendre à Vera qu'elle aurait grand avantage à ne pas se montrer en compagnie de Chanel. Enfin, à l'en croire, pour réussir à se faire rapatrier dans les conditions qu'elle souhaitait, il ne lui restait qu'à quitter le Ritz et aller loger ailleurs. Avec quel argent ? se demandait-elle. Il fallait trouver de l'aide. Vera prit de plus en plus de contacts n'importe où et comme au hasard. Alors Gabrielle constata qu'elle n'était même plus consultée sur les gens à voir ou à éviter, détail qui pouvait, à première vue, paraître secondaire alors qu'il était loin d'être dénué d'importance.

C'est ainsi que Vera invita un diplomate italien que

1. « *Ramon* peut fort bien avoir été Bryan Wallace (fils de l'écrivain), qui était secrétaire honoraire à l'ambassade et que Sir Samuel Hoare utilisait occasionnellement pour prendre contact avec les visiteurs un peu bizarres (*aukward visitors*). Je n'arrive pas à m'expliquer pourquoi il usait d'un pseudonyme, sinon peut-être parce qu'il aimait assez dramatiser les choses... », lettre de Sir Michael Creswell, deuxième secrétaire d'ambassade à Madrid en 1943, au père Jean Charles-Roux.

son refus de rallier le « Gouvernement républicain fasciste » de Mussolini avait contraint à quitter son poste. Sa femme et lui [1], victimes d'un lâchage qui, pour ignoble qu'il fût, n'en était pas moins général, vivaient désormais méprisés de ceux qui, quelques semaines auparavant, leur faisaient fête.

Leur entrée dans les salons du Ritz suscita fatalement des mouvements divers. Gabrielle jugea que Vera se jouait d'elle en faisant fi de son hospitalité. Afin de lui prouver qu'elle n'était pas dupe, et cherchant par l'insolence du ton à la mécontenter, à l'heure sacro-sainte du thé, elle lui tendit sa tasse en lui jetant au passage :

« On offre toujours le thé aux prisonniers anglais. »

Ce qui pouvait se traduire ainsi : « N'oubliez pas que je vous tiens. » Paroles singulières qui piquèrent Vera au vif. Prisonnière, elle ? C'est ce qu'on allait voir... L'incident, bien que bref, la confirma dans sa résolution de mettre fin à une cohabitation qui n'offrait plus que désagréments. Elle se donna deux jours, pas un de plus... Les événements, en la prenant de vitesse, allaient précipiter sa décision.

Fort soudainement, la nouvelle se répandit à Madrid que Churchill était souffrant. A Londres, le 16 décembre 1943 Attlee en avait informé la Chambre. On diffusa un bulletin de santé hâtivement rédigé. C'est ainsi que les Anglais apprirent que *le Premier ministre avait passé une bonne nuit, et qu'une certaine amélioration se manifestait dans son état général,* sans qu'ils eussent, au préalable, été avertis de sa maladie.

Pressé de questions, « Ramon » avoua qu'à son retour de Téhéran, Churchill avait été pris d'un *mauvais rhume*. C'était la version officielle et l'on n'en savait

1. Le marquis et la marquise de San Felice.

pas davantage, sinon que les conséquences du *mauvais rhume* en question étaient une mise au repos du Premier ministre. On ne pouvait à l'avance en fixer la durée. Tous les rendez-vous de Churchill, en dépit de l'urgence et de l'énormité de sa tâche, avaient été annulés. C'était notifier clairement à Gabrielle qu'il lui fallait renoncer à obtenir du Premier ministre un entretien que, sur ordre de ses médecins, il ne pouvait accorder ni aux membres de son cabinet ni à ceux de l'état-major.

Pas plus que Vera, Gabrielle ne douta de la bonne foi de ses interlocuteurs.

Aurait-elle réussi à entrer en contact avec le Premier ministre s'il avait été en bonne santé ? Rien de moins certain. Mais qu'il ait été sérieusement malade, de cela elle était convaincue. Le vieux Winston... « Il est bel et bien souffrant, affirma-t-elle, à Vera, avec une voix d'anxiété. Peut-être même est-il en danger... »

On sentait qu'elle était bouleversée.

De l'autre côté de la Méditerranée, la mort frôlait de près celui sur qui reposait le destin de l'Angleterre. « Au bout de son rouleau, notait, le 10 décembre 1943, son médecin personnel. Il est certain qu'il court au-devant de l'effondrement [1]. » Et le lendemain : « Tandis que le Premier ministre se dirigeait à pas lents vers l'avion, je remarquais que sa figure prenait une couleur grise qui ne me plut pas. » Churchill se rendait chez le général Eisenhower qui l'attendait en Tunisie. « Lorsqu'il arriva enfin dans cette maison, il s'écroula littéralement dans le premier fauteuil venu », nota encore son médecin. Et plus tard : « Il n'a rien fait de la journée, il ne semble même pas avoir la force de lire les télégrammes habituels. Je suis très inquiet. » Le chavirement... Tout d'un coup,

1. Lord Moran, *Vingt-cinq ans aux côtés de Churchill, 1940-1965*, Robert Laffont.

là, à Carthage, avec une menace de pneumonie, une sorte de nuit. Et la peur, touchant ses proches, et un spécialiste arrivant de Londres, et la question que personne n'osait poser : « Churchill va-t-il mourir ? »

Enfin, le vieux navigant qui avait si longtemps maîtrisé les lames furieuses de la guerre, là, brusquement arrêté, terrassé, par le mauvais sort, retrouva soudain cette énergie à espérer qui était sa raison de vivre. Aussitôt qu'il fut en état de voyager, le Premier ministre alla reprendre force face à ce poème singulier de cimes, de ciel, de sable, de palmiers, et qui s'appelle Marrakech.

Gabrielle avait attendu à Madrid. En vain. Plus d'illusions : elle ne verrait pas Winston et l'opération *Modellhut* avait échoué.

Alors elle annonça à Vera qu'elle s'en retournait à Paris.

Fallait-il qu'elle comptât sur son amie ?

Celle-ci lui apprit qu'elle restait en Espagne. Gabrielle pensa que, faute d'argent, elle se raviserait et qu'elle la retrouverait à la gare le lendemain. Mais Vera quitta l'hôtel le soir même et Gabrielle n'en entendit plus parler[1].

A Paris, le Rittmeister Momm, que la prolongation du séjour de Gabrielle à l'étranger commençait à inquiéter insupportablement, éprouva un vif soulage-

1. Vera avait trouvé refuge chez le marquis de San Felice. Après quoi, ce fut le mystérieux « Ramon » qui lui offrit l'hospitalité. Vera se remit à gagner sa vie en peignant des scènes cavalières sur des tables basses et des paravents. Mais les soupçons qu'elle avait suscités se révélèrent tenaces. De Londres au bout de plusieurs mois arriva enfin la nouvelle qu'elle ne serait autorisée à rentrer en Italie qu'après que Rome aurait été libérée. Or les Alliés y firent leur entrée en juillet 1944 et Vera dut encore attendre jusqu'en janvier 1945 son rapatriement. Mais l'imbroglio espagnol dépassait tout ce qu'on aurait pu imaginer : c'était la reine d'Espagne en exil qui, désireuse de venir en aide à cette parente « par la main gauche », se chargeait de faire parvenir de Suisse en Italie les lettres que, de Madrid, Vera adressait à son mari...

ment en la voyant revenir. Vera l'avait trahie ? Eh quoi ? C'était prévisible. Qu'une des deux fût rentrée était assez. On n'en espérait plus davantage.

*

Gabrielle avait cet étrange pouvoir de garder foi en d'imprévisibles lendemains. Qui saurait dire ce qui l'habitait ?

En dépit des nouveaux revers que, sur tous les fronts à la fois, subissaient les armées du IIIe Reich, malgré ce que l'on entendait — d'un bout de l'Allemagne à l'autre des villes pulvérisées, le sort des femmes, des enfants, pesant lourdement sur le moral des combattants, et les sans-abri par milliers, pareils à des spectres, allant et venant par les rues, nuit et jour, sans qu'il leur fût possible de trouver trace d'un abri —, Gabrielle à cette heure et dans ce monde qui se défaisait par cités entières, Gabrielle réglait froidement ses comptes.

Avec Vera d'abord, cette femme amoureuse dont il fallait faire une coupable. Son premier soin fut de lui écrire. Et sur quel ton... Maudits soient ces maris ! Tout recommençait pareil au temps d'Adrienne à Deauville. Et sous chaque phrase de Gabrielle, on sentait l'exaspération de l'éternelle déçue, face à l'autre, la fausse amie, qui avouait attendre seulement l'heure d'aller, avec une hâte folle, retrouver celui qu'elle aimait.

Dans les derniers jours de 1943, Vera reçut donc de Gabrielle une lettre, apportée par on ne savait qui, quatre pages hâtives, écrites au crayon, d'une main ferme — qu'importent les fautes — et sans ratures. D'apparence quelque peu hautaine, l'écriture était encore toute chargée des enseignements qu'au début du siècle avaient prônés les chanoinesses de Moulins. C'était de ces calligraphies fières et cambrées, enseignées dans le but de prouver à quel point on était « vraiment une dame ». Une dame parlant sec et commandant haut :

Chère Vera, Malgrés (sic) *les frontières tout va vite ! Je sais vos trahisons ! Elles ne vous serviront à rien, sauf de m'avoir profondément blessée.*

J'ai fait tout mon possible pour rendre votre séjour moins cruel. Patience, argent, etc. Mais je ne pouvait (sic) *sur le sujet italien devenir idiote, et sur le sujet allemand entendre ou dire moi-même des choses indignes que je laisse aux simples d'esprit. Mépriser son ennemie*[1] *c'est se diminuer soi-même.*

Mes amis anglais ne peuvent en aucun cas me blâmer ou me trouver le moindre tort.

Ça me suffit.

J'ai vu M...[2]. *Je n'ai pas dit un mot pouvant vous rendre les choses difficiles. Si vous voulez retourner à Rome, 48 heures après votre arrivée ici vous serez de retour là-bas auprès de vos vrais amis !...*

Votre indifférence au sujet de mes affaires en Espagne me dispense de vous en parler ! Mais j'ai de bonnes nouvelles et espère aboutir.

Je garde un très bon souvenir de votre ami « Ramon » encore que son aide en affaires me paraît peu sérieuse.

Sachez aussi que j'ai quittée (sic) *l'Espagne non pas sur un ordre — j'en ai beaucoup donné dans ma vie et pas encore reçus* (sic). *Mon visa était fini. S...*[3] *avait peur que j'ai (sic) des difficultés.*

Je souhaite de tout cœur que vous retrouviez votre bonheur.

1. Ennemie... Ce féminin est troublant. Ennemie... Etait-ce l'Allemagne ou Vera ?
2. Gabrielle se tenait à cette initiale et ne citait pas plus le nom du major que celui de Schellenberg.
3. De toute évidence, S. pour Schellenberg.

Mais je m'étonne que les années ne vous donnent pas plus de confiance et moins d'ingratitude.

Une époque aussi cruelle et triste devrait accomplir ce genre de miracle.

La lettre était signée : *Coco.*

*

On n'émettra jamais d'opinion sans faille sur Chanel. La connaissant, l'eussions nous imaginée se considérant tenue d'aller jusqu'à Berlin rendre compte de sa mission manquée ? Sûrement non. C'est pourtant ce qu'elle fit.

Laquelle de ses amies, laquelle parmi ses employées ou ses clientes, la voyant occupée à l'une de ses créations avec le soin maniaque, la minutie tatillonne et parfois exaspérante qu'elle y apportait — Gabrielle mesurant l'aisance du jeu des manches, cotant la longueur de jupe, dénonçant avec vigueur tel ou tel défaut qu'elle attaquait à coups de ciseaux — laquelle eût imaginé la même Gabrielle, quelque dix ans auparavant, affrontant l'insécurité sous tous ses aspects, celle des trajets à travers l'Europe d'alors et celle des villes d'Allemagne — elle eut à subir une longue alerte pendant la nuit qu'elle passa à Berlin — et se dédiant tout entière à l'idée de justifier la confiance que Schellenberg avait mise en elle ? Etait-ce pour lui, cet inconnu, cet Allemand, qu'elle voulait être l'incarnation de la vaillance féminine ? Etait-ce d'avoir eu soixante ans cette année-là, était-ce la crainte d'avoir passé l'âge de l'amour qui la rendait à ce point avide de confiance ? Que redoutait-elle tant pour tant risquer ? Quant à imaginer qu'elle ne mesurait pas les éventuelles conséquences de son initiative, ce serait la dire bête... A qui le ferait-on croire ?

C'est un geste très triste qui conduisit Gabrielle à Berlin, un geste tenté du fond de l'interminable déception en laquelle elle se sentait tomber. A quelle lumière recourir lorsque vous prend ce froid-là ? Et Spatz ? Il ne lui suffisait donc pas ? Ah ! Laissez-moi tranquille avec ce Spatz, et que pesait-il, je vous le demande. Entre le confort dont elle bénéficiait dans un Paris de guerre et de misère, entre cette vie confinée et la folie de son ultime tentative pour *exister autrement* qu'entre les pages des magazines, il n'y a place que pour la secrète vérité de Gabrielle, faite de mélancolie et d'une sombre désespérance.

Aux derniers jours de 1943, à Berlin, la voici avec Schellenberg, parvenu à l'heure de sa plus grande gloire. La reçut-il dans le bureau-fortin qu'il occupait, à l'époque, en tant que chef de tous les agents secrets d'Allemagne, le bureau qu'il nous décrit fièrement — on serait tenté de dire joyeusement — tant il est clair qu'il trouvait dans son rôle un agrément extrême ? « Il y avait des micros partout, dans les murs, sous mon bureau, dans chaque lampe, afin que chaque conversation et jusqu'au moindre son soient enregistrés. [...] Ma table de travail était pareille à un petit blockhaus. Deux armes automatiques y étaient insérées qui pouvaient, en l'espace d'un instant, remplir toute la pièce d'un feu nourri. En cas de danger, il me suffisait d'appuyer sur un bouton et les deux fusils mitrailleurs se mettaient simultanément en marche. Un autre bouton déclenchait un signal d'alarme qui ordonnait aux gardes d'encercler aussitôt l'immeuble et d'en bloquer toutes les issues. » Combien de temps Schellenberg consacra-t-il à sa célèbre visiteuse ? Et s'il est vrai « que la France est par excellence le pays de la quadragénaire dangereuse [1] », cette Chanel sexagénaire fit-elle mieux, poussa-t-elle plus loin le record ? Parvint-elle à émouvoir le bel hôte de ce palais noir ? Que pensa d'elle cet homme qui, par métier et sans qu'un muscle de son visage ne tres-

1. Colette, dans *Prisons et Paradis*.

saille, vit se forger une à une les menaces, puis s'exercer les pires cruautés et enfin naître la plus grande honte qu'ait jamais connue le monde occidental ? Séduisant, cet animal de proie ? Rien ne servirait de le nier. Admirable de politesse, de réserve hautaine. Au-dessus du menton, discrètement balafré, la bouche, aux lèvres pulpeuses, étrangères à l'insulte ou au ricanement, semblait n'être faite que pour le rire et l'amour. Le nez *irréprochable* était, comme il se doit, sans la moindre courbure : un nez vainqueur et comme fabriqué pour tenir lieu de certificat à ce parfait aryen. Enfin l'œil... L'œil seul, par sa fixité, effrayait et on demeure stupide à évoquer les horreurs que cet œil a vues.

Schellenberg, à l'occasion de la visite de Gabrielle, fit-il étalage de l'une ou l'autre de ces particularités de métier dont il s'enorgueillissait tant ? Hollywood [1] n'eût rien exigé de plus de l'un de ses acteurs. On l'écoutait parler sur un ton détaché de cette dent creuse qu'il se vissait dans la mâchoire lorsqu'il partait en mission. A utiliser en cas de capture. « Elle contenait une dose de poison suffisante pour me tuer en moins de trente secondes [2]. » Mais pour plus de sûreté, il portait aussi une bague insolite, ornée d'un cabochon du plus beau bleu. Sous la pierre précieuse était cachée une capsule contenant une dose appréciable de cyanure.

1. « *Hollywood could not have asked for more* », lit-on dans la préface d'Allan Bullock aux *Mémoires* de Walter Schellenberg. Et à propos des deux citations faites ici il ajoute : « *But the point which is only too easy to miss is that Schellenberg was not exagerating when he wrote this.* »

2. On sait que c'est à une ampoule de cette sorte, dissimulée dans une cavité de ses gencives, que le 23 mai 1945, Himmler eut recours pour se suicider. A l'instant où un officier de l'Intelligence voulut faire examiner la bouche du prisonnier, « Himmler brisa l'ampoule d'un coup de dent et mourut en douze minutes, malgré les efforts désespérés du médecin... » cf. William Shirer, *Le IIIe Reich*.

Nous dira-ton qui, de Gabrielle ou de ce serviteur de l'Allemagne nazie, écouta l'autre avec le plus de fièvre ? Nous savons simplement que ce qui se passa dans ce bureau ne fut ni une rencontre banale ni une minute que l'on puisse taire de cette longue vie. Car au jour du châtiment, quand vint le crépuscule des faux prophètes, Gabrielle fut la femme à laquelle Schellenberg fit appel et Schellenberg l'homme qu'elle aida, en ce temps de l'histoire où personne ne l'eût osé.

Qui se veut témoin lucide, scrutant les successives étapes de l'existence de cette femme, partagé entre le respect et une irrépressible aversion, le désir d'absoudre et la révolte, ce témoin ne peut que se taire et penser avec douleur à l'insondable tragédie qui se jouait alors au cœur des hommes. Une tragédie imposée à tous, une tragédie qui dépassait le combat lui-même et ce qui opposait les nations ou les peuples, un destin de souffrances nées de la guerre tout simplement, oui de la guerre et du sang.

V

PARFOIS, ON TUE LES POÈTES

GABRIELLE est rentrée d'Allemagne. Quelques mois encore et le plein été apportera aux Parisiens des raisons de mourir. Les Parisiens... On aura beau leur répéter qu'il est trop tôt et que la prudence... La prudence ? Qu'est-ce que cela signifiait, la prudence ? Avaient-ils tant attendu pour qu'on leur opposât ces sortes d'arguments ? Alors allaient se dresser les barricades comme un alphabet retrouvé. Et ce fut une fois de plus de ces terribles fêtes parisiennes. Une fête de la colère.

Mais dès janvier de cette année-là tout avait déjà changé.

Presque plus d'acheteurs en uniformes à la boutique Chanel, et l'on ne faisait plus main basse sur les flacons aux deux C accolés. Les langues se déliaient. On pressentait que la fin était proche. Des menaces anonymes arrivaient par la poste, des visages se détournaient et, dans les rues, jusque dans les quartiers les plus paisibles, sur les places, partout, on avait le sentiment de vivre comme sur un quai de gare après une saison morte, à l'instant où s'annonce l'arrivée des premiers trains. A quand, à quand le débarquement ?

Oui, tout avait changé, sauf pour Gabrielle qui retrouva, après cette conspiration passagère, le calme lourd d'une vie dont elle mesurait à chaque instant les étranges conséquences. Eternelle irrégulière... Voilà que s'achevait une dernière trajectoire qui allait la laisser plus *en marge* que jamais.

Très peu d'amis autour d'elle : Misia qui savait tout et faisait mine de tout ignorer, Lifar, fidèle, mais qui n'avait été tenu au courant de rien. Quant aux autres, ceux de la grande époque, ceux des Ballets russes, ils se taisaient et l'évitaient.

Il est révélateur qu'aucun d'entre eux n'eut recours à elle à l'instant d'intercéder auprès des autorités allemandes en faveur de Max Jacob. Dans le groupe fort étroit de ses défenseurs se trouvaient, entre autres amis de Chanel, Jean Cocteau et Henri Sauguet. Sans eux, Max eût été abandonné, plus encore qu'il ne le fut, à son malheureux sort.

Car le 23 février 1944, tandis que les moines de Saint-Benoît-sur-Loire chantaient l'office du matin, le calvaire de Max avait commencé.

L'homme que l'on était venu enlever, malgré les cris et les appels au secours de Mme Persillard, sa vaillante logeuse, n'avait plus rien de commun avec le dandy monoclé dont les drôleries, vingt-cinq ans plus tôt, avaient fait les délices de Gabrielle et de Marie — cette Marie qu'aimait Apollinaire — et aussi de cette Liane qui devint princesse Ghika [1].

C'est un petit vieux pauvrement vêtu, coiffé d'un large béret noir, chaussé de sabots en raphia, « doublés-véritable-lapin », une couverture sur son bras gauche, une vieille valise à la main, que les moines, accablés par leur évidente impuissance, avaient regardé partir. Max serrait les mains qui se tendaient, Max, très calme, était arrêté par cette Gestapo, que jusqu'au bout, par suprême cocasserie, il avait appelée : « J'ai ta peau [2]. »

De la prison d'Orléans, deux lettres, griffonnées en cachette, avaient été expédiées « par la complaisance des gendarmes qui nous encadrent ». Deux lettres « de naufragé » qui avertissaient que les portes de Drancy allaient bientôt se refermer sur lui. La lettre au curé de Saint-Benoît annonçait « qu'il avait des conversions en train » et disait aussi : « J'ai confiance en Dieu et dans mes amis. Je le remercie du martyre qui commence. » Mais il ne lui disait pas qu'il avait partagé avec ses codétenus les maigres provisions et le linge dont le brave homme [3] l'avait en toute hâte pourvu.

La lettre à Jean Cocteau lui rappelait la promesse de Guitry : « Quand on lui a parlé de ma sœur [4], Sacha a dit : « Si c'était lui je pourrais quelque chose. » Eh bien c'est moi ! »

L'emprisonnement de Max, dans un cloaque humide, dura cinq jours. Avec deux verres à boire, il ap-

1. Liane de Pougy avait épousé le prince Ghika, en 1910, à la mairie du VIIIe.

2. *Max Jacob*, par Pierre Andreu, Wesmael-Charlier, 1962.

3. M. Fleureau, curé de Saint-Benoît-sur-Loire.

4. Myrtée avait été déportée en Allemagne trois mois auparavant. « On vient d'arrêter ma plus jeune sœur, un ange de simplicité et de douceur », lettre de Max Jacob à Bernard Esdras-Gosse.

pliqua des ventouses sur une vieille femme qui se mourait de pneumonie, puis il pansa un ancien légionnaire que l'on venait d'opérer d'un ulcère et qui mourut lui aussi.

Parce qu'il lui restait quelques forces, Max s'efforça d'égayer ses compagnons. « Il s'était lié de sympathie avec un certain Jeramec dont il partageait les goûts pour les opérettes, les opéras-comiques, et les deux hommes chantaient à tue-tête *Le Petit Faust* et des airs d'Offenbach [1]. »

Entre deux chansons, Max ouvrait son bréviaire, dont il proposait des passages à la méditation des prisonniers. Et quand l'un d'eux se plaignait de la faim — « la nourriture se bornait à un plat de soupe à midi et à quelques miettes de fromage le soir [1] » — Max offrait au rire ou aux larmes de ses camarades des descriptions pittoresques de son mode de vie au temps du Bateau-Lavoir, de sa misère ou, au hasard, de sa mémoire, des fragments de ce qu'il écrivait à cette époque-là. *En descendant la rue de Rennes, je mordais dans mon pain avec tant d'émotion qu'il me sembla que c'était mon cœur que je déchirais...* Il leur parlait aussi de ses amis perdus, les peintres, les poètes qu'il avait aidés et aimés.

Ils furent peu nombreux ceux qui osèrent.

Cocteau, le plus courageux, le plus résolu d'entre eux, rédigea un appel auquel on eût aimé voir associé le nom de Gabrielle. Aurait-elle accepté ? On se méfiait. On ne lui demanda rien. Etait-il possible que fût venu le jour où les amis de Max allaient l'abandonner ? Misia, que faisait Misia ? D'où venait que son nom ne figurât pas parmi les signataires ? Pire peut-être fut le silence de Picasso. Que fit Picasso pour celui qui avait été seul à *le reconnaître* dès son arrivée d'Espagne, seul à proclamer son génie, à lui trouver

1. « Témoignage sur l'agonie d'un poète », par Julien J. London, *Candide*, 28 octobre 1961.

des clients, à lui offrir sa chambre, sa misérable paye, seul à l'introduire dans le cercle de ses amis et de ses connaissances ? On a peine à constater que Picasso[1] l'oublia.

Ce fut donc Cocteau qui rédigea le manifeste que l'on remit à un fonctionnaire de l'ambassade d'Allemagne. Pour situer Max Jacob dans l'esprit de ses persécuteurs, Cocteau n'alla pas au plus facile. Il le montra aussi bien dans le temps de l'action que dans celui de la retraite. Il fallait que Max Jacob fût présenté en tant qu'individu remarquable et unique. Cocteau s'y risqua :

(...) *Avec Apollinaire il a inventé une langue qui domine notre langue et exprime les profondeurs.*

Il a été le troubadour de cet extraordinaire tournoi où Picasso, Matisse, Braque, Derain, Chirico s'affrontent et opposent leurs armoiries bariolées.

De longue date, il a renoncé au monde et se cache à l'ombre d'une église. Il y mène l'existence exemplaire d'un paysan et d'un moine.

La jeunesse française l'aime, le tutoie, le respecte et le regarde vivre comme un exemple. En ce qui me concerne, je salue sa noblesse, sa sagesse, sa grâce inimitable, son prestige secret, sa « musique de chambre » pour emprunter une parole de Nietzsche.

Dieu lui vienne en aide.

Jean Cocteau.

P.S. *Ajouterai-je que Max Jacob est catholique depuis vingt ans.*

Les soussignés se permettent de signaler aux auto-

1. « A Pierre Colle qui était venu le trouver pour lui demander d'intervenir avec une autorité que même les Allemands ne lui contestaient pas, Picasso avait répondu : « Ce n'est pas la peine de faire quoi que ce soit. Max est un lutin. Il n'a pas besoin de nous pour s'envoler de sa prison. » Propos cités par Pierre Andreu dans *Max Jacob*, Wesmael-Charlier, 1962.

rités compétentes le cas très spécial de Max Jacob.
Il n'a guère de contact avec le monde que par l'amitié innombrable de jeunes poètes et de grandes figures des lettres françaises. Son âge et son attitude, si noble et si digne, nous obligent par le cœur et par l'esprit de tenter cette suprême démarche afin de le rendre libre et de préserver une santé qui nous est chère. »

La motion fut déposée.

De toute évidence, les persécuteurs étaient demeurés sourds et le sort en était jeté.

A Drancy, dix jours passèrent.

Le poète, auquel on venait de remettre la sinistre étiquette verte, indice d'une déportation imminente, « était couché à même le sol, avec quarante degrés de fièvre, dans une pièce où s'entassaient quatre-vingts détenus [1] ». On le transporta à l'infirmerie. Il y fut pris de délire. Soulevé sur un coude, Max criait : « On m'enfonce un poignard ici [2]. » Puis il suppliait qu'on le décommandât à dîner chez la princesse Ghika (Liane de Pougy) ou lançait des lambeaux de phrases où revenait le nom de la postière de Saint-Benoît-sur-Loire.

Au douzième jour, il retrouva quelque lucidité. « Autour de lui, une théorie d'agonisants formait un obsédant concert de cris, et de lamentations proférées dans toutes les langues [3]. » Le poète réussit néanmoins à s'adresser une dernière fois à ses amis : *Que Salmon, Picasso, Moricand fassent quelque chose pour moi !*

Le 16 mars 1944, l'ambassade d'Allemagne fit savoir

1. Récit du docteur Bernard Dreyfus responsable de l'infirmerie de Drancy, *Figaro littéraire*, 12 mars 1949.
2. Lettre de M. Al Zondervan, compagnon de captivité de Max Jacob, *Figaro littéraire*, 12 mars 1949.
3. « Témoignage sur l'agonie d'un poète », Julien J. London, *Candide*, 26 octobre 1961.

que les défenseurs de Max Jacob avaient obtenu satisfaction. On a beaucoup répété que personne, à l'ambassade, n'ignorait ce qu'il en était quand fut délivré par la Gestapo l'ordre de rendre sa liberté au poète. Ils libéraient un mort.

Max Jacob s'était éteint la veille. Au médecin qui le soignait, il avait murmuré : « Vous avez un visage d'ange[1]. »

Ce furent là ses dernières paroles. *Je pense avec douleur que, parfois, on tue les poètes afin de les citer plus tard*[2]...

*

Au regard de ce qui fut infligé aux femmes ayant marqué de leur assentiment la politique de collaboration, ou bien de ce qu'endurèrent celles qu'une idylle allemande désignait à la vindicte populaire, Gabrielle ne connut qu'un bref enfer.

Deux semaines environ après que le général de Gaulle eut descendu les Champs-Elysées sous les acclamations et dans un bazar de gens de toutes classes qui souleva l'indignation des mélancoliques de l'ordre allemand et de tous ceux qui face à ce déchaînement se sentirent aussitôt dépossédés de *quelque chose*, ils ne savaient pas au juste de quoi — de Gaulle l'émigré, de Gaulle le dissident n'allait-il pas mettre un comble à leur sempiternelle frousse en appelant Maurice Thorez à siéger sur les bancs du gouvernement, un communiste, ô horreur, horreur, un communiste, non mais vous vous rendez compte ? —, Gabrielle Chanel fut appréhendée.

Une vraie fureur la prenait lorsqu'elle évoquait le jour où deux jeunes gens avaient osé s'introduire au

1. Mme Yanette Deletang-Tardif dans *Poésie 44*. Témoignage sur l'agonie de Max Jacob.
2. Eugène Evtouchenko.

Ritz, à huit heures du matin. Ils étaient allés la cueillir jusque dans sa chambre et là, sans ménagements, l'avaient priée de les suivre, ordre du Comité. Le comité de quoi, je vous prie ? D'épuration.

On comprenait l'acharnement qu'elle mit, par la suite, à maudire les « fifis » et les « résistants », lorsque les rares témoins de cette scène la décrivaient, se laissant voir du personnel en pareille promiscuité, au comble du désarroi mais dominant sa peur, et sortant de l'hôtel encadrée par deux garçons *en chemisette*, chaussés de sandales du plus vilain effet, deux nervis, revolver à la ceinture, enfin deux brutes, deux suppôts de la révolution.

Le pire était qu'ils avaient tutoyé le portier.

Quelques heures plus tard Gabrielle était de retour et pouvait dire à ceux de son entourage, auxquels les intrus avaient fait injure par leur atroce comportement, qu'elle avait été arrêtée par erreur et qu'il fallait bien se garder de faire confiance à des gens pareils. La voilà bien cette armée du peuple ! La France était tombée aux mains de fous, de malades. Du reste elle allait s'expatrier. S'en aller ? Elle était donc lavée de tous soupçons ? Ceux qui l'écoutèrent ne purent s'empêcher de s'interroger. Qui l'avait sauvée ? A qui, à quoi devait-elle cette impunité ?

Si le Comité d'épuration l'avait retenue aussi brièvement, c'est bien que Gabrielle tenait par-devers elle (et en prévision de ce qui ne pouvait manquer de lui arriver) de quoi désarmer ses juges. Car il n'était pas possible, au lendemain de la Libération, de jouer au plus fin ni de berner les enquêteurs à l'aide de sornettes. Seule, une très haute protection rendit à Gabrielle une liberté que d'autres, pour en avoir fait moins qu'elle, avaient perdue.

Il est donc certain qu'un ordre qui ne souffrit aucune discussion la sauva.

L'ordre de qui ? Aucune trace, rien ne demeure qui

permette de donner, avec la plus infime certitude, réponse à cette question.

A fort peu de temps de là, et tandis que d'autres soldats, des G.I. cette fois, se bousculaient pour se procurer à la boutique Chanel de ce *N° 5* dont les Allemands quelques mois auparavant avaient éprouvé les qualités, Gabrielle, libre de ses mouvements et sans difficultés que l'on sache, gagna rapidement la Suisse. Moins de deux ans plus tard, la facilité avec laquelle elle fut autorisée à se rendre aux U.S.A., où elle fit un bref séjour, n'est pas moins stupéfiante [1]. Les demandes de visa pour les Etats-Unis furent sévèrement épluchées pendant les cinq ans qui suivirent la fin des hostilités. Mais tandis que d'autres qu'elle se voyaient longuement interrogés, et forcés d'attendre et de montrer patte blanche, franchir les frontières de l'Amérique ne posa pas plus de problèmes à Gabrielle, en 1947, que son départ précipité pour la Suisse alors que lentement les nations européennes revenaient sur le pied de paix. La nécessité de dire les choses comme elles sont force à constater que, dans cette paix toute neuve, la justice n'était déjà plus la même pour tout le monde.

VI

DE LA VÉRITÉ ENTR'APERÇUE DANS LE DÉSORDRE DES RENCONTRES

C'EST difficile, la vérité, c'est parfois désespérant. Rien

1. « L'épuration a été incomplète (les plus riches, les plus habiles y ont échappé et ont réapparu après l'orage), elle a souvent été passionnelle, illégale, indigne d'une démocratie qui se voulait pure et dure », Gaston Defferre, préface à *La Libération de Marseille* de Pierre Guiral Hachette Littérature.

jamais ne se trouve là où l'on cherche. Les gens dits informés, et unanimement considérés comme tels, à l'instant où ils se remémorent, ne livrent qu'anecdotes dont on n'a que faire. Et l'énigme demeure entière, et la chose cherchée continue à se refuser. La vérité n'est que rarement écume à la surface d'une conversation, mais plutôt trou noir dans lequel on trébuche, gribouillis auxquels, à première vue, on n'attache guère plus de sens qu'à un quelconque faux pas de la plume, accident de l'écriture ou du récit, parenthèse qu'une interlocutrice, souvent importune, ouvre à l'instant où déjà on ne l'écoute plus.

Parfois, on met une foi immense dans les travaux d'historiens, d'annalistes, de chroniqueurs; on dépouille, on classe, on démonte d'invisibles rouages et dans un moment d'espoir fou on s'attend à voir surgir, de la poussière des dossiers, ce qui vous fuit entre les doigts. Très riches en vérité sont certaines archives qui se révèlent d'une affligeante pauvreté à l'instant où naît la certitude qu'elles ne livreront pas ce que l'on croyait y trouver. Tant il est vrai que la richesse est un mot qui n'a pas le même sens pour tout le monde et c'est tant mieux que les uns puissent crier : « Quels trésors ! », tandis que d'autres pensent : « Quelle insignifiance ! »

Mais que disait Mme Denis, la veuve du jardinier [1], dans le petit salon de son bungalow de la rue Alphonse-de-Neuville à Garches, que disait-elle, qui brusquement faisait que son insignifiance s'effaçait ?

D'apparence, son témoignage n'avait d'autre valeur qu'une surprenante futilité, laquelle semblait rendre assez bien ce qu'avait été l'atmosphère de *Bel Respiro*, en cette maison aux volets noirs où avait habité Gabrielle. Et brusquement, là, sans avoir le moins du

1. Il a déjà été question de Mme Denis tout au début des *Années slaves*. Elle avait pris sa retraite à Garches, rue Alphonse-de-Neuville.

monde donné à chaque pièce de cette maison sa place, à chaque objet son caractère, au jardin ses mille visages, voilà déjà que ce témoin des années 20 relatait des faits qui paraissaient plus reniflés que sentis, des choses dont on n'avait guère envie d'entendre parler, parce que, si l'on y réfléchit, l'indiscrétion est souvent inconvenante et l'on en veut à qui vous en fait confidence. Au théâtre, c'est une tout autre affaire, et certains imbroglios ne manquent pas d'émouvoir qui démasqués tard, dans la nuit, à l'ombre des bosquets... Mais il faut *Les Noces*, il faut Mozart, tous les narrateurs ne sont pas l'abbé Da Ponte, pas plus qu'Henry Bernstein n'était Chérubin, enfin on ne voit pas comment la veuve de l'ancien jardinier s'y serait prise pour chanter : « *Ratto, ratto il birbone è fugito* », elle qui était Anglaise et de toute façon n'avait pas la voix à ça.

Alors, ce qu'elle laissait entendre, à savoir que Gabrielle et Henry Bernstein, dont, on s'en souvient, les jardins étaient mitoyens, se seraient retrouvés chaque soir par un sentier secret que le mari de la narratrice, son jardinier de mari, aurait aussitôt appelé « le sentier des amoureux », constituait le type même de l'anecdote dont, sauf votre respect, on se f... Car, d'une part, relater les amours d'Henry Bernstein serait une entreprise aussi astreignante que l'analyse raisonnée des abonnés au téléphone, que, d'autre part, on ne voit pas pourquoi ces deux-là, s'il leur avait pris fantaisie d'être amants, se seraient refusé un quelconque meublé, qu'enfin et surtout jamais Gabrielle ne disait le moindre mal de Bernstein — ce qui laisserait à supposer qu'elle n'avait jamais été sa maîtresse. Car elle vouait une haine mortelle à ses amants occasionnels, ces hommes auxquels elle avait cédé, jadis, cédé pour oublier, pour exorciser le souvenir de Boy, cédé en un temps où elle avait laissé liberté à son corps comme d'autres se noient.

Mais voilà que, comment dire, voilà que dans le récit de la veuve du jardinier, le changement d'éclairage avait été si soudain qu'on aurait cru à quelque panne ou à l'erreur d'un machiniste. Car il n'y avait plus de volets noirs dans le récit de cette femme et presque plus de Gabrielle. Et Stravinski, où était passé Stravinski ? Et pourquoi le piano s'était-il brusquement tu ? On avait pourtant entendu jouer des airs de Pergolèse sur ce piano et *Le Sacre*, nom de nom, *Le Sacre* ? Mais plus un son, et que diable racontait-elle, cette femme ? Elle disait : « Des dizaines d'années sont passées. » Brusquement quelque tragédie avait fait taire la petite musique de mélancolie et de libertinage qui s'était chantée ici. De quoi s'agissait-il ? De l'arrivée d'un état-major. A Garches ? Oui, à Garches. Rien d'étonnant à ça. Les Allemands y avaient tenu leurs quartiers pendant quatre ans, mais, cette fois, c'étaient les Britanniques. Quelle confusion ! A peine le temps pour les propriétaires des cottages cossus et des belles villas de mesurer ce qui leur arrivait, et à une réquisition en avait succédé une autre. Voilà qu'à Garches on ne parlait plus qu'anglais.

Comme cela se fait dans toutes les armées du monde, les belles chambres aux fenêtres en saillie, aux murs tendus de tissus à grands bouquets, tout cela avait été réparti entre les hauts gradés, tandis que les services... Que voulez-vous, les officiers de cantonnement, qu'ils soient anglais ou allemands, c'est du pareil au même. Alors les cuistots, les chauffeurs, les secrétaires, les téléphonistes s'étaient arrangés de ce qui restait. Ce n'étaient pas les bungalows qui manquaient dans le coin, ni les pavillons avec jardin. Là où avaient logé, jadis, les Raoul de Gabrielle, les Piotr du grand-duc Dimitri, les maîtres d'hôtel en gants blancs et leurs épouses, aux Joseph et aux Marie, succédèrent les services de l'état-major britannique. Ils s'en arrangèrent fort bien. Mais il en résulta un grand remue-ménage dans le quartier. Les rues de Garches retrouveraient-elles jamais les raffinements des premières années du siècle ? Qu'y faire ? Il y avait belle lurette qu'on ne rencontrait plus de torpédos grand sport ou de cabriolets décapotables, plus d'Isotta Fraschini, ni de Delaunay- Belleville par les rues Edouard-Detaille et Alphonse-de-Neuville et le jeune homme qui avait trouvé à se loger non loin de chez la veuve de l'ancien jardinier de Gabrielle, tout chauffeur d'état-major qu'il était, conduisait une jeep comme tout le monde.

Un militaire bien trop occupé pour s'intéresser au passé de la jolie banlieue où il était cantonné, mais heureux quand même d'avoir pour voisine une Anglaise avec laquelle parler.

Et voilà qu'un jour il l'entendit raconter il ne savait trop quoi à propos d'une couturière, d'une femme célèbre, qui avait habité longtemps la dernière maison en descendant à gauche, vous savez, la maison aux volets noirs et au grand cèdre... Et le soldat avait demandé — peut-être bien par politesse, car au fond il s'en fichait — pourquoi la dame était célèbre et comment elle s'appelait. Vous dites ? Il lui avait fait répéter le nom, deux fois, car bizarrement cela lui disait quelque chose.

Il avait entendu ce nom la veille, d'abord dans la bouche de son capitaine puis dans celle du colonel. Enfin, on en avait parlé au mess de l'état-major, ce jour-là, et dans un grand affolement. Le nom lui était resté gravé dans l'oreille : CHA-NEL, CHA-NEL. Un officier avait été chargé de la chercher partout, cette Chanel, même que c'était un peu dommage qu'elle n'habitât plus la rue Alphonse-de-Neuville. Elle aurait été autrement facile à trouver. Le chiendent... Impossible de lui mettre la main dessus. A sa maison de commerce, les gens faisaient comme si elle avait disparu pour toujours. A l'hôtel d'en face, même scénario. A la fin des fins, on avait fini par la dénicher dans un hôtel des environs de Paris et ce n'était pas malheureux, parce qu'à en croire les gars du service des transmissions, Londres commençait à rudement s'impatienter. Comment cela, Londres ? demanda la veuve du jardinier. Le jeune homme confirma que c'était à Londres que l'on s'inquiétait de Chanel et que, sans pouvoir en jurer (mais simplement comme ça, au pif et à tenir compte de l'énervement général) cela devait être un des secrétaires de *l'Old Man* qui avait téléphoné, oui madame, un des secrétaires du Vieux en personne !

Il faut avouer que la retraitée de Garches avait assez mal suivi les explications que lui avait données son jeune compatriote, parce qu'elle avait avoué ne pas savoir qui était celui qu'il appelait « *the Old Man* ». Qui était-ce ? L'autre s'était écrié qu'il n'avait, de sa vie, entendu une question plus comique. Et là-dessus, il était parti d'un grand rire, parce que *l'Old Man*, bonté divine, qui voulez-vous que ce soit ? C'était Churchill, parbleu.

C'est ainsi que, contre toute apparence, par une sorte d'indiscrétion ou par accident si vous préférez, apparut dans la nuit des mots un brin de vérité, quant à qui aurait peut-être sauvé Gabrielle au lendemain de la Libération. Mais on ne saurait l'affirmer, car il serait vraiment fou de prendre tout ceci pour paroles d'Evangile.

PREMIER ÉPILOGUE
1945-1952

« Telle est la France paisible, et elle exterminera ceux qui viendront troubler ses couturiers, ses philosophes et ses cuisines. »

GIRAUDOUX,
Siegfried et le Limousin.

I

L'HORS D'ÊTRE

On me dira que la Suisse ce n'est jamais tout à fait l'exil, d'autant qu'à Lausanne, c'est le français qu'on parle. Pourtant, c'était bien de cela, à l'époque, qu'il s'agissait, et personne ne s'y trompait.

Vivre en palace à Ouchy ou bien à Genève, aller et venir entre diverses stations de sports d'hiver, traîner d'hôtels en hôtels... Gabrielle vivait en émigrée et ses brefs séjours en France, la liberté qu'elle avait d'aller quelques semaines par été à *La Pausa* n'y changeaient rien.

La prudence l'avait poussée à s'en aller. Elle avait agi en paysanne qui sait ce que « se terrer » veut dire. Elle avait abandonné son pays, son métier; tout son passé était loin, loin derrière elle et l'on me dira peut-être que ce n'est pas cela l'exil ? Que ce n'est pas cet état de permanent arrachement, et plus intolérable encore le désœuvrement ? Si l'on ajoute, enfin, ce que révélait de désarroi l'affligeant mélange qu'était la Suisse de ces années-là, une foule de réfugiés qu'on avait si bien traités du temps qu'ils étaient puissants, de hauts fonctionnaires nazis, fascistes, pétainistes, tous déclarés indignes dans leur patrie, tous soumis à de continuelles tracasseries administratives — et encore heureux lorsqu'ils n'étaient pas priés de déguerpir, parce que pour ce qui est de l'hospitalité helvète, il y aurait beaucoup à dire —, me répétera-t-on encore que cette promiscuité d'hommes et de femmes coupables, voire criminels, aux yeux du reste de l'Europe, ce désespérant rendez-vous n'était pas l'exil ?

A vrai dire Gabrielle, en même temps qu'elle s'était mise à l'abri, était surtout allée rejoindre von D... Il n'est pas exclu que là ait été l'essentiel, qui sait ? Peut-être bien avait-elle décidé de vivre en Suisse en grande partie pour pouvoir vivre avec lui. Car son amant avait quitté la France. Il avait franchi une frontière, changé de pays aussi aisément que de chemise, s'y étant pris suffisamment tôt pour ne rien risquer. Et l'on ne peut s'empêcher de trouver cela bizarre, alors qu'en réalité, la question qu'il en fût autrement ne pouvait même pas se poser. Gabrielle avait sa fortune en Suisse. Là, pendant toute la guerre, s'était accumulé le produit de la vente de ses parfums à l'étranger. Imagine-t-on Spatz allant ailleurs que là où était l'argent ?

On les vit sans cesse ensemble, Gabrielle et lui, et souvent on les crut mariés. Il portait encore beau, tandis qu'elle... Curieux qu'elle ait paru plus vieille à cette époque — elle avait dans les soixante-quatre ans — que dix ans plus tard. Le désœuvrement, peut-être, qui la minait. Et puis par-ci, par-là, on pouvait déceler que tout n'allait pas si bien que cela entre eux. Certains affirment *qu'il* la battait, d'autres *qu'elle* le battait, d'autres *qu'ils* se battaient. Et quand on sait de quelles violences il était capable. A un ami, il laissa entendre qu'elle n'avait d'autre idée en tête que de le réduire à l'épouser. Vous voyez la sorte de gentleman que c'était. Mais cela n'empêchait pas qu'ils étaient virtuellement prisonniers l'un de l'autre. Elle le tenait par son argent, lui par son silence. La fortune qu'il aurait faite s'il s'était laissé aller à parler...

Néanmoins, tout comme elle avait suivi la tête haute les « affreux voyous » du comité d'épuration, malgré la confusion générale et une vie du cœur rien moins que satisfaisante, Gabrielle continua à marcher sans plier.

Il y avait eu, il est vrai, pour l'occuper, la lutte engagée, en 1945, contre la Société des parfums Chanel et contre Pierre Wertheimer. Sa victoire [1] la laissait tragiquement inactive. Elle était riche, riche à millions, mais le cœur dans tout ça, mais le cœur ? Par ailleurs, aux inévitables menaces qu'elle sentait peser sur elle, vint s'ajouter une effrayante série de deuils et de tristesses.

Dès après la chute définitive et la reddition sans condition des armées allemandes [2], il fallut se rendre à l'évidence : Schellenberg n'allait pas se laisser oublier si facilement que tout ça. Gabrielle allait donc continuer à vivre sous la menace permanente que l'opération *Modellhut* fût divulguée.

Alors que se préparait le collapsus final, l'Obergruppenführer de l'AMT VI accomplissait une sorte de négociation de la dernière heure, en Suède, auprès du comte Bernadotte. C'est là que lui parvint la nouvelle de la capitulation. Mesurait-il sa chance ? Tandis qu'en Allemagne, son chef, Himmler (qu'il avait quitté cinq jours auparavant) se suicidait, Schellenberg, lui, acceptait la protection du comte Bernadotte et, sur le conseil de ce dernier, profitait du bref sursis que le hasard lui accordait pour préparer un mémorandum où il récapitulait les démarches et les tentatives qu'il avait faites en vue d'arracher aux Alliés une paix négociée.

En juin 1945, son extradition fut exigée et Schellenberg alla rejoindre, au banc des accusés, les vingt et un proches collaborateurs de Hitler, devenus criminels de guerre, face au tribunal militaire de Nuremberg [3].

1. Remportée, on s'en souvient, dès 1947.

2. Le 7 mai 1945 dans une école de Reims. La guerre avait duré cinq ans et huit mois.

3. « Je suis allé les voir au procès de Nuremberg. Vêtus pauvrement, effondrés à leur banc, nerveux, agités, ils ne ressemblaient plus guère aux chefs arrogants d'autrefois. » *La Chute du IIIᵉ Reich*, William Shirer.

Mais on le laissa moisir en prison sans qu'il fût possible de savoir quand allait commencer son procès. Trois années s'écoulèrent ainsi, pendant lesquelles il est peu probable que Gabrielle ait pu s'abandonner à la quiétude.

En 1947, comme si le malheur eût voulu interdire à Gabrielle de reprendre souffle, mourut José Maria Sert. Il l'avait prise par la main, jadis, il l'avait arrachée à une sorte de nuit et conduite comme une enfant perdue à Venise. Il n'était, dans son métier, rien de plus qu'une survivance. N'ayant pas, comme le duc de Westminster, hérité de palais aux proportions gigantesques, il les avait inlassablement rêvés, projetés aux plafonds qu'il décorait et les grands rideaux des théâtres où il travailla s'ouvrirent sur des perspectives infinies, des songes fastueux, un monde de mirages échevelés. Une façon de monstre, avec un côté bellâtre assez agaçant, mais est-il interdit d'aimer les monstres ? Divorcé de Misia, il l'avait réépousée. Gabrielle savait que la disparition de Sert laisserait son amie brisée et pressentait que rien ne la retiendrait plus de se laisser aller aux mortelles griseries de l'opium.

Mais cela n'était pas tout... Voilà que disparut Vera.

Tout de même, se demandait Gabrielle, était-ce possible que l'année 1947 fût ça ? A Rome, à Paris, on ne faisait que lui déchirer sa vie. Vera, la belle Vera des années vingt-cinq, à peine rentrée de Madrid et enfin redevenue Romaine, était morte. A supposer qu'en apprenant cette nouvelle, le premier réflexe de Gabrielle ait été de penser : « Un témoin de moins ! », rien ne permet de croire qu'elle n'ait éprouvé l'appel mélancolique de ce que nul ne saurait empêcher : le souvenir, comme un rêve persistant et sans cesse réinventé, le souvenir, comme la vision défardée de l'être qu'on a cessé d'aimer.

Le 12 février 1947 à Paris, naissait, dans un tonnerre d'applaudissements, le *new-look*. Apparaissait une nouvelle femme dont la robe descendait aux chevilles, et une nouvelle étoile au ciel de la couture : Christian Dior. Derrière l'inconnu, le débutant, qui osait lancer au nez des Etats-Unis des formes industriellement incopiables tant elles exigeaient d'habileté dans la coupe, se tenait l'industriel qui le finançait, un homme de haute intelligence, un « textilien », comme eût dit le Rittmeister Momm : Marcel Boussac. Il mettait à la disposition de ce débutant, auquel il était seul à croire, un capital de sept cents millions, et ce n'était là qu'un commencement.

La presse américaine dut convenir que l'on n'avait, de longtemps, rien vu d'aussi beau.

Manifesté à plusieurs reprises avec un cynisme qui manquait de la plus élémentaire décence, le projet américain de tenir l'industrie occidentale sous sa coupe, en inondant l'Europe de robes fabriquées aux Etats-Unis, devint un rêve auquel il fallut renoncer. En bousculant les prévisions, en allant à l'encontre du raisonnable, en optant pour *le contraire* de ce que l'on pouvait attendre d'un pays vaincu, épuisé par des années de privations, Christian Dior redonnait à la France un *leadership* perdu tant dans le domaine du vêtement que dans celui du textile.

La riposte américaine ne se fit pas attendre. Si l'on racontait ce qui, dès cette époque, s'organisa... Si l'on racontait le pillage d'idées, ou pire, le trafic de modèles à peine déguisé sous couvert de journalisme, le vol de croquis ou de photos prétendument destinés à la publicité et aux reportages d'actualité, si l'on racontait l'espionnage industriel pratiqué sous toutes ses formes... Ah ! si l'on racontait ! Mais ce n'est point ici le lieu de le faire et tout cela n'est que façon de montrer la célébrité de Chanel s'effritant. Car au fur et à mesure que se transformait l'industrie de la mode et que se faisait plus grand le renom international de Christian Dior, on en oubliait davantage ce qu'avait été le règne de Gabrielle Chanel. Qu'y pouvait-elle ? La haute couture, à la tête de laquelle s'étaient tenues jusque-là des femmes [1], passait brusquement aux mains des hommes [2]. C'était une fin inéluctable, et Gabrielle voyait bien que tout se passait comme si s'organisait autour d'elle une implacable morte-saison.

Mais en même temps, et peut-être par pure habitude, se forgeait en elle la certitude que ce qui faisait le prestige et l'attrait du nouvel élu n'était en réalité qu'un retour en arrière et que les élégantes, vêtues par Dior, connaîtraient un jour prochain une furieuse envie de jeter par-dessus les moulins, guêpières, balconnets, lourdes jupes entoilées, rubans et dentelles. Alors, à quoi bon se mêler d'une aventure qui n'était pas, qui ne pouvait être la sienne ? Son rôle à elle n'était pas de rendre aux femmes le corset qu'elle leur avait arraché il y avait de cela trente ans, mais simplement de les vêtir pour vivre dans leur temps.

Elle brûlait de le dire, de le répéter. Mais eût-elle essayé que la situation qui était sienne l'en eût empêchée. Mieux valait se taire.

Ce silence, cette absence, ce *hors d'être* dans sa profession, commencé en 1939, allait encore se prolonger près de dix ans.

*

Rien n'est aussi éprouvant que la menace des spectres. Reviendra ? Reviendra pas ? L'attente autour du procès de Schellenberg prit dans la vie de Gabrielle ce caractère-là. Elle souhaitait certainement son ac-

1. Jeanne Lanvin, Schiaparelli, Madeleine Vionnet, entre autres.
2. Balenciaga, Piguet, Fath, Rochas, entre autres.

quittement, par sympathie pour lui, mais aussi et surtout à cause des répercussions qu'aurait une décision de cet ordre sur sa vie à elle. Schellenberg innocenté à Nuremberg, Gabrielle pouvait-elle paraître coupable ?

Sur les vingt et un accusés du procès de Nuremberg, sept des criminels de guerre s'en étaient tirés avec des peines de prison [1], les autres avaient été condamnés à mort. A l'exception de Goering qui était parvenu à se procurer une ampoule de poison, Frank, Frick, Jodl, Keitel, Kaltenbrunner, Rosenberg, Streicher, Seyss-Inquart et Sauckel étaient montés à l'échafaud lorsque Schellenberg fut appelé devant ses juges. Son procès se prolongea quinze mois. Le jugement fut rendu en avril 1949, et Schellenberg se vit appliquer « la peine la plus légère que cette Cour ait infligée [2] » : six ans de prison.

A partir de cette date, il fut autorisé à recevoir lettres et colis que lui adressèrent ses amis. Le premier à se manifester fut Theodor Momm. Il fit parvenir à Schellenberg *Le siècle prend figure* d'Alfred Fabre-Luce, ainsi que le livre que le comte Bernadotte avait consacré aux péripéties du cessez-le-feu, et l'on imagine ce que put être l'intérêt du prisonnier à la lecture de ce dernier ouvrage. Sans les conseils et la protection de Bernadotte, comment Schellenberg en aurait-il réchappé ? Mais d'évidence, dans ce que lui adressa le confident de Gabrielle, il y eut quelque chose auquel il fut plus sensible encore.

Le 11 avril 1950, Momm reçut de l'infirmerie de Nuremberg une lettre de remerciements qu'avait postée l'une des infirmières de la prison, la sœur Hilde

1. Prison à vie pour Hess, Rœder et Funk. Vingt ans pour Speer et Shirach. Quinze ans pour Neurath. Dix ans pour l'amiral Doenitz.

2. Allan Bullock, préface aux *Mémoires de Schellenberg*, Harper and Bros, New York.

Puchta. Voici ce que disait cette lettre : « *Cher Monsieur, je vous remercie de tout cœur pour vos bons vœux de Noël et merci surtout de m'avoir fait part des vœux de « Modellhut ». Veuillez lui exprimer tout spécialement mes remerciements. Faites-lui savoir en termes appropriés combien j'aurais eu plaisir à participer à cette petite commémoration !...* » Des vœux de Gabrielle étaient, d'évidence, ce qui l'avait le plus touché. Une allusion à la réunion des principaux acteurs de l'opération *Modellhut*, en une sorte de commémoration, lui faisait ressentir encore plus que de coutume sa misérable condition. Mais le pire était qu'il fût affreusement malade. « *J'ai été opéré ici, le 7 avril 1949. En novembre j'ai reçu, plusieurs fois, les derniers sacrements et l'on a fait venir ma femme par télégramme. Maintenant ça va de nouveau un peu mieux. Selon les circonstances, on envisage de m'opérer encore une fois. Espérons que je m'en tirerai ainsi !* »

*

Et puis la solitude. Qu'y a-t-il de plus long à vivre et de plus bref à raconter ? Etre seule... La vie de Gabrielle commença à s'organiser autour de ce mot. Mais avait-elle jamais cessé, cette solitude ? Et en quoi le fait d'habiter la même ville que von D... aurait-il rendu Gabrielle moins solitaire ? Leur association n'était qu'une douteuse façon de vivre. Il fallait y mettre un terme.

A partir de 1950, on la vit un peu moins en Suisse et plus souvent en France, à *La Pausa* surtout. 1950... A s'en tenir aux dates, cette année fut parmi les plus cruelles de sa vie : l'année de la mort de Misia. Gabrielle avait tout imaginé sauf ça. Misia avait été le seul véritable interlocuteur de Gabrielle, la seule femme qu'elle avait aimée. Elle avait tout brisé de sa vie, tout renié et toujours menti, sauf à Misia. Si elle avait vécu en effaçant derrière elle la trace de ses pas, sans lettres, sans photos, sans souvenirs, c'est parce que Misia était sa mémoire et qu'auprès d'elle tout reprenait réalité. Sans Misia, Gabrielle se retrouvait coupée de son passé, déracinée et comme devenue une énigme à soi-même.

Jamais aucune mort ne lui laissa ce sentiment d'égarement.

Revenue en hâte à Paris, elle fit pour Misia ce qu'elle n'avait jamais fait auparavant, ni pour un homme, ni pour une femme, et que jamais elle ne refit par la suite. Elle entra dans la chambre mortuaire. Une fois là, humblement elle refit les gestes de son métier : habiller, parer, embellir. C'était cela n'est-ce pas son métier, à cela qu'elle devait d'exister, à cela seulement ? Elle habilla Misia, la coiffa, la para, histoire d'écarter une dernière vision qui ne fût pas exactement ce que Misia eût souhaité. Longuement Gabrielle lissa le retour du drap, de ce geste machinal qui lui restait des longues années passées à chasser les défauts d'un tissu, de cette main savante à laquelle rien jamais ne résistait. Cela ne lui faisait pas peur, à Gabrielle. Aucune de ces initiatives ne l'effrayait. Détendre la bordure de l'oreiller, donner du volume au traversin, de la souplesse à la tombée du couvre-lit ? Un geste de métier... L'affreux consistait uniquement à faire, pour Misia morte, des gestes si souvent faits pour Misia vivante. L'affreux était qu'il ne s'agissait plus d'habiller Misia, mais de travestir la mort.

Quand tout fut contrôlé jusque dans le moindre détail et qu'elle jugea ne pouvoir en faire davantage, pour que quelque chose du passé, quelque chose de cette femme violente et belle qu'avait été Misia subsistât, alors Gabrielle se tint au bord du lit de son amie, comme aux bords de la nuit.

*

En juin 1951, Schellenberg fut libéré[1]. Discrètement vêtu, toujours aussi poli mais amaigri, et ressemblant davantage à un jeune avocat sans clientèle qu'au sémillant « benjamin des S.S. » qu'il avait été, Schellenberg chercha refuge en Suisse sous une fausse identité et, là, fit aussitôt avertir Gabrielle. Il était sans ressources, elle l'aida. C'était imprudent, mais c'eût été plus imprudent encore de n'en rien faire : Schellenberg était résolu à écrire ses mémoires. A peine arrivé, son premier souci avait été de prendre contact avec différents agents, susceptibles de lui trouver un éditeur.

On s'arrachait, à l'époque, les journaux intimes, les confessions posthumes, les correspondances, les moindres écrits des compagnons de Hitler ou des témoins de sa chute. Qu'ils fussent morts, vivants, en prison ou en fuite, peu importait, pourvu que leur témoignage existât. Les amateurs ne manquèrent point qui se présentèrent chez Schellenberg. Il les reçut, ne faisant plus mystère de rien, ne cachant ni sa véritable identité ni l'amitié que lui témoignait Gabrielle. Ainsi accueillit-il tous ceux qui s'intéressaient à son projet, faisant peut-être plus de promesses qu'il ne l'aurait dû, laissant même entendre à l'agent qui se montrait le plus entreprenant qu'il était prêt à lui céder une partie de ses droits.

Mais avant qu'il ait eu le temps de signer un contrat, la police suisse le pria de quitter instantanément le territoire. Un rude contretemps. Schellenberg l'encaissa mieux qu'on aurait pu le prévoir. Plus encore que chez Chanel, le *hors d'être* avait pris chez lui le

1. ... « as an act of clemency », précise Allan Bullock, ce qui en dit long sur l'état de santé du bénéficiaire de cette mesure.

caractère d'une véritable hantise. Hors du coup, lui ? Si on l'expulsait, c'est qu'il existait, non ? C'est qu'on le redoutait. Alors qu'en Italie... Il trouva refuge à Pallenza, au bord du lac Majeur, dans une maison dont Gabrielle assuma tous les frais [1]. Et là, Schellenberg connut la pire humiliation pour un espion : celle de n'être plus espionné. Lui, le chef de l'Intelligence allemande, lui, le jeune et beau Schellenberg, entré aux S.S. par goût de l'uniforme, n'intéressait plus personne, pas même la police locale. Il sombra dans la mélancolie. Sa santé se détériora. Un visa pour Madrid, accordé sans la moindre difficulté, lui ôta tout le plaisir d'y aller. Et pourtant, avec quelle volupté il avait envisagé les mille et une complications qui auraient pu surgir et l'empêcher d'aller, là-bas, faire la paix avec son vieil ennemi, Otto Skorzeny [2]. Une réconciliation sans histoire. Tout le monde, semblait-il, évitait de considérer Schellenberg autrement qu'en touriste pacifique. Quelle dérision...

Pendant ce temps, en Suisse, Gabrielle affrontait, à cause de lui, de désagréables surprises. L'agent auquel Schellenberg avait laissé le plus d'espoirs s'était ré-

1. « Mme Chanel avait offert de nous aider financièrement dans notre situation difficile et ce fut grâce à elle qu'il nous fut donné de passer encore quelques mois ensemble. » Lettre du 8 mars 1958 d'Irène Schellenberg à Theodor Momm.

2. Un Autrichien, qui fut parmi les gangsters les plus résolus dont se servit Hitler. C'est lui qui atterrit sur le sommet du Gran Sasso et réussit à délivrer Mussolini; lui qui dans la confusion générale rétablit la situation à Berlin, à la tête de ses bandes armées, dans la nuit du 20 juillet 1944, quelques heures après la tentative d'assassinat contre Hitler; lui qui enleva le Régent de Hongrie en octobre 1944; lui, enfin, en décembre de la même année, qui, ayant pris le commandement de sa brigade spéciale de jeunes Allemands parlant anglais et portant uniforme américain, réussit avec une témérité incroyable à semer un désordre mortel à l'intérieur des lignes américaines dans le secteur de Bastogne. Acquitté par les mêmes Américains, il émigra d'abord en Espagne où il fut fort bien reçu en 1947, puis, comme la plupart des grands nazis sortis indemnes de la tourmente, il s'établit en Amérique du Sud où il vécut dans la prospérité.

vélé un escroc. Il n'avait pas été long à découvrir l'existence d'un *lien* entre Schellenberg et Gabrielle Chanel. Il utilisa cette découverte pour exercer sur elle « un chantage éhonté [1] » et réclamer en échange de son silence « une forte somme d'argent [2] ». La somme fut versée. Toujours des gens à payer, toujours des silences à acheter. En aurait-elle jusqu'à la fin de sa vie à déjouer ces pièges ?

Le 31 mars 1952, dans une clinique de Turin, mourut Schellenberg. Il avait quarante-deux ans. Avec lui disparaissait le principal témoin de l'opération *Modellhut*. Qu'est-ce que cela signifiait pour Gabrielle ? L'obscurité se faisait enfin sur l'épisode le plus compromettant de sa vie. Vera était morte, Schellenberg aussi. Elle savait qu'elle n'aurait rien à redouter du mari de Vera qui savait tout, mais qui ne se serait jamais abaissé à la moindre indiscrétion. Restait Theodor Momm. Il va sans dire qu'en ce qui le concernait, elle savait aussi à quoi s'en tenir. Un homme plus muet que le Sphinx. Il serait mort, plutôt que de prêter le flanc à la plus innocente question.

Gabrielle allait avoir à s'en féliciter en plus d'une occasion.

En 1952, il découragea jusqu'à Mme Schellenberg, qu'il aimait bien pourtant, mais à laquelle il conseilla de renoncer à correspondre avec Gabrielle : « *En ce qui concerne votre question au sujet de Mademoiselle Ch... je crois savoir qu'elle est partie aux U.S.A. pour un certain temps (...). Les choses étant ce qu'elles sont, je vous recommanderais de ne pas correspondre avec Mademoiselle Ch...* » Pouvait-on dire plus clairement à une femme qui venait de perdre son mari qu'elle était importune ? Bien des années plus tard, la vaillante femme, qui était toujours à se battre, quêta

1. Lettre d'Irène Schellenberg à Theodor Momm, le 8 mars 1958.
2. *Ibidem.*

en vain un témoignage de Gabrielle dans le long procès qu'elle intentait aux divers aigrefins suisses qui se prétendaient seuls détenteurs du « copyright » de son mari. Elle avait quitté les rives du Lago Maggiore et était retournée à Dusseldorf avec ses enfants. Pourquoi Gabrielle ne lui répondait-elle pas ? Mme Schellenberg ne s'expliquait pas ce silence inamical. « *Je ne comprends que trop bien qu'elle ne vous ait pas répondu*, lui écrivit Theodor Momm. *Dans l'état actuel des choses, il ne faut pas en vouloir à cette femme généreuse et serviable. Elle se sait plus qu'une autre exposée et ne veut avoir à revenir ni sur les événements ou les turbulences du temps de guerre ni sur ceux de l'immédiate après-guerre*[1]. » Il trouvait toujours des excuses à Gabrielle. Il était là, prêt à se dresser de toute sa haute taille entre Gabrielle et qui la menaçait.

Mais, en dépit de son attachement, toujours lui parut étrange la démarche faite, à son insu, le 12 décembre 1952, soit à peine neuf mois après la mort de l'Obergruppenführer. De passage à Dusseldorf, von D... s'était présenté au domicile des Schellenberg et, sous prétexte de rapporter à Gabrielle deux *objets*[2] que Mme Schellenberg désirait lui remettre, avait réclamé un certificat de décès, non pas de la main de sa veuve — cela ne lui aurait pas suffi — mais une attestation officielle. À quel jeu Spatz se prêtait-il ? Et qu'en avait-il à faire ? Encore quelque chantage là-dessous. Un aigrefin continuait, peut-être, à persécuter Gabrielle et il leur fallait cette attestation, à Spatz et à elle, pour réduire définitivement au silence ceux qui faisaient encore de l'opération *Modellhut* un prétexte à chantage.

Mais cela n'est qu'une hypothèse.

1. Lettre de T. Momm à Mme Schellenberg, le 13 mars 1958.
2. Aucun éclaircissement n'a pu être obtenu quant à la nature des *objets*. Ne s'agissait-il pas plutôt de *documents* ?

Elle pourrait avoir pour seul tort d'être résolument hâtive. Car il arrive un moment où le climat de tricherie et de complicité, que ce long cauchemar implique, provoque comme une envie de crier « Assez ! »

DEUXIÈME ÉPILOGUE
1953-1971

« Coudre, c'est finalement refaire un monde sans coutures... »...
ROLAND BARTHES,
Sade II.

I

HOMMAGE DÛ

A SOIXANTE-DIX ans, voici Gabrielle de retour à Paris. Les années qui lui restent à vivre sont un recommencement.

Plus d'appuis d'aucune sorte.

De cet ailleurs qu'était désormais l'Angleterre, lui parvint, en 1953, la nouvelle de la mort du duc de Westminster, compagnon tout en rires et en colères, auprès duquel elle avait connu quelques belles années, dans les pluies et dans les vents de l'Ecosse, dans le soleil aussi et le bleu des croisières, avec la mer pour refléter des visages d'insouciance. Comment voudrait-on qu'elle n'ait rien ressenti, alors qu'il était impossible de douter que Bend'or avait avec Churchill participé à son sauvetage. Mais à quoi bon essayer de définir ce que fut un sentiment plus proche de la peur que d'un regret véritable. Voilà que disparaissait l'homme qui, sans qu'il y parût, n'avait cessé de lui vouloir du bien.

C'est aussi en 1953 qu'elle vendit *La Pausa*. Que faire d'une maison conçue pour des vacances qu'elle n'avait plus envie de prendre ? Huit ans d'exil, quinze ans d'inactivité lui en avaient à tout jamais ôté le goût [1]. Et elle traînait en elle tant de secrets et il lui

1. Par un étrange retour des choses, Sir Winston Churchill fit alors à *La Pausa* des séjours prolongés. Le domaine avait été acheté par Emery Reeves, son agent littéraire.

fallait une telle force, pour se persuader que rien de ce qu'elle tenait emprisonné dans le silence ne s'échapperait. Sept ans bientôt qu'elle était ce guetteur prêt à abattre toute ombre qui, dans l'obscurité des années, cherchait à se lever, sept ans qu'elle cherchait à se convaincre qu'il fait vite noir dans la mémoire des hommes et que ce qu'on n'a jamais avoué ne prend jamais vie. C'était fait. Oui, mais au prix de quelle peine et de quelle fatigue. Aussi n'avait-elle qu'un désir : se libérer des poids inutiles, des maisons qui ne servaient à rien, des jardins où elle n'irait plus, des chambres où vivait l'écho des amours perdues. S'en aller, vendre, n'avoir plus pour raison de vivre qu'une chambre d'hôtel et un lieu pour travailler.

Car c'était cela qu'elle avait en tête, et cela seulement : rouvrir la seule maison dont elle eût encore envie, sa maison de couture. L'ouvrir toute grande, remettre en marche ses ateliers, refaire son plein d'ouvrières. A soixante-dix ans, voilà Gabrielle Chanel revenue à son commencement.

Curieusement, cette femme, qui, dix ans plus tard, avait retrouvé *par* et *dans* le travail une nouvelle flamme et comme une force de séduction, était revenue de ses vacances forcées, marquée, on serait tentée de dire *rouillée*. Plus que tout l'avait usée l'effort de dissimulation constante, quotidienne. Curieusement, aussi, plus trace, sur elle, de fantaisie ou de frivolité. Ne demeurait visible que sa rigueur. Plus tard, une fois le triomphe du grand retour assuré, alors seulement, elle allait rejouer de l'or de ses colliers, de la légèreté d'une mousseline, et reprendre goût à piquer une fleur à son revers... Mais, je le répète, dans les mois qui précédèrent sa résurrection — et la photo que fit d'elle Robert Doisneau est là pour le prouver si c'était nécessaire — elle était sans éclat et se prêtait à la curiosité des reporters toute sèche, vêtue d'une jupe de lainage et d'un petit caraco noir, si sage qu'on aurait pu le croire fait en Suisse. Gabrielle Chanel, cette femme qui voulait ressusciter la mode, avait, en 1953, quelque chose d'irrémédiablement provincial. Elle était presque démodée.

C'est que l'œil, en matière de vêtements, s'était habitué à la somptuosité des uns, au romantisme des autres. Tout cela fort séduisant du reste, pourquoi n'en pas convenir ? Ce serait lui voler sa victoire, à Gabrielle, que de prétendre que personne à Paris, elle absente, ne sut habiller les femmes. A qui fera-t-on croire que Balenciaga, Dior, Givenchy, Fath, Lanvin et tant d'autres étaient négligeables ? Disons plutôt qu'ils se trouvaient au plus haut de leur notoriété, et qu'imaginer, à soixante-dix ans passés, que l'on pourrait opérer des transformations dans un domaine qu'ils s'étaient si brillamment approprié, était un projet des plus déraisonnables.

L'étonnant est l'intelligence avec laquelle Gabrielle jugea l'instant venu de prouver que la mode, telle que Paris la concevait, n'était plus faite pour celles qui la portaient. Car, pour beau que ce fût, ce que l'on proposait aux Parisiennes ne pouvait être considéré que hors du temps. En fait, les nouveautés étaient des réminiscences. Il fallait donc, pour réussir, ne point chercher à rivaliser d'imagination avec les dieux du jour et, sans négliger la virtuosité, ou le savoir-coudre, s'attacher surtout à mettre une nouvelle pureté au seul service de la vie.

Le côté magique de la réussite de Gabrielle se trouve tout entier résumé dans ce qui suit : *Les vêtements, retirés de la fluidité du présent et considérés en eux-mêmes, comme une forme, dans leur monstrueuse existence sur la personne humaine, sont de bizarres fourreaux, d'étranges végétations bien dignes de la compagnie d'un ornement nasal ou d'un anneau à travers les lèvres. Mais qu'ils deviennent fascinants quand on les considère dans l'ensemble des qualités qu'ils prêtent à leur possesseur. Il se passe alors un phénomène aussi remarquable que lorsque d'un lacis de traits d'encre sur une feuille de papier surgit la signification d'une grande parole. (...) Ce pouvoir de rendre l'invisible, un vêtement bien coupé nous en fait tous les jours la démonstration*[1].

Aux « étranges végétations » auxquelles elle allait livrer bataille, Gabrielle allait opposer, avec un éclatant succès, des vêtements remarquables à force d'invisible rigueur.

II

L'IRRÉDUCTIBLE

L'ATMOSPHÈRE chez Chanel en cet après-midi du 5 février 1954 ? Celle d'une cour d'assises à quelques secondes du verdict. Les journalistes, venues d'Angleterre et d'Amérique, étaient placées au premier rang à côté des chroniqueuses françaises et, toutes ensemble, ces dames, assises sur des petites chaises dorées, formaient une façon de tribunal. Leur attente, qui exprimait tantôt une fièvre mal dissimulée, tantôt une méchanceté avouée ou bien une sorte de légèreté narquoise, avait quelque chose de déplaisant. On ne savait trop ce qui, en elles, choquait. Ce n'était peut-être que leur désordre, après tout. A leurs pieds se répandait le contenu de sacs mal fermés et qui avaient des airs de besaces. On voyait traîner au sol des manteaux et de gros carnets de notes. Une cigarette dans une main, un crayon dans l'autre, la presse était prête à juger.

1. *L'Homme sans qualités.* Robert Musil, dans le chapitre *Bonadea, la Cacanie : système de bonheur et d'équilibre.*

Mais où était l'accusée ?

Beaucoup de femmes venues pour « la voir » cherchèrent Gabrielle en vain. Elle demeura invisible, à sa place favorite, cachée tout en haut de l'escalier, assise entre les glaces.

Peu de jeunesse dans l'assistance. Les clientes de Chanel étaient toutes des femmes d'âge. Quant aux riches beautés de l'époque, elles s'habillaient chez Dior ou en copies de Dior et ignoraient jusqu'au nom de Chanel.

Le fait d'avoir choisi pour date un 5, son chiffre porte-bonheur, ne changea rien au verdict : ce fut une exécution capitale. « La presse française fut atroce de vulgarité, de bêtise, de méchanceté. On dauba sur son âge, on assura qu'elle n'avait rien appris en quinze ans de silence (...). Les mannequins défilèrent dans un silence glacé. A la sortie il y eut même quelques grossièretés proférées à voix haute [1]. »

Les titres et les articles que consacrèrent à cet événement les quotidiens de Paris en disent long. « Mélancolique rétrospective », lit-on dans *L'Aurore*. « Des fantômes de robes 1930 » était le point de vue de *Combat*. Et son titre était pire encore : « Chez Chanel, à Fouilly-les-Oies. »

Ajoutons que la presse française ne fut pas seule à l'accabler. Les journaux de Londres témoignèrent d'une férocité non moindre. « Un *fiasco* », titrait le *Daily Mail*. Et si quelque chose blessa Gabrielle ce fut, à n'en pas douter, le brusque mépris que lui témoignèrent ses amis anglais. Pour le reste elle s'en fichait et tenait la presse française en piètre estime.

Les heures qui suivirent ce retentissant échec fu-

1. « Un flair sans pitié », dans *Les Nouvelles littéraires* du 21 janvier 1971, un article de Michel Déon. Très jeune à l'époque, l'écrivain se trouvait assis à côté de Gabrielle Chanel lors de cette mémorable réouverture. Il écrivit aussi : « Par moments, elle me sembla être de fer... »

rent, sans doute, de tous les durs moments de la longue existence de Gabrielle, ceux qui, le plus, forcent le respect. C'est que la petite fille en noir, l'enfant d'Obazine, l'éternelle orpheline, c'est que Gabrielle en avait vu d'autres. Pourquoi voulait-on à toute force qu'elle fût noyée ? Elle écoutait ses amis lui adresser des compliments qui ressemblaient à des condoléances; elle les écoutait et lui prenait une terrible envie de rire. La croyaient-ils dupe ? On lui disait qu'elle avait gagné. Quelle apparence de vérité tout cela avait-il ?

Elle les écoutait avec cette implacable lucidité dont rien jamais ne l'avait guérie. Réussit-on à convaincre un fermier que sa récolte est bonne lorsqu'elle ne l'est pas ? Et les fils du cabaretier de Ponteils ? Leur aurait-on dit que la châtaigneraie n'était pas si malade que tout ça, l'auraient-ils cru ?

Cette nuit même, elle avouait, à l'une de ses anciennes premières retrouvée lors de la réouverture, que dans l'inaction « elle avait perdu la main ». Elle en convenait. Entre artisans on ne se raconte pas d'histoires. Alors ? Elle n'avait qu'un souci, se remettre au travail. Et l'on aurait cherché en vain sur son visage, dans ses gestes, dans ses paroles le moindre signe de découragement.

Le lendemain, il fallut se rendre à l'évidence, le carnet de rendez-vous était vide et la maison déserte. Gabrielle fit savoir à ses ouvrières que l'occasion était trop belle pour ne pas être saisie au vol : au lieu de préparer la collection à l'étroit sous les combles, elle ferait ses essayages dans les salons. « Qu'au moins on soit à l'aise. Ce sera toujours ça de gagné. » La collection ? Quelle collection ? On sortait à peine d'en prendre. Mais, le front têtu, tiraillant sur le cordon de ses ciseaux, Gabrielle ne parlait que de cela : « La collection suivante. »

L'atmosphère pourtant n'était guère à la confiance

et la *valeur Chanel* enregistrait une forte baisse.

A la Société des parfums on s'interrogeait. Etait-il raisonnable de continuer à financer l'entreprise d'une femme qui, de toute évidence, n'*intéressait* plus ? Son échec, s'il se renouvelait, serait pour ses parfums la pire des contre-publicités. Les nouvelles que l'on recevait de la rue Cambon ne faisaient que confirmer les doutes. Gabrielle, le visage contracté, vivait dans un climat de confiance factice. On aurait dit qu'elle cherchait à se doper de paroles. Elle menait ses essayages à genoux par terre, dans une sorte de frénésie.

Pierre Wertheimer jugea nécessaire d'aller sur place voir ce qui se passait chez sa belliqueuse associée. Où en était sa vaillante, son irrégulière, son obstinée ? Il n'y avait plus de rivalité entre eux, plus de fâcheries, leurs querelles étaient éteintes.

Il trouva Gabrielle en plein travail et l'on pouvait lire dans ses yeux la déception et l'angoisse. On décelait aussi sa fatigue, dans une façon qui ne lui était pas coutumière de marcher la tête baissée. Elle avoua : « Je n'en peux plus. » Et son vieil admirateur en eut le cœur serré. Comme il aurait souhaité l'aider... C'est entendu, elle l'avait trahi plus d'une fois et plus d'une fois injustement soupçonné. Mais il l'admirait, et jamais autant que ce jour-là. Quelle vie facile elle aurait eu si... N'était-il pas toujours prêt ? Cette revanche, pourquoi la voulait-elle tant ? Mais qu'y pouvait-il ? Et le moyen de résister à cette femme...

Aussi, quand Gabrielle, qu'il raccompagnait lentement chez elle, bougonna : « Vous savez, je veux continuer... Continuer et gagner », ah ! ce n'était pas la peine de lui dire que son conseil d'administration doutait d'elle, puisqu'il était décidé à l'encourager.

« Vous avez raison, lui dit-il... Vous avez raison de continuer. »

Le lendemain il annonçait à l'un de ses proches collaborateurs qu'en dépit de tout ce que son entourage ne cessait de lui répéter, il avait fait confiance à Gabrielle : « Je sais qu'elle a raison. »

*

Il lui fallut un an pour retrouver sa toute-puissance, et la consécration de Gabrielle prit forme d'abord aux Etats-Unis. Contre toute attente, ses premières créations, celles de la réouverture — les petites robes jugées si misérables que les confectionneurs s'étaient mordu les doigts d'avoir fait confiance au prestige de sa griffe et d'avoir acheté sans y regarder de plus près —, eh bien ces robes si décriées s'étaient mieux vendues qu'on ne l'aurait cru. Choix inexplicable, mystérieuse manifestation du flair féminin...

Aussitôt alertés, les confectionneurs new-yorkais, tous les spécialistes de la 7e Avenue, ouvrirent l'œil. Que se passait-il ? A la « collection suivante », ils s'aperçurent que l'Amérique ne demandait qu'à redécouvrir celle que, familièrement, un public de connaisseurs appelait déjà « Coco ».

La presse américaine fit le reste.

A la troisième collection de Chanel, *Life*, le magazine le plus lu des Etats-Unis, convenait que la célèbre couturière avait fait une rentrée trop précipitée mais ajoutait : « Déjà elle influence tout. A soixante et onze ans, Gabrielle Chanel apporte mieux qu'une mode, une révolution. » Et dans toutes ses éditions, *Life* consacrait quatre pages au *Chanel-look*.

Lorsqu'on lui demandait à quoi avait tenu sa victoire, elle faisait appel à des notions très simples. Un vêtement a une logique, elle n'avait fait que la respecter. Les extravagances, les élucubrations de « ces messieurs » — elle entendait par là les couturiers mâles, dont elle parlait, c'était clair, comme elle eût parlé d'une race quelque peu abâtardie —, tout cela était à l'inverse de la logique et c'était une des forces des

Américaines que de ne s'être pas laissé « conduire par le bout du nez ».

Gabrielle démolissait, avec une verve féroce, tout vêtement qui lui paraissait répondre à une esthétique périmée. Qu'un de ses concurrents ait recours à un baleinage et aussitôt elle le pourfendait. « Cet homme était-il fou ? Qu'allaient faire ses clientes lorsqu'il leur faudrait *se baisser* ? Et l'autre avec son *style Vélasquez* ! Vous aimez, vous, ces dames en brocart qui, une fois assises, ressemblent à de vieux fauteuils ? » Ah ! non, décidément, les hommes n'étaient pas faits pour habiller les femmes. Mais elle leur assignait néanmoins une place déterminante : dans le public. Il fallait leur plaire, c'était là l'essentiel. Son succès personnel, le triomphe du *Chanel-look* ne pouvait s'expliquer autrement. Elle le devait entièrement, disait-elle, à l'approbation masculine et plus particulièrement à celle de la rue. De là était venue la consécration.

Tout avait été difficile, périlleux et elle avait trop peiné, ça oui. Mais voilà que c'était fait : pour la deuxième fois, elle avait modifié le costume féminin et imposé un style à la rue, son style fait d'implacable rigueur et de sobriété.

« La rue m'intéresse plus que les salons », affirmait-elle.

Elle disait aussi :

« J'aime que la mode descende dans la rue mais je n'admets pas qu'elle en vienne. »

C'était peut-être oublier un peu vite ce qu'elle devait à ses premières sources d'inspiration. Mais on aurait eu mauvaise grâce à l'en faire souvenir. Certes, elle avait trouvé les éléments de son alphabet personnel dans les vêtements de travail et d'usage, les uniformes, ce que portaient les marins, les lads et les jockeys. Mais il y avait tant et tant d'années de cela. Et l'on ne pouvait nier que pour mettre au féminin des vêtements masculins, il avait fallu les réinventer.

III

MAIS CE QUI VOLE CLAIR...

ELLE allait, pendant dix-sept ans, régner en solitaire, respectée du temps et encore belle. Le travail l'avait ennoblie, effaçant jusqu'aux rides de l'exil. La vulgarité était l'une de ses hantises et elle se refusait à appeler *progrès* les changements qui menaçaient sans cesse son fragile univers de perfection.

Jusqu'à la fin, elle se tint « furieuse et droite comme un capitaine sur le pont d'un vaisseau qui sombre [1]».

On ne savait plus d'où lui venait sa force. On pouvait même douter qu'elle fût autre chose que le reflet d'elle-même, une sorte de fantôme qu'on laissait, à minuit passé, encore à son travail, tantôt défaillante, tantôt horripilée, possédée par le bruit de ses ciseaux, n'ayant d'yeux que pour son œuvre sur le point de prendre forme.

Elle demeurait sourde aux protestations, sourde à tout ce qui n'était pas cette forme nouvelle qui lentement se précisait et qu'elle travaillait d'une main si sûre, qu'il semblait qu'elle ne *pouvait* se tromper.

Nous étions quelques-uns à la croire infaillible. Ses doigts se refermaient sur le tissu comme des tenailles, elle abattait ses poings comme un marteau, elle creusait, elle pétrissait. Il fallait que le défaut cédât, il fallait que cessât la rébellion du tissu. Alors, retrouvant, comme elle disait, « l'usage de ses pieds » et quittant sa pose de « lavandière prosternée [2] », de ce mouvement qui est celui des peintres face à leur chevalet,

1. Françoise Giroud, dans *L'Express*, le 18 janvier 1971.
2. Colette, dans *Prison et Paradis*.

elle s'écartait pour mieux voir, en bougonnant à voix basse des propos *décousus*. « Bon, bon... Allons, ce n'est pas trop mal... » Car il était évident qu'elle n'apportait pas au parler les mêmes soins qu'à son travail. Recoudre les mots ? A quoi bon ? Les mots... L'âge venu, ils étaient tout au plus une compensation à sa solitude. Elle ne parlait pas. C'étaient les mots qui éclataient entre ses lèvres, et le soir seulement. Un furieux ruissellement de paroles... Un égarement. Elle usait des mots comme on exerce une vengeance, en méprisant, en abusant de celui qui l'écoutait. Les mots ? Ils n'étaient faits que pour condamner, exclure. Ils étaient à l'image de sa vie, cruels et injustes. Mais quelle importance... Ce n'était pas avec des mots qu'elle se maintenait dans sa position dominante. C'était au prix de ce travail acharné et de sa longue patience.

Elle était dramatiquement seule. Nombre de gens qui l'entouraient profitaient d'elle, elle le savait. Mais elle préférait cela à son effroyable solitude. « Il y a, disait-elle, ceux qui viennent m'écouter avec l'idée de tirer de mes paroles un article. Il y a ceux qui s'ennuient en m'écoutant mais qui mangent mieux ici qu'ils ne mangeraient chez eux. Il y a enfin et surtout ceux qui ont quelque chose à me demander. Ce sont les plus assidus. De l'argent... Toujours de l'argent. »

Par moments, dans ce royaume fermé qu'était le sien, parvenait un écho faible et lointain. Son passé... Un mot parfois suffisait à le faire resurgir. Mais brièvement. A partir d'un certain degré de vieillesse, se souvenir c'est user sa force et prendre mesure du temps écoulé, c'est vouloir se regarder mourir. Il lui arrivait cependant de regarder en arrière, mais sans joie et toujours avec une certaine brusquerie.

Offert à son souvenir, un nom gardait son pouvoir : celui de Reverdy. Le dernier qui ne se dérobât pas dans sa gorge.

Ce n'était pas que l'attrait qu'elle avait éprouvé pour lui ait, mieux qu'un autre, résisté au temps. Au fond ce n'était que reconnaissance. Car elle ne connaissait plus qu'une raison d'aimer ou de haïr : se demander si on l'avait absoute ou condamnée. Son attitude pendant l'Occupation.. Spatz... C'était cela sa damnation, son enfer. Tout ce qu'elle disait n'était que plaidoirie, accusation, révolte ou effort désespéré pour se justifier..

Or, Reverdy lui avait pardonné.

Et cela paraît à peine croyable lorsque l'on sait avec quelle violence il avait, pendant la guerre, affirmé sa haine des Allemands, son mépris pour la collaboration et tout ce qui s'y rattachait : Vichy, les amiraux au pouvoir, le gouvernement de Laval. Il n'en demeure pas moins que le poète, qui avait fêté la Libération en se laissant aller à une joie folle [1] l'artiste intègre et sévère au point que le moindre reniement lui paraissait un sacrilège, ce Reverdy, qui pour des vétilles avait rompu avec ses meilleurs amis, n'avait pas rompu avec Gabrielle. Pourquoi ?

Peut-être l'explication se trouve-t-elle dans la réponse qu'il fit un jour à un journaliste qui l'interrogeait :

« Quel est votre saint préféré ?

— Saint Pierre.

— Pourquoi ?

— Parce qu'il a trahi. »

A ses yeux Gabrielle avait trahi.

Il ne la voyait plus, ou si rarement que c'était comme ne plus la voir. Mais, de loin en loin, mesurant mieux que quiconque ce qu'était le sens des mots *remords*, *détresse*, *solitude*, conscient aussi du confondant pouvoir de la tendresse, il lui téléphonait.

1. En compagnie de Stanislas Fumet, de Georges Braque et de leurs épouses.

Sur un livre qu'il lui offrait, il écrivait un poème. En 1949, elle reçut un exemplaire de *Main-d'œuvre*[1] avec la dédicace suivante :

Voilà, Coco très chère
Ce que de ma main
J'ai fait du meilleur
De moi-même.
Bien ou mal fait
Je vous le donne
Avec mon cœur
Avec ma main
Avant d'aller voir
Au plus sombre chemin
Si l'on condamne ou
Si l'on pardonne.
Et vous savez que je vous aime.

En 1951, elle reçut encore un *Pierre Reverdy*[2] dans l'édition *Poètes d'aujourd'hui* et encore un poème et encore une dédicace, la dernière.

Le temps qui passe
Le temps qu'il fait
Le temps qui fuit
De mon obscure vie j'ai perdu
La trace.
La voilà retrouvée
Plus sombre que la nuit.
Mais ce qui vole
Clair c'est ce que de tout mon cœur
Je vous embrasse
Et qu'importe tout ce qui suit.

1. *Poèmes*, 1913-1949, Mercure de France.
2. Par Jean Rousselot et Michel Manoll, Pierre Seghers, éditeur.

« Il m'envoyait ça sans prévenir, disait-elle, un peu comme il aurait glissé une lettre sous la porte. » A quel point elle lui en savait gré.

Pierre Reverdy mourut à Solesmes, le 17 juin 1960. Il avait donné à sa femme et aux pères de l'Abbaye de sévères consignes : « Ne prévenir personne, ne pas céder à l'anecdote. » Quand la nouvelle de sa mort parvint à Paris, il était déjà enterré. Sa femme et deux moines l'avaient accompagné jusqu'au cimetière.

Gabrielle en fut avertie en même temps que ses derniers amis — Braque, Picasso et Teriade — par les journaux.

Quand on parlait de lui, Gabrielle disait que, de tous les silences, le plus dur à supporter était le silence de Reverdy. Et elle ajoutait : « D'ailleurs il n'est pas mort. Les poètes, vous savez, ce n'est pas comme nous : ils ne meurent pas du tout. »

IV

LA MORT, UN DIMANCHE

ELLE tenait. Elle tenait depuis dix-sept ans, allant de son atelier à sa chambre. Une rue à traverser, c'était tout. Elle tenait avec une promenade ou deux par semaine et quelques jours de repos par an, en Suisse de préférence.

Le travail lui était entré dans les mains, dans les doigts, dans les yeux, au point que ses nuits étaient devenues les simulacres de ses jours.

Elle avait des crises de somnambulisme.

On la surprenait endormie, mais debout dans sa chambre, nue parfois. Et nue elle parlait. Que signifiait cette conversation avec l'invisible ?

Une paire de ciseaux à la main elle préparait un vêtement à l'aveugle pour une femme qui n'existait pas. Démontée avec une précision inexplicable, sa chemise de nuit n'était plus qu'un amas de tissu qui jonchait son lit. Parfois c'était un pyjama... Elle n'avait plus connaissance que de gestes pour défaire, refaire, découdre, recoudre, et, à elle seule, était les trois Parques à la fois. Une nuit elle était la fileuse, la nuit suivante l'inflexible, parfois, avec une sorte de fureur elle se déchaînait, elle cherchait ce qui lui manquait, tâtonnant dans le noir. Mais quoi ? Que cherchait-elle ? Sa mort peut-être. Ces nuits-là, elle était la fatidique.

Un jour, au petit matin, elle fut aperçue suivant, avec un air égaré, l'étroit couloir de l'hôtel, tout de blanc vêtue, très nette, mais en tenue de nuit. Où courait-elle ? Apparemment elle rêvait. M. Ritz, qui passait par là, parvint à la raccompagner jusqu'à sa porte sans la réveiller. C'était une histoire qu'il n'aimait guère raconter. Il ne savait jamais si ce souvenir servait ou desservait la mémoire d'une femme qu'il avait immensément admirée. A compter de ce jour-là, sa femme de chambre attendit qu'elle fût endormie pour l'enfermer dans sa chambre.

Parfois, son cauchemar prenait une tout autre forme. Quelqu'un lui ordonnait : « Lave-toi, Gabrielle. » Hantise... Elle devenait la proie d'une obsession ancienne, d'un rêve de propreté et de blancheur. Etre propre... Etre propre... Mais le contact de l'eau l'éveillait et elle se retrouvait dans sa salle de bain, un paquet de linge trempé à la main. Elle se recouchait néanmoins. Ah ! ne rien dire. Il ne fallait pas que cela se sache.

Une fois de retour à son travail rien ne pouvait laisser supposer... Aurait-elle raconté sa nuit qu'on l'aurait écoutée avec incrédulité. Elle avait l'air si cohérente, si maîtresse d'elle-même.

Elle tenait. Et à chaque saison sa maison produisait le même nombre de modèles. Elle avait quatre-vingts ans, l'année où la blessure d'un président assassiné laissa une traînée sanglante sur une jupe rose qui sortait de ses ateliers. Mais plus rien ne pouvait l'étonner. Le même jour un autre président des Etats-Unis avait hâtivement prêté serment à côté du même tailleur, porté par la même jeune veuve, au beau regard perdu. Qu'en disait-elle, Gabrielle ? « Oui, Jackie Kennedy était en tailleur Chanel à Dallas. » Que disait-elle encore ? Rien. Rien de plus. Elle était à un âge où s'émouvoir est aussi de la force perdue. Or il y a toujours des malheurs par le monde et il fallait qu'elle tienne.

Elle tenait. Elle avait quatre-vingt-un, deux, trois, quatre années dans les mains, dans les yeux et tenait toujours. Elle faisait de l'histoire à sa façon en habillant la rue, les stars et les reines.

A quatre-vingt-huit ans, il fallut bien que cela lui arrivât. Mais le seul jour où ce fût possible : un dimanche. Parce que le reste de la semaine elle travaillait et mourir au travail dans le reflet sans fin des glaces, cela aurait fait théâtre. Mauvais théâtre. Il fallait éviter l'anecdote, comme eût dit Reverdy.

Elle y mit toute la discrétion possible.

En rentrant de promenade, ce dimanche de janvier, dans sa chambre du Ritz, elle n'allait déranger personne. Elle s'allongea tout habillée sur son lit de cuivre que ponctuaient quatre grosses boules dorées. Un lit étroit. Un lit pour dormir seule ou pour mourir en Chanel... Là encore il eût été difficile qu'il en fût autrement. Sa camériste, à laquelle elle confiait qu'elle se sentait affreusement fatiguée, ne réussit à la convaincre que d'ôter ses chaussures. Elle se déshabillerait plus tard, après avoir dîné. Bon.

Céline — qu'elle appelait Jeanne parce qu'elle était encore de ces maîtres tout-puissants qui changeaient le nom de leurs domestiques lorsqu'il ne leur convenait pas — Jeanne donc, la laissa reposer sans quitter sa chambre. C'était toujours le dimanche soir que Gabrielle retrouvait ses forces. Et le lundi elle se levait et retournait à son travail.

Sur sa table de nuit en bois blanc deux objets : une bondieuserie de quatre sous, un petit saint Antoine de Padoue façon or, debout sur une sorte de socle-autel, souvenir de son premier voyage à Venise avec Misia. Guérir... Guérir à Venise. Et aussi une icône qui ne l'avait jamais quittée. Le cadeau de Stravinski, en 1925, après son long séjour à *Bel Respiro*. Les murs de la chambre étaient laqués blanc comme dans un hôpital. Gabrielle disait que c'était pour sa simplicité qu'elle aimait cette chambre : « Une vraie chambre pour dormir. » Rien sur les murs, pas un tableau, pas un dessin. « Ah ! non. Pas de ça ici. Ici c'est une chambre, pas un salon. » Dans la pièce d'à côté se déployait un petit paravent très banal, qu'elle appelait : « Mes voyages. » Elle y épinglait les cartes postales que ses amis lui adressaient. Et il y en avait d'autres rangées autour de la glace de sa coiffeuse, sous une forte ampoule. « Ah ! non. Pas de chichis. Ce n'est pas une glace de parade. C'est un miroir qui vous expédie en pleine figure une image vraie. »

Tel était le décor de cette chambre, le dimanche 10 janvier 1971, tandis que Gabrielle était étendue sur son lit et que, dans la pièce voisine, une silhouette immobile l'observait de loin. Seule par conséquent, seule avec une femme pour l'aider à recevoir sa dernière visiteuse. Elle allait mourir seule. Mais qu'est-ce que cela changeait ? On est toujours seul pour mourir, pour écrire...

Soudain Gabrielle cria : « J'étouffe... Jeanne ! » Céline-Jeanne alla vers elle. Gabrielle avait saisi une seringue qu'elle tenait toujours à portée de sa main. Mais elle n'avait plus la force... Et l'ampoule ne se laissait pas briser. Elle eut encore le temps de dire : « Ah ! Elles me tuent... Elles m'auront tuée. » Mais qui ? Qu'était-ce que ces *elles* qui la tuaient ? Etait-ce des robes, était-ce des femmes ? Voilà qu'ensemble *elles* devenaient criminelles. Et ses ouvrières ? Ne la tuaient-*elles* pas aussi ?

Vainement Gabrielle chercha à s'opposer à cette ultime rébellion. Que lui voulaient-*elles* ? Il fallait que ces ombres fussent défaites. Il fallait en découdre. Mais Gabri-*elle* n'en avait plus la force.

« C'est comme cela que l'on meurt », dit-elle.

Céline-Jeanne était là. Elle lui ferma les yeux.

Panarea 1972-Marseille 1974.

INDEX

Table

Les origines

Jeunesse de Gabrielle

Une vocation manquée

Entreteneurs et entretenues

Les bases d'un empire

Les années slaves

Une illusion victorienne
et ce qui s'ensuivit

De quelques bals

Les années allemandes

Premier épilogue

Deuxième épilogue

Edmonde Charles-Roux
dans Le Livre de Poche

Elle, Adrienne n° 3494

Ulric Muhlen, gentilhomme tchèque, est officier dans l'armée allemande. La Seconde Guerre mondiale en fera un envahisseur peu convaincu, puis un vainqueur sceptique. C'est à Paris qu'il rencontre Adrienne. Elle est belle, libre, indépendante et son talent de couturière lui confère une grande renommée. Ulric l'aimera mais jamais il ne parviendra à percer son mystère. Serge, le neveu d'Adrienne, en sait-il davantage ? C'est Adrienne qui l'a conduit à Marseille par les routes bouleversées de l'exode et c'est là qu'elle l'a laissé.

Isabelle Eberhardt

1. *Un désir d'Orient* n° 6971

Le destin d'Isabelle Eberhardt (1877-1904) est longtemps resté auréolé de légende. Une origine russe, une fascination : l'Orient, une conversion à l'islam… De patientes recherches au travers d'archives inédites ont permis à Edmonde Charles-Roux de reconstituer l'itinéraire d'une héroïne mystique, qui décide d'assumer complètement le destin qu'elle sent en elle.

2. *Nomade j'étais* n° 14165

En 1899, Isabelle Eberhardt débarque sur la terre africaine. Durant les quatre années qui lui restent à vivre, la jeune femme va inlassablement parcourir le Maghreb, s'enfonçant dans les déserts, prenant tous les risques, provoquant l'indignation des colons aussi bien que l'admiration d'un Lyautey… Etait-elle une insoumise ? une aventurière ? une mystique attirée par l'islam ?

Oublier Palerme n° 2557

Babs est rédactrice à *Fair*, un magazine new-yorkais de grand prestige. Elle ne semble se soucier que de sa réussite professionnelle. Gianna Meri, son amie, a quitté Palerme écrasée sous les bombardements et les horreurs de la guerre en 1944. Mais la société new-yorkaise l'épouvante et elle ne réussit pas à se couper de son passé. Sa rencontre avec Carmine Bonnavia, lui aussi sicilien et fils d'émigré, donne au séjour américain de Gianna une dimension nouvelle. Carmine comme Babs n'a d'autre désir en tête que celui de réussir une carrière politique et affirme qu'il n'a d'autre patrie que l'Amérique. Mais Palerme ne se laisse pas facilement oublier. *Oublier Palerme* a obtenu le prix Goncourt en 1966.

Du même auteur :

En collaboration avec Maurice Druon, la série *Les Rois maudits*.

Oublier Palerme, Prix Goncourt, Éditions Grasset, 1966.

Elle, Adrienne, roman, Éditions Grasset, 1971.

Le Temps Chanel, Éditions du Chêne, 1979.

Stèle pour un bâtard Don Juan d'Autriche, Éditions Grasset, 1980.

Une enfance sicilienne, Éditions du Chêne, 1981.

Un désir d'Orient, la jeunesse d'Isabelle Eberhardt, tome I, Éditions Grasset, 1989.

Nomade j'étais, les années africaines d'Isabelle Eberhardt, tome II, Éditions Grasset, 1995.

Provence, Éditions Hoëbeke, 1998.

L'Homme de Marseille, Éditions Grasset, 2001.

Isabelle du désert, Éditions Grasset, 2003.

Achevé d'imprimer en décembre 2008, en France sur Presse Offset par
Maury-Imprimeur - 45330 Malesherbes
N° d'imprimeur : 143063
Dépôt légal 1re publication : mars 1977
Édition 08 - décembre 2008
LIBRAIRIE GÉNÉRALE FRANÇAISE - 31, rue de Fleurus - 75278 Paris Cedex 06